HENR

GES
SPANISC

HENRY CHARLES LEA

GESCHICHTE DER SPANISCHEN INQUISITION

DEUTSCH BEARBEITET VON
PROSPER MÜLLENDORFF

In 3 Bänden

BAND 2

GRENO 10 20

Verlegt bei Franz Greno
Nördlingen

Band 2.
Erste Auflage, Juli 1988.
Greno Verlagsgesellschaft m. b. H., Nördlingen.
Gesamtherstellung J. Ebner Ulm.
Die 3 Bände sind nur geschlossen in Kassette lieferbar.
Taschenbuch-Kassette ISBN 3-89190-894-6.
Leinen-Ausgabe in Kassette ISBN 3-89190-115-1.

Inhalt.

giesen. — Allmählicher Verfall der jüdischen Bräuche.
— Austreibung oder beschränkte Einwanderung. — Die
Katastrophe von Mallorca. — Wiederaufleben der Verfolgung nach dem spanischen Erbfolgekrieg. — Er-
löschen des Judentums in Spanien. — Ausschließung
von ausländischen Juden. — Wiederzulassung in Spanien unter der Verfassung von 1869.

Duldsamkeit der Mudéjares; die Kapitulationen von
Granada. — Talavera und Ximénez in Granada. —
Aufstand der Mauren; Zwangsbekehrung. — Isabella
erzwingt die Bekehrung in Kastilien. Vernachlässigung
der Unterweisung. — Verfolgung der Neubekehrten. —
Die Lage in Granada: Bedrückendes Edikt Philipps II.
1567. Empörung der Moriscos. Sie werden verschickt
und verstreut — und gedeihen. — Die Mauren unter
der Krone Aragon. — Valencia: Zwangstaufen durch die
,,Germanía". Untersuchung über Art und Umfang
dieser Taufen. Entschluß zur Erzwingung des Lebens
als Christen. — Karl V. stellt allen Mauren die Wahl
zwischen Verbannung oder Taufe; sie unterwerfen sich.
— Die ,,Concordia" von 1528 gewährt ihnen Befreiung
von der Inquisition. — Die Inquisition mißachtet diese
Abmachung. — Geldbußen als Ersatz für Gütereinziehung. — Regsamkeit der Inquisition; Don Cosme
Abenamir. — Wesenlose Bemühungen zur Unterweisung
und Bekehrung. — Die Gnadenedikte — ihr Fehlschlag. — Vorübergehende Versuche mit Mäßigung. —
Bedauerliche Lage der Moriscos; Verbot der Auswanderung. — Fragen über Taufe, Ehe, Schächten. — Gefährliche Unzufriedenheit der Moriscos. — Verheerungen maurischer Korsaren an der Küste. — Zette-
leien mit fremden Mächten für eine Empörung. —
Pläne zur Abwendung der Gefahr; die Austreibung
wird beschlossen. — Die Ausführung in Valencia, September 1609. — Austreibung aus Granada und Andalusien, Januar 1610. — Gleichzeitiges Vorgehen in
Kastilien. In Aragon und Katalonien, Mai 1610. —
Endgültige Ausrottung der ,,Moros antiguos". — Aufschub der Austreibung in Murcia bis Januar 1614. —
Zahl und Schicksal der Vertriebenen. — Verschleuderung der Konfiskationen.

Übertreibung der Protestantenbewegung in Spanien.
— Freiheit der Äußerung vor der Reformation; Erasmus.

Fünftes Buch

Die Einnahmen.

Erster Abschnitt.

Die Gütereinziehung.

Bei ihrer Errichtung war die Inquisition nicht nur als eine sich selbst erhaltende, sondern auch gewinnbringende Anstalt gedacht. Bis zu welchem Maße die Aussicht auf Gewinn aus dem Mark ihrer Untertanen Ferdinand und Isabella mit bewogen, diese Methode der Glaubensverteidigung anzunehmen, wäre wohl nutzlos zu untersuchen, wohl aber wollten sie nichts von einer Teilung der Beute, wie unter der alten päpstlichen Inquisition in Italien, wissen. Die Beute war der Krone vorbehalten, und die ersten Inquisitoren begleitete 1580 nach Sevilla ein königlicher Beamter als Konfiskationskämmerer, dessen Ernennung zeigt, was von ihm erwartet wurde. Dennoch sollte die Inquisition ihre Kosten aus ihren Erträgen bestreiten. Die Grundlage war die Gütereinziehung, die, gleichviel ob zum Vorteil der Krone oder der Anstalt selbst, drei Jahrhunderte lang in ausgedehntem Maße bewirkt, die gewerbfleißigsten Volksklassen und die Wirtschaft des Landes schwer treffen mußte. Beim Beginn waren die greifbaren Reichtümer Spaniens in den Händen von Juden und Conversos. Nachdem erstere vertrieben, letztere verfolgt und ausgeplündert waren, blieben die Neuchristen mit bewunderungswürdiger Zähigkeit und Geschäftsgewandtheit tätig und bauten neue Vermögen auf, die zu einer einträglichen Verfolgung reizten, und der Anstalt, die mit nicht geringerer Zähigkeit die Vernichtung dieses Volksteiles betrieb, die Mittel zu ihrem Fortbestande lieferten. Es wäre nicht ganz richtig zu behaupten, daß die Inquisition während der letzten Jahrzehnte ihres Daseins erschlafft war weil die Gütereinziehungen aufgehört hatten, indes hat dies unstreitig dazu beigetragen.

Grausam war das Verfahren und wirksam zugleich. Daß jemand, vielleicht in vorgerückten Jahren, um den Ertrag seiner Lebensarbeit gebracht, seine Frau und Kinder bettelarm auf die Straße gesetzt wurden, war eine so schwere Heimsuchung, daß die Schonung des nackten Lebens als eine zweifelhafte Gnade erschien, so daß die Rechtsgelehrten sie der Todesstrafe gleich achteten. Für den Verfolger war dies nebst den finanziellen Vorteilen ein Antrieb, und so können wir uns leicht erklären, warum die Übung so unerbittlich und beharrlich war.

Die Gütereinziehung als Strafe für Verbrechen war ein unangefochtener Grundsatz aus dem römischen Recht. Da die Ketzerei als Verrat an Gott galt, abscheulicher als jeglicher Verrat an weltlichen Fürsten, übernahm die Kirche diesen Grundsatz gleich beim Beginn der regelrechten Ketzerverfolgung. 1163 gebot auf dem Konzil von Tours Alexander III. allen Gewalthabern, die Ketzer zu ergreifen und ihre Güter einzuziehen. 1184 suchte Lucius III. durch das Dekret von Verona das verfallene Gut der Kirche zuzuwenden. Nach dem römischen Recht war das Vermögen eines Verräters von dem Zeitpunkt der ersten Absicht des Verbrechens an verfallen, und in dem Inquisitionsrecht beanspruchte der Fiskal es von der ersten ketzerischen Handlung an.

Unter der Inquisition des 13. Jahrhunderts in Aragon war die Einziehung selbstverständlich. In Kastilien war man milder: nach den Gesetzen Alfonsos X. unterblieb sie, wenn katholische Erben oder Verwandte vorhanden waren, andernfalls erbte der König, außer wenn der Verurteilte ein Kleriker war, und die Kirche ihren Anspruch binnen Jahresfrist geltend machte. Alfonsos Gesetzbuch, die Partidas, wurde jedoch erst 1348 bestätigt. Mittlerweile war man weniger bedenklich geworden. Unter Alfonso XI. und Heinrich III. forderte die Krone das halbe Vermögen eines verurteilten Ketzers. Es war Ferdinand und Isabella vorbehalten, das kanonische Recht in seiner ganzen Strenge stillschweigend anzuwenden. Für die Behauptung eines Zeitgenossen, daß eine Drittelung stattgefunden hätte, mit einem Teil für die Maurenkriege, einem für die Kosten der Inquisition und einem für fromme Zwecke, finden sich keine Belege, vielmehr verwendete die Krone den Anfall nach Belieben.

Streng genommen verfügte die Inquisition die Einziehung nicht, sondern sprach lediglich den Angeklagten des Verbrechens schuldig, das sie bedingte. Zu Anfang scheint sie die Verantwortung gescheut zu haben, denn aus den erhaltenen Berichten über die ersten Prozesse ergibt sich keine bestimmte Formel: bald wurde auf Einziehung erkannt, bald wurde sie vorausgesetzt und die Verkündigung dem Alkalden überlassen. In der Satzung von 1484 wird die Einziehung gegen Lebende nicht erwähnt, beim Verfahren gegen Tote dagegen wird angeordnet, daß die Erben anzuhören seien, damit das Vermögen zum Besten des königlichen Fiskus eingezogen werden könne. Dies wurde damals so aufgefaßt, daß der Inquisitor der Verantwortung enthoben war.[1]

Überhaupt herrschte im Volk Abneigung gegen die Beraubung, niemand wollte dafür verantwortlich sein. Ferdinand verkündigte 1485, die Einziehung geschehe auf Geheiß des Papstes, zur Entledigung seines Gewissens und getreu dem Gebote der Kirche. Wohl auf seine Weisungen hin übernahmen schließlich die Glaubensgerichte die Verantwortung, wie sich aus einem Urteil aus Saragossa von 1491 gegen den verstorbenen Juan de la Gaballería ergibt, worin der König aufgefordert wird, kraft seines heiligen Gehorsams die Güter an sich zu nehmen und zu eigen zu behalten. Indes scheinen nicht alle Gerichte gleich so gehandelt zu haben, denn 1500 erließ Ferdinand Weisungen nach Mallorca, und dort lautete dann die Formel am Schluß des Urteils: der Angeklagte sei der Ketzerei überführt und daher dem Bann und dem Verlust all seiner Güter verfallen; letztere würden dem königlichen Schatz und im Namen des Königs dem Verwalter überwiesen, und zwar vom Beginn der Ketzerei an. Ob die Einziehung selbsttätig eintrat, wurde hierbei umgangen; der Vollstreckungsbefehl des Notars an den Konfiskationsrichter führt jedoch an, Inquisitoren und Ordinarius hätten sie zugunsten des königlichen Schatzes verfügt und durch das Urteil dem Verwalter für den König überwiesen. Wenn noch Ungewißheit herrschte, bereitete ihr ein Runderlaß des Supremos 1626 ein Ende: in allen Fällen formaler Häresie war die Einziehung durch das Urteil zu

---

[1] In Torquemadas Ergänzungssatzung vom Dezember 1484 indes wird das Konfiskationssystem in seiner vollen Strenge auf die außerhalb der Gnadenfrist Ausgesöhnten angewandt.

verfügen; eine etwaige Milderung sei Sache des Großinquisitors. Wirksam wurde die Einziehung, gemäß der Prozeßvorschrift von 1561, von der Urteilsfindung in der Consulta de fe an.

In jener Weisung nach Mallorca hieß es, wenn der Verurteilte ein Kleriker, sei das Vermögen der Partei zuzusprechen, der es gesetzlich zukomme. Das bedeutete die Anerkennung der Rechte der Kirche, allein was tatsächlich gemeint war, scheint fraglich gewesen zu sein. Nach den Partidas sollte die Kirche ihre Ansprüche binnen Jahresfrist geltend machen, indes erklärte Ferdinand 1498, daß ihm in solchen Fällen ein Drittel zufalle. Worauf sich dies begründete, ist nicht zu ersehen, es blieb jedoch Regel bis 1559, wo von dem Vermögen des Dr. Cazalla zwei Drittel dem Bischof von Plasencia überwiesen wurden, der sie jedoch der Inquisition abtrat, wahrscheinlich infolge eines Vergleichs, da letztere alles beanspruchte, und weil Bischof Simancas 1552 erklärt hatte, viele meinten, die Güter der Kleriker gingen an den Bischof, richtiger aber sei, und in Spanien sei es immer so gewesen, daß die Güter dem Fiskus für die Zwecke der Inquisition gehörten. Die Frage war indes noch umstritten, und 1568 erkundigte sich der Supremo bei den Gerichten nach deren Übung. Daß sie schließlich zugunsten der Inquisition gelöst wurde, war unvermeidlich, und im 17. Jahrhundert nahmen die Sachkundigen als selbstredend an, daß die eingezogenen Güter von Klerikern den Gerichten zufielen, obwohl die alte Formel zugunsten der gesetzlich Berechtigten beibehalten blieb. Verfallene Pfründen von Ketzern standen gemäß einem Dekret Pauls IV. von 1556 zur Verfügung des Papstes, und dies wurde noch 1640 als für Spanien geltend angenommen. Seinerseits erhob der Feudaladel Ansprüche, als das Vermögen seiner Hintersassen in dem königlichen Schlund verschwand, und obschon hier gesetzliche Rechte kaum vorhanden waren, beschwichtigte Ferdinand häufig die Großen mit einem Drittel des auf ihrem Gebiet eingezogenen Gutes abzüglich der Prozeßkosten. Letzteres verursachte vielfach Reibungen, da die Beteiligten nicht allzu gewissenhaft waren. Wenn der Beschenkte mit dem Verwalter über die Prozeßkosten nicht einig wurde, kündigte er an, daß er bei der Versteigerung bieten würde und untersagte jedermann, sich daran zu beteiligen. So wurde manchmal ein Vergleich erzwungen. Auch Kardinal Ximénez ließ sich in dieser Weise als weltlicher Herr beschenken, trotz seiner hohen Einnahmen aus seinem Erzbistum und der Stellung als Großinquisitor. Mit der Ausrottung der reichen Conversos und den zunehmenden Kosten der Gerichte kam die Beschenkung adliger Herren außer Brauch.

Die Einziehung traf nach kanonischem Recht jeden Ketzer, gleichviel ob er verstockt blieb und relaxiert und verbrannt, oder nach Reue und Buße ausgesöhnt wurde; in letzterem Falle behielt er nur das nackte Leben. Eine Ausnahme galt für diejenigen, die während der dreißig- oder vierzigtägigen Gnadenfrist aus freien Stücken ihre Sünden bekannten und andere anzeigten: ihnen war Gefängnis und Einziehung erlassen, wohl aber hatten sie öffentlich Buße zu tun und als „Almosen" einen durch die Inquisitoren zu bemessenden Teil ihres Vermögens abzugeben. Es galt dies als eine Gnade des Königs, dem von Rechts wegen das ganze Vermögen verfallen war; daher wurde dem Ausgesöhnten für das ihm zurückgestellte Gut ein förmlicher Besitztitel erteilt, auf Grund dessen er wieder über sein Vermögen verfügen konnte. Doch bezog sich dies nicht auf die Mitleidenschaft der Gebüßten an den Verbrechen anderer: Kinder, die ausgesöhnt waren, konnten die verwirkten Güter ihrer Eltern nicht beanspruchen. Nach Ablauf der Gnadenfrist half auch ein freiwilliges Bekenntnis nichts mehr, die Güter waren und blieben verwirkt, und es wurde ausdrücklich erklärt, daß die Könige nicht geneigt seien, die Strafe nachzulassen, außer in besonderen Fällen, wo sie Milde walten lassen würden. Eine solche Begehrlichkeit mußte den reuigen Sünder abschrecken, aber erst 1597 gebot der Supremo, die Espontaneados, Selbstbekenner, ohne Einziehung auszusöhnen. Trotzdem wurde noch 1677 ein solcher damit gestraft.

Kleinen Kindern wurde die Einziehung manchmal mit Rücksicht auf ihr Alter erlassen, eine Regel hierfür konnte ich jedoch nicht feststellen, die Sache scheint den Gerichten überlassen gewesen zu sein. Es finden sich Fälle, wo die Einziehung stattgefunden hat und andere, wo sie erlassen wurde.

Die Vollstreckung war rein geschäftsmäßig und unerbittlich. Da die Betroffenen, wie erklärlich, zu retten suchten was zu retten war, sollte mit allen Mitteln jeder auch noch so kleine

Verlust vermieden werden. War jemand verhaftet, so wurde all sein erreichbares Gut mit Beschlag belegt und verzeichnet. Seine Papiere und Rechnungen wurden durchgesehen, um seine Guthaben festzustellen, er selbst wurde sofort in der Audiencia de hacienda unter Eid aufs Eindringlichste befragt über alle Teile seines Vermögens, Schulden und Guthaben, Ehevertrag, Ausstattung oder Schenkungen an seine Kinder, deren Nachlaß wenn sie gestorben waren, sowie darüber, ob er für den Fall einer Verhaftung etwas beiseite geschafft, und über alle Dinge, welche die Umstände ergaben. Eine ungenügende oder unwahre Antwort war als Meineid strafbar. Das Abscheulichste an dem Verfahren war die Ausnutzung der Todesangst, indem die Beichtiger während der Nacht, die einem Auto vorherging, die Hinzurichtenden bearbeiteten, damit sie angäben, was sie etwa vor früheren Nachforschungen verborgen hätten. So wurde der eine dazu vermocht, anzugeben, wo er Geschäftsbücher verborgen hatte, ein anderer, welche Guthaben noch verblieben.

Diese Prostitution der Religion kannte keine Grenzen. Natürlich wurde hier mit dem Kirchenbann gearbeitet, der ja auch in weltlichen Dingen Dienste leistete, und alle, die Ketzergut besaßen oder versteckt hielten, fielen darunter. 1486 befiehlt Ferdinand, mit Kirchenstrafen und gegebenenfalls unter Anrufung des weltlichen Armes gegen Notare vorzugehen, die keine Abschriften von den von ihnen getätigten Urkunden über Verpflichtungen gegen Ketzer herausgeben wollten, oder gegen widerspenstige Schuldner von Ketzern. 1500 wirft er einigen Inquisitoren Nachlässigkeit vor, da ihnen bekannt sein müsse, daß wer sich verdächtigt wisse, sein Vermögen zu verbergen oder Dritten anzuvertrauen pflege, wobei die Hehler zum Schaden ihrer Seele dem Bann verfielen und darin blieben, ,,und mein Schatz leidet, weil die Güter der Einziehung entgehen". Um 1645 ist es, wenn eine Hinterziehung vermutet wird, üblich, daß das Gericht von den Kanzeln eine Verfügung verlesen läßt, wonach bei Strafe des Bannes alle, die Ketzergut in Verwahrung haben oder um solches wissen, dem Kommissar oder dem Pfarrer es binnen drei Tagen anzugeben haben. Nach drei Tagen soll dann der Bann mit Meidegebot, nach weiteren drei Tagen der schauerliche Bannfluch (s. Bd. I, S. 412) ergehen.

Es blieb nicht bei den Kirchenstrafen. 1618 wurde in Toledo

ein Hehler von verfallenem Gut zu 500 Dukaten und zwei Jahren beschränkter Verbannung verurteilt. Geschah die Hehlerei zu gunsten eines schon Verurteilten, so kam das Vergehen der Begünstigung von Ketzern hinzu, wie 1697 in Valladolid, wo zwei Personen Vermögensstücke der verurteilten Schwester der einen eingehalten hatten; der Prozeß gegen sie dauerte zwei Jahre.

Wirksam, namentlich in der Frühzeit, wo der Drang der Geschäfte eine genaue Ermittlung erschwerte, war das Anerbieten eines Anteils an dem Gut, das den Nachspürungen der Verwalter entgangen war. Dies führte zur Ausbildung eines besonderen Berufs, des D e l a t o r s, von dem uns in einem gewissen Pedro aus Madrid ein typischer Vertreter erscheint. 1490 wird ihm ein Drittel des von ihm aufgespürten Hehlguts zugesagt, mag es nun verkauft oder Strohmännern anvertraut oder sonstwie versteckt sein. Als er 1494 erklärt, sein Anteil sei zu gering, da er viele Ausgaben habe, nach Frankreich reisen und mit seinen Genossen teilen müsse, bewilligt ihm Ferdinand die Hälfte, sowie denen, die ihm Mitteilung machen, Straffreiheit für früheres Schweigen. Den Angebern hält der König nicht immer Wort, was derselbe Pedro erfahren muß, als er, durch seine 50 Prozent angeregt, mit Erfolg gearbeitet hat: bei der Prüfung der Rechnungen findet 1499 Ferdinand, daß es zu viel sei und Pedro mehr der Saumseligkeit des Kämmerers als seiner eigenen Tätigkeit verdanke, weshalb die Zahlungen vorläufig einzustellen seien. Im folgenden Jahre bewilligt er indes Pedro die Hälfte eines Fundes und behält sich vor, für weitere Entdeckungen von Fall zu Fall den Lohn festzusetzen.

Solche Geschäfte waren häufig, und auch gelegentliche Aufspürer wurden belohnt, so der königliche Obersakristan Don Antonio Cortes, der in Sevilla ein Haus und ein Öllager aus dem „Nachlaß" einer zu immerwährendem Gefängnis verurteilten Frau namhaft zu machen gewußt hatte; er wurde 1501 mit diesen Liegenschaften belohnt. Es gaben sich also auch bessere Leute zu dem unehrbaren Dienste her. Wie es scheint, hat der uns als Verfasser der L i b r o V e r d e bekannte Juan de Anchias auf sein Inquisitionsamt verzichtet, um sich diesem Geschäft widmen zu können, denn einen Streit mit einem Kämmerer um ein Drittel einer aufgespürten Masse schlichtet Ferdinand zu seinen Gunsten. Ein fester Satz war nicht üblich: einer in

Barcelona hatte Anrecht auf ein Siebentel, das Gericht von Mallorca durfte bis 25 Prozent gehen und in einem besonders schwierigen Fall von Teruel und Albarricin wurden dem Angeber 50 Prozent von der beträchtlichen Masse zugesprochen.

Wenngleich der Fiskus auf diese Weise manches erlangte, das den Kämmerern entgangen war, so mußte das System doch zu Durchstechereien zwischen den Spürern und den Beamten führen. Dagegen wandte sich der Supremo 1525, indem er befahl, Belohnungen nur dann zu zahlen, wenn die Beamten nichts von dem Hehlgut wußten und die Aufspürer keine Beamten waren, die ihr Wissen nur aus ihrem Dienst haben konnten. Weitere Anspielungen auf diese Hilfeleistungen habe ich nicht gefunden; wenn auch die Bedeutung der letzteren mit den Einziehungen selbst abnahm, so müssen doch noch bei dem natürlichen Drang der Opfer, ihren Kindern wenigstens einen Teil ihrer Habe zu retten, besondere Abmachungen vorgekommen sein.

Noch grausamer als der Grundsatz war unter der älteren Inquisition die Durchführung der Gütereinziehung. Da diese von dem Zeitpunkt der ersten ketzerischen Handlung galt, waren alle Rechtsgeschäfte des Verurteilten von da ab nichtig, und eine Verjährung gegen die Kirche mußte wenigstens vierzig Jahre betragen und nur ein unantastbarer Christ, der um die Ketzerei des früheren Besitzers nicht wußte, konnte sie geltend machen. Durch Verfolgung der Toten jedoch, wofür es keine Grenze gab, konnte die Inquisition einen mehrere Menschenalter zurückliegenden Besitztitel umwerfen. Das wurde so gehalten, daß alle Guthaben eines Verurteilten bis auf den Pfennig erhoben wurden, seine Schulden dagegen für erloschen galten und die von ihm verkauften Liegenschaften zurückgefordert wurden. Als einzige Milderung wurde gestattet, daß nach einer Erklärung Innozenz' IV. von 1247 unter Umständen einer katholischen Frau ein Leibgeding auf ihre Mitgift zugebilligt werden konnte, während die Kinder als rechtlos enterbt waren.[1]

Erfreulicherweise wurden mit der Zeit unter der spanischen Inquisition einige der schlimmsten Härten dieser allumspannenden

---

[1] Siehe des Verfassers „Inquisition of the Middle Ages", I, 509, 522 bis 524.

Gier abgeschliffen. Da der Güterhandel zum großen Teil in den Händen der Neuchristen lag, können wir uns bei der regen Wirksamkeit der Frühzeit leicht vorstellen, welches Unheil die genaue Ausführung der kanonischen Bestimmungen hervorgerufen hätte, die jedes Geschäft in Frage stellen und jeden Gläubiger um sein Guthaben bringen konnte. Dieser Erwägung konnten sich die Herrscher nicht verschließen. Sie waren daher weise genug, ihre Ansprüche nicht in vollem Masse zu erheben, zeigten aber, daß sie sich ihrer Rechte bewußt waren, indem sie durch die Satzung von 1484 erst ihren Anspruch auf das Ganze feststellen, dann aber erklären ließen, aus Gnade, und um ihren Vasallen, die Geschäfte mit Ketzern getrieben hätten, Bedrängnis zu ersparen, sollten alle vor 1479 liegenden Verkäufe, Schenkungen, Tausch- und Vertragsgeschäfte gelten, sofern sie sich als echt erwiesen. Eine betrügerische Ausnutzung dieser Bestimmung wurde bei ausgesöhnten Ketzern mit 100 Hieben und Brandmarken im Gesicht, bei Christen mit Güterverlust, Unfähigkeit, sowie Strafen nach königlichem Ermessen geahndet.[1]

Diese Erleichterung galt also nur für Geschäfte, die vor der Einführung der Inquisition lagen; bei allen späteren dagegen konnte niemand wissen, ob der Bankherr, Kaufmann oder Händler, mit dem er abgeschlossen, nicht sehr bald dem h. Offizium verfallen würde. Es war ein schwerer Schlag für den Kredit, eine stetige Gefährdung aller Geschäfte. Die Gerichte hielten sich nicht an die Verjährung und mußten 1491 und 1502 daran erinnert werden. 1499 ließ Ferdinand einer Frau die Mitgift zurückerstatten, die ihr kurz vorher verurteilter Großvater ihrer Mutter 1475, 24 Jahre vorher, gegeben hatte; 1509 erhielt eine Witwe nebst ihren Kindern ein Haus zurück, das ihr Mann 1474, 35 Jahre vorher, von einem inzwischen verurteilten Ketzer gekauft hatte.

Nach der Satzung von 1484 waren Verurteilungen mit Gütereinziehung gegen Verstorbene zulässig, auch wenn diese vor vierzig oder fünfzig Jahren gestorben waren. Dadurch wäre

---

[1] Satzung von 1484. Diese Bestimmung befindet sich in der Ergänzungssatzung von 1484, jedoch mit einer Unterscheidung, indem sie auf die Ausgesöhnten beschränkt wird, während die Verurteilten der vollen Strenge des Gesetzes anheimfallen. Es kommt auch eine Bestimmung über die Schulden und Veräußerungen der während der Gnadenzeit Ausgesöhnten vor.

die Verjährung gegen die Inquisition tatsächlich ausgeschlossen gewesen, da die geschäftlichen Handlungen der Verstorbenen um weitere vierzig oder fünfzig Jahren zurückliegen konnten. So wurde es auch 1640 nach dem damals gedruckten Wortlaut der Satzung ausgelegt. In dieser Ausgabe fehlte jedoch eine Klausel von 1484, wonach gutgläubig handelnde Christen als Erben oder Eigentümer von Gütern, die von einem Ketzer herrührten, nicht behelligt werden durften, wenn dieser bei der Einleitung des Verfahrens gegen sein Andenken bereits über fünfzig Jahre tot war. Die Weglassung ist bezeichnend. Man kann sich danach vorstellen, wie unsicher die Besitztitel an Werten waren, die einmal Neuchristen gehört hatten.

Bei den Abwehrversuchen der Aragonier gegen die Inquisition spielte die Ungerechtigkeit bei der Gütereinziehung wesentlich mit. Eine auf den Cortes von Monzon 1512 vorgebrachte Beschwerde kennzeichnet das System. Die Verwaltung Aragons hatte gegen Schuldscheine Darlehen bei zwei Personen aufgenommen, die wegen Ketzerei verurteilt wurden. Obschon sie nachweisen konnten, daß die Schuld vor 29 Jahren abgetragen worden war, verlangte der Kämmerer nochmalige Zahlung, weil die ketzerischen Handlungen der beiden weiter zurücklägen, die erteilte Entlastung daher ungültig sei. Ein Gesuch an Ferdinand wurde ausweichend beschieden. Trotzdem erwirkten die Cortes eine 30jährige Gefristung, die durch die päpstlichen Bullen von 1516 und 1520 bestätigt wurde, durch letztere dahin, daß vor Einziehung geschützt sei das von Personen, die nicht allgemein als Ketzer bekannt waren aber doch später verurteilt wurden, gutgläubig erworbene Gut, auch wenn die 30jährige Frist nicht abgelaufen sei. Dies galt auch für alle schwebenden Fälle, und zu größerem Nachdruck sprach Karl alle in Betracht kommenden Güter den Inhabern zu. Wir wissen, daß die Inquisition die Concordia nicht einhielt und sogar deren Bestehen ableugnete. Kastilien hatte nicht mehr Glück. Karl lehnte ein Gesuch, daß den Katholiken die seit drei Jahren in ihrem Besitz befindlichen Güter, sowie den katholischen Frauen ihre Mitgift zu belassen sei, rundweg ab. Schließlich wurde die Frage im Sinne der kanonischen Satzung vom 40jährigen ungestörten Besitz durch rechtgläubige Katholiken gelöst; die alten spanischen Vorschriften, erklärte im 16. Jahrhundert Simancas, seien abgeschafft.

Mit Bezug auf die Ansprüche gegen verurteilte Ketzer brachte
die neue Inquisition eine wesentliche Milderung, indem sie die Forderungen der Gläubiger anerkannte, wenn auch nicht gleich in
der Frühzeit, wo die Nachricht, daß die Schulden wie die Guthaben der Verurteilten der Inquisition verfielen, allgemeine Bestürzung hervorrief. Viele, die sich nicht sicher fühlten, waren
geflohen, Flucht galt als Geständnis und führte zu einer sum-
marischen Verurteilung. Die alsdann betroffenen Gläubiger
waren sowohl öffentliche und kirchliche Körperschaften wie
Privatpersonen. Die Lage, die dadurch entstand, ergibt sich
aus den Berichten von Jerez de la Frontera, wo die Erhebung
der städtischen Abgaben Conversos anvertraut gewesen, die geflohen waren, und da die Verwaltung der öffentlichen Gelder
zum großen Teil in ihrer Hand gelegen, Schulden an die Stadt
und die Kirche hinterlassen hatten. Als die Stadt sich 1481
an Ferdinand um Anerkennung ihrer Forderungen wandte, verwies er die Sache einfach an denselben Beamten, der seit einem
Jahre die Konfiskationsmasse einzutreiben suchte. Das bedeutet
wenig Gutes; die Akten enthalten nichts über den Ausgang,
allein wenn alle Bemühungen der Behörden nur dahin führten,
daß man sich an die mit der Bergung der Beute beauftragten
Beamten wenden mußte, waren die Herrscher kaum geneigt,
auf ihre Rechte zu verzichten.

Gemäß der Satzung von 1484/85 war dem Fiskus ausdrücklich das Recht vorbehalten, die Zahlung von Schulden aus der
Masse abzulehnen, ohne Zugeständnis für Schulden, die nach
1479 eingegangen waren. In solchen Fällen war die Übung
widerspruchsvoll. Einmal wurde aus einer Masse gemäß einem
Entscheid Ferdinands die Zahlung des Lohnes maurischer Dienstboten verfügt. Hingegen erlangte der Sekretär des Supremos,
Calcena, von Ferdinand die Ablehnung von Hypothekenforde-
rungen auf das ihm geschenkte Schloß eines Verurteilten, weil
die Forderung nach Eintritt der Straffälligkeit entstanden sei.
Umgekehrt erhielt derselbe Calcena eine Anweisung, mit Vor-
rang sogar, auf die Masse eines Verurteilten, dem er Geld ge-
liehen hatte.

Indes wurden die Rechte der Gläubiger anerkannt. Nach
der Satzung von 1498 sollten unzweifelhafte Forderungen an
beschlagnahmte Massen unverzüglich beglichen werden; nach

der Einziehung erging dann eine Art Konkurseröffnung mit Aufforderung an die Gläubiger, innerhalb einer bestimmten Frist
ihre Ansprüche anzumelden; bis über diese entschieden war,
durften die dadurch belasteten Güter nicht verkauft werden.
Trotzdem zeigten sich die Kämmerer häufig spröde gegen die
Gläubiger und Ferdinand mußte oftmals angerufen werden.

Eine Prüfung der Register der Konfiskationskammer Valencia
von 1531 und 1532 ergibt, daß im großen ganzen das Gesetz genau
befolgt wurde, ob es der Inquisition günstig war oder nicht.
Mägdelöhne wurden immer bezahlt, wenn auch mit willkürlichen
Abzügen. Schließlich siegte Redlichkeit, indem 1543 der Supremo die Gerichte anwies, in erster Linie die gehörig beglau-
bigten Forderungen zu bezahlen; doch mußte dies 1546 und
1547 wiederholt werden, denn die Gläubiger hatten keinen
leichten Stand gegenüber den Kämmerern und deren Advokaten.
1565, nachdem Pierre und Gilles de Bonneville in Toledo wegen
Protestantismus verbrannt worden waren, ließ der Konfiskationsrichter angesichts der zahlreichen Gläubigerforderungen bei den
Inquisitoren anfragen, von wann ab die ketzerischen Handlungen zu rechnen seien. Die Antwort lautete: von 1550 ab;
womit die in Verfall geratene kanonische Regel von der Un-
gültigkeit der nach der angenommenen Straffälligkeit einge-
gangenen Verbindlichkeiten wieder in Kraft gesetzt worden wäre.
Daß allerlei Schikanen geübt wurden, um die Geduld der Parteien zu erschöpfen und die Kosten hochzutreiben, gibt die
Denkschrift des Supremos von 1623 offen zu: die Klagen der
Gläubiger brächten dem Ansehen der Inquisition viel Schaden,
da das eingezogene Gut nur zum Vorteil derer verwaltet werde,
die dazu von dem Juez de los bienes, gewöhnlich aus seinen
Freunden, bestellt worden seien, und zu deren Nutzen die Verhandlungen bis ins Unendliche verschleppt würden. Wie konnte
dem anders sein bei der Geheimtuerei, dem Mangel an Aufsicht
und der Milde gegen Amtsvergehen? Man kann den Schaden
nicht unterschätzen, der entstand, wenn die Angeklagten Kaufherren mit weitverzweigten und verwickelten Geschäftsver-
bindungen waren, wie bei den großen Konfiskationen in Mexiko
und Peru von 1630 bis 1650, und auf Mallorca 1678, wo die
Gelder und Waren der Gläubiger zum Nachteil für deren Kredit
unbegrenzt lange gesperrt wurden. Das Wagnis, das so über

jedem Geschäft schwebte, hat nicht zum wenigsten zum Niedergang des spanischen Handels beigetragen. 1635 wurde angeordnet, keine Zahlung oder Aushändigung an Gläubiger zu verfügen, welche Titel sie auch vorbringen möchten, bevor der Supremo entschieden habe; eine Ausnahme galt nur für die Forderungen des Königs, die sofort zu zahlen waren. 1721 wurde das Verbot der Schuldenzahlung absolut, mit Ausnahme kleiner Forderungen wie Löhne und Hausmiete. Wie die Ausländer sich vor den Entscheidungen der Konfiskationsrichter fürchten mußten, beweist die auffällige Klausel des Vertrages von 1665 mit England: daß bei der Beschlagnahme von Gütern durch das Gericht des einen Staates die Vermögensobjekte oder Guthaben eines Untertanen des anderen Staates nicht eingezogen werden dürften, sondern dem Eigentümer zurückgestellt werden müßten. Immerhin hatte die spanische Inquisition den Gläubigern weniger Härte bewiesen als das kanonische Recht, wiewohl ihre Beamten nach Möglichkeit diese Milderung durch ihr Vorgehen wettmachten.

Auch in der Frage der Mitgiften von Ehefrauen wurde die alte Strenge teilweise gemildert. Durch die Ketzerei der Frau war die Mitgift verwirkt, nicht aber durch die des Mannes, und in letzterem Falle ging sie auf ihre Kinder über. Ungemein hart wirkte indes die Bestimmung, daß, wenn die Eltern der Frau zu dem Zeitpunkt ihrer Heirat straffällig waren, die Mitgift dem Fiskus verfallen war. Dadurch fand sich manches Ehepaar nach langjähriger Verbindung plötzlich beraubt infolge der Verurteilung von Eltern, die als treue Christen gegolten hatten, und bei den häufigen Mischehen aus der älteren Zeit traf der Schlag oft Altchristen. Verzweifelte Bitten an Ferdinand hatten nicht selten Erfolg. 1513 wandte sich ein Bewohner von Elche an ihn: vor 25 Jahren habe er geheiratet, vor acht Jahren seien seine Schwiegereltern verurteilt worden; jetzt verlange man die Mitgift von 10 000 Sueldos; er aber sei ein armer Junker, und wenn er das Geld herausgebe, müsse er mit Frau und Kindern ins Armenhaus; Ferdinand verzichtete gnädig. Noch eigentümlicher war der Fall eines Mannes aus Mallorca, der auf Handelsfahrten nach Tunesien von einem Bruder Barbarossas zum Sklaven gemacht und nach 42 Monaten Gefangenschaft für

400 Dukaten ausgelöst wurde: bei seiner Heimkehr 1520 erfuhr
er, daß seine Schwiegermutter wegen Ketzerei verurteilt worden
sei und der Kämmerer die Mitgift seiner Frau einfordere. Sein
Gesuch an Kardinal Hadrian beschied Karl V. auf Nachlaß, falls
die Geschichte wahr sei und er nicht zahlen könne. Erschwerend
wirkte es, wenn des Aufwandes halber in einem Heiratsvertrag
eine höhere Mitgift eingestellt als tatsächlich ausbezahlt worden
war; in einem solchen Falle beschwor der Gatte, nur die Hälfte
erhalten zu haben.

Die Mitgiften von Nonnen wurden rücksichtslos beansprucht;
in einem Falle ließ Ferdinand Gnade für Recht ergehen.

Wenngleich die Mitgift der rechtgläubigen Frau eines Ketzers
von der Einziehung ausgenommen war, wurde sie dadurch gefährdet, daß die Vermögensmasse bei einer langen Untersuchungshaft, während der die Familie für den Unterhalt des Gefangenen
aufkommen mußte, und wegen der Preisschleuderung bei der
unumgänglichen Versteigerung des verfallenen Gutes, zur Deckung
der Schulden nicht ausreichte. In häufigen Fällen dieser Art
vor dem Konfiskationsrichter von Valencia 1531 wurden die
Ansprüche der Frau anerkannt und in billiger Weise erledigt.[1]

Dieser Berechtigung der Frau gegenüber stand die Verpflichtung des Mannes auf Herausgabe der Mitgift seiner Frau, wenn
diese wegen Ketzerei verurteilt oder ausgesöhnt worden war. So
erging es 1549 einem Hidalgo aus Cuenca. In einem Gesuch
an den Großinquisitor Valdés legte er dar, daß er und seine
Vorfahren treu der Krone gedient hätten, und er nun 150 Dukaten als die Mitgift seiner Frau herausgeben solle; da er das
nicht vermochte, sei er in Schuldhaft genommen worden und
habe einen großen Teil seiner Habe veräußert und 50 Dukaten
abbezahlt. Er bat um Nachlaß des Restes. Ferdinand hätte
ihm das bewilligt, Valdés jedoch gab ihm nur sechs Jahre Aufschub unter guter Bürgschaft.

Schwierig gestaltete sich die Abwickelung durch die Berechnung der Errungenschaften einer ehelichen Gütergemeinschaft.

---

[1] [Im Anhang des II. Bandes des Originalwerkes druckt der Verfasser
eine Quittung der Doña Beatriz Despuch, Witwe des Pere Alcañiz, an den
Kämmerer ab: sie hinterläßt das Geld aus ihrem Wittum in dessen Händen,
in Abwartung der Ansprüche wegen gewisser Stücke aus dem Hausrat, die
sie aus dem weggenommenen Vermögen erstanden hat. — P. M.]

Nach dem Gesetz von Toro von 1505 konnte ein Ehegatte nicht mehr als die Hälfte dieser Errungenschaften verlieren, wenn das Verbrechen des anderen mit Einziehung geahndet war. Dies galt auch für Ketzerei, und zwar zählten die Errungenschaften bis zur Verhängung der Einziehung; dies blieb in Kraft. Welche Verwickelungen dabei entstehen konnten, möge ein Fall von 1520 aus Valladolid dartun. Ein Kaufmann aus Zamora war dort auf einem Auto de fe ausgesöhnt worden. Seine Geschäfte waren sehr verzweigt, die Schulden und Guthaben mannigfaltig, und er hatte keine Bücher geführt; sein väterliches Erbe war zwischen ihm und seinen Brüdern ungeteilt und seine Frau erhob Anspruch auf ihre Mitgift und ihren Anteil an den Errungenschaften. Die einzig mögliche Lösung war ein Vergleich: die Frau und die Brüder zahlten gegen entsprechende Sicherstellung 450 000 Maravedí in Abständen. Das Gericht von Valencia ersann ein Mittel, um die Ansprüche einer Frau auf die Errungenschaften zurückzuweisen. Es sprach 1532 der Witwe eines Verbrannten zwar ihre Mitgift, nicht aber den Anteil an den Errungenschaften zu, weil sich aus dem Zeitpunkt der ketzerischen Handlungen ergebe, daß der Verurteilte rechtmäßig keine Erwerbungen mehr machen konnte.

Die Befreiung derjenigen, die während der Gnadenfrist Geständnisse abgelegt hatten und ausgesöhnt worden waren, von der Strafe der Gütereinziehung zeitigte eine häßliche Erscheinung von Geldgier, welche die gesetzliche Beraubung der Neuchristen bei allen Ständen hervorrief. Da sie als rechtlos galten, verleugneten Prälaten, Kapitel, Äbte, Priore und Vorsteher von Krankenhäusern und anderen wohltätigen Anstalten jede Hypothekenschuld gegen sie und waren durch nichts zur Leistung zu bewegen. Die Folge war, daß viele die Aussöhnung nicht suchten. Dadurch kam der Fiskus jedoch um die hohen Geldstrafen, die ihnen aufgelegt werden konnten. Deshalb wandten sich Ferdinand und Isabella an Innozenz VIII. um Abhilfe, worauf er 1486 ein Breve erließ, das nach Aufführung dieser Tatsachen den Ausgesöhnten ihre Hypotheken- und Pfandrechte zuspricht und die Urteile, welche die Schuldner dagegen erwirken könnten, für nichtig erklärt.

In allen Fällen, wo keine Ausnahmen von den alten Inquisitionsvorschriften galten, kannte man in Spanien keine Rücksicht. Vergebens stellte Innozenz VIII., wahrscheinlich durch das Gold der Conversos gewonnen, 1486 den Herrschern vor, da die eingezogenen Güter ihnen zugesprochen seien, würden sie die Büßenden im Glauben stärken, wenn die den Ausgesöhnten ihr Vermögen ließen. Es war vorteilhafter, der Begehrlichkeit ein Glaubensmäntelchen umzutun. So beantwortete der Supremo 1533 eine Bitte der Stände von Valencia um Befreiung auch der Kinder zwangsbekehrter Moriscos von der Einziehung, die ihren Eltern erlassen war: die Einziehung sei das meistgefürchtete Schreckmittel gegen Ketzerei; was die abschreckende Wirkung der Verbrennung angehe, so nehme die Kirche alle Reuigen zur Aussöhnung an, und wenn die Einziehung nicht wäre, gingen sie straffrei aus. In demselben Sinne legt Bischof Simancas dar, es geschehe zum allgemeinen Besten, wenn man die Kinder zu Bettlern mache, deshalb habe man wohlgetan, das alte Gesetz abzuschaffen, wonach katholische Ketzerkinder erbfähig waren.

So herzlos dachte man um die Mitte des 16. Jahrhunderts. Ursprünglich war man milder gewesen, wohl aus Nachwirkung alter Gesetze. Die Satzung von 1484 enthielt Weisungen für die Fürsorgeerziehung der Kinder verbrannter oder zu Gefangenschaft verurteilter Eltern und gab der Absicht der Herrscher Ausdruck, daß, wenn die Kinder sich bewährten, sie Almosen erhalten sollten, namentlich die Mädchen, um in die Ehe oder in ein Kloster treten zu können. Es findet sich kein Anhalt dafür, daß diese Vorschrift systematisch befolgt worden sei, wohl aber sind gelegentliche Freigebigkeiten Ferdinands bekannt. Einmal jedoch, 1486, verwandten sich die Inquisitoren von Saragossa bei ihm für einige Verurteilte mit zahlreichen Töchtern, die auf schlechte Wege geraten könnten. Er mißtraute der Aufrichtigkeit der Angaben, da er seine Leute von Saragossa genau kenne, und befahl den Inquisitoren, sich nicht täuschen zu lassen und ihm eingehend über die Personen und Verhältnisse zu berichten. Es lag also keine Verpflichtung vor, alles hing von einer gnädigen Regung ab, und da die Inquisition leben mußte, hörte die Gnade auf als die Konfiskationsgelder weniger reichlich flossen und der von Inquisitoren wie Simancas vertretene Satz galt, der Dienst Gottes fordere die Opferung von Unschuldigen.

Nichts war den Beamten zu gering für den Staatsschatz. Sogar die Betten und Kleider der Hingerichteten nahmen sie weg, wie sich daraus ergibt, daß solche Gegenstände manchmal an Beamte verschenkt wurden. Bei der Besetzung Neapels durch Karl VIII. von Frankreich, 1495, flohen viele Spanier dorthin, wurden aber auf der Fahrt von frommen Schiffern ausgezogen. Das war ein Eingriff in die Rechte des Fiskus, es wurde daher ein Kommissar nach Biscaya und Guipuzcoa gesandt, um die den Ketzern gestohlenen Juwelen und Waren wegzunehmen und zu versteigern. Den Gehilfen eines 1513 verurteilten Gerichtskanzlisten von Segorbe wurden die Sporteln abgefordert, die sie während seiner Amtszeit von ihm erhalten hatten. Ein Sterbender durfte kein Testament machen, wenn sein Sohn ein Ketzer war: 1514 war ein Kaufmann aus Sevilla, dessen Sohn verurteilt worden war, in einem Spital von Bayonne gestorben und hatte dieser Anstalt einen Wechsel hinterlassen; als der Spitalverwalter in Sevilla erschien, um das Geld zu erheben, legte der Kämmerer Beschlag darauf, und nur weil es sich um eine wohltätige Anstalt handelte, überließ es ihr der Supremo. Ebenso wurde es den Kindern von Verurteilten gegenüber gehalten: ein in Rom ansässiger mallorcanischer Kaufmann wollte mit seinem Heimatlande Geschäfte treiben, befürchtete aber eine Beschlagnahme seiner Waren durch die Inquisition, weil sein Vater und Großvater verurteilt worden waren und die Deutung möglich war, daß er sein Vermögen von ihnen hätte; Ferdinand bewilligte um 1511 ihm einen Schutzbrief, der ihm aber jederzeit gekündigt werden konnte.

Was immer ein Ketzer berührte, galt als befleckt. Schiffe, auf denen Ketzer fuhren, waren mitsamt der Ladung verwirkt. Ein Kaufmann aus Gaeta, der Baumwolle auf einem biskayischen Schiff nach Alicante verfrachtet hatte, verlor die Ladung, weil zwei Inquisitionsverurteilte an Bord waren, erhielt jedoch seinen Anteil am Erlös der Versteigerung wieder, weil ein einflußreicher Prälat sich für ihn verwandte; die übrigen Betroffenen gingen wohl leer aus. In einem ähnlichen Falle von 1511 aus Sevilla, wo einem Portugiesen eine Pfefferladung weggenommen worden war, nutzte selbst die Verwendung seines Königs Manoel nichts, indem Ferdinand geltend machte, der Portugiese habe seinem König den Pfeffer mit Wechseln bezahlt, die Ketzer ausgestellt

hätten, also mit ketzerischem Gelde, und damit war die Ware
selbst verfallen.

Dies war stehender Brauch. 1634 legte die Inquisition Beschlag auf Waren und Guthaben portugiesischer Händler aus
Holland, Hamburg und Frankreich, die mit Spanien Handel
trieben. Sie hatte durch Kundschafter im Auslande ermittelt,
daß es Juden seien. Die Geschädigten wehrten sich und ließen
ihre Rechtgläubigkeit bescheinigen, und es gab langwierige Verhandlungen. Ein Gutachten des Dr. Juan de Gosa ging dahin,
die Einziehung sei berechtigt, obschon die Kläger keine Spanier,
nicht in Spanien ansässig und nicht dort verurteilt seien; gemäß
dem kanonischen Recht aber habe der Ketzer keine Rechte,
jeder Katholik könne ihn berauben; Ketzerei sei ein Verbrechen,
das die ganze Christenheit schädige; Beweise seien nicht nötig,
da die Leute aus Portugal geflohen seien, offenbar um ihren
ketzerischen Neigungen nachzugehen und in Amsterdam und
anderswo die Synagogen besuchten; die Inquisition dürfe das
Gut behalten, zu ihrer besseren Rechtfertigung aber solle sie die
Eigentümer aufbieten, binnen einer gewissen Frist ihre Rechte
geltend zu machen, oder sie könnten einen Verteidiger stellen,
auf keinen Fall aber dürfe die Sperre aufgehoben werden. Es
läßt sich denken, wie unter diesen Umständen der spanische
Handel fuhr.

Mit Ausnahme der Verjährungsgrenze von 1479 waren alle
Rechtsgeschäfte nichtig, die ein Ketzer nach Begehung einer
schuldbaren Handlung abgeschlossen hatte; nur das eine ließ man
gelten, daß einem Verkäufer Verbesserungen an dem gekauften
Gut verrechnet wurden; dieses selbst mußte er zurückgeben. Die
Härte, die Dritte traf, milderte Ferdinand in vielen Fällen, mit
der Zeit indes wurde die Inquisition unerbittlich. 1539 verwies
sie es dem Inquisitor von Saragossa, daß er den Käufern von
eingezogenen Grundstücken, die sie herausgeben müßten, den
Kaufpreis zuspreche, was gegen Gesetz und Brauch verstoße.
Die Frage wurde in der Folge wohl nicht mehr aufgeworfen.
Eine Vorschrift, die Simancas erwähnt, daß, wenn in einer Masse
der Gegenwert eines gekauften Gutes vorgefunden werde, er dem
Käufer zurückzuerstatten sei, wurde nicht beachtet: die Inquisition behielt das Geld und nahm das Gut.

Ferdinand und Isabella zeigten sich großmütig, indem sie christlichen Sklaven auf eingezogenen Gütern die Freiheit gaben. Die Satzung von 1484 dehnt dies auf die christlichen Sklaven derer aus, die unter dem Gnadenedikt ausgesöhnt worden, mithin von der Einziehung verschont waren. Schwierigkeiten entstanden, wenn der Freigelassene zur Hälfte einem guten Christen gehörte; diesem überließ man dann wohl das Nachsehen. Zwar schrieb eine Weisung von etwa 1500 vor, für gute Unterbringung und Löhnung solcher Freigelassener zu sorgen — in einer Art Leibeigenschaft —, doch die Inquisitoren scheinen sich manchmal die Sklaven angeeignet zu haben, anstatt sie freizulassen und sie wurden deshalb 1516 zurechtgewiesen, auch angehalten, die Leute während der Untersuchungshaft des Besitzers in Lohndienst zu geben und den Ertrag davon zu verrechnen. 1526 indes deckte eine Besichtigung in Sizilien ähnliche Mißbräuche auf. Hier und da verloren die Schuldigen mit ihrem Vermögen die Freiheit. Einer der seltenen Fälle, in denen Isabella mit Ferdinand in die Inquisitionsdinge eingriff, ist eine Weisung beider an den Statthalter von Sevilla, von 1598, gewisse verurteilte Juden für Rechnung des dortigen Gerichtes zu verkaufen. Ebenso wurde 1500 über ein Ehepaar von Antequera, diesmal zugunsten des Fiskus, verfügt.

Säumige Schuldner einer Konfiskationsmasse, Männer, die das eingebrachte Gut ihrer Frau nicht sofort herausgeben konnten, wurden rücksichtslos in Schuldhaft gesetzt. Manchmal erwies sich jedoch Gnade als Klugheit, wie in einem Falle von 1509, wo einem Manne gestattet wurde, auf das wegen Ketzerei seiner Schwiegereltern weggenommene Vermögen seiner Frau bis zu einem gewissen Betrage zu bieten, der ihm auf ein Jahr gestundet wurde. Er machte gute Geschäfte, leistete die Zahlung pünktlich und wurde mit der Zeit wohlhabend. Er hätte ursprünglich 50 000 Maravedí zahlen sollen, man hatte sich aber vergleichsweise mit 17 000 begnügt, welche die Versteigerung ergeben hatte. Daraufhin wurde ihm nach zehn Jahren der Rest von 33 000 Maravedí abgefordert. Da indes einige Mitglieder des Supremos Bedenken hatten, ob dieser spätere Erwerb mithafte, verglich man sich mit ihm auf die Hälfte des Restes. In dieser Weise wurde der Riesenraub einige hundert Jahre lang betrieben.

Das umständliche Einziehungsverfahren läßt sich in den Registern von Valencia von 1530 und 1531 erkennen. Nach einer Verhaftung mit Beschlagnahme eröffnete der Kämmerer in seinem Libro de manifestaciones eine laufende Rechnung, in die der Sequesternotar alle aufgenommenen Objekte eintrug. Es folgte die Audiencia de hacienda, das Verhör des Angeklagten, sowie die Aufforderung an die Schuldner, sich zu melden; ihre Verpflichtungen wurden ebenfalls gebucht. War der Angeklagte ein Geschäftsmann, so wurden seine Bücher geprüft und seine Guthaben verzeichnet. Jede Angabe, auch von Hörensagen, wurde sorgfältig vermerkt, kein Mittel zur Erkundung blieb unbenutzt. Viel bediente man sich der Gespräche mit Mitgefangenen, in der Annahme, daß der Betroffene in den trüben Kerkerstunden mit ihnen über seine Geschäfte geplaudert habe. So bezeugte 1527 Violante Salvador, Leonor Bonin habe ihr mitgeteilt, daß Angela Parda bei ihrer Verhaftung der Leonor Manresa einige kleine Geldstücke übergeben habe. Angela Parda und Leonor Bonin wurden verbrannt, Violante Salvador ausgesöhnt. Leonor Manresa wurde für das ihr anvertraute Geld zur Rechenschaft gezogen, leugnete unter Eid, etwas erhalten zu haben, und da kein sonstiges Zeugnis vorlag, wurde auf die paar Pfennige verzichtet.

Hartnäckig wurde die Spur jeder Angabe verfolgt. Eine Frau mußte von 1524—1531 manches Kreuzverhör gegen eine Nonne bestehen, die von Hörensagen wissen wollte, daß der Mann vor seiner Verhaftung eine größere Menge Waren versteckt gehabt habe. Die Frau — oder Witwe — wies nach, daß es sich nur um zwei Stücke handle, die bei der Masse waren, und wurde schließlich, da sie bei der Sache blieb, entlassen. Diese Beharrlichkeit erklärt sich daraus, daß der Kämmerer für jedes eingetragene Stück haftete, bis er nachweisen konnte, daß es nicht beizutreiben sei und der Richter ihm dafür Entlastung erteilte. In einem Falle erfolgte dies erst nach zwanzig Jahren.

Man beschränkte sich nicht auf die Androhung des Bannes gegen diejenigen, die verschwiegen, was sie von Hehlgut wußten; der Kämmerer erhielt die weitesten Vollmachten für seine Nachforschungen. Bei den ersten Ernennungen für Aragon 1484 wurden alle geistlichen und weltlichen Behörden angewiesen, ihm behilflich zu sein, bei Strafe des königlichen Zornes und 3000 Goldgulden.

Das genügte wohl nicht, denn in einer Vollmacht von 1519 für einen Kämmerer findet sich die Ermächtigung, nach freiem Ermessen über alle, welche die Aushändigung eingezogenen Gutes verweigerten oder verzögerten, sowie über alle, die ihm auf Verlangen nicht zu Diensten waren, Strafen zu verhängen; die Strafen gegen erstere waren von vornherein bestätigt. Gewissenlose Beamte freilich konnten sich eine solche Lage zunutze machen. Groß war der Schrecken, den diese Verwalter verbreiteten. Da war es ein Glück, wenn hier und da ein Gericht die Geldgier eines schurkischen Verwalters zügelte: 1532 wurde einer gezwungen, die Gelder zurückzuerstatten, die er auf eine Leibrente bezogen hatte, die ihm nicht zukam; aus Furcht hatte der Schuldner 25 Jahre nach dem Tode des Berechtigten die Rente an den Verwalter weiter bezahlt.

Die Verwirrung und Härte, die das Einziehungsgeschäft mit sich brachte, läßt sich kaum übertreiben. Einige Beispiele mögen dartun, welch mannigfaltige Interessen durch das Verfahren geschädigt wurden. Anfang 1498 wurde Ferdinand durch die Nachricht von der Verhaftung des stellvertretenden Kronschatzmeisters von Katalonien, Jaime de Casafranca, überrascht. Die Sperre der Staatsgelder, die zum Teil für die Ausbesserung der Befestigungen von Roussillon bestimmt waren, konnte die schwersten Folgen haben. Privatinteressen wären dem Schicksal preisgegeben gewesen, hier aber befahl der König die Überweisung der Gelder an den Fiskaladvokaten, dem u. a. aufgegeben wurde, in einer genauen Aufstellung die öffentlichen Gelder und die Vermögensteile Casafrancas genau auseinander zu halten. Dann erteilte er Casafranca noch einen Auftrag für die eilige Abfertigung eines Kuriers nach Genua und gab Weisung für die Aufbewahrung verschiedener Gegenstände, die Dritten gehörten und die Casafranca in Verwahr gehabt hatte. Dem Gericht empfahl er überdies, gegen Casafranca Rücksicht zu üben, da die Anschuldigung böswillig sein könne. Trotzdem wurde Casafranca verurteilt und Ferdinand tröstete dessen Kinder mit einigen Bruchstücken des Vermögens.

Was ein Neuchrist von der allumspannenden Tätigkeit der Inquisition zu gewärtigen hatte, zeigt sich in dem Falle des Gilabert de Santa Cruz. Nachdem sein gleichnamiger Vater ver-

urteilt worden war, schloß er mit dem Kämmerer einen Vergleich, wodurch er einen Teil der Masse als Entgelt für die Mitgift seiner Mutter und einige andere Ansprüche erhielt. Dann
heiratete er und brachte dieses Gut in die Ehe ein. 1500 wurde
der Vater abermals verhaftet, und da dieser bei ihm wohnte,
wurde aller Hausrat des Sohnes mitsamt den Kleidern und sonstigen Sachen der Frau mit Beschlag belegt, desgleichen, weil
der Vater in dem Geschäft des Sohnes tätig war, die sämtlichen
Waren und Bücher der Firma, deren Teilhaber der Sohn war.
In der Gefahr, zugrunde gerichtet zu werden, wandte sich Gilabert an den König, der befahl, daß niemand zu Unrecht geschädigt und die Interessen der Parteien gebührend festgestellt
werden sollten, ohne das Verfahren gegen den älteren Gilabert
abzuwarten.

Der Schatten, der über jedem beliebigen Geschäft lag, läßt
sich an folgenden Beispielen erkennen. Eine Frau hatte in die
Ehe ein Anrecht auf eine gewisse Lieferung Weizen mitgebracht,
diese Rente hatte der Schwiegervater 1499 einem gewissen Rodrigo del Barco für 30 000 Maravedi abgekauft. 1501 ergab sich,
daß der Großvater Barcos als Toter verurteilt worden, und nun
erhob der Fiskus seinen Anspruch auf die Rente. Zum Glück
hatte der neue Inhaber den Königen Dienste geleistet, wofür ihm
Ferdinand fünf Sechstel des Kaufwertes der Rente zuwies.

Ferdinands gnädige Verwendung wurde angerufen, als Pascual
de Vellido ein Rückkaufsrecht auf ein Haus geltend machen
wollte, das nach Aussöhnung des Käufers der Inquisition verfallen war. Dies wurde bewilligt, da Pascual indes das königliche Schreiben verlegt hatte, wurde das Haus für 1600 Sueldos,
600 mehr als der ausbedungene Kauf- und Rückkaufpreis, versteigert, und diesen Überschuß erhielt auf Geheiß Ferdinands
Pascual angewiesen, weil er arm sei und eine Tochter zu versorgen habe.

Hier ein Beispiel, wie Altchristen getroffen werden konnten.
Für die Seelenruhe seines Oheims, des Bischofs von Jaen, hatte
Don Pero Nuñez de Guzman, Schatzmeister des Ordens von
Calatrava, dem Domkapitel den Ertrag gewisser Güter aus dem
Nachlaß des Prälaten überwiesen. Diese Güter hatte als Schuld-
zahlung der Bischof von seinem Hausmeister erhalten, der sie
von seinem Großvater geerbt hatte. Es wies sich aus, daß dieser

Großvater als Toter verurteilt worden war. Nun sollte das Kapitel
die Güter herausgeben. Don Pero stellte dem König vor, daß
alsdann die Jahresmesse unterbleiben würde, und Ferdinand verfügte die Aufhebung der Beschlagnahme.

Alte, längst getilgte Schulden wurden öfters von der Inquisition eingeklagt, und in solchen Fällen gab es kaum ein anderes Mittel als die Berufung an den König. So geschah es
1510, als die Bauern zweier Dörfer aufgefordert wurden, eine
1487 getilgte Schuld nochmals zu bezahlen, weil der Berechtigte
damals im Kerker gesessen habe und geschäftsunfähig gewesen
sei. Ferdinand befahl, sie in Ruhe zu lassen, weil sie einfache
Leute seien und die Heimzahlung mit Wissen ihres Herrn, des
Bischofs von Cuenca, geschehen sei. Ebenso wurde 1511 in
Saragossa ein Schuldschein geltend gemacht, der 1484 gegen
einen Wechsel auf Rom gegeben worden war. Als der Unter-
zeichner nach Tilgung seiner Schuld den Schein wiederhaben
wollte, war der Inhaber aus dem Lande geflohen, aber der Schein
fand sich jetzt wieder. Ferdinand befahl, ihm einen durch Kirchenbann gewährleisteten Eid abzunehmen, daß es sich so verhalte.

Alte, längst vergessene Ketzereien wurden ebenso strenge aus-
gebeutet. 1489 heiratete ein Mann aus Baza die angenommene
Tochter eines Paares und zog nach dem Tode des Adoptivvaters
zu der Mutter. Diese war aber wegen einer ketzerischen Handlung, die sie als Kind in dem elterlichen Hause begangen hatte,
wahrscheinlich Fasten oder Essen von ungesäuertem Brot, verurteilt worden, und nun, 1510, sollte ihr Vermögen, 18 000 Dukaten, eingezogen werden. Ferdinand schenkte es den Leuten
in der Erinnerung an Dienste, die der Mann im Kriege gegen
Granada geleistet hatte.

Nach Ferdinands Tode wurden die Berufungen dieser Art an
die Krone nicht seltener, aber weniger wirksam. Karl V. wurde
von einem Kloster angerufen, von dem ein 1488 erworbenes
Rentenkapital, 400 Libras, gefordert wurde, weil der frühere Inhaber der Rente 1519 als Toter verurteilt worden war. Durch
die nach Eintritt der angenommenen Straffälligkeit bewirkte
Übertragung behauptete der Fiskus, hintergangen worden zu sein
und wollte auch die Zinsen von 1488 an haben. Das Kloster
kam in Ansehung seiner Armut mit einer Zahlung von 150 Libras
davon.

Die Inquisition blieb geldgierig, die Zeit brachte keine Milderung. 1613 kam ein 22jähriger Deutscher, genannt Juan Cote, den sein Onkel Aventrot (Abendroth) mit nach den Kanarischen Inseln genommen hatte, von dort mit einer Empfehlung an den Herzog von Lerma nach Spanien. Da ergab sich, daß er Protestant war und er wurde 1615 zu immerwährendem Gefängnis verurteilt. Der Onkel hatte auf den Inseln eine Witwe geheiratet, die bei ihrem Tode 1609 ihren vier Kindern aus erster Ehe und Juan Cote ihr Vermögen zu gleichen Teilen hinterließ. Die Teilung zog sich lange hin, darüber kam die Verurteilung, die zur Folge hatte, daß die Erbschaft wenigstens 25 Jahre gesperrt blieb. Das Gericht von Toledo erklärte 1634 auf Befragen dem Supremo, da Cote als Protestant erzogen worden, seien die ketzerischen Handlungen auf sein vierzehntes Lebensjahr, das Unterscheidungsalter, zurückzuführen, woraus die klugen Miterben schlossen, daß er 1609 erbunfähig gewesen sei, da er, als Protestant aufgewachsen, sich für einen Katholiken ausgegeben habe. Nun ließ sich der Supremo durch Toledo bescheinigen, daß die Ketzerei in die Zeit falle, wo Cote seine Empfehlung in Spanien überreicht habe, also erst 1613. Man schrieb 1640. Wie und wann der Streit ausgegangen, ist nicht bekannt.

Erschwerend für mitleidende Dritte war der Umstand, daß die Inquisition sich als allein zuständig erklärte. Eine Berufung gab es nur an den Konfiskationsrichter des Supremos, der ebenso wie seine Untergebenen ein Interesse daran hatte, aus allen Quellen möglichst viel Einnahmen herauszuschlagen. Als die Quellen spärlicher flossen, auch die Freigebigkeiten Ferdinands aufhörten, wurde die Inquisition unerbittlich. Die Erträge der Gütereinziehungen waren besonders für die Zahlung der Gehälter der Richter angewiesen, die daher ein unmittelbares Interesse daran hatten, daß sie viel einbrachten. Daß darin eine Gefahr und eine Demütigung lag, wurde wohl empfunden. Der verfehlte Reformplan von 1518 sah feste Gehälter vor, und ein Vorschlag des geheimen Rates von 1523 empfahl, andere Einnahmequellen zu suchen, damit die Beamten weder vom Bettel noch von dem Blute ihrer Opfer lebten und ihre Wirksamkeit dem Aufbau und nicht der Zerstörung gelte, die das Christentum bei den Ungläubigen verhaßt machte. Wiederholt traten die kastilischen Cortes für eine solche Regelung ein, der Bescheid war aber stets hinhaltend. Indes waren die Staatsfinanzen nicht derart, daß die Inquisition sicher gewesen wäre, nach Abführung ihrer Einnahmen an die Krone Mittel für die Besoldungen zurück zu erhalten, und so behielt sie, was sie hatte und ließ niemand, auch die Krone nicht, in ihren Geschäftsbetrieb einsehen.

Das erreichte sie nicht ohne Kampf. 1486 stärkte Ferdinand den Inquisitoren von Saragossa den Nacken gegen die weltlichen Richter, indem er ihnen die ausschließliche Regelung der verwickelten Einziehungsgeschäfte überwies, zur Entscheidung nach kirchlichem Recht und ohne Rücksicht auf Fueros. Kämmerer und Fiskal sollten allein darüber verhandeln, indes erwuchs den Inquisitoren dabei neben ihrer sonstigen Beschäftiguug dadurch soviel Arbeit, daß sie sie auch mit dem rechtskundigen Assessor nicht bewältigen konnten, und so entstand die Einrichtung der besonderen Konfiskationskammer, in welcher der Juez de los bienes den Vorsitz führte. Sie war in Kastilien, wo keine Fueros hinderlich waren, seit 1484 vorhanden, wenn auch nicht allgemein; meist verrichteten die Inquisitoren das Werk mit dem Assessor, und wo es einen Juez de los bienes gab, war er ein untergeordnetes Organ. Noch 1514 wird ein „Inquisitor und Juez" erwähnt. Nachdem allmählich der Assessor verschwunden war, erschien ein besonderer Beamter notwendig, und die Konfiskationskammer wurde bei den Gerichten ständig, solange es viele und einträgliche Gütereinziehungen gab. Gegen Ende, als diese selten waren, tat der ältere Inquisitor den Dienst als Juez.

Mittlerweile wurden alle Einmischungsversuche weltlicher Gerichte abgeschlagen. Ferdinand erkannte, daß die Zuständigkeit dieser Gerichte seinen Interessen schaden würde. Die alleinige Zuständigkeit der Inquisition stand seit 1508 fest. Damals suchte ein Bürger Schutz bei der Kanzlei von Granada, weil die Inquisition von ihm Zahlung für ein Haus aus Ketzernachlaß forderte, das ihm Philipp von Habsburg geschenkt hatte. Dies wurde nicht anerkannt. Als die Kanzlei 1510 in der Sache weiterging, wurde ihr bedeutet, sie habe sich nicht einzumischen, etwa sonst schwebende Fälle seien dem Gerichte zu überweisen, dem sie zukämen. Somit war die Ungeheuerlichkeit besiegelt, daß die Inquisition Richter und Partei zugleich war; wer sich geschädigt fühlte, sollte sich an den Supremo wenden — so verfügte es Philipp II. 1553. Trotz allem suchten noch Parteien häufig Recht bei den weltlichen Gerichten, die auch gern eingriffen, namentlich die Kanzlei von Granada unter demselben Monarchen, so 1573 in einem Falle, wo die Gläubiger auf das Vermögen eines Gemeinschuldners Beschlag gelegt hatten, das Glaubensgericht Jaen indes als Mitgläubiger die Sache an sich riß, die Güter versteigerte und den Betrag erhielt. Den Juez de los bienes hatte die Kanzlei verhaften lassen, der König befahl ihr dessen Freilassung, und Verzicht auf die Sache.

Am lebhaftesten wehrten sich noch die aragonischen Länder. Als die Steuerbeamten Valencias Abgaben auf den eingezogenen Gütern und deren Erlös erheben wollten, sah Karl V. sich genötigt, den h. Stuhl um Hilfe anzurufen, worauf Klemens VII. bereitwillig 1525 eine Bulle erließ, die bei Bann und 1000 Dukaten für den päpstlichen Schatz eine solche Besteuerung untersagte und den Großinquisitor ermächtigte, dem Verbot durch Kirchenstrafen und Anrufung des weltlichen Armes Geltung zu verschaffen. Damit hatten ohne Zweifel die Versuche ein Ende.

Zu einer Einnahmequelle wurde die Angst, die während der Hochflut der Inquisition die Neuchristen befiel. Es mag dahingestellt sein, ob Gewinnsucht oder der Wunsch der Herrscher maßgebend war, unverzüglich Einnahmen zu erhalten, genug, es gab eine Art Versicherung gegen die Wirkung der Gütereinziehung. Wir finden Angaben bereits in einem Schreiben Ferdinands von 1482 an den Statthalter von Valencia. Die dortigen Conversos hatten sich anscheinend zur Umlage eines Betrages als Ersatz für die Gütereinziehung bereit erklärt, später verweigerten einzelne die Zahlung, zu der sie nach einer Anordnung Ferdinands durch Haft gezwungen werden sollten. Ein ähnliches Geschäft wurde 1488 mit den während der Gnadenfrist ausgesöhnten Conversos von Valencia abgeschlossen: sie kauften sich von der Einziehung frei — offenbar eine neue Belastung, da die Aussöhnung während der Gnadenfrist nur Geldstrafe bedingte. 1491 wurde diese Abmachung bestätigt; außerdem wurde die Einziehung gegen Zahlung von 5000 Dukaten auch für spätere ketzerische Handlungen erlassen, außer bei Rückfälligen und für unvollständige Bekenntnisse während der Gnadenfrist. Es gereicht Ferdinand zur Unehre, daß er den Conversos, deren

Gelder er auf diese Weise abgenommen, nicht Wort hielt: 1499 gab er auf das Drängen des Supremos hin diejenigen preis, die wegen ungenügenden Bekenntnisses während der Gnadenzeit verurteilt wurden. Dies ließ er nachdrücklich durch den hierbei widerstrebenden, sonst hartherzigen Kämmerer Aliaga ausführen.

Wie dieser Treubruch häufig Unschuldige in Mitleidenschaft ziehen konnte, zeigt folgender Fall. Nachdem die Eheleute Guimera wegen ungenügenden Bekenntnisses verurteilt und ihr Vermögen eingezogen worden war, erwirkten deren beide Kinder, daß Ferdinand ihnen 1491 es auf Grund der Ablösung von 1488 zurückstellen ließ. 1503, auf die Verfügung von 1499 gestützt, nahmen es ihnen die Inquisitoren wieder ab. Dagegen legten die Betroffenen Berufung ein, da ihnen aber die Mittel fehlten um diese zu betreiben, erklärte der Supremo die Berufung für aufgegeben. 1519 baten die Guimeras Karl V. um Wiedereinsetzung und wiesen nach, daß sie die noch von ihren hingerichteten Eltern geschuldeten Ablösungsgelder entrichtet hatten. Aus Gnade wurde ihnen zugebilligt, nicht etwa, daß sie ihr Vermögen zurückerhalten sollten, sondern nur den Betrag, den sie gemäß der Schätzung der Inquisitoren nach dem Tode der Eltern als Ablösungsraten bezahlt hatten.

Noch schlimmer verfuhr Ferdinand in Aragon mit Bezug auf eine Ablösung vom 10. September 1495 mit den Erben und Rechtsnachfolgern der bis zu diesem Tage Verurteilten, die nachträglich verurteilt waren oder es werden konnten. Für 5000 Dukaten hatte er den Beisteuernden Verzicht auf alle Einziehungen an ihrem Erbanfall sowie an dem von Nichtbeisteuernden gesichert, mit der Maßgabe, daß dieser unter sie im Verhältnis zu den Beiträgen verteilt werden sollte. Das hielt er 1499 gegen die Beamten ein. 1502 jedoch empfand er Gewissensbisse ob der Verletzung der kanonischen Bestimmung von der Erbunfähigkeit der Ketzerkinder. Er mochte die sonst angewandte Ausflucht nicht benutzen, den Leuten ihr Vermögen erst wegzunehmen, um ihnen es dann als freiwillige Gabe wieder zuzuwenden, und so befahl er dem Gericht Saragossa, die verwirkten Güter einzuziehen und den Beisteuernden daraus die gezahlten Beiträge in den Fällen zurück zu erstatten, wo sie getroffen worden waren; die Beiträge derjenigen, die keinen Vor-

teil aus der Ablösung gehabt, blieben also verwirkt. Das war
so stark, daß in Saragossa eine heftige Erregung entstand, und
Ferdinands Sohn, der Erzbischof, Vorstellungen machte, die der
König mit dem Hinweis auf den Rat gelehrter und gottesfürchtiger Männer und salbungsvollen Redensarten zurückwies.

Die Inquisitoren und Kämmerer nahmen es nicht sehr genau
und zogen nicht nur die von den Verurteilten herrührenden,
sondern auch die den Erben gebührenden und von ihnen erworbenen Güter und die Mitgiften ihrer Frauen ein, ohne auch
nur die Ablösungsgelder heimzuzahlen. Verwickelte Prozesse
und viel Elend für die so heimgesuchten Familien waren die
Folge dieses Vertragsbruchs, allein Ferdinand verlieh wiederholt
seinen harten Befehlen Nachdruck. Da für die Ablösungen
keine Gegenleistung mehr vorhanden war, ordnete die Concordia
von Aragon von 1512 die Rückzahlung der Beiträge in allen
Fällen an, wo der durch die Ablösung geschützte Nachlaß von
Leuten, die als Tote verurteilt wurden, eingezogen würde, vorausgesetzt, daß die Beiträge nicht aus dem Vermögen der letzteren geleistet waren. Es wurde also zugegeben, daß die Inquisition sich nicht an Verträge gebunden hielt.

Form und Ziel der Ablösung war verschieden, in der Regel
jedoch bildete eine Gruppe Conversos eine gemeinsame Kasse.
Der Vorteil dieser Abmachungen war äußerst zweifelhaft, trotzdem waren die verzweifelten Conversos immer bereit, ihr Glück
zu versuchen, und Ferdinand ungeachtet seiner Gewissensbisse
ebenso bereit, sich ihre Verzweiflung zunutze zu machen. Das
System wurde, wie aus verschiedenen Angaben hervorgeht, mehr
oder weniger gleichzeitig in ganz Spanien geübt (s. Bd. I, S. 123,
138/9).

Auch Beispiele von Vereinbarungen mit einzelnen Personen
sind vorhanden. Eine Untersuchung der Bücher des Kämmerers
Juan de Urría von Toledo, der 1487 nach Unterschlagung von
über 1 500 000 Maravedí geflohen war, ergab folgendes: Pedro
de Toledo hatte sich einer Untersuchung durch Flucht nach
Portugal entzogen; seine Frau Isabel Diaz vereinbarte mit Urría
die Gewährung eines königlichen Schutzbriefes für Pedro und
sein Vermögen gegen Zahlung einer halben Million Maravedí
nebst 100 Gulden an Urría für seine Bemühungen. Pedro kehrte
nun zurück und zahlte für seinen Schutzbrief, Isabel gab Urría

noch 13 Goldcruzados und einige Gegenstände drauf, aber Urría war noch nicht zufrieden. Noch einträglicher war ein Geschäft, wodurch 1514 ein Mann aus Talavera den Nachlaß seines Vaters für eine Million Maravedí ablöste.

Daß bei der Ketzerverfolgung Geldgründe neben den Glaubensfragen mitspielten, beweist der Verlauf des großen Ablösungsgeschäftes, das die Gerichte Sevilla und Cádiz am 7. Dezember 1508 abschlossen, wohl des umfassendsten von allen. Gegen 20 000 Dukaten sicherten sich die Bedrohten für den Fall einer Verurteilung für sich und ihre Erben die eingezogenen Güter mit Rückwirkung von den Anfängen der Inquisition an bis 30. November 1508: der Erlös von Einziehungen gegen Nichtbeitragende war von den Beiträgen abzuziehen; den Beteiligten wurde das für gewöhnlich den Ausgesöhnten entzogene Recht erhalten, Handel mit Indien zu treiben und dorthin zu reisen. Die Abmachung wurde 1509 im Namen der Königin Johanna auf das ganze Erzbistum Sevilla, das Bistum Cádiz und einige Städte ausgedehnt, und gegen eine Summe von 40 000 Dukaten schenkte die Königin den Beitragenden alles ihr verfallene Gut von Ausgesöhnten, solchen die nicht ausgiebig bekannt oder sonst vor der Aussöhnung gefehlt hatten, desgleichen von verstorbenen Ausgesöhnten oder Auszusöhnenden das auf Grund früherer Verfehlungen verfallene Gut, nebst allem gegen Nichtbeitragende eingezogenem; für die Käufe von den Beitragenden wurde der ungestörte Besitz gewährleistet, und schließlich wurden die Strafen wegen Mißachtung der Unfähigkeit von Ausgesöhnten und deren Nachkommen außer Kraft gesetzt. Von dem Schutz war ausdrücklich ausgeschlossen das Gut Rückfälliger oder solcher, die nach der Aussöhnung straffällig wurden. Die Verfolgung selbst, gegen Lebende und Tote, wurde durch die Abmachung nicht beeinträchtigt. Aus irgend einem Grunde wurde der Betrag auf 80 000 Dukaten erhöht, wovon 60 000 für die Ablösung und 20 000 für die Aufhebung der Unfähigkeiten gelten sollten.

Die Umlage der Gelder erwies sich als eine schwere Aufgabe, die der erfahrene Pedro de Villacis, der Kämmerer von Sevilla, lösen mußte. Einige Gerichte wollten die Akten über frühere Einziehungen nicht herausgeben und mußten dazu gezwungen werden, auf der andern Seite zeigten sich die Beitragspflichtigen

säumig und wurden durch Strafgelder zur Zahlung angehalten.
Immerhin trug die Ablösung etwas Erhebliches ein. Der Erfolg
führte dazu, daß sie auch für das Königreich Granada und eine
ganze Reihe von Landesteilen bis nach Leon hin eingeführt
wurde; der Betrag war 55 000 Dukaten. Diesmal aber waren
die Schwierigkeiten so groß, daß Ferdinand die Vereinbarung
wieder aufhob, um sie jedoch 1515 wiederherzustellen, und
Villacis mit der Eintreibung der Gelder beauftragte. Die Weisungen, die letzterer erhielt, ergeben deutlich, daß der ganze
Plan nur ein Vorwand für die Ausbeutung der Wehrlosen war.
Es war ein förmliches Zwangsverfahren, bei dem nicht nur die
Inquisitoren mitzuwirken hatten, sondern auch die weltlichen
Behörden mit Zwangsumlage und Zwangsbeitritt und Beitreibung,
gegebenenfalls mit Versteigerung vorgingen: eine gesetzlich nicht
anerkannte Besteuerung unter dem Mantel der Inquisition mit
allen üblichen Beitreibungsmaßnahmen.

Das Verfahren zeitigte vielfache Mißbräuche und stieß auf
mannigfachen Widerstand namentlich bei dem Hochadel. Gegen
Villacis und seine Gehilfen wurden auf den Cortes von Burgos
1515 die schwersten Vorwürfe erhoben, nicht nur wegen ihres
rücksichtslosen und gesetzwidrigen Vorgehens, sondern auch
weil er sich unrechtmäßig bereicherte. Eine Untersuchung
konnte nicht umgangen werden, sie ergab auch einen ganzen
Rattenkönig von Raub und Unterschlagung. Als der Bericht
über die Untersuchung 1517 an den Supremo gehen sollte,
wurde verfügt, daß Villacis eine Abschrift davon erhalten sollte,
um seine Verteidigung aufzusetzen. Wie die Sache verlaufen
ist, darüber enthalten die Akten nichts, jedenfalls blieb Villacis
im Amte. 1518 befahl Karl V. eine Prüfung seiner Rechnungen
und eine neue Umlage, um die noch ausstehenden Gelder von
jenen 80 000 Dukaten einzutreiben: und Villacis selbst wurde mit
dieser Aufgabe betraut. Seine Methode blieb dieselbe, und wo
sie auf Widerstand stieß, half die Krone durch gemessene Befehle nach.

Karls niederländische Günstlinge rissen sich um die Beute.
Er hatte seinem Kammerherrn, dem Herrn von Beauraing, die
letzten Außenstände der Ablösung geschenkt, allein Villacis war
nicht zur Rechnungslegung oder Zahlung zu bringen, und Fer-

dinand hatte seinem Nachfolger nur einen spärlichen Anteil hinterlassen. Von der Ablösung von Córdova hatte er 1515 der Inquisition 20 000, sich selbst 30 000 Dukaten zugeschrieben; von letzteren hatte er 20 000 erhalten und den Rest dem Marques von Denia zugewiesen. Diesen wollte Villacis mit 2000 abfinden, da über die verbleibenden 8000 schon anderweitig verfügt sei, und als der Marques sich später mit einer Beschwerde an den König wandte, befahl Ximénez dem Villacis, erst die 20 000 Dukaten der Inquisition voll zu machen; ebenso ging es mit einer zweiten Beschwerde 1517 an Karl V. Das Geld schwand dahin und wahrscheinlich hat Denia wenig oder gar nichts erhalten, ebenso Beauraing, denn Karls nächster Günstling, Adrian von Croy, mußte selbst mit 750 000 Maravedi zufrieden sein, die das Gericht von Sevilla aus Strafgeldern wegen verspäteter Zahlungen erhalten hatte. Die unersättlichen Sekretäre Calcena und Aguirre erhielten 1515 für ihre Arbeitsleistung bei dem Geschäft 1000 Dukaten. So waren zehn Jahre lang die Neuchristen in einem großen Teile Spaniens unter falschen Vorspiegelungen von Befreiungen verfolgt und ausgeraubt worden, von dem aus ihnen erpreßten Gelde gelangte indes nur wenig bis an die Krone oder die Inquisition, an das Gericht von Sevilla wohl gar nichts, denn seit dem Beginn des 16. Jahrhunderts war es nach dem Zeugnis des Erzbischofs Valdés verarmt und konnte nur ein Drittel der Gehälter zahlen.

Kein Mensch vermag nachzurechnen, um welche Beträge die Erwerbsstände auf diese Weise beraubt wurden und welches Elend dadurch entstand, zum Schaden der wirtschaftlichen Entwicklung der Nation. Der Staatsschatz und die Inquisition sahen einen großen Teil des weggenommenen Gutes in den Kosten der immer länger hingezogenen Prozesse, einen andern für den Unterhalt der Gefangenen draufgehen, dabei waren Unterschleife gang und gäbe, und bei dem stetigen Geldbedarf der Krone wie der Inquisition hatte man es mit der Versilberung der Güter so eilig, daß die Verkäufe unter dem Wert geschahen. Die öffentliche Versteigerung der Liegenschaften mußte am dreißigten Tage nach der Verurteilung in Gegenwart des Kämmerers und des Sequester-notars vor sich gehen. Valdés verbesserte die Vorschriften hier-über, es erfolgten noch einige andere Reformen; als jedoch die

Denkschrift von 1623 der Sache auf den Grund ging, überlegte der Supremo bis 1635, wo wieder einige neue Vorschriften ergingen. Den Veruntreuungen aber wurde nicht wirksam gesteuert. In der Frühzeit, wo die Wohlhabenden zugrunde gerichtet wurden oder sich davor durch die Flucht retteten, blieb manches Haus und Gut unverkäuflich und verkam. Man kann diesen Zeitpunkt auch als Beginn der Entvölkerung ansetzen, die während zwei Jahrhunderten den spanischen Staatsmännern Sorge bereitete.

Eine ordentliche Rechnungsprüfung wäre am Platze gewesen in einer Zeit, wo Ehrlichkeit in öffentlichen Angelegenheiten selten war und die Art des Geschäftsbetriebes bei der Inquisition zu Hinterziehungen reizte. Ferdinand führte die Oberaufsicht selbst, vermochte aber nicht, die Geheimnisse seiner Verwalter zu durchdringen, die über die Einnahmen wie über ihr Eigentum verfügten. Mehr als einer hatte Fehlbeträge, die von ihm oder seinen Erben eingezogen werden sollten. Nach Ferdinands Tode setzte Ximénez einen Oberkämmerer und einen neuen Oberrechnungsprüfer ein, die beide weite Vollmachten hatten. Allein wenn dies half, so war es nur vorübergehend. Man drohte zwar häufig den widerspenstigen Verwaltern, ließ sie aber im Amte.

Was der Krone zufloß, war also nur ein Teil der den Opfern abgerungenen Gelder. Über die Gesamthöhe der letzteren läßt sich natürlich nichts sagen, wohl aber schätzte 1524 der Lizenziat Tristan de Leon in einer Denkschrift an Karl V. auf 10 000 000 Dukaten die Summen, die Ferdinand und Isabella aus dieser Quelle zuflossen und ihnen für die Maurenkriege zugute kamen. Gelegentlich erhalten wir einen Einblick in die Einträglichkeit einzelner Gerichte: vorwiegend aus den Einnahmen der kurzlebigen Inquisition der Hieronymiten in Guadalupe 1485 wurden die Baukosten eines Palastes für das Königspaar in dieser Stadt bestritten. 1486 erhielt der Kämmerer von Valencia Befehl, die Kosten für den Bau einer Flotte zu bestreiten.[1] Für

---

[1] Don Ramon Santa Maria (Boletin XXII, 373). Einen Auszug aus einer teilweisen Aufstellung der Einnahmen Valencias für 1493 im Anhang II. Bd. des Originalwerkes. Gewisse Einzelheiten erklären den laufenden Geschäftsgang.

die zeitgenössische Auffassung ist Hernando de Pulgars beißende
Bemerkung bezeichnend, daß nach der gewaltsamen Vertreibung
des Grafen Fuensalida aus Toledo der Pöbel, gleich strengen Inquisitoren, Ketzereien in den Liegenschaften der gräflichen Bauern
fand und sie ausplünderte und einäscherte. Wir haben auch
einen Maßstab für den Umfang der Gütereinziehungen in den
Ablösungssummen und wissen, daß Ferdinand sogar ein Darlehen
von 600000 Dukaten ablehnte, das ihm geboten wurde für den
Fall, wo er die Gütereinziehung den weltlichen Gerichten übertragen wollte, und daß Karl V. 1519 eine Zahlung von 400000
Dukaten nebst einem Kapital zur Bestreitung der laufenden Ausgaben der Inquisition ausschlug (s. Bd. I, S. 138/139); dies galt
für den Fall, wo die Einziehung überhaupt aufhören würde und
wurde noch auf 700000 Dukaten erhöht; Karl scheint es ein Jahr
oder zwei immerhin erwogen zu haben.[1]

Im weiteren Verlauf des 16. Jahrhunderts konnten die Gerichte in der Regel ihre Ausgaben decken und Überschüsse an
die Zentrale und gelegentlich auch an minder einträgliche Gerichte abgeben. Als die Gütereinziehungen nachließen, wurde
1559 der Inquisition eine Pfründe in jeder Kathedral- und Kol-
legialkirche des Landes angewiesen, dann brachte nach der Eroberung Portugals die Zuwanderung dortiger Neuchristen nach
Spanien das Konfiskationsgeschäft wieder in Schwang. Nach 1604
boten die Neuchristen von Sevilla und den westlichen Provinzen
1600000 Dukaten unter folgenden Bedingungen: 40jährige Befreiung von der Gütereinziehung, Erlösung der Nachkommen von
Unfähigkeit und Schande, gerechte Beweiswürdigung, Mitwirkung
des Papstes und der Krone bei den Urteilen. Nach reiflicher
Prüfung wurde das Angebot abgelehnt, weil die Krone dabei verloren hätte, wenn sie für die Inquisition hätte sorgen müssen.

Sehr nützlich erwiesen sich die bei den Verfolgungen in Mexiko
und Peru gesammelten Zeugnisse gegen reiche Kaufherren in der

---

[1] Archiv Simancas, Patronato Real, Inq., Leg. único, fol. 35. Wahrscheinlich hierauf spielt am 10. Nov. 1527 Martin de Salinas in einem Briefe an
Ferdinand von Österreich an, indem er bei einer Aufzähluug der Mittel, auf
die Karl V. für die Kriegführung zählt, über eine Million Gold erwähnt,
welche die Neuchristen angeboten mit dem Zusatz „ohne Störung der Inquisition". Nichts deutet darauf, daß der Plan Erfolg gehabt hätte. —
A. Rodriguez Villa, El Emperador Carlos V. y su Corte, 386 (Madrid 1903).

Heimat. Dadurch wurden in verschiedenen Fällen des 17. Jahrhunderts Hunderttausende von Dukaten fällig. Als 1654 in Cuenca 25 Judaisten zu dem Auto geführt wurden, erklärte einer der Todgeweihten, seine Aussichten für den Himmel kosteten ihn 200 000 Dukaten. Indes war die Quelle unsicher und der Supremo rechnete in seinem Voranschlag für 1657 auf nur etwa 2000 Dukaten als Beisteuer der Gerichte, während er auf der andern Seite in einer Denkschrift von 1676 sich rühmte, dem königlichen Schatz in wenigen Jahren 772 748 Dukaten in Vellon und 884 979 Pesos in Silber zugeführt zu haben. Bei alledem wuchs sein Vermögen an, so daß er und die Gerichte aus den Gütereinziehungen nicht nur die Ausgaben bestreiten, sondern von 1661—68: 21 064 Dukaten in Staatspapieren anlegen konnten. Darauf setzte von 1679 an eine einträgliche Verfolgung der Neuchristen auf Mallorca ein, die bis zur Mitte des 18. Jahrhunderts währte und in den Jahren 1721—27 allein 776 Konfiskationsurteile ergab. Obschon letztere in vielen Fällen gegen Unvermögende nur der Form halber verfügt wurden, muß der Durchschnitt ganz erheblich gewesen sein. Dazu kamen ab und zu die Einziehungen gegen andere als Judaisten, wie in dem Falle des Melchor Macanaz 1716, dessen Abwicklung sich jahrelang hinzog, oder 1727 bei der Entdeckung einer Gruppe Moriscos, die so wohlhabend waren, daß dem Angeber eine Lebensrente von 100 Dukaten bewilligt wurde. Darüber wurden im 18. Jahrhundert die Einziehungen doch immer seltener, nachdem die Ketzerei ausgerottet war. Das letzte Konfiskationsurteil in Toledo erging 1738. Von 1780—1820 wurde in Valencia nicht ein einziges verhängt.

Es ist nicht ohne Interesse zu prüfen, welchen Gebrauch die Herrscher mit den Konfiskationsgeldern machten, solange der Supremo die Verfügung darüber nicht an sich gerissen hatte, abgesehen von gelegentlichen Zuwendungen, welche die Krone ihm abnötigte. Pulgar und Zurita versichern getreu, daß Ferdinand und Karl V. die Gelder lediglich für die Förderung des Glaubens, den Krieg mit Granada, die Unterhaltung der Inquisition und andere fromme Zwecke ausgaben, und neuere Schriftsteller nehmen auf Grund dessen an, daß man diesen Herrschern keine Habsucht vorwerfen könne, indem sie die Mittel für öffentliche Zwecke

verwandt hätten. Die Akten bestätigten diese schmeichelhafte
Versicherung leider nicht. Die Inquisition hatte freilich in erster
Linie Anspruch auf die Gelder, die sie eingenommen hatte. Ich
habe indes nur zwei Fälle gefunden, wo eine Gehaltsanweisung
für sie aus dem königlichen Schatz erging, nämlich 1500 und
1501 für das Gehalt des Diego López, Mitglieds des Supremos
und königlichen Sekretärs — eine Doppelstellung, die einen Bezug aus der einen oder andern Quelle rechtfertigte. In dem 1491
beendeten Kriege gegen Granada wurden die Einnahmen aus der
Inquisition zweifellos großenteils zu diesem nach damaliger Anschauung ebensowohl religiösen wie patriotischen Zweck verwendet. Solange dieses Bedürfnis vorhanden war, ist der Erlös
der Einnahmen auch wohl kaum anders verwendet worden; ich
habe nur zwei Beispiele von milden Gaben aus dieser Zeit gefunden. Nach der Einnahme von Granada kommen Zuwendungen an Klöster und Kirchen gelegentlich vor, aber keineswegs
oft, in der Regel sind sie geringfügig im Vergleich zu den Gaben
an Günstlinge und Diener; bedeutend ist nur die Ausstattung
des Klosters Santa Engracia in Saragossa, 1495.

Der erwerbstüchtige Calcena wurde viel häufiger bedacht.
Als Inquisitionssekretär erhielt er Kenntnis von den Einziehungen
und machte sich das zunutze: Häuser, Gelder und Hypotheken,
hier und da auch mittelbare Vorteile, wie in dem Falle des Erz-
diakons Castro, erntete er in stetiger Folge. Einmal hatte er
mit dem Sohne eines Verurteilten abgemacht, daß er ein Drittel
von dem Werte einer Anzahl Häuser erhalten sollte, welche die
Mitgift der Mutter ausmachten, falls der Sohn sie zurück erhielte.
Den Heiratsvertrag gab das Gericht indes nicht heraus, die Häuser
wurden eingezogen und Calcena kam um sein Drittel. Ferdinand
aber schenkte es ihm und sicherte ihm sogar Schutz zu für den
Fall, wo sein Besitz angefochten werden sollte. Das läßt auf
Einnahmen aus der Begünstigung der von der Einziehung Betroffenen folgern. Mag Ferdinand auch häufig Härten der Inquisition gemildert haben, so daß es erfreulich wäre, sein Verhalten einer Art zuzuschreiben, die die Geschichte nicht an ihm
kennt: der Verdacht liegt zu nahe, daß, da Calcena der Vermittler für diese gnädigen Handlungen war, solche Gesuche zum Erfolg führten, bei denen er interessiert war.

Der Mißbrauch der Verschenkung von eingezogenem Gut an

Günstlinge war älter als die Inquisition. Schon 1447 hatten die Cortes von Aragon sich dagegen gewandt. Ferdinand ließ sich, als die Güter der verurteilten Neuchristen ihm zufielen, von Höflingen und Adligen derart umgaukeln, daß er in einem Falle ein Gut zweimal verschenkte, woraus ein Prozeß entstand. Wegen dieser Schenkungen hatte er manche Reibungen mit der Inquisition, deren Zensuren wirksamer waren als die seinigen, wenn sie sich die Erträge ihrer Tätigkeit zu erhalten suchte. Es kam wegen einer Zahlungsanweisung des Königs an den Kämmerer Royz von Saragossa für das Kloster Santa Engracia und gewisse Arbeiten an der Burg zu einem herben Briefwechsel, worüber Ferdinand Royz in den Bann tun ließ.[1] Da bekamen seine Zahlungsbefehle endlich Folge, aber er versprach, keine Schenkungen aus eingezogenem Gut oder Geldstrafen mehr zu machen, was er natürlich nicht einhielt, denn es gab noch weitere Zusammenstöße dieser Art. Bei aller Verschwendung kann man aber nicht sagen, daß die königliche Gunst auch solchen zugekommen wäre, die keinen Einfluß besaßen.

Die Gier war derart, daß die Wissenden nach der Verhaftung eines Reichen dessen gesperrtes Gut im voraus unter sich verteilten. Nach Isabellas Tode 1504 war die Schenkung ein Mittel für die Gewinnung kastilischer Großen, und Philipp von Habsburg wandte es auch an. 1505 befahl er den Adligen und Beamten, keine Steuern für Ferdinand zu erheben, namentlich sollten diesem keine Konfiskationsgelder zufließen. Diese Befehle aus den Niederlanden fanden allerdings wenig Beachtung, und Philipps Regiment war zu kurz, um eine Wirkung in dieser Hinsicht zu hinterlassen.

Ferdinand seinerseits gab mit der einen Hand und nahm mit der andern. 1510 erließ er eine Verfügung an die Kämmerer, worin er ausführte, wenn alle Schenkungen gälten, würden die Beamten ihre Gehälter nicht erhalten; darum sollte in Zukunft keine mehr Folge erhalten, solange die Schulden, Gehälter und Zulagen nicht gedeckt seien, welche Befehle auch immer er und der Großinquisitor ausgeben möchten, und alle Forderungen aus Schenkungen sollten zuerst ihm oder dem Großinquisitor unter-

---

[1] [Siehe im Anhang des II. Bandes des Originalwerkes Ferdinands Schreiben an Torquemada um Aufhebung des Bannes. — P. M.]

breitet werden.[1] Dabei hatte er tags zuvor einem Supremomit-
gliede und einem ehemaligem Konfiskationsrichter Zuwendungen
gewährt, und in der nächsten Zeit folgten weitere — ungezählte
Maravedí. Offenbar erhielt die Inquisition nur selten einen Anteil, denn einmal teilte er dem Supremo mit, da niemand sich
um einen Gegenstand von 100 000 Maravedí beworben habe,
wolle er ihn für das Gericht Valladolid anweisen. Ein andermal
erklärt er, trotz mancher Belästigung wegen einer Einziehung
wolle er sie dem Gerichte lassen, damit die Beamten keine Not
litten. Es braucht kaum betont zu werden, daß eine solch un-
stetige Geschäftsgebarung die Gerichte antrieb, diejenigen zu
verurteilen, deren Vermögen die Notlage bessern konnte. Ferdinand aber setzte seine Freigebigkeiten fort, unter denen die von
1515 an die Königin Germaine, 10 000 Gulden aus den Einziehungen von Sizilien, noch erwähnt sei.

Bei der allgemeinen Beutesucht war besonders ein Gegenstand
sehr begehrt: hübsche Sklavenmädchen. Ist schon auffällig, daß
ihr Vorhandensein denen bekannt war, die sie geschenkt haben
wollten, so ist noch seltsamer, daß gerade ehrwürdige Männer
des Supremos sich eifrig darum bewarben. 1510 läßt Ferdinand
dem Dr. Perez Gonzalo Manzo, Mitglied dieses Rates, ein Mauren-
mädchen schenken, das dem Gericht Cartagena mit den Gütern
eines Verurteilten zugefallen war; ein anderes Mitglied, der Lizenziat Ferrando de Mazuecos, erhält 1514 eins aus Ciudad Real.
Um eine verfügbar gewordene weiße Maurin Fatima streiten sich
mehrere Parteien. Ferdinand hatte sie dem Marques de Villena
zugesprochen, der Kämmerer von Toledo will sie indes nicht
herausgeben, weil der Supremo sie schon seinem Fiskal Martin
Ximénez zugewiesen habe. Calcena und die Mitglieder des Supremos greifen sofort ein und verfügen die Übergabe an den
Marques mit dem Zusatz, daß der Fiskal entschädigt werden
würde. Für männliche Sklaven bestand keine so lebhafte Nachfrage.

Ferdinand selbst eignete sich Gegenstände aus der Beute an
seinen Untertanen an, so 1502: 25 Perlen, von einem verbrannten Ketzer aus Sardinien herrührend; ein andermal ein Pferd,
dessen Besitzer noch nicht einmal verurteilt war, und das er

---

[1] [Abgedruckt im Originalwerk, Bd. II, Anhang. — P. M.]

zuerst dem Inquisitor von Córdova schenkte, dann aber für sich als Jagdpferd nahm, worauf er den Inquisitor entschädigte; oder in Granada einen Garten zum Zeitvertreib für seine Tochter Johanna, nachdem der Eigentümer in der Untersuchungshaft gestorben war, und man noch nicht wissen konnte, ob dessen Vermögen fällig würde. Man nahm also an, daß wer der Inquisition verfallen war, auch verurteilt werden würde. Indes erfordert die Billigkeit nochmals, auf Ferdinands gnädiges Verfahren in einer ganzen Reihe von Fällen hinzuweisen, wo auch Calcenas erkaufte Fürsprache nicht in Frage kam, sowie auf seinen Gerechtigkeitssinn, den er in zahlreichen Befehlen zur Beschleunigung des Verfahrens oder in Zurechtweisungen an Inquisitoren und Kämmerer wegen übertriebener Strenge und Härte bekundete. Wir erkennen darin eine Milde, die man bei dem energischen Begründer der spanischen Monarchie nicht gesucht hätte. Allein bis zu seinem letzten Atemzuge griff er willkürlich in den Konfiskationssäckel, um Günstlinge zu beglücken, und der Kampf zwischen denen, welche die Ernte hielten, und denen, die die Früchte einheimsen wollten, setzte sich unter seinem Nachfolger fort.

Als nach Ferdinands Tod Ximénez die Finanzen der Inquisition zu ordnen suchte, reichten selbst seine doppelten Vollmachten als Großinquisitor und Reichsverweser wohl dazu nicht aus, denn es erging eine Verordnung Karls V. aus Gent vom 14. Juni 1517, die offenbar Ximénez aufgesetzt hatte. Nach dem Hinweis darauf, daß die Gehälter und laufenden Ausgaben der Inquisition wegen der Schenkungen der Krone nicht aus den Gütereinziehungen gedeckt werden könnten, die dafür bestimmt seien, wird verfügt, daß bis auf weiteres, nach dem Belieben des Königs, solange diese Ausgaben nicht gedeckt seien, keine Gnadenbeweise, Schenkungen oder Nachlässe anerkannt werden sollten, bei Strafe von 1000 Dukaten. Kaum hatte Karl die Verordnung erlassen, als er deren Wirksamkeit vereitelte. Am 19. September landete er in Spanien, umgeben von einer Schar niederländischer Günstlinge, die darauf aus waren, sich auf Kosten ihres Herrn und seiner Untertanen zu bereichern. Selbst Ferdinands Verschwendung erschien fast wie Knickerei im Vergleich zu der Wirtschaft, die nun einsetzte. Peter Martyr berichtet, daß diese Niederländer in weniger als zehn Monaten etwa 1 100 000 Dukaten nach ihrer Heimat sandten, teils aus dem Ertrage des Cruzada-Ablasses, teils aus dem der Inquisition, und zwar nicht nur aus den Gütern der Verurteilten, sondern auch derjenigen, die erst in der Untersuchungshaft waren und unter diesen Umständen nicht auf eine Freisprechung rechnen konnten, da man ihnen nach dieser die Güter hätte zurückgeben müssen. In dem Reformentwurf von 1518 wurde Abhilfe von diesem Mißbrauch angestrebt.

Unter diesem Druck war das Konfiskationsgeschäft sehr rege geworden, zumal auch die Spanier, wenngleich mit weniger Erfolg, die Hand aufhielten. Diese sinnlose Vergeudung war um so auffälliger, als Karl selbst stets in Geldnot war. 1519 weist er den Kämmerer von Cartagena an, dem Oberkämmerer des Supremos die lumpige Summe von 30 Dukaten zurückzuerstatten, die er bei diesem geborgt hatte. Trotz ihrer hohen Einnahmen waren die Gerichte nicht imstande, ihre Verpflichtungen zu erfüllen. Die Kämmerer setzten sich zur Wehr und beriefen sich auf die Verordnung von 1517. Einen längeren Kampf gab es mit dem Kämmerer Juan del Pozo von Toledo wegen der Aushändigung der Güter eines dortigen Verurteilten an den Herrn von Cetebrun, ein Mitglied der königlichen Leibwache; Karl bestand auf seinem Befehl und selbst Hadrian und der Supremo mußten einschreiten; denn Pozo war ein hartnäckiger Mann. Ein andermal hatte Pozo nach längerem Widerstande 600 Dukaten an Herrn Baudré zu zahlen, und er fügte sich erst nach der bedeutungsvollen Drohung mit einer Prüfung seiner Bücher. Bald darauf hatte er auf Sicht 400 Dukaten an La Chaulx als Prokurator des Goldenen Vließes und 500 an den Kammerherrn Jean Vignacourt zu zahlen.

Auch der Kämmerer von Cuenca, Cristoval de Prado, wurde gezwungen, Zahlungen an Höflinge zu leisten. Karl hatte zwei Kammerherren die Güter eines Ehepaares zugewiesen, und es muß ein sehr beträchtliches Vermögen gewesen sein, denn es wurde vorgeschlagen, die Höflinge mit 4000 Dukaten abzufinden und 2000 für die Gehälter des Gerichtes zu bestimmen, allein Karl wollte davon nichts wissen; Prado zog die Abwicklung darauf achtzehn Monate hin, indem er vorgab, gewisse Wittümer und Mitgiften aus der Masse scheiden zu müssen; Karl befahl jedoch, diese einzubeziehen. Prado scheint dann in weiteren Fällen nachgiebiger gewesen zu sein. 1520 mußte er wieder ge-

fügig gemacht werden und auf Befehl Hadrians und des Supremos Gegenstände für 350 Dukaten an den Herzog von Escalona
ausliefern, obschon er geltend machte, daß von drei betroffenen
Besitzern nur einer verurteilt sei. Cuenca muß überhaupt um
diese Zeit viel eingebracht haben, denn kurz vor seiner Einschiffung in Coruña 1520 wies Karl Zahlungen von 1000 Dukaten
an Anton v. Croy, 200 an Henri d'Espinel, 400 an Simon Fisnal,
Hausmeister Karls v. Croy, Fürsten v. Chimay, und 500 an den
Herzog Adolf von Kleve an. Prado wollte nicht gehorchen,
wurde aber im Oktober von Karl dazu gemahnt; in dem Schreiben ist auch von einer Anweisung von 1000 Dukaten an Hadrian
die Rede, weshalb anzunehmen ist, daß Prado füglich die Zahlungen leistete.

Villacis von Sevilla mußte in einer großen Anzahl von Fällen
zum Gehorsam gebracht werden, und auch Aliaga von Valencia
scheint den Höflingen so viel Scherereien bereitet zu haben,
daß einmal, als der Fürst v. Chimay zum „Universalerben" in
einer Konfiskationssache eingesetzt worden war, aus der mehrere
Günstlinge 1100 Dukaten erhalten und die Gehälter bezahlt werden sollten, man sich von vornherein auf Widerstand einrichtete
und die Beteiligten besondere Vertreter nach Valencia sandten,
denen der Statthalter bei der Eintreibung Hilfe zu leisten hatte.
Die Weisungen an letzteren, welche die Banndrohung für Aliaga
einschlossen, waren so kategorisch, als ob das Heil des Reiches
von dieser Schenkung abgehangen hätte. Indes blieb Aliaga
standhaft und die Drohungen Karls scheinen nicht gefruchtet
zu haben.

Man geht nicht zu weit in der Annahme, daß die Gerichte
in ihrer Bedrängnis sich verleiten ließen, die reicheren Conversos
zu verfolgen, so daß Reichtum gefährlich wurde. Die große
Zahl der im Zusammenhang mit diesen Geschäften erwähnten
reichen Vermögen läßt vermuten, daß von Vermögen, welche die
Not der Inquisition lindern und die Geldgier der Höflinge befriedigen konnten, nur wenige der Verfolgung entgingen. Es ist
auch nicht überraschend, daß die bedrohten Neuchristen in ihrer
Verzweiflung sich an Leδ X. wandten und sich mit Beschwerden
bei Karl abmühten. Dieser, der seinen Schmarotzern die Dukaten
mit Tausenden zuwarf, wagte es, seinen Vertreter in Rom, Lope
Hurtado de Mendoza, am 24. September 1519 anzuweisen, er

möge dem Papst die Meinung ausreden, daß die Inquisition die Reichen um ihrer Güter willen verfolge, da in Wirklichkeit alle oder fast alle Angeklagten arm seien und der Fiskus ihren Unterhalt im Kerker und die Kosten für ihre Verteidigung zu tragen habe.

Nachdem Karl Spanien verlassen hatte, um die Kaiserwürde anzunehmen, wurden die Schenkungen seltener. Er wurde sich seiner hohen Verantwortung bewußt und sah ein, daß er nicht dazu berufen sei, die Begehrlichkeit seiner Höflinge zu stillen. Die Sorge um diese kleinen Dinge überließ er dem Supremo. Eine Schenkung vom 1. Oktober 1520 aus Brüssel erwähnt die Zustimmung des Großinquisitors und des Rates von Aragon und trägt die Unterschrift des Ugo de Urries im Auftrag des Kaisers, aber auch das Visum Hadrians. Damit war die Verfügung über die Konfiskationen wohl tatsächlich auf den Supremo übergegangen, der dafür sorgte, daß die Gerichte nicht zu reich wurden. Wir hören von da an wenig oder gar nichts von dieser Art Vergeudung eingezogener Güter.

Wir sind des längeren bei diesem Gegenstande verweilt, weil dessen Bedeutung bisher von der Inquisitionsgeschichte nicht genügend gewürdigt worden ist. Abgesehen davon, daß die Gütereinziehung die Mittel für die Betätigung der Inquisition während derer rührigster Zeit lieferte, wurde sie von den Inquisitoren selbst als die wuchtigste Waffe und von den Erwerbsständen, die hauptsächlich ihr zum Opfer fielen, als das wirksamste Schreckmittel anerkannt. Die Wirkung ergibt sich aus dem Elend, das sie während mehrerer Menschenalter über die Unschuldigen und Hilflosen brachte, weit über die Todesqualen der Verbrannten hinaus. Ihr ist zum großen Teil die endgültige Vernichtung des Judentums in Spanien zuzuschreiben, denn der Heldenmut, der dem Scheiterhaufen trotzt, kann sehr wohl zusammenbrechen bei der Erwägung des Jammers, der den enterbten Nachkommen droht. Dieses System hat ferner zu dem Stillstand von Handel und Gewerbe beigetragen, die nicht blühen konnten, da der Kredit untergraben wurde und die Kaufleute und Gewerbetreibenden von bestem Ruf jederzeit mit ihrem ganzen Vermögen dem Gericht verfallen konnten. Sogar der Verzicht der spanischen Inquisition auf die Schulden der Ketzer war nur eine kärgliche Gnade, weil die Gläubiger durch die Ver-

schleppung und Hemmnisse, auf die ihre Forderungen stießen,
zugrunde gerichtet werden konnten und alte Geschäftsabschlüsse
nur dann unangefochten blieben, wenn sie durch die 40jährige
Verjährung geschützt waren. Die Inquisition erschien zu der
Zeit, wo die geographischen Entdeckungen den Welthandel um-
wälzten, die Industrie zu dämmern begann und die Zukunft sich
vor den Völkern auftat, die sich, von Fesseln am wenigsten
beengt, den neuen Umständen am besten anpassen konnten.
Spanien wäre durch seine Lage berufen gewesen, die Führung
in dieser neuen Entwicklung zu übernehmen, allein es gab sie
blindlings an die Ketzer Englands und Hollands ab. Mannig-
fache Ursachen haben hierzu beigetragen, doch nicht am wenigsten
die Aussaugung der Erwerbsstände bis zur Blutleere und die
Unsicherheit, die wegen der Gütereinziehung über allen Handlungen des geschäftlichen Lebens schwebte.

Zweiter Abschnitt.

Geldstrafen und Bußen.

Neben der Gütereinziehung bei Verurteilungen zur Aussöhnung
oder Relaxierung wegen formaler Ketzerei war die Geldbuße,
welche die Gerichte schon bei einfachem Ketzereiverdacht verhängen konnten, eine ergiebige Einnahmequelle. Das Almosen
als Buße für Sünden war allgemein kirchliche Übung und die
Gelehrten des Mittelalters konnten unschwer beweisen, daß die
Geldbuße wirksamer sei als jede andere Strafe, — jedenfalls insofern der ungeheure Reichtum der Kirche großenteils diesem
Brauch zu verdanken war. Zudem erbte der Inquisitor von
seinen mittelalterlichen Vorgängern ein nicht näher umschriebenes
Doppelamt, als Beichtiger und Richter, ihm gegenüber waren
die Schuldigen Büßer und die von ihm verhängte Strafe war
eine Buße.[1] Sogar bei der Relaxierung, der Auslieferung ver-

---

[1] In der Frühzeit wurde dies in dem Urteil ausgesprochen, so in einem
aus Guadelupe gegen Murcia, Ehefrau des Diego González, am 20. November
1485: „Und wir legen ihr auf und erteilen ihr zur Buße und Besserung und

stockter oder rückfälliger Ketzer behufs Verbrennung, wurden
diese manchmal gemäß der alten kanonischen Form als Peni-
tenciados, Gebüßte, bezeichnet. Als nach den ersten Gnadenedikten die Büßer zu Tausenden erschienen und ihre Sünden
bekannten, um von Leibesstrafen und Güterverlust verschont zu
bleiben, war der Inquisitor angewiesen, sie als „Almosen" einen
Teil ihres Vermögens abgeben zu lassen, je nach dem Stande
der Person und der Art und Dauer der Straftaten, und der Ertrag dieser Penitencias pecuniarias war für den Krieg
gegen Granada als den heiligsten aller frommen Zwecke bestimmt.
So wurden von Anfang an Geldbuße und Almosen vertretbare
Begriffe, beide anwendbar auf die willkürlichen Geldstrafen, die
der Inquisitor den Büßern auflegen konnte. In der Theorie,
nicht aber tatsächlich, wurde zwischen diesen und solchen Geldstrafen unterschieden, die wegen anderer als Religionsvergehen
in Ausübung der der Inquisition verliehenen königlichen Gerichtsbarkeit aufgelegt wurden. Zusammen gingen diese Gelder in
eine einzige Kasse, die der Penas y penitencias, der Geldstrafen und Bußen. Die an sich lose Unterscheidung wurde auf
die Dauer nicht weiter eingehalten, die Gerichte erkannten an,
daß Buße Strafe sei.

Die älteste Formel findet sich 1492 bei der Verurteilung
Briandas de Bardaxí. Die Consulta de fe erklärt sie für schwer
verdächtig, und nach dem Ermessen der Inquisitoren zu büßen.
Demgemäß beraten zwei Tage darauf die Inquisitoren über das
Strafmaß und verhängen eine Buße von fünf Jahren Gefängnis
mit gewissen geistlichen Übungen; „außerdem," heißt es, „büßen
wir sie mit dem dritten Teil ihres Vermögens, den wir der Kasse
der Bußgelder bei diesem Gericht zuweisen, sowie mit den Kosten
des Verfahrens, und dieses Drittel oder dessen genauen Wert
befehlen wir, binnen zehn Tagen dem Einnehmer der Bußgelder
Martin de Cota einzuzahlen". Um die Mitte des 16. Jahrhunderts waren diese Bedenken verschwunden. Bei der Verurteilung
der Marí Serrana in Toledo 1545 stimmt allerdings die Consulta
de fe noch dafür, daß sie um ein Drittel ihres Vermögens „ge-

---

Genugtuung für besagte ketzerische Irrtümer immerwährendes Gefängnis, in
welchem wir befehlen, daß sie bleibe und Buße für die genannten Sünden
tue."

büßt" werden soll, das öffentlich verkündigte Urteil jedoch, das gewöhnlich das Strafmaß nicht erwähnt, zählt geistliche Übungen auf und verfügt dann: „sowie die Geldstrafe, die ihr aufgelegt wird, aus gewissen Gründen aber einstweilen ausgesetzt ist." Ebenso in dem Falle der Marí Gomez von 1551, die zu 20 Dukaten für die Ausgaben des Gerichtes, zahlbar binnen neun Tagen, schlechtweg „verurteilt" wird. Als das Urteil ihr im Saale vorgelesen wird, fragt sie, wie sie die 20 Dukaten zu zahlen habe und erhält den Bescheid, daß der Betrag ihrem seit der Verhaftung gesperrten Vermögen entnommen würde. Die Sperre gab dem Gericht die Möglichkeit, sich nach Belieben aus dem Vermögen des Verurteilten zu bedienen und die Strafe nach dem Wert der Güter zu bemessen.

Die Inquisition hatte ein Interesse daran, die Geldstrafen als Bußen gelten zu lassen, weil diese, zum Sakrament der Beichte gehörig, eine kirchliche Handlung bildeten, der Ertrag somit, im Gegensatz zu der Gütereinziehung, zur Verfügung der Kirche blieb. In Wirklichkeit war dies eine Wortklauberei, da der Inquisitor nicht lossprach, ja nicht einmal Priester sein mußte, von Amts wegen daher keine Sakramente spendete; allein die Unterscheidung erwies sich auch dann noch als nützlich, als die Inquisition die Einnahmen aus beiden Quellen, Gütereinziehung und Bußen, an sich gezogen hatte. In dem Streit Ferdinands mit ihr um den Ertrag der Geldstrafen (s. Bd. I, S. 211) behielt das h. Offizium den Sieg, und dies war für die Angeklagten insofern vorteilhaft, als die Gerichte geneigt sein mußten, sie nur des Ketzereiverdachtes zu überführen, um den Ertrag der Strafen für sich zu behalten, anstatt auf formale Ketzerei zu erkennen, die Gütereinziehung bedingte. Dieser Vorteil verschwand, als der Supremo über sämtliche Einnahmen verfügte, indes blieben die beiden Kassen getrennt.

In der Frühzeit wurde die Unterscheidung dadurch bekräftigt, daß es einen Kämmerer für die Geldstrafen und einen andern, besser besoldeten, für die Gütereinziehungen gab; ersterer scheint dem Großinquisitor unterstellt gewesen zu sein, letzterer war es dem König. Indes gab es keine feste Regel, beide Ämter waren auch vereinigt. Einen besonderen Verwalter der Strafgelder hatte noch 1515 Huesca in der Person des Domherrn Pero Pérez, bei dessen Tode sich eine Unterschlagung von

4000 Sueldos ergab und das Amt mit dem andern verbunden wurde. 1516 vereinigte Ximénez die beiden Ämter allgemein unter weiterer Trennung der Kassen und befahl, Ausgaben aus den Strafgeldern nur auf Anweisung des Großinquisitors zu bewirken. Auch bei dem Supremo wurden die beiden Kassen 1524 einer gemeinsamen Verwaltung unterstellt.

Es hielt schwer, bei dem Mangel an Verantwortlichkeit zu verhindern, daß unbefugte Beamte die Geldstrafen einzogen und veruntreuten. Dagegen ergingen 1546 und 1547 Vorschriften; weil diese nicht beachtet wurden, wurde 1549 ein Rechnungsprüfer für Aragon eingesetzt, worauf 1551, wohl auf dessen Befund hin, ein Runderlaß feststellte, daß bei gewissen Gerichten die Strafen nicht in das Strafregister eingetragen würden, und verfügt, daß die Sequesternotare dies bei ihrem kirchlichen Gehorsam und bei Strafe des Bannes gleich nach der Verurteilung zu besorgen hätten; für fehlende Beträge wurden die Notare mit ihrem Gehalt haftbar gemacht. Da die Erträge der Strafen und Bußen jetzt ganz den Inquisitionszwecken dienten, konnte der Vorwand, sie für fromme Zwecke zu verwenden, nur als ein Deckmantel für Unterschleife angesehen werden, und der Supremo konnte auch darüber nicht im Zweifel sein. So hatten 1568 die Inquisitoren von Barcelona über eine Geldstrafe von 300 Dukaten in der Weise verfügt, daß je 25 zwei Frauenklöstern überwiesen und der Rest für Bett- und Kleiderzeug in der Armenpflege ausgegeben werden sollte. Der Supremo verlangte Rechenschaft über die 250 Dukaten und betonte, daß die Strafgelder für Inquisitionszwecke dienen müßten. Übrigens war es ungerecht, die Notare für Fehlbeträge haften zu lassen, da sie gegenüber Veruntreuungen der Inquisitoren machtlos waren. Letztere brauchten ihnen von der Verhängung der Strafen nichts zu melden, wie es 1525 in Sizilien festgestellt wurde. In Barcelona hatten die drei Inquisitoren 1565 nach einem Prozeß wegen der Ermordung eines Inquisitionsbeamten sich aus den Strafgeldern unter dem Vorwand von Sporteln je 1000 Realen angeeignet, die sie zurückgeben mußten.

Die Unterscheidung zwischen den Konfiskations- und den Strafgeldern wurde in der Weise gehandhabt, daß die Kämmerer bei ihrer Ernennung mit der Erhebung der letzteren besonders

beauftragt wurden und für sie eine Truhe und Rechnung führen
mußten. Während die Konfiskationsgelder zur Bestreitung der
Gehälter und die Überschüsse für Kapitalanlagen bestimmt
waren, wurden aus den Strafgeldern die Gastos extraordina-
rios, die sonstigen und vorübergehenden Ausgaben der Gerichte
bestritten, in erster Linie die Gehaltszulagen, dann die verschiedenen Bedürfnisse der Gerichte und ihrer Beamten, z. B.
Ausstattungen für Heiraten, Hausmieten, Ausbesserungen an
Gebäuden. So hatten die Gerichte immer ein Interesse daran,
die Quelle fließen zu lassen, zumal nachdem der Konfiskations-
segen nachgelassen hatte, der früher manchmal aushelfen mußte.

Gelegentlich ersetzten die Gerichte die Einziehung durch
Geldstrafen, die, wie aus einzelnen Beispielen hervorgeht, nicht
viel weniger als das ganze Vermögen der Verurteilten trafen,
aber der Krone nicht verfielen. Trotzdem hatte der Supremo
die Unverfrorenheit, ein Gesuch aus Valencia auf den Cortes
von Monzon 1537, die Inquisition sollte die Moriscos nicht in
Geldstrafe nehmen, dahin zu widerlegen, daß die Strafgelder
dem königlichen Schatz zuflössen, und seiner Majestät nicht an-
zuraten sei, diese Strafe zu erlassen, oder den Papst um eine
Abweichung von den kanonischen Vorschriften zu bitten.

Diesen Vorschriften gemäß sollte die Einziehung stattfinden,
man zögerte indes nicht, sie durch Geldstrafe zu ersetzen. Das
geschah am meisten in den aragonischen Landen, wo die Moriscos vorwiegend Hintersassen des Adels waren, der in Mitleidenschaft geriet, wenn sie zugrunde gerichtet und ihre Länder eingezogen wurden. Nach den Fueros von Valencia fiel einge-
zogenes Feudalland, gleichviel ob Ketzerei oder andere Ursachen
die Einziehung bedingt hatten, an den Landesherrn zurück.
Ferdinand und Karl hatten diese Bestimmungen beschworen,
die Inquisition jedoch beachtete sie nicht und bestand darauf,
solche Ländereien für sich wegzunehmen. Sogar ein Breve
Pauls III. von 1546, das auf zehn Jahre, und nach dem Ermessen
des h. Stuhls auch fürderhin, die Moriscos von Einziehung und
Geldstrafe befreite, fand keine Beachtung. Auf die Vorstellungen
der Cortes von 1564 hin wies der Supremo das Gericht Valencia
einfach an, unbekümmert um alles Privilegiengerede mit den
Einziehungen fortzufahren. Mittlerweile hatte Aragon 1534 von
Karl eine Verordnung erwirkt, wodurch er auf Einziehungen

gegen Moriscos verzichtete und die Güter den Erben der Verurteilten zuerkannte oder nach dem Intestatverfahren teilen
ließ; der Supremo hatte dem zugestimmt. Indes klagten 1547
die Cortes, daß die Einziehung durch Geldstrafen ersetzt werde,
deren Höhe das Vermögen der Betroffenen übersteige, die nicht
nur ihr Eigentum verkaufen, sondern auch ihre Kinder ins
Elend bringen müßten. Darauf erwiderte der Supremo, wer
sich beschwert fühle, möge sich an ihn oder an die Inquisitoren
wenden.

Schließlich kam ein einträgliches Geschäft mit Valencia zustande, das die stärkste Moriscobevölkerung hatte. Nachdem
die Inquisition 1537 einen Vorschlag, gegen eine Jahreszahlung
von 400 Dukaten die Geldstrafen für Moriscos abzulösen, zurückgewiesen hatte, ging sie 1571 auf ein Abkommen ein, das
ihnen gegen 2500 Dukaten jährlich die Einziehung erließ und
die Geldstrafe auf 10 Dukaten beschränkte; die Zahlung hatte
die Aljama des Verurteilten aufzubringen.[1] Diese günstige Abmachung genügte dem Gericht nicht: bei dem Auto de fe vom
7. Januar 1607 wurden Strafen von je 50, 30 und 20 Dukaten
verhängt, und während nur acht Aussöhnungen stattfanden,
wurden zwanzig Strafen von 10 Dukaten verfügt. Der Supremo
tadelte dies, da ohne Aussöhnung keine Geldstrafe statthaft sei,
außer bei besonderen Vergehen. Die Vereinbarung ermöglichte
tatsächlich dem Gericht, seine Einnahmen ganz nach seiner
Regsamkeit zu richten, denn es fehlte nie an maurischen Apostaten. Das kleine Nachbardorf Mislata muß so gut wie bankrott
gewesen sein, da es für die Bußen seiner Bewohner haftete, von
denen 1591: 83 und 1592: 17 getroffen wurden.

Nachdem die Konfiskationsquelle versiegt war, bot die unbegrenzte Verhängung von Geldstrafen und Bußen einen will-
kommenen Ersatz. Sie waren in den Fällen zulässig, die mit
Ketzerei oder deren Begünstigung nichts zu tun hatten, bei
Doppelehe, Gotteslästerung, üblen Reden, Vergehen gegen die
Gerichte und ihre Beamten, Vergehen der Beamten und Vertrauten selbst. Namentlich die weltliche Gerichtsbarkeit erwies
sich als vorteilhaft, indem der Beklagte, ob nun ein Vertrauter

---

[1] Einzelheiten in des Verfassers „Moriscos of Spain", S. 120—4.

oder ein Außenstehender, in Strafe genommen werden konnte, und die Gelegenheit dazu wurde selten versäumt. Es war kein Geheimnis innerhalb des h. Offiziums, daß diese willkürliche Gewalt nicht nach der Schwere des Falles, sondern nach den Bedürfnissen der Anstalt ausgeübt wurde. Schon 1537 wurde einem Inquisitor, der zur Aburteilung von Hexen ausgesandt wurde, untersagt, Gütereinziehungen zu verhängen, die Geldstrafen dagegen sollte er nach der Größe der Vergehen und dem Vermögen der Angeklagten so bemessen, daß die Ausgaben gedeckt und der Kämmerer instand gesetzt werde, die Gehälter zu bezahlen. Ähnlich lautete ein Runderlaß von 1575, der mit dem Hinweis auf die Armut des Supremos, die Visitatoren zur Verhängung von Geldstrafen mit ermächtigte; dies wurde mehrfach bis 1624 wiederholt.

Die Anspornung war überflüssig, die Inquisitoren arbeiteten so gründlich, daß der Supremo ihnen manchmal sogar Einhalt gebieten mußte. Auf einer Visitation in Gerona und Elna 1564 verhängte Dr. Zurita aus Barcelona in einem fort Strafen von 4 bis 30 und gar 100 Dukaten, anscheinend lediglich nach den Mitteln der Opfer. Sein Kollege Mexia strafte einen Mann mit 100 Dukaten und den Kosten des Verfahrens, weil er dreißig Jahre vorher jemand, der ihn zum Vertrauen auf Gott aufgemuntert, geantwortet hatte: „Das Gottvertrauen hat mich voriges Jahr 50 Dukaten gekostet." Einer, der dieses Urteil tadelte, wurde zu 20 Dukaten nebst Kosten verurteilt. Diese Strafe, sowie drei von 60, 40 und 15 Dukaten, die Mexia über den Vogt und zwei Juraten von Vindoli verhängt hatte, ließ der Supremo nach; das Vergehen war so geringfügig, daß der Rat die Verurteilung aus den Registern streichen ließ. Wenn diese Inquisitoren in Barcelona selbst zu Gericht saßen, bedachten sie sich noch besser, so in dem Falle des Abtes von Ripoll, den sie, völlig unzuständig, mit 400 Dukaten belegten, weil er eine Nonne als Beischläferin hatte. Noch 1687 lieferte das Gericht Logroño einen schlagenden Beweis von Mißbrauch der Gewalt, indem es einen Santiagoritter und Vertrauten mit dem Bann und 200 Dukaten strafte, weil er bei der Verkündigung des Glaubensediktes die Kirche mit dem Schwert an der Seite betreten wollte. Der Großinquisitor hob den Bann ganz und die Geldstrafe bis auf nähere Erkundigung auf.

Die Einträglichkeit der Geldstrafen war ungleichmäßig, aber bedeutend. Auf dem Auto de fe vom 13. Mai 1585 in Sevilla erhielt ein Büßer, der des Luthertums angeklagt war, 100 Dukaten, ein anderer wegen Doppelehe 200 mit der Maßgabe, daß die Strafe die Hälfte seines Vermögens nicht übersteigen solle; für die Behauptung, außerehelicher Beischlaf sei nicht Sünde, wurde einer bis zu 200 Dukaten nach Maßgabe seines Vermögens, zwei mit je 1000 und einer mit 200 Maravedí getroffen, sodann wegen Bergung von Ketzern einer mit 50 Dukaten. Der Ertrag dieses Autos war 850 Dukaten, 2000 Maravedí; noch einträglicher aber war das vom 14. Juni 1579 in Llerena mit 4375 Dukaten, zum Teil auf Kosten wohlhabender Geistlicher, die dem Illuminismus ergeben waren. Toledo betraf 1604 einen Deutschen aus Madrid wegen einiger ketzerischer Äußerungen mit 3000 Dukaten; er hatte u. a. gesagt, Hiob sei Alchemist gewesen; dann 1649 und 1650 wegen des Versuchs, einen Judaisten zu verbergen, zwei mit je 500, und zwei mit je 300 Dukaten. Später hatte es noch manchmal Glück, so 1669, wo es den Dr. Alonso Sánchez, Priester und Arzt des Gerichtes Cuenca, mit 13 000 Dukaten wegen Begünstigung der Ketzerei bestrafte. 1654 nahm Cuenca außer dreizehn Konfiskationen bei einem Auto 2250 Dukaten ein, während Córdova es 1655 bei der Abfassung einer Gruppe reicher Judaisten und ihrer Freunde auf etwa 7000 Dukaten brachte.

Was die in der Ausübung der weltlichen Gerichtsbarkeit verhängten Strafen angeht, so arbeiteten die Gerichte mit schweren Zahlen, auch wenn Vertraute beteiligt waren, was 1632 der Supremo gegenüber Beschwerden mit dem Hinweis auf das strenge Vorgehen gegen eigene Leute zu ihren Gunsten geltend machen konnte. Allerdings waren die Vertrauten aus Valencia, um die es sich in diesem Falle handelte (s. Bd. I, S. 279), durch die Geldbußen vor schweren Leibesstrafen gerettet worden. Es war also vorteilhaft, zweifelhafte Leute als Vertraute zu haben, über die man gegebenenfalls zu Gericht sitzen konnte. Schwer wurden auch Vergehen gegen Inquisitionsbeamte gesühnt, so einmal die Beleidigung eines Notars in Saragossa mit 60 Dukaten.

Im 17. Jahrhundert forderte der Supremo die Strafgelder für sich ein. Als die Finanznot des Staates aufs höchste stieg, verfügte 1639 Philipp IV. die Überweisung eines Viertels aller Gelder aus Straftaten der weltlichen Art in die königlichen Gerichtskassen.

Da die Geldstrafen häufig die Leistungsfähigkeit der Verurteilten überstiegen, pflegten die Inquisitoren für den Unvermögensfall auf Leibesstrafen wie Galeeren, Auspeitschung oder schimpflichen Aufzug zu erkennen, wodurch die Anverwandten genötigt wurden beizusteuern, um der Familie eine öffentliche Schande zu ersparen. Die Prozeßordnung von 1561 verbot diese wahlweise Vollstreckung, da Unvermögen nicht dergestalt getroffen werden dürfe. Dies wurde indes nicht beachtet, und 1568 wurde aus Barcelona berichtet, daß das dortige Gericht an den Eventualstrafen festhalte, um die Zahlungen zu erzwingen. Um 1640 stellte ein Inquisitor fest, daß die Schwierigkeit umgangen wurde, indem arme Leute auf die Galeeren mußten und die Geldstrafen für die Reichen blieben.

Von der zweiten Hälfte des 17. Jahrhunderts an werden die Geldstrafen seltener, sind aber in der Regel höher. Die Register aus Toledo von 1648—1794 weisen nur eine Strafe unter 100 Dukaten auf, und auch diese beträgt 50 Dukaten. Im Ganzen wurden bis 1742 64 Geldstrafen verhängt, später keine mehr. Diese 64 ergaben 30 600 Dukaten nebst vierzehn Einziehungen des halben Vermögens. War es ein stärkeres Rechtsempfinden oder Mangel an Schuldigen, genug, die Auflegung von Geldbußen hörte im 18. Jahrhundert nach und nach auf: die Berichte über 66 Autos aus den Jahren 1721—1745, 962 Fälle, erwähnen keine einzige mehr. Indes blieben Geldstrafen bis zuletzt üblich: 1816 wurde der Besitzer unzüchtiger Gemälde mit 100 Dukaten gestraft, die dem königlichen Schatz zuzuweisen waren; anscheinend hatte die Krone sich diese spärliche Einnahmequelle gesichert.

In diesen Dingen bildet die römische Inquisition einen erfreulichen Gegensatz zu der spanischen. Außer in Mailand, Cremona und anderen Orten, die unter spanischer Herrschaft standen, wurden Geldstrafen nur selten verhängt, es bedurfte der Zustimmung der Kongregation der Kardinäle, und der Ertrag wurde unverzüglich frommen Zwecken zugewiesen, auch mußte über die Verwendung Rechenschaft abgelegt werden.

Aber selbst diese Zuwendung wurde als ein Verstoß gegen den Charakter des h. Offiziums empfunden, darum behielt Urban VIII. 1632 die Bestätigung jeder Geldstrafe dem Papste selbst vor und hob das Privileg der Mailändischen Gerichte auf. So stark war der Widerwille in Rom gegen diese geschäftliche Verwertung des Glaubenseifers, daß der dort weilende Agent der spanischen Inquisition, Cabrera, nicht wagte, dem Papst einen Bericht über ein Auto de fe in Toledo vorzulegen, mit dem der Großinquisitor Arce y Reynoso geglaubt hatte, Anerkennung für seine Verwaltung zu ernten. Cabrera schrieb 1656 zurück, da Alexander VII. die Geldbußen in Glaubenssachen mißbillige und ihm schon davon gesprochen habe, so halte er es für klüger, den Bericht nicht vorzulegen, der verschiedene Fälle dieser Art erwähnte.

Dritter Abschnitt.

Der Strafnachlaß.

Die römische Kurie hatte die Christenheit längst an den Gedanken gewöhnt, daß die Vergebung der Folgen einer Sünde käuflich sei. Wir brauchen uns daher nicht zu wundern, daß auch die Inquisitionsstrafen als eine Marktware angesehen wurden, deren Ertrag die Einnahmen ergänzen sollte. Das System, das wir schon bei der Ablösung der Gütereinziehung finden, wurde auf die persönlichen Entrechtungen ausgedehnt, die kraft kanonischen und bürgerlichen Rechtes die Schuldigen und ihre Nachkommen trafen (s. Bd. I, S. 541). Die Satzungen von 1484 und 1488 übertrugen diese Entrechtung auf die Inquisition und ergänzten die Aufwandverbote bis zum Waffentragen und Reiten von Pferden, ferner erneuerten sie den Kreis der verbotenen Berufe für die Nachkommen der leiblich oder bildlich Verbrannten. Durch Verordnung Ferdinands und Isabellas 1501 wurde das Verbot, Ämter und gewisse Berufe auszuüben, der ortsstatutarischen Zuständigkeit überwiesen, mit dem Vorbehalt des Nachlasses durch die Krone. Somit war die Entrechtung der Büßer und ihrer Nachkommen aus verschiedenen Quellen ergangen. Die Beschränkungen des Aufwandes, als Cosas arbitrarias bekannt, galten als Bereich der Inquisition, die davon entbinden konnte. Die Zulassung Entrechteter zu den Ämtern oder den gesperrten Berufen bildete ein Vorrecht der Krone, während als Wächter des Glaubens und des kanonischen Rechtes und als Urquell der inquisitorischen Gerichtsbarkeit der h. Stuhl einen allgemeinen Einfluß beanspruchte, der widerwillig zugestanden wurde.

Zu alledem kamen die unmittelbar persönlichen Strafen, für deren Nachlaß die Inquisition die Befugnis beanspruchte: Galeeren, Verbannung, Gefängnis und das Tragen des Sanbenitos, des Büßerkleides.

Die Kurie erkannte gar bald, welch reiches Geschäft bei der großen Zahl der Entrechteten sich ihr mit dem Strafnachlaß auftat. In dem Tarif des Pönitenziaramtes findet sich eine Staffel für vollen Strafnachlaß wegen der „Marrania": für einen Kleriker 60 Gros tournois (= 4 Dukaten), für einen Laien 40 Gros tournois nebst 20 als Sporteln für die Dataria; für einen Teilnachlaß, der einem Laien erlaubte, seinem Beruf nachzugehen oder einem Priester, Messe zu lesen, 12 Gros, bei einem Arzt oder Advokaten jedoch das Doppelte.

Zwar versuchte Ferdinand wiederholt, solche Nachlässe zu unterdrücken, allein das päpstliche Recht war unanfechtbar und Kardinal Mendoza, Erzbischof von Toledo, war von Innozenz VIII. mit der Verleihung von Rehabilitationen beauftragt worden und Karl V. und der Supremo erkannten 1520 eine solche zugunsten des Pero Diaz aus Cifuentes an, dessen Mutter verbrannt worden war. Zu derselben Zeit beanspruchte die Inquisition die Entscheidung über Nachlässe der von ihr verhängten Strafen, verlangte aber dafür weit höhere Abgaben als Rom, so in einem Falle für die Erlösung vom Sanbenito 1000 Dukaten, wobei noch wegen des Gewichtes der Geldstücke Schikanen gemacht wurden. So ist auch erklärlich, daß der Inquisitor von Córdova, Dr. Guiral, hohe Summen unterschlagen konnte, die er für Nachlaß des Sanbenitos erhoben hatte (s. Bd. I, S. 116), sowie daß die Inquisition ungerne auf diese Gewinnquelle verzichtete.

Verwickelt wurden die Dinge durch den Anspruch der Herrscher auf einen Gewinnanteil. Alexander VI. gewährte ihnen 1495 ein Breve, das, bezugnehmend auf den Brauch der Inqui-

sitoren, von den Inhabern päpstlicher Rehabilitationen Gelder zu
erheben und zu behalten, die Erträge von Strafumwandlungen und
Rehabilitationen zur Verfügung der Könige stellt, und zwar bei
Strafe des Bannes ipso facto gegen zuwiderhandelnde Inquisitoren. Mithin wurden päpstliche Strafnachlässe nicht ohne weitere
Zahlung anerkannt. Alexander fand sich damit ab, sofern nur
die Abgaben in Rom entrichtet wurden, und Ferdinand nahm
eine Einmischung Roms hin, die zu seinem Vorteil ausschlug.
Er nutzte die Gelegenheit sofort aus, und ehe das Jahr um war,
hatte er den in Toledo Entrechteten massenweise Nachlässe
und Umwandlungen zugebilligt, wofür sein Schatzmeister rund
6 500 000 Maravedí einnahm. Ähnliche Ablösungen müssen auch
anderswo vorgekommen sein.

Die Inquisition war nicht gewillt, das einträgliche Geschäft
abzugeben. Während der nun folgenden Jahre gab es einerseits
einen Streit in ihren eigenen Reihen zwischen dem Großinquisitor
und den Inquisitoren, anderseits zwischen dem h. Offizium und
Ferdinand, der 1499 den Großinquisitoren die Einnahmen aus
Strafnachlässen und Rehabilitationen zusprach, aber 1501, wie
eingangs dieses Abschnitts erwähnt, der weltlichen Gewalt die
Zuständigkeit für Entrechtung sowohl wie Erlösung zugewandt hatte. Voraussetzung blieb immer die vorherige päpstliche Rehabilitierung. Ohne sie gab es in der Regel keine königliche, ebenso wie Ferdinand keine päpstliche Rehabilitierung gelten
ließ, wenn die königliche nicht eingeholt wurde. Bei Geistlichen
griff Ferdinand nicht ein, es kann indes nicht zweifelhaft sein,
daß der Supremo hier seine Rechte geltend machte, denn 1498
forderte er alle Strafnachlässe und Absolutionen für ausgesöhnte
Büßer ein, woraus man schließen kann, daß die nicht vorgelegten
Urkunden sonst nicht beachtet worden wären; die Anerkennung
ließ er sich dann bezahlen.

In vielen Fällen indes wird das päpstliche Eingreifen nicht
erwähnt, unter Umständen, unter denen das sicher geschehen, wenn
es vorhanden gewesen wäre. Man entriet seiner wohl bei dem
großen Ablösungsgeschäft von Sevilla, wo für die Rehabilitationen
allein 20 000 Dukaten ausbedungen wurden, sowie bei der Ausdehnung des Abkommens auf weitere Gegenden und Städte, ferner
als Kardinal Manrique in den weiten Bezirken von Sevilla, Córdova, Granada und Leon ganzen Scharen die Amtsfähigkeit

zurückgab, wobei, wahrscheinlich aus finanziellen Ursachen, die
Lizenzen auf kurze Fristen ausgestellt waren, die verlängert
werden konnten.

Diese Übergehung der Kurie führte um 1528 zu Gegenmaßregeln in Gestalt von Rehabilitierungsbriefen, deren Beachtung
durch Kirchenstrafen erzwungen werden konnte, so daß der König
und der Supremo ausgeschaltet waren. Darauf verkündigte Karl V.
abermals die Verordnung von 1501, während der Supremo den
Gerichten klarmachte, daß es eine Unfähigkeit nach kanonischem
und eine nach bürgerlichem Recht gebe, mithin eine päpstliche
Rehabilitierung allein nicht genüge, ebensowenig wie eine königliche. Diesen Standpunkt verließ er jedoch in Runderlassen von
1530 und 1531 unter Ausdrücken des Bedauerns über die neue
Form der päpstlichen Lizenzen. Bei Vorzeigung einer solchen
solle der Fiskal unter Betonung des zweifachen Charakters der
Entrechtung ein Gesuch an den Papst aufsetzen, das der Supremo
dann in Rom weiter betreiben würde. Inzwischen war die Lizenz,
wie anzunehmen ist, außer Kraft gesetzt.

Der Kampf dauerte noch eine Reihe von Jahren, allein die
Zeiten des unnachgiebigen Ferdinands waren vorüber und die
Kurie ließ sich nicht erschüttern. Die Urkunden, die sie in
reichlicher Zahl verkaufte, waren ungemein liberal und gingen
gegen das spanische Gesetz. Eine von 1545 mit der Unterschrift
Pauls III. lautet auf den Namen des Juan de Haro von Jaen,
dessen Großeltern bildlich verbrannt worden waren. Sie preist
seine Verdienste und erklärt ihn daher für fähig als Baccalaureus,
Magister und Doktor, der richterlichen Ämter, des Berufes als
Arzt, Wundarzt oder Apotheker, des Amtes als Steuerpächteroder -Einnehmer und sämtlicher Ehren und Würden einschließlich der akademischen Lehrtätigkeit, erlaubt ihm das Tragen von
beliebigen Kleidern, Goldschmuck und Waffen und das Reiten
auf Pferden oder Maultieren, erklärt ihn für erb- und erwerbsfähig, für fähig zum Eintritt und Fortkommen im geistlichen
Stande und untersagt allen Inquisitoren und weltlichen Behörden,
ihn im Genuß dieser Privilegien zu stören. Es war dies wohl
die übliche Formel, allein, wie verletzend sie auch war, man
mußte sie erdulden. Hier und da jedoch sicherten sich die Inhaber solcher Urkunden deren Anerkennung durch ein unterwürfiges Benehmen, wie einmal, als fünf wegen Begünstigung der

Ketzerei verurteilte Edelleute wieder amtsfähig werden wollten: ihre Urkunden legten sie dem Supremo vor mit der Erklärung, daß sie keinen Gebrauch davon machen würden, worauf Valdés sie für gültig erklären ließ.

Mittlerweile dauerte das inländische Geschäft fort, indem der Großinquisitor, wie es sein Recht war, die Verfügungen der Inquisitoren aufhob. Wo es sich um Unfähigkeiten gemäß der Verordnung von 1501 handelte, wurde das Recht der Krone anerkannt. Mit den Befreiungen von Aufwandverboten dagegen entspann sich ein lebhafter Handel. In den Akten finden sich natürlich keine Spuren davon; es war Brauch, den niederen Beamten Blankoscheine zu übergeben, die sie nach Möglichkeit bei den Betroffenen verwerteten. Gegen Ende des 16. Jahrhunderts bemerkte Peña denn auch, daß es allgemein üblich sei, die Entrechtungen nach einer gewissen Zeit aufzuheben.

Die Wiederzulassung zu den Ämtern und Gewerben wurde von der Krone und ihren Beamten so allgemein als ein Geschäft betrachtet, daß die Cortes von Madrid 1552 Vorstellungen dagegen erhoben: Kinder und Enkel verurteilter Ketzer seien reich geworden, sie würden nun durch den König wieder fähig, den Verordnungen zuwider und zum Schaden des Gemeinwesens. Die Antwort lautete, die Sache würde beachtet und die Verordnungen befolgt werden. Daran darf man um so mehr zweifeln, als die Kurie damals ihren Anspruch auf Erteilung von Befreiungen dieser Art fallen ließ und zu Anfang des 17. Jahrhunderts sich weigerte, in diese Dinge einzugreifen.

Das Recht der Umwandlung oder der Begnadigung bei eigentlichen Inquisitionsstrafen hat die Kurie nie beansprucht, so daß das h. Offizium hier freie Hand hatte. Stets war es bereit, Gnade gegen eine angemessene Vergütung zu gewähren, und die entsprechenden Erträge wurden in amtlichen Akten als ein ständiger Posten angesehen. Besonders einträglich war der Nachlaß des Sanbenitos, in der Frühzeit in einem Falle wenigstens 1000 Goldgulden. Ein zum Tragen dieses Kleides verurteilter Notar aus Sizilien bat 1560 um Erlösung, weil er seinen Lebensunterhalt nicht mehr verdienen könne; er möchte nach seinem Heimatsorte übersiedeln, um dort den Rest seiner Tage zu verbringen, wenn er aber mit dem Büßerkleide komme, würden seine Verwandten, die in guter Lage und Stellungen seien, ihn verßoßen; darum bat er um Umwandlung der Strafe in Geld, das er bei seinen Angehörigen aufbringen wolle, andernfalls laufe er Gefahr, Hungers zu sterben. In einer solchen Zwangslage, wenn der Verurteilte außerstande war, seinen Lebensunterhalt zu verdienen, war er, wie auch seine Verwandtschaft bereit, jedes Opfer zu bringen, um daraus erlöst zu werden. Die Verurteilung lautete in der Regel auf „Cárcel y abito", Gefängnis und Büßerkleid, und die Umwandlung traf beide Strafen.

Im allgemeinen war die Umwandlung dem Supremo vorbehalten; die Versuchung für die Inquisitoren, die Erträge an sich zu nehmen, wäre zu groß gewesen. 1519 wurde das Gericht Barcelona, und zweifellos auch die andern, zum Bericht aufgefordert, wie viele das Sanbenito trügen und welcher Ertrag aus einer Umwandlung zu erwarten sei. Da auf diese Weise neben der Gütereinziehung noch die Einnahmen von den Verwandten der Verurteilten in Aussicht standen, wenn der Angeklagte überführt wurde, muß die Neigung zur Härte sehr stark gewesen sein.

Der Ertrag der Lösegelder wurde zu „frommen Zwecken" bestimmt. Darunter war mancherlei zu verstehen. So wurde 1585 eine Ablösung vom Sanbenito für zwei, zehn Jahre vorher verurteilte, greise Moriscos von Cuenca mit 4000 Realen bewertet und das Geld zum Bau eines Gefängnisses für Vertraute angewiesen; dabei erfahren wir, daß zwei Jahre früher der Supremo eine ähnliche Verwendung für einen Bau verfügt hatte. Ein Inquisitor, der 1541 nach Sizilien ging, erhielt gewisse Lösegelder als Teil seiner Besoldung angewiesen; sie müssen beträchtlich gewesen sein, denn die entsprechenden Sporteln für den Sekretär Zurita wurden allein auf 55 Dukaten geschätzt. Granada hatte einmal eine Erlösung vom Sanbenito zu vollstrecken; der Ertrag, soviel wie der Verurteilte zahlen könne, war für fromme Zwecke bestimmt; es lag aber ein vertraulicher Befehl bei, das Geld für den Gerichtsboten als Heiratsgut für dessen Tochter aufzuheben.

Diese Lösegelder, wie die Gütereinziehungen aus der Frühzeit, wurden als Gaben und Geschenke erbeten und gewährt. So bewarben sich 1589 zwei Klöster in Valencia um Sanbenitogelder. Meist war jedoch der ausgesprochene fromme Zweck der Loskauf von Gefangenen. Dieser Vorwand deckte z. B. ein Geschenk von 15 Dukaten an den Gerichtsdiener von Calatayud. Wenn jedoch wirklich Gefangene losgekauft wurden, sorgte der Supremo, daß es auch geschah. Die Umwandlung sollte auf Fälle beschränkt sein, in denen die Strafe nicht für unnachläßlich erklärt war. Aber auch das wurde nicht eingehalten, wenn das Geld seine zersetzende Wirkung ausübte.

Sogar von den Galeeren, einer viel strengeren Strafe als Büßerkleid und Gefängnis, war ein Freikauf möglich. Da der Gefangene eine Last, der Ruderknecht dagegen ein nützliches Wesen war, deren nie genug zu haben waren, muß die Umwandlung hier teurer gewesen sein, auch um so seltener, als die Strafe an sich nicht häufig war und nur kräftige Männer treffen konnte. Die Umwandlung geschah in mancherlei Formen. In einem Falle von 1543 stellte ein Adliger Sklaven zum Ersatz für zwei seiner verurteilten Hintersassen, in einem andern durfte der Verurteilte die Galeeren mit dem Heeresdienst an der französischen Grenze vertauschen. Anscheinend wurde der Loskauf von den Galeeren zu häufig für die Marine, so daß der Supremo 1556 davon abzusehen befahl, und tatsächlich sind bis gegen Ende des 16. Jahrhunderts keine Fälle mehr nachweisbar. 1596 wurden einem Neuchristen drei Jahre, die er noch zu dienen hatte, nach Prüfung seiner Vermögenslage gegen 700 Libras und Gestellung eines Sklaven erlassen. Als der Mann in Freiheit war, ergab sich, daß sein Sanbenito nicht in die Gnade einbegriffen war, und so mußte er weitere 100 Libras drauflegen. Ähnlich wurde in mehreren Fällen das Lösegeld nach den Mitteln der Verurteilten bemessen; es war hoch und konnte nur von Wohlhabenden erlegt werden.

1595 mahnte Philipp II. den Großinquisitor Manrique de Lara zur Vorsicht beim Nachlaß von Galeeren, Verbannung, Gefängnis und Sanbenito; auch sollten keine Gesuche um Geschenke aus den Lösegeldern berücksichtigt werden. Da dies hundert Jahre später von Karl II. wiederholt wurde — in etwas erweiterter Form — muß es auch um diese Zeit noch möglich gewesen sein, Gnade vom h. Offizium zu erhandeln.

Vierter Abschnitt.

Die Pfründen.

Bei Errichtung der Inquisition lag es im Interesse der Krone, durch Anstellung von bepfründeten Geistlichen die Personalausgaben der Kirche aufzubürden und die königliche Konfiskationskasse zu schonen. 1480 sollten die ersten vier Inquisitoren unter Entbindung von der Residenzpflicht mit Zustimmung Sixtus' IV. in Benefizien eingeschoben werden, allein man wußte die Eindringlinge abzuwehren und die Herrscher mußten sie mit Hofkaplanstellen abfinden. Der Versuch wurde 1484 in erweitertem Maße erneuert und im folgenden Jahre wurde ausdrücklich in der Urkunde für Torquemada bestimmt, daß überhaupt Inquisitionsbeamte von der geistlichen Residenzpflicht entbunden seien, unbeschadet ihrer Einkünfte. Darin lag nichts Außergewöhnliches, da das kanonische Recht diese Pflicht zugunsten des Studiums an Universitäten aufhob und der Genuß von Pfründen ohne Residenz bei den Günstlingen der Kurie dahin gerechtfertigt wurde, daß der Dienst des Papstes dem Dienst in einem Kapitel gleichkomme. Immerhin kann die spanische Kirche sich nicht ohne Widerstand gefügt haben, und wohl darauf ist ein Breve Innozenz' VIII. vom 8. Februar 1486 zurückzuführen, das die Entbindung auf fünf Jahre beschränkt und dem Inhaber seine Stellvertretung zur Last läßt. Dabei wurden die Inquisitionsämter genau aufgezählt, von dem Inquisitor hinab bis zum Kerkervogt, und für Streitfälle wurden drei Prälaten mit ausreichenden Schlichtungs- und Zwangsvollmachten bestellt. Der Erlaß wurde von da ab bis zum Ende der Inquisition alle fünf Jahre erneuert. Die Päpste weigerten sich standhaft, den Zeitraum zu verlängern, weil sie eine Waffe in ihren häufigen Zusammenstößen mit dem spanischen h. Offizium in der Hand behalten wollten, abgesehen davon, daß der häufige Erlaß von Breven für so zahlreiche und geschätzte Ämter erkleckliche Sporteln abwarf.

Ein weiterer Schritt der Begründer der Inquisition war, daß sie sich das Vorschlagsrecht für Pfründen zugunsten der Inquisitionsbeamten sicherten. Hierfür erließ Innozenz VIII. 1488 ein Breve, das ihnen die Ernennung zu je einer Pfründe in jeder

Dom- oder Stiftskirche zugestand mit Ausnahme der Kirchen, deren Spitze ein Kardinal war, dies mit Rücksicht auf das Ansehen des h. Kollegiums. Bald darauf machten Ferdinand und Isabella die ersten Vorschläge: sechs Inquisitoren, zwei Fiskale, ein Bote und ein „Beamter" wurden ausgewählt. Dieses Breve galt wahrscheinlich nur auf fünf Jahre, denn 1494 erließ Alexander VI. ein weiteres, das im April 1495 zugunsten von 24 Beamten, meist Inquisitoren, aber auch sieben Fiskalen, zwei Supremomitgliedern und zwei römischen Agenten der Inquisition angewandt wurde. Es befanden sich darunter Dr. Guiral und Lucero, die nacheinander in Córdova als Inquisitoren berüchtigt wurden. Es konnte nicht ohne Widerstand abgehen, denn den hochgebornen Domherren mußte die Einschiebung von gemeinen Beamten, wie Ferdinand sie manchmal auswählte, widerwärtig sein. So wurde 1499 an Stelle eines Inquisitors in eine Stiftskirche Barcelonas ein einfacher tonsurierter Kleriker eingeschoben, der Kerkervogt beim Gericht war. Anderseits benutzte Ferdinand das Residenzprivileg dazu, Domherren und sonstige Benefiziaten zu Inquisitionsämtern zu berufen, was er den Kapiteln als eine Gelegenheit für ihre Mitglieder hinstellte, sich im Dienste Gottes auszuzeichnen. In einem Falle ordnete er an, eine Rechtsprofessur eines Inquisitionsbeamten in Valladolid durch einen Stellvertreter mit halbem Gehalt zu besetzen. So wurden alle übrigen Körperschaften der Inquisition dienstbar gemacht.

In dem fünfjährigen Erlaß Julius' II. von 1505 über die Residenzpflicht wurde nicht mehr wie bis dahin irgend ein Prälat, sondern der Großinquisitor zum Vollstrecker mit Strafgewalt bestimmt. Da die Kapitel die Ernannten durch einen Eid zwangen, nur auf einen Teil ihrer Bezüge Anspruch zu erheben, erklärte Julius solche Eide für unwirksam und entband davon. Die Kapitel waren nicht so leicht zum Nachgeben zu bewegen. Das von Zamora wollte von der Einschiebung des Supremofiskals nichts wissen und arbeitete in Rom dagegen. Ferdinand schritt mit dem größten Nachdruck ein: er verbannte die Domherren, die sich dann beugten und begnadigt wurden. In einem Falle von 1512 mußte die päpstliche und die königliche Gewalt wegen der Erhebung der Einkünfte gegen zwei Kapitel zugunsten des Großinquisitors, Bischofs Enguera, angerufen werden.

Wenn Ferdinand glaubte, daß er durch diesen Mißbrauch

seines Patronatsrechts die Bürde der Inquisition erleichtern
könnte, so sah er sich getäuscht. Die Bepfründeten, einmal im
Besitz von Lebensstellungen, waren keineswegs gesinnt, bei der
Inquisition umsonst Dienste zu tun; ihre vollen Gehälter mußten
ihnen ausbezahlt werden, ihre Benefizien betrachteten sie nur
als eine Zugabe, und wenn Ferdinand trotzdem so sehr bestrebt
war, ihnen diese zu verschaffen, so ist dies dem Wunsch zuzuschreiben, bei dem geringen Gehalt tüchtige und tatkräftige
Männer heranzuziehen. Als 1501 Pedro de Belorado als Erzbischof und Inquisitor nach Messina ging, befahl der König, ihm
das Gehalt voll auszuzahlen. So blieb es in der Folge, das Gehalt wurde mit 6000 Sueldos bezahlt, auch wenn der Beteiligte
noch so gut bepfründet war.

Als der Supremo die Gewalt an sich gerissen hatte, benutzten
seine Mitglieder ihre Stellung, um sich zahlreiche Pfründen zu
verschaffen. Daraus entstanden wegen der unnachsichtigen
Anwendung der päpstlichen Indulte mancherlei Reibungen mit
den Kapiteln, die indes regelmäßig, wenn sie einem Supremomitglied die Bezüge beschneiden wollten, durch Banndrohungen
mürbe gemacht wurden. Eine Berufung nach Rom war unwirksam, dafür hatte der spanische Botschafter zu sorgen. Die Be-
pfründung galt für die Seelsorgeämter wie für die Chorstellen,
und erstere sind wohl ebenfalls häufig an Inquisitionsbeamte
vergeben worden, obschon wir wenig davon hören, weil es dabei
keine Körperschaften gab, deren Widerstand zu brechen gewesen
wäre. Die strengen Anordnungen des Trienter Konzils über die
Residenzpflicht für die Seelsorgeämter, von der nur der Bischof
und auch nur auf höchstens zwei Monate entbinden konnte —
von Ausnahmefällen abgesehen —, fand einen Ausdruck in dem
fünfjährigen Indult Pius' V. von 1567, das die Seelsorgeämter
von dem Inquisitionsprivileg ausschloß. Der Supremo gab dies
erst 1571 kund.

Eine weitere Vorschrift des Konzils, daß die Benefiziaten
zwei Monate nach Ernennung in die Hände ihres Ordinarius
oder Kapitels das Glaubensbekenntnis abzulegen haben, wurde
wenig beachtet. Es kam zu häufigen Reibungen wegen Verweigerung der Bezüge gegenüber Inhabern, die dieser Form nicht
genügt hatten, und um diesen Streitigkeiten ein Ende zu machen,
zog 1612 Paul V. alle schwebenden Fälle an sich und verlängerte

die Frist für Spanien auf sechs Monate und für die Kolonien
auf zwei Jahre, während für die Zukunft, um den Inquisitoren
weite Reisen zu ersparen, eingeräumt wurde, daß sie die Förmlichkeit binnen gleich langen Fristen mittels einer rechtsgültigen
Urkunde an ihrem Wohnsitz erfüllen konnten. Das Konzil galt
wenig angesichts der Inquisition.

　　Eine Mahnung Philipps III. von 1599 an den Supremo weist
auf die Übelstände hin, welche die Verleihung von Kapitular-
ämtern, die Dienstleistungen erforderten, für die Kapitel zur
Folge hatte. Wenn das half, war es nicht von Dauer: 1665
hatten die drei Inquisitoren, der Fiskal und der Sekretär von
Córdova zusammen sechs Pfründen inne, davon zwei in Córdova
und drei in Cuenca. Philipps Mahnung bezog sich namentlich
auf die Ämter des Dekans, des doktoralen Kapitulars als Beistand des Kapitels in Rechtssachen und des magisterialen als
Beraters in Glaubenssachen. Die Inhaber dieser von Sixtus IV.
geschaffenen Ämter durften sich bei Verlust ihrer Stellung nicht
über zwei Monate ohne Erlaubnis des Kapitels von ihrem Sitz
entfernen. Julius II. gestand auch für diese Ämter 1508 der
Inquisition die Residenzbefreiung zu. Nachdem 1599 indes das
Kapitel von Córdova die Residenzpflicht wieder für den doktoralen Kanoniker hatte einführen lassen, kam es zu einem Konflikt und einer Berufung des Kapitels nach Rom, das diesmal
unterlag, wogegen Urban VIII. 1640 die alte Vorschrift Sixtus' IV.
für dieses und das Amt des magisterialen Kanonikers wieder ins
Leben rief; der Ernannte, ein überzähliges Supremomitglied,
wurde zum Verzicht veranlaßt. Auch damit waren die Konflikte
nicht aus der Welt geschafft. Insbesondere paßten die Kapitel
auf, ob die Befreiung von der Residenzpflicht alle fünf Jahre
erging, und weil das unterblieben war, bot das Domkapitel von
Valencia 1728 der Inquisition Widerstand.

　　Einen weiteren Anlaß zu Streitigkeiten bot die Frage, ob die
als Kommissare der Inquisition zeitweilig abwesenden Chorherren
Anspruch auf ihre Bezüge hätten. Sie wurde schließlich bejaht,
ohne daß deshalb die Konflikte aufgehört hätten.

　　Nun war 1501 eine große Schenkung vollzogen worden, die
bestimmt war, der Inquisition ein für allemal über die Geldnot
hinwegzuhelfen. Je eine Chorstelle in sämtlichen Kathedral-

und Stiftskirchen mit der Pfründe stellte Alexander VI.
zur Verfügung der Inquisition. Es ist auffällig, daß von der
Ausführung nichts zu merken ist. Der Widerstand der Kapitel
wäre wohl zu stark gewesen, und Ferdinand ließ die Sache
ruhen. 1520 und 1521 nahm Kardinal Hadrian sie wieder auf
und machte bei Karl V. namentlich geltend, daß der auf die
Inquisition geworfene schändliche Verdacht aufhören müsse, sie
wünsche die Verurteilung der Angeklagten, um Mittel für ihren
Unterhalt zu bekommen. Der Vorschlag erhielt keine Folge,
auch nicht als Hadrian Papst war. Karl V. vergaß die Sache
nicht und empfahl sie 1554 seinem Sohne. Da kam das Jahr
1558 mit dem Protestantenschreck, den Valdés so gut auszunutzen
wußte. Außer den Pfründen in dem Umfang von 1501 wurde
für den ersten Bedarf ein Geldgeschenk von der Geistlichkeit
erbeten. Es sollten 10 000 Dukaten sein; Philipp II. hatte ein
Prozent der Einkünfte vorgeschlagen. Paul IV. bewilligte
100 000 Dukaten. Dann erging nach kurzer Erwägung das Breve
vom 7. Januar 1559, das je einen Chorsitz in den Kathedral-
und Stiftskirchen Spaniens und der Kanaren aufhob und die
entsprechenden Einkünfte zur immerwährenden Verfügung der
Inquisition stellte. In dem Maße wie die Stellen frei würden,
sollten sie der Inquisition eingeräumt werden, ohne Rücksicht
auf Patronatsrechte, ohne daß die Zustimmung des Diözesan-
hauptes erfordert wäre, ungeachtet konziliarischer Dekrete und
päpstlicher Konstitutionen, die sie für erforderlich erklärten, sowie der Ansprüche von Bewerbern.

In der Eile, mit der die Sache betrieben worden, war übersehen worden, einen Vollstrecker für diesen Beschluß zu bestellen.
Valdés nahm die Befugnis eines solchen keck für sich in Anspruch und teilte am 29. April 1559 den beteiligten Körperschaften das Breve mit, indem er unter Androhung von Bann
und 2000 Dukaten dessen Nachachtung sowie die Aufhebung
der nach dem 7. Januar gemachten diesbezüglichen Ernennungen
befahl und im Namen der Inquisition von den Stellen Besitz
ergriff; all dies „kraft der besagten uns verliehenen apostolischen
Vollmacht". Die unterlassene Förmlichkeit wurde 1566 durch
die Bestellung zweier spanischer und eines römischen Prälaten
nachgeholt. 1574 mußte das Breve nochmals bestätigt werden.

Die Besitzergreifungen, die schon im April begannen, stießen so häufig auf Widerstand, daß zeitweilig fast alle Kapitel im Bann waren. Gerichtliche Anfechtungen halfen nichts, da der Supremo die Berufungen entschied. In einem Prozeß um eine Stelle in einer Stiftskirche, die auf Verwendung des Herzogs von Escalona besetzt worden war, saß 1559 und 1560 das Gericht Cuenca, von Valdés beauftragt, in eigener Sache, da es den Nutzen aus der Pfründe haben sollte. Die Posse endigte mit einer furchtbaren Drohung gegen das Kapitel, das nun nachgeben mußte.

Wenn die Kurie entgegen dem Breve von 1559/1560 Stellen besetzte, schwieg die Inquisition klugerweise. Zuerst wurde auch das königliche Patronat beachtet, in der Folge nicht mehr.

Vom August 1560 an wurden in den Inquisitionssprengeln Agenten ernannt, die über die Erledigung von Pfründen zu wachen und demgemäß zu handeln, dann die Einkünfte einzuziehen und zu verwalten hatten. Da jedoch die Einkünfte vielfach aus Naturalien bestanden, waren Unterschleife allzu leicht, und man verstand sich deshalb öfters mit den Kapiteln dahin, daß sie die Verwaltung übernahmen und eine feste Summe zahlten. Das bewährte sich nicht, und von 1570 an wurden die Einkünfte versteigert, der Ertrag ging seit 1586 in die noch zu erwähnende Truhe mit den drei Schlüsseln. Zwischen den Kapiteln und den Gerichten waren kleine Reibungen, auch Berufungen nach Rom wegen der Kontrolle, häufig, und der Supremo mußte seine Gerichte manchmal beschwichtigen. Die Kapitel, die sich als beraubt fühlten, haben der Inquisition ohne Zweifel vorenthalten was sie nur konnten. Immerhin bildeten die Pfründen einen beträchtlichen Teil der Einnahmen der Gerichte — drei Achtel, 1731 etwa 600 000 Realen — und ohne den meisterhaften Streich Valdés' von 1559 wäre die Inquisition eine so schwere Last geworden, daß Karl III. sie wohl hätte an Erschlaffung sterben lassen.

———

Fünfter Abschnitt.
Die Finanzen.

Es fehlt nicht an Anzeichen dafür, daß die Inquisition bei ihrer Errichtung nicht als eine dauernde Anstalt gedacht war, sondern nur ein vorübergehendes Mittel zur Reinigung des Lan-

des von jüdischen Apostaten. Andernfalls hätte man dafür gesorgt, sie zu der Zeit der einträglichen Gütereinziehung hinlänglich auszustatten für die nach dem Raubzug einzutretende
Ebbe. Ferdinand erwog auch gelegentlich, sie zu fundieren,
allein seine eigenen Bedürfnisse und das gierige Drängen nach
Schenkungen vereitelten seine etwaigen Pläne. Karl V. wurde
1519 auf einen dieser Pläne aufmerksam gemacht, der dahin
ziele, der Inquisition durch Grundrenten eine feste finanzielle
Unterlage zu geben, was stellenweise auch zum Teil ausgeführt
worden sei. Es finden sich jedoch nur geringe Spuren davon.
Nach Sizilien waren 1513 nach erheblichen Gütereinziehungen
Weisungen ergangen, die dadurch erworbenen Grundrenten nicht
zu veräußern, sondern für den Unterhalt des Gerichtes zu behalten; infolge von Durchstechereien kam dies nicht zur Ausführung. Anlagen der Gerichte Córdova und Sevilla in Staatspapieren riß der Supremo an sich; sie rührten wohl aus dem
großen Ablösungsgeschäft her, dessen Ertrag gemäß einer Verfügung der Königin Johanna von 1516 in Grundrenten angelegt
werden sollte, aber es nur zum Teil wurde. Dem Gericht Toledo
überwies Ferdinand dessen Dienstgebäude und andere Grundstücke zu Eigentum, und ähnlich mag auch in anderen Fällen
verfahren worden sein, es sind dies indes die einzigen Beispiele
von Zuwendungen für eine dauernde Unterhaltung der kastilichen
Gerichte, auf die ich gestoßen bin.

Was Aragon angeht, so ergibt sich aus einem Schreiben
Kardinal Hadrians von 1520, wodurch Saragossa angewiesen
wird, seine Ausgaben aus den Straf- und Bußgeldern zu decken
bis einige Gütereinziehungen einträten, daß es keine sonstigen
Mittel hatte. Barcelona war besser daran, indem die Provinzial-
verwaltung auf Grund der — von der Inquisition verleugneten,
für diesen Zweck aber benutzten — Concordia von 1512 regelmäßig 12 000 Libras jährlich beisteuerte. Daneben muß das
Gericht auch beträchtliche eigene Einnahmen erzielt haben, da
es in der Lage war, seinem Notar für eine Abschrift des Registers über seine Grundrenten in Perpignan 1550 eine Gehalts-
zulage von 24 Dukaten zuzuwenden. Für Valencia habe ich,
was diese Zeit angeht, keine Angaben gefunden.

Es steht also fest, daß nach der Verschleuderung der großen
Konfiskationen die Zukunft fraglich war. Da der Supremo wäh-

rend der ersten Hälfte des 16. Jahrhunderts Anweisungen auf die Gerichte zu erlassen pflegte, müssen bei diesen die Einnahmen größer als die Ausgaben gewesen sein; wo dies nicht zutraf, mußte ein erfolgreicheres Gericht aushelfen. Die 1559 von der spanischen Geistlichkeit erhobenen 100 000 Dukaten legte der Rat wahrscheinlich zum größten Teil für sich an; 10 000 Dukaten wurden dem Oberalguazil anvertraut, um für besondere Zwecke bereitzuliegen. Die Einnahmen aus den Pfründen, die ein für allemal Abhilfe schaffen sollten, müssen schlecht verwaltet worden sein, da der Supremo 1573 klagte, daß heimgezahlte Kapitalbeträge nicht neu angelegt, sondern ausgegeben worden seien. 1579 schrieb er nochmals unbedingt vor, in solchen Fällen Neuanlagen zu bewirken, und 1586 verlangte er, wohl ohne vollen Erfolg, von den Gerichten genaue Angaben über deren Einnahmen, die gestiegen seien, und über die Erträge der Pfründen und Renten. Da monatliche Ausweise einzusenden waren, hätte es keiner solchen außerordentlichen Kassenberichte bedurft, allein die Gerichte handelten gegenüber der Zentrale wie diese gegenüber dem König. Der zufällig erhaltene Bericht aus Valencia von 1587 läßt nichts von Gütereinziehungen und Bußgeldern merken, verschiedene Posten fehlen, und statt 2500 Dukaten, die von den Moriscos erhoben waren, werden nur 1500 Libras aufgeführt; der Gesamtbetrag wird mit 5000 Libras für das Jahr angegeben. Dabei muß Valencia sich gut gestanden haben, denn der Supremo gestattete ihm 1601 die Anschaffung eines Baldachins für große Urteilsverkündigungen bis zu einem Preise von 500 Dukaten, der sich dann bei der Lieferung auf 900 stellte. Der Supremo murrte über die Vergeudung und ließ schließlich den Betrag auszahlen. Auch Logroño muß gut gestellt gewesen sein, da es 1587 über 155 000 Realen zu etwa 3 Prozent ausleihen konnte.

Um diese Zeit wäre die Inquisition bei allen ihren Nebeneinnahmen und den Pfründen ihrer Oberbeamten gut daran gewesen, wenn die Kaufkraft des Geldes nicht gesunken wäre. Nach der Austreibung der Moriscos (1609/10) gerieten die Gerichte der aragonischen Lande in Schwierigkeiten: Valencia büßte seine 2500 Dukaten jährlich und die unbegrenzte Möglichkeit der Erhebung von Zehndukatenstrafen ein, so daß 1615 der Supremo vorschrieb, die Gehälter nach den Einnahmen zu be-

messen, was indes nicht verhinderte, daß 1615 zwei Beamte
reichlich pensioniert oder beschenkt wurden. Die Notlage der
aragonischen Gerichte wurde dem verschwenderischen Philipp III.
wiederholt, aber vergeblich, geschildert. 1619 erklärte der Supremo, die Inquisition im ganzen arbeite mit einem Fehlbetrag
und wolle drei Inquisitoren- und eine ganze Anzahl anderer
Ämter abschaffen — was nicht geschah. Die Krone, im dunkeln über die Einnahmen, sollte Mittel schaffen, und um dieselbe
Zeit, 1618, freute sich Bleda, daß die Inquisition so reich sei
und über hundert Ämter mit Einkommen größer als die eines
italienischen Bistums verfüge.

Ohne Zweifel ging es bei der Inquisition in der folgenden
schweren Zeit, wie bei allen spanischen Verwaltungen, wo
schlechte Gebarung die Regel war, indes hatte sie eigene und
sorgfältiger geschützte Hilfsquellen, so daß sie weniger der Bedrängnis ausgesetzt war und die unaufhörlichen Anzapfungen
Philipps IV. ohne großen Schaden für ihr Vermögen ertragen
konnte. Und sie klagte immer weiter. 1681 gab sie eine Aufzählung, die jedes einzelne Gericht mit einem Fehlbetrag erscheinen ließ, der wohl auch bei einigen vorhanden gewesen sein
mag, dann aber, wie z. B. in Toledo, nicht zum mindesten infolge von Nachlässigkeit. Darauf verweist auch die kritische
Denkschrift von 1623 an den Supremo. Die Beamten seien so
schlecht bezahlt, daß sie Nebenverdienst suchten und ihre Pflichten vernachlässigten, und man Eingesessene anstellen müsse, die
ihren Sippen und Freunden gegenüber in Geldsachen Nachsicht
übten oder üben müßten. Da es keine Sporteln für das Nach-
schlagen in den älteren Akten gebe, verliefen die Prozesse im
Sande. Eine solch unfähige und korrupte Verwaltung erklärt
zur Genüge die mißliche Finanzlage. War es doch an der
obersten Spitze nicht besser bestellt. Im November 1642 wurde
Madrid durch die Neuigkeit überrascht, daß auf Befehl des Großinquisitors das präsidierende Mitglied des Supremos, Pedro
Pacheco, wegen Vergehen im Amte verhaftet und, damit er nicht
mit dem König oder Olivares in Verbindung treten könne, in
aller Eile nach Leon befördert worden sei — eine gerechte
Strafe für seine Erpressungen, wie es allgemein hieß. Das war
derselbe Pacheco, dem Philipp gerade 30 000 Dukaten aus dem
Ertrag des Ämterverkaufs (s. Bd. 1 S. 495) überwiesen hatte.

Um dieselbe Zeit vermerkt Pellicer, ein Mitglied des Rates von Kastilien sterbe in Armut, während ein Inquisitor des Supremos, Alcedo, 40000 Dukaten in Gold und Silber hinterlasse.

Die finanzielle Elastizität der Gerichte ist bemerkenswert: gerieten sie einmal in Not, so konnten sie sich selbst helfen. Schon 1630 hatte Valencia sich so weit erholt, daß es 45000 Dukaten in städtischen Schuldverschreibungen zu 5 Prozent angelegt hatte. 1633 schalt der Supremo das Gericht wegen überschwenglicher Ausgaben für Stiergefechte und festliche Beleuchtungen, und in demselben Jahre suchte es nach Gelegenheiten für neue Kapitalanlagen. 1660 bezog es an Kapitalzinsen und Mieten 5130 Libras, dazu die Einnahmen aus fünf Chorstellen, den Geldstrafen und Gütereinziehungen. Barcelona, das nach dem katalonischen Aufstande wieder ganz von vorn anfangen mußte, gab von 1662 bis 1664: 4200 Libras für Damastbehänge, Ausbesserungen an Gebäuden und außergewöhnlichen Gehaltszulagen aus, und 1666 legte es 1000 Libras an.

Der Vorschrift gemäß legte die Inquisition einen Teil ihrer Ersparnisse in Staatspapieren an. 1668 waren es rund 7900000 Maravedí. Wie immer bevorzugt, erlangte sie, daß ihre Titel bei dem verschämten Staatsbankrott nicht gekürzt wurden. Im großen ganzen kam sie über die Schwierigkeiten des 17. Jahrhunderts besser hinweg als die andern Staatsämter, trotz ihren heftigen Klagen konnte sie sich reichlich erhalten. Mißwirtschaft mag ab und zu ein Gericht in eine kritische Lage gebracht haben, allein daraus halfen ihm dann bald die stets noch einträglichen Verfolgungen. Der Supremo litt niemals Not, bei ihm wurden die Gehälter mit einer sonst in Spanien damals unbekannten Pünktlichkeit bezahlt. In einem Zusatz zur Consulta magna von 1696 führte Graf Frigiliana aus, daß die Inquisition aus den Pfründen, den durch Gütereinziehung erworbenen Grundstücken und den Kapitalanlagen ein reichliches Einkommen beziehe.

Das 18. Jahrhundert begann mit schlimmen Anzeichen. Der Erbfolgekrieg, der alles in Verwirrung brachte, traf auch die Finanzen der Inquisition, für die Philipp V. keine Rücksichten kannte. 1704 mußten alle Beamten 5 Prozent von ihrem Gehalt abgehen lassen, bald wurde die Abgabe verdoppelt. 1707 hatte die Inquisition zu einem allgemeinen Geschenk beizutragen, wobei, da man dem Supremo nicht traute, die Erhebung den Bischöfen übertragen wurde. 1709 folgte das S u b s i d i o h o n e s t o. Eine ziemlich dreiste Forderung des Supremos, daß zur Entschädigung für diese Leistungen die von der Krone verliehenen Benefizien ohne Residenzpflicht in ganz Spanien der Inquisition zugeschoben werden möchten, wurde abgewiesen.

Die Klagen über Armut dauerten fort und waren, nach einer Aufstellung von 1731 zu urteilen, nunmehr auch berechtigt. Für die gesamte Anstalt wurde ein jährlicher Fehlbetrag von über 500 000 Realen angegeben, die Gehaltsrückstände auf beinahe 1 500 000 Realen. Es fragt sich, wie sie dabei überhaupt bestehen konnte. Der Supremo deckt danach seine Kosten nur zur Hälfte. Nur zwei Gerichte, Santiago und Sevilla, haben kleine Überschüsse, Valencia kommt glatt aus, alle übrigen haben mehr oder weniger große Fehlbeträge. Die Zeiten sind vorbei, wo der Supremo nach Belieben auf die Gerichte ziehen konnte, einzelne müssen ihm Zuschüsse von 10 000—45 000 Realen überweisen — nach welchen Grundsätzen wird nicht gesagt —, zusammen sind es 123 000 Realen. Obwohl dem Supremo in finanziellen Dingen untergeordnet, hat jedes Gericht seine eigene Gebarung und Einnahmen, es findet sich mit seinem Fehlbetrag ab wie es eben kann, und das Ergebnis ist verschieden. Córdova, Murcia und Mallorca kämen ohne den Zuschuß an die Zentrale aus. Das einst so bedürftige Mallorca hat den größten Beamtenstab mit einem Posten von 104 694 Realen, zugleich mit 96 829 Realen die größten Einnahmen aus eigenem Vermögen infolge des Konfiskationsregens von 1678 und 1691. Toledo hat zwar einen Fehlbetrag von nur 27 000, schuldet aber über 250 000 seinen Beamten. Saragossa ist übel dran: aus der Aljafería vertrieben, erhält es von Philipp IV. 1708 aus den Gütereinziehungen einen Jahreszuschuß von 5200 Dukaten zur Ermietung von Gebäuden, der 1725 eingestellt wird. 1731 hat es 20 000 Dukaten für neue Gebäude ausgegeben und braucht ebensoviel, um sie zu vollenden. Der Einnahme von 80 000 Realen stehen Ausgaben für 118 000 Realen gegenüber, davon 93 000 für Gehälter, wogegen Barcelona mit 50 000 Realen für diesen Posten bei einer Gesamtausgabe von unter 60 000 Realen eine Einnahme von 48 000 ausweist. Santiago, das aus seinen Pfründen die hohe Einnahme von 88 000 Realen und aus seinen Kapitalanlagen 5000 Realen zieht,

kann seinen Zuschuß an die Zentrale leisten und behält 4000 Realen übrig. Nur vier Gerichte, Santiago, Sevilla, Murcia und Valencia bringen ihre Gehälter voll auf.

Die ganze Darlegung beleuchtet den von jeher herrschenden Systemmangel. Ferdinand verwaltet die Finanzen selbst und läßt die Anstalt von der Hand in den Mund leben. Unter Karl reißt der Supremo die Verwaltung an sich, bemächtigt sich der Überschüsse der Gerichte und überweist die unstetig fließenden Konfiskationsgelder dahin, wo gerade Not ist. Die seit 1559 der Inquisition zugefallenen Benefizien bringen die erhoffte Fundierung nicht: jedes Gericht erhält die in seinen Sprengel fallenden, und die Einnahmen sind von einem zum andern ungleichmäßig: hier Überfluß, dort Mangel. Jedes waltet für sich, ohne Gemeinbürgschaft, ohne Gesamtkasse, und die Rechnungsprüfung durch den Supremo dient mehr zur Versorgung des letzteren als zur Aufsicht über die örtlichen Beamten. Das Kontrollamt vergeudet seine Zeit in Kleinlichkeiten, bei den großen Entfernungen aber und den Verkehrsschwierigkeiten werden die wichtigeren Geschäfte tatsächlich dem Ermessen der Gerichte überlassen. So bildet sich ein Zwitterding aus, das die Mängel der Zentralisierung mit denen der örtlichen Selbstverwaltung vereinigt, bei geteilter Verantwortlichkeit und unwirksamer Aufsicht. Ein Gericht, dem gerade schwere Gütereinziehungen zufallen oder das über zahlreiche und einträgliche Pfründen gebietet, steht sich bei einer ehrlichen und fähigen Verwaltung gut, andere, die weniger Glück haben, geraten in Not.

Um die Mitte des 18. Jahrhunderts hatte sich die Lage einigermaßen gebessert. Ein gut unterrichteter Beobachter, der die Lähmung der Inquisition durch die Unregelmäßigkeit der Einnahmen bedauert, gibt ihr Einkommen aus ihrem Vermögen mit 948 000 Realen, das aus hundert Pfründen und einigen Pensionen mit 637 000 Realen an; dem stehen 1 900 000 Realen an Gehältern und sonstigen Ausgaben gegenüber, so daß ein Fehlbetrag von 400 000 Realen vorhanden ist. Er schlägt vor, dem König das Vermögen aus den Gütereinziehungen im Kapitalwert von 36 000 000 Realen zu überlassen und die Kirche zu Leistungen heranzuziehen, dergestalt, daß der Inquisition das durchaus notwendige Einkommen von 2 700 000 gesichert werde. Dabei wird erwähnt, daß in 113 Stiftskirchen die der Inquisition zustehenden

Pfründen nicht belegt seien; sie werden mit einem Durchschnitts-
einkommen von 2500 Realen auf zusammen 282 500 Realen jährlich geschätzt; desgleichen sollten die persönlich von 49 Inquisitoren genossenen Pfründen zu je 11 000 Realen, also 539 000 Realen,
für die Anstalt eingezogen werden.[1]

Ein anderer Vorschlag aus derselben Zeit ging dahin, nach
Abschaffung überflüssiger Ämter und Einziehung von Pfründen
dem König die ganze Verantwortung mit der Ernennung der be-
soldeten Beamten und dem ganzen Kassenwesen zu überlassen;
wenn dann ein Fehlbetrag entstände, gäbe es keine gerechtere
Sache, die eine Unterstützung aus öffentlichen Mitteln verdiente.
Nebenbei trat der Urheber des Vorschlags für eine wesentliche
Aufbesserung der Unterbeamten ein, deren Mittellosigkeit den
Spott des Volkes herausfordere. Wenn einer sterbe, müsse sein
Gericht die Krankheits- und Beerdigungskosten übernehmen, und
die Schuldenklagen gegen diese Leute nähmen kein Ende. In
den Provinzen ergänzten sie ihr Einkommen häufig durch Bettelei,
und in ihrer Notlage seien sie jeder Versuchung ausgesetzt.

Über die Lage einzelner Gerichte in der Folge habe ich keine
Angaben gefunden, einzelne müssen sich jedoch gut gestanden
haben. Valencia konnte 1773 und 1774 Überschüsse in Grundstücken anlegen. 1790 hatte es bei dem hohen Beamtenstab von
25 ein Einkommen von 12 207, Ausgaben für 7777, mithin einen
Überschuß von 4430 Libras, bei einem Barvermögen von 32 707
trotz einer jährlichen Aufwendung von 5000 Libras für Arbeiten
und Kapitalanlagen während der letzten fünf Jahre. Dieses Beispiel ist indes nicht für alle Gerichte maßgebend. Da 1790 in
Valencia nur 39 Libras für Unterhalt der Gefangenen ausgesetzt
waren, läßt sich erkennen, wie wenig die übermäßig vielen Beamten zu tun hatten.

Die bald darauf folgenden Kriege zogen die Inquisition dadurch
in Mitleidenschaft, daß sie ihr Vermögen in Staatspapieren an-

---

[1] Der Verfasser rechnet für die spanischen Kathedralen 1123 Domherrn-
stellen aus mit einem Durchschnittsertrag von 10 000 Realen jährlich, mithin
zusammen 11 900 000 Realen, ferner 3500 Chorherren in Stiftskirchen zu je
2500 Realen, zusammen 875 000 Realen, und für beide Gruppen 20 680 000
Realen. Da die Einnahmen zum großen Teil aus dem Zehnten kamen, ergibt
sich eine schwere Belastung für die Landwirtschaft aus diesem einzigen Teil
des kirchlichen Gefüges. — Bibl. nac., Mss., Mm. 130.

legen mußte, namentlich Valencia 62584 Libras aus Verkäufen
von Landgütern, und daß die Beamten Gehaltsabzüge erlitten; auch
sonst wurde sie für öffentliche Zwecke herangezogen. Dabei ging
viel verloren, u. a. 30000 Realen, die Logroño beigesteuert hatte,
um 1808 die Plünderung der Stadt durch den General Verdier
abzuwenden. Bald danach kam das Dekret Napoleons vom
4. Dezember, das die Inquisition aufhob und ihr Vermögen der
Krone zusprach; es wurde ausgeführt, soweit die französische
Herrschaft reichte. Dann lernten die Cortes von Cádiz von der
Inquisition und zogen am 1. Dezember 1810 alle Benefizien ein,
an die keine Dienstleistung gebunden war, um die Erträge für
den Freiheitskrieg zu verwenden. Bei der Abschaffung durch die
Cortes von 1813 war das h. Offizium tatsächlich erloschen.

Das finanzielle Gefüge der Inquisition war ursprünglich plump.
Die finanziellen Beamten: Kämmerer, Rechnungsprüfer und Konfiskationsrichter ernannte die Krone; nach 1559 gab der Großinquisitor seine Vollmachten für die Verwaltung der Pfründen
dazu. Der Kämmerer brauchte für die Verwaltung der verstreuten
Güter Gehilfen, die er gemäß der Reform des Kardinals Ximénez
aus seinem Gehalt von 60000 Maravedí zu bezahlen hatte —
eine zweifelhafte Ersparnis. Um die Mitte des 18. Jahrhunderts
war das Amt weniger wichtig geworden, und das Gehalt betrug
400 Dukaten gegen 800 für einen Inquisitor und Fiskal. Der
Kämmerer hatte für 300000 Maravedí Bürgschaft zu stellen;
diese mußte alle drei Jahre erneuert werden, die häufigen Drohungen mit dem großen Bann, womit dies eingeschärft wurde,
zeigen indes, daß die Sache schwer durchzuführen war.

Während dem Beamten für die Bewirkung der Einnahmen
fast keine Schranken gesetzt waren, durfte er keine Ausgabe ohne
Ermächtigung der Krone oder der Oberbehörde machen. Nachdem der Supremo die Kontrolle an sich genommen hatte, sah er
besonders genau auf die außergewöhnlichen Ausgaben. Für die
Belege und Quittungen gab es peinliche Vorschriften, die Prüfung
verlor sich in die kleinsten Dinge. Die vielen Förmlichkeiten
mochten wohl als eine Entschuldigung für Verzögerungen in der
Rechnungsablage gelten, allein dieses rührte daher, daß der Kämmerer häufig der Schuldner seiner Kasse war. 1560 ersann der
Supremo ein System, wonach je ein Rechnungsprüfer, den er mit

40 000 Maravedí besoldete, für zwei Gerichte gesetzt wurde, um sich jedes Jahr abwechselnd mit einem zu beschäftigen. Erfolg hatte dies nicht, und 1572 kehrte man zu der früheren jährlichen Rechnungsablage zurück, ergänzt durch Monatsausweise über Vermögensverwaltung und Eingänge. Auch dies wurde wenig befolgt, und die Denkschrift von 1623 empfahl eine Reihe von Maßregeln, u. a. die Aufsicht der Prüfungsarbeit durch einen Inquisitor und die Heranziehung eines Sachverständigen bei der Arbeit. Der Verfasser bekundet nur wenig Vertrauen zu dem Rechnungsprüfer des Supremos. Es geschah nichts, und die Zentrale begnügte sich damit, säumige Kämmerer zur Einsendung des Jahresberichtes zu mahnen, was ab und zu wirkte. Das Geheimnis der Verschleppung offenbart sich in einer Weisung von 1633 an Valencia, darauf zu sehen, daß, wenn der Kämmerer seinen Kassenbericht, den er angefangen, erstattet habe, er zur Deckung des zu seinen Lasten bestehenden Ausfalles anzuhalten sei. Nicht anders als die Kämmerer handelten die Depositarios de los pretendientes, die Beamten für die Rasseprobe. Auch sie hatten Jahresberichte zu erstatten, sie waren häufig in der Schuld bei ihrer Kasse, und ihre Berichte gingen so unregelmäßig ein, daß man schon zufrieden war, wenn gegen Ende des 18. Jahrhunderts der Beamte von Valencia ungefähr alle zwei Jahre Rechnung ablegte.

Der Nachlässigkeit bei den Gerichten entsprach die beim Supremo, wenigstens nach der Tatsache zu urteilen, daß von 1685 bis 1726 der Kämmerer von Valencia mehrfach aufgefordert wurde, mitzuteilen, welche Beträge er dem Oberkämmerer übermacht habe. Daraus kann man auf die Art der Buchführung schließen.

Gegen Ende des Bestehens der Inquisition war eine hinlängliche Regelmäßigkeit und Ordnung erreicht worden.

Daß den Kämmerern kein besonderes Vertrauen entgegengebracht wurde, zeigt die Einrichtung der Truhe mit den drei Schlüsseln, deren einen der Kämmerer, einen ein Inquisitor und einen der Sequesternotar führte, so daß die Kasse, die im Secreto verwahrt wurde, nur von allen dreien zugleich geöffnet werden konnte. Die Einrichtung erhielt sich in ihrer Urtümlichkeit während der ganzen Zeit. Es gab ausführliche Vorschriften für die Ein- und Auszahlungen, die dabei durch den Sekretär zu übende Aufsicht mittels Eintragungen in ein Kassenbuch, das in zwei Exemplaren geführt wurde, wovon eins in der Truhe liegen mußte; dann über eine zweimonatliche Kassenbesichtigung durch den Kämmerer und den Sekretär in Gegenwart des Inquisitors usw. Doch solche Weisungen fruchteten wenig zu einer Zeit, wo Unterschleife im Amte ein allgemeines Übel waren, und wenn überhaupt, dann nur selten mit Entlassung bestraft wurden. Eine offenbar unterschlagene Schuldzahlung von 150 Libras für eine Konfiskationsmasse ließ Ferdinand 1514 fallen, damit die Beamten des Gerichtes nicht in einen schlechten Ruf kämen. Da ist es kein Wunder, daß ein Rechnungsprüfer 1515 dem Gericht Saragossa Betrug, Unordnung und Nachlässigkeit vorwirft. 1517 ergab sich, daß der Kämmerer von Toledo mit einer Schuld von 51500 Maravedí aus dem Amte schied; Karl V. verfügte, daß er die Hälfte davon bezahlen und dann unbehelligt bleiben sollte. Die Verschuldung der Verwalter an ihrer Kasse war gleichsam etwas Selbstverständliches, wäre aber nicht vorgekommen, wenn die Vorschriften über die drei Schlüssel genau innegehalten worden wären. 1525 schritt der Großinquisitor gegen das Gericht von Sizilien mit Strafandrohungen ein, die jedoch, da die begangenen Verfehlungen nicht bestraft wurden, nur ein Brutum fulmen blieben.

Die Folgen der Nachsicht gegen Unterschleife erwiesen sich bei den gelegentlichen Nachprüfungen. Als Ferdinands Vertrauensmann, der Verwalter Aliaga von Valencia, 1529 starb, war seine Verschuldung nicht mehr zu vertuschen; einer der Inquisitoren, der sein Erbe war, hatte den Fehlbetrag aus dem Nachlaß zu decken. Ferner ergab sich, daß eine Grundrente, die der Notar des Secretos an das Gericht schuldete, heimlich aus der Gerichtskasse bezahlt worden war. Als der Notar die Erstattung verweigerte, gab der Supremo dem Gericht Weisung, ihn in Güte ohne Prozeß dahin zu bringen. Derselbe Notar, Sorell, hatte sich durch einen Dritten den Besitz einer besonders sicheren Hypothek zu verschaffen gewußt, die zur Zahlung der Gerichtsgehälter diente, die der Fiskus jedoch verkaufte: der Supremo erteilte dem Gericht einen Verweis, weil es die sichere Anlage preisgegeben habe, von einer Entlassung des unredlichen Beamten war indes keine Rede.

Wie oft auch der Supremo die Weisungen mit Bezug auf die drei Schlüssel und die Einzahlungen einschärfte, änderte und erleichterte, die Verschuldung der Kämmerer an ihre Kasse blieb die Regel. 1569 wurde versucht, etwas Ordnung in dem Kassenwesen zu schaffen, indem für jedes Gericht eine Junta de hacienda, ein Finanzausschuß, bestehend aus den Inquisitoren, dem Kämmerer und dem Sequesternotar vorgeschrieben wurde; sie sollten sich am Monatsschluß versammeln und über alle Vermögens- und Einkommenfragen beraten und sie dann durch Mehrheitsbeschluß lösen. Die Anordnung blieb in Kraft, bewirkte aber wenig, die Sitzungen fanden nicht regelmäßig statt. Die Einrichtung sollte dazu benutzt werden, die sofortige Abführung der Eingänge in die Kasse zu erzwingen, und der Kämmerer sollte bei der monatlichen Sitzung unter Eid und Bann schwören, daß dies geschehen sei. Doch das war nicht zu erreichen. Deshalb sollte der Sequesternotar bezeugen, daß die vom Kämmerer angegebenen Eingänge wirklich abgeführt seien. Dann, 1584, wurde die Einzahlung nur mehr monatlich vorgeschrieben, was die Möglichkeit zu Unterschleifen nur noch vermehrte. Eine Vorschrift von 1586 bezog sich auf die Pfründen, überhaupt folgte eine Anordnung der andern, stets gleich wirkungslos, so daß die Denkschrift von 1623 feststellt, daß die Truhe nur bei wenigen Gerichten überhaupt für die Aufbewahrung der Gelder diene und der Kämmerer allmonatlich einen falschen Eid mit dem Bann im Gefolge schwüre. Freilich konnte der Verfasser seinerseits keinen besseren Vorschlag machen, als die Strafen zu verschärfen und strenge Maßregeln zu treffen, daß keine Gelder außerhalb der Truhe blieben. Doch solche Mittel hatte man oft genug vergeblich versucht. Ein anderer Übelstand, auf den er hinwies, war das häufige Fehlen eines Registers über die Besitztitel, was viele Verluste verursache und die Erhebungen erschwere. So erklärt sich die stetige Klage über die Armut der Gerichte, während Unterschleife im Betrag von vielen Tausenden jahrelang in der Kassenführung verschleiert werden konnten, bis der Tod des Kämmerers die Enthüllung veranlaßte.

Drei Beispiele aus Valencia. 1647 schulden gemäß der Rechnung des Kämmerers die Erben seines Vorgängers noch 372 Libras, nachdem sie schon 2400 abgezahlt haben. 1664 hinterläßt der ermordete Kämmerer Joan Matheu die hohe Schuld von 47 359

Libras; seine Witwe soll sie in zwei Jahren abtragen. Albornoz
dankt 1727 zugunsten seines Sohnes ab; 1728 stellt der Rechnungsprüfer des Supremos fest, daß er 6248 Libras schuldet, außer
einigen nicht gebuchten Einnahmen. Vater und Sohn bleiben
unbehelligt, während bis 1734 über die Erstattung korrespondiert
wird. Die Konfiskation steckte die an, die mit ihr umgingen. Der
Lizenziat Vicente Vidal, der die im Valencianischen gelegenen eingezogenen Güter des Melchor Macanaz zu verwalten hat, schuldet
1800 Libras: er gibt dafür ein Grundstück von 100 Libras Ertrag
in Pfand, zahlt seine Schuld 1729 ab und hat die Unverfrorenheit, 1732 vom Supremo die Rückzahlung des Ertrages vom ver-
pfändeten Gut zu verlangen.

Im Grunde aber war die Inquisition in dieser Hinsicht wohl
nicht besser und nicht schlechter dran, als die übrigen Staatsämter auch. Pflichtvernachlässigung und Veruntreuung von
Geldern in öffentlichen Angelegenheiten war in früheren Zeiten
eher die Regel denn die Ausnahme, in Spanien mögen sie nur
etwas häufiger gewesen sein als anderswo. Die Überzahl der
Ämter und die Unzulänglichkeit der Besoldung reizten zu un-
erlaubtem Gewinn an, und die tatsächliche Straflosigkeit der
Schuldigen, aus der unweisen Erwägung heraus, das Gesicht des
h. Offiziums nach außen zu wahren, war eine Aufmunterung für
eine schlotterige Arbeit, Mißachtung der Vorschriften und häufige
Unterschlagungen.

Sechstes Buch

Die Rechtspflege.

———

Erster Abschnitt.

Das Gnadenedikt.

Das Gnadenedikt, in der ersten Zeit eine wesentliche Einrichtung der Inquisition, wurde bei der Eröffnung eines Gerichtes nach der einleitenden Predigt bekanntgegeben. Die Inquisitoren setzten eine Frist von dreißig oder vierzig Tagen, während der solche, die sich der Ketzerei bewußt waren, sich melden konnten, um ihre eigenen sowie die ihnen bekannten Irrtümer anderer in vollem Umfang anzuzeigen. Es war zugesichert, daß alle, die dies reumütig und mit dem Wunsche abzuschwören täten, barmherzige Aufnahme finden, und mit einer heilsamen Buße belegt werden würden, ohne Verurteilung zu Tod, immerwährendem Gefängnis oder Güterverlust; die Inquisitoren hatten Vollmacht, sie auszusöhnen und ihnen nach freiem Ermessen als Almosen die Abgabe eines Teiles ihres Vermögens für den heiligen Krieg gegen die Mauren aufzulegen. Ein freiwilliges Bekenntnis nach Ablauf der Frist brachte Aussöhnung mit Güterverlust, aber schwerere Strafen, auch immerwährendes Gefängnis, wenn inzwischen eine belastende Anzeige gegen die Selbstankläger ergangen war. Kraft der Vorschrift vom Dezember 1484 durften die so Ausgesöhnten ihre Guthaben eintreiben; ihre Verkäufe waren gültig, soweit sie vor der Aussöhnung lagen; für Verkäufe oder Belastungen von Grundstücken nach der Aussöhnung bedurfte es jedoch einer königlichen Erlaubnis. Im Januar 1485 wurde bestimmt, daß die Ausgesöhnten, die öffentliche Ämter inne hatten, so lange unfähig seien, bis ihre Glaubenstreue sich bewährt habe. Wer durch Krankheit oder sonstwie rechtmäßig verhindert war, den Aufforderungen des Edikts nachzukommen, konnte sich noch nach der Frist melden; lagen Beweise gegen ihn vor, so trat Güterverlust ein; der Fall wurde dann dem König zur Entscheidung vorgelegt. Wer nicht alles von sich selbst und anderen bekannte, galt als falsch bekehrt und, wenn Beweise gegen ihn vorlagen, war er mit der äußersten Strenge zu verfolgen. Flüchtlinge, die sich innerhalb der Frist meldeten, waren zur Aussöhnung zuzulassen.[1]

Letzteres bedeutete eine Milderung gegenüber der Strenge der ersten Jahre: 1483 war in Ciudad Real Juan Chinchilla während der Gnadenfrist auf Reise geschickt worden; da hatte er sich noch vor deren Ablauf melden wollen, der Inquisitor war jedoch nicht zu sprechen und ein anderer Beamter, an den er sich wandte, gab der Sache nicht die richtige Folge; er wurde wegen Versäumnis eingekerkert, verurteilt und trotz Bekenntnis und Reue verbrannt. Solche Fälle müssen in der Hast jener Zeit häufig gewesen sein, auch gab es noch kein ausgebildetes Verfahren, jeder Inquisitor handelte nach Gutdünken.

Den ganzen Text des Gnadenediktes habe ich nirgends finden können, dessen wesentlicher Inhalt ergibt sich indes aus einem Urteil aus Ciudad Real von 1484. Es heißt darin, nach offenkundigen Gerüchten befolgten dort zahlreiche Namenchristen das mosaische Gesetz; die Inquisitoren hätten dies durch Zeugnisse bestätigt gefunden; um diese Leute gnädig behandeln zu können, hätten sie ihr Edikt bekanntgegeben, wonach alle, die sich binnen dreißig Tagen melden und abschwören, so milde wie möglich behandelt würden; sie hätten die Frist um weitere dreißig Tage verlängert und alle angenommen, die sich rechtzeitig einstellten, danach hätten sie ihre Aufforderung und ihr Edikt gegen diejenigen erlassen, die geflohen waren und gegen die, als der Ketzerei verdächtig und geziehen, Zeugnisse vorlägen.

Wir kennen die Art dieser Gnade. Sie wurde noch dadurch geschmälert, daß ein unvollkommenes Geständnis über eigene und fremde Fehler, die sogenannte Diminucion, die zugesagte Straflosigkeit vereitelte. Wer als geständig erschien, mußte seine Reue und Umkehr durch ein volles Bekenntnis beweisen, mußte zur Bestrafung von Ketzern und Apostaten beitragen, auch wenn es sich um die nächsten Angehörigen handelte. Wer nicht alles sagte, galt als falsch bekehrt und um so schuldiger. Es war nicht

---

[1] Abgedruckt im Originalwerk, Bd. II, Anhang.

schwer, Beweise gegen ihn aufzubringen, denn der Angeber waren
viele, und die Geständnisse der Selbstankläger wie der Verfolgten
lieferten reichlichen Stoff, der sorgfältig gesammelt wurde. So
konnte die Aussöhnung unter dem Edikt durch Verhaftung und
Verurteilung ergänzt werden.

Die Bekenntnisse auf Grund des Gnadenediktes sind traurig
zu lesen. Die Bekennenden geben, in der Hoffnung, die Geldstrafen herabzudrücken, so wenig wie möglich zu, sie suchen ihre
Irrtümer zu verkleinern und ihre Verführer zu belasten; sie kriechen
vor den Inquisitoren, bekräftigen ihre tiefe Reue und geloben
standhaftes Festhalten am Glauben. Sie klagen nur selten andere
an, zögern aber nicht, ihre Verführer bloßzustellen, und seien
es Angehörige oder Wohltäter. Entgegen dem Priester im Beichtstuhl stellt der Inquisitor keine Fragen, sondern läßt die Selbstankläger so viel oder so wenig sagen wie sie wollen. Deshalb
sind die Bekenntnisse vielfach ohne Zusammenhalt und unverständlich, gleichviel ob sie aus eigener Feder stammen oder pro-
tokollarisch aufgenommen sind; niedergeschrieben müssen sie
werden, um bei wahrscheinlichen Rückfällen oder wenn sich später
aus Aussagen die Unvollständigkeit des Bekenntnisses ergibt,
gegen ihre Urheber verwendet zu werden. 1483 wird eine Frau
ausgesöhnt, die ihren Mann beschuldigt, ihr durch Prügel jüdische
Bräuche beigebracht zu haben, drei Monate später wird sie verhaftet und ihr Fall endigt mit Verbrennung. Die im Edikt zugesagte Gnade beleuchtet folgender Fall. 1484 erscheint in Toledo
ein Pfarrer aus der Gegend von Talavera, ohne die Verkündigung
des Gnadenediktes in letzterer abzuwarten. Er klagt sich an und
wird ausgesöhnt, bald darauf jedoch verhaftet, zweifelsohne auf
Zeugnisse von Untersuchungsgefangenen hin; diesmal legt er ein
volles Geständnis ab, das alle Punkte des Judentums umfaßt,
sowie die Tatsache, daß er nicht an die von ihm gespendeten
Sakramente geglaubt hat. Seine Reue hilft ihm nichts, der Fiskal
bezeichnet sie als das Ergebnis der Furcht, legt zehn Zeugnisse
gegen ihn vor, die im Grunde nur sein Geständnis bestätigen,
das ihn schließlich nach der Desekrierung auf den Scheiterhaufen
bringt.[1]

Während die Bekenntnisse den Neuchristen wenig nutzten,

---

[1] Abgedruckt im Originalwerk, Bd. II, Anhang.

hatte die Inquisition den Vorteil davon, in Gestalt der massenweise erhobenen „Almosen", der Ermittlung Verdächtiger und
der Möglichkeit, sie wegen unvollständigen Bekenntnisses zu verurteilen, was formell sehr leicht war, und wegen der Gelegenheit,
Dritte auf Anschuldigungen der Selbstankläger hin zu verfolgen. So
bewirkte der Schein der Gnade, daß die Inquisitoren einerseits
Geld machten, anderseits ihre Arbeit von andern zurechtlegen
ließen und der Ergebnisse sicher waren. Daß die Angst der Conversos materiell ausgenutzt wurde, ist uns aus dem Ablösungsgeschäft bekannt. Es gab noch eine besondere Art Ablösung,
nämlich von den Folgen einer unvollständigen Selbstanzeige. 1491
wurde den Conversos von Valencia eine solche gewährt, welche
die Gütereinziehung für den Fall eines unvollständigen Bekenntnisses und für die bis dahin ergangenen Ketzereien erließ. Dieser
Vorgang dient wohl zur Erklärung des Ausdruckes „Gnadenzeit"
im Gegensatz zu „Gnadenfrist". Es wird aus Mallorca berichtet,
daß nach Ablauf der Frist, vielleicht zwei Jahre danach, viele
Apostaten auf Zureden eines großen Rabbis sich neuerdings meldeten und ihr früheres Bekenntnis ergänzten, worauf sie gegen
eine mäßige Geldstrafe ihr rechtlich verfallenes Vermögen behielten. Die Gnadenfrist fiel in das Jahr 1488, die Gnadenzeit
war 1490, und die Aufzeichnung darüber ist von 1524; „die Inquisition", bemerkt letztere, „hat nie von ihnen gelassen, denn
manche sind den weltlichen Gerichten überliefert worden und
viele andere der Schande und Gefängnis für immer ausgesetzt
worden, und doch haben sie sich nicht gebessert".

Die Einrichtung des Gnadenediktes bewirkte nur wenige Bekehrungen. Sehr bald erkannten die Conversos, daß sie ihre
Lage nur verschlimmerten, wenn sie sich meldeten, da die Akten
über sie bei einem Rückfall verwendet wurden und ein unvoll-
ständiges Bekenntnis rechtlich als Unbußfertigkeit ausgelegt
wurde, die den Tod bedeutete. Die noch zu behandelnde
„Diminucion" wurde mit solcher Strenge geltend gemacht, daß
sie tatsächlich kaum zu vermeiden war, und die Inquisition
nutzte dies aus, denn die Gerichte wurden angewiesen, alle Geständnisse in Prozessen genau mit denen aus der Gnadenfrist
zu vergleichen, um zu sehen, ob nichts verschwiegen worden sei
und die sogenannten Büßer sich nicht untereinander verständigt
hätten, um Verwandte und Freunde zu decken. Dies weist uns auf

eine andere Ursache des Mißerfolges beim Gnadenedikt hin, die
Anzeigepflicht: es wird berichtet, daß nach der Zwangsbekehrung
die Moriscos zwar sich selbst wohl anzeigten, aber so schlecht
gewesen seien, ihre Nächsten nicht anzugeben, weshalb viele als
unbußfertig verbrannt worden seien. Noch kurz vor der Austreibung der Moriscos (1609) wurde festgestellt, daß sie zu Angebereien nicht zu bewegen waren; hierauf wird noch zurückzu-
kommen sein.

In den beiden Jahrhunderten nach der Austreibung der Moriscos ist keine Rede mehr von dem Gnadenedikt, es gab ja
keine ketzerischen Gemeinwesen mehr. Während der Napoleonischen Kriege erst zogen englische Ketzer und französische
Freidenker durch ganz Spanien, sogar Juden ließen sich wieder
sehen, und liberale Anschauungen machten sich breit. Nach
Wiederaufrichtung der Inquisition (1814) wurde die alte Methode
hervorgeholt. 1815 erließ der Großinquisitor Gnadenedikte für
das ganze Jahr für Selbstbekenner von Inquisitionsvergehen;
sie sollten ohne Strafe losgesprochen werden und brauchten
keine Anzeige gegen andere zu erstatten. Unterdes sollten die
Gerichte Ermittlungen anstellen, Prozesse aber erst nach Ablauf
der Frist anstrengen. Es kamen nur einige Selbstbekenner, so
daß die alten Vorschriften über die Anzeigepflicht nach Ablauf
des Jahres wieder in Kraft gesetzt wurden, allein es scheint
nicht zu einem Ausbruch von Verfolgung gekommen zu sein.
Die Gerichte hatten wohl zuviel zu tun, um ihre zerrütteten
Verhältnisse aufzubessern, als daß sie sich noch viel mit Ketzer-
schnüffelei beschäftigt hätten.

Zweiter Abschnitt.

Das Inquisitionsverfahren.

Hier lernen wir ein Verfahren kennen, das allen unseren
Rechtsbegriffen Hohn spricht: der Angeklagte gilt als schuldig
und das Ziel der Gerichte ist, ihn zum Geständnis zu überreden
oder zu zwingen; zu diesem Zweck werden ihm die Mittel zur
Verteidigung vorenthalten, und das Ergebnis hängt davon ab,

wieviel er ertragen kann, und der Richter kann diese Fähigkeit
bis aufs äußerste anspannen. Es gibt kaum ein System, das
uns mehr anwidert, wenn es der Erkenntnis der Wahrheit gilt.

Die Mängel des Verfahrens waren nicht auf die Inquisition
beschränkt, die ihm seinen Namen gab. Sie führte es im 13. Jahrhundert ein, zu der Zeit, wo die Rechtspflege in Europa aufge-
baut wurde, und als man sah, wie dem Ankläger dadurch die
Überführung erleichtert wurde, eigneten sich die weltlichen Gerichte das Verfahren an in fast allen Ländern, in denen die Inquisition Fuß faßte. Der Richter spricht nicht mehr unpar-
teiisch Recht, er ist in Wirklichkeit Ankläger, mit unbegrenzter
Befugnis, aus dem Angeklagten ein Geständnis herauszupressen;
dieser hat tatsächlich seine Unschuld zu beweisen, und die
Übung und der geschärfte Verstand des Richters steht im Konflikt mit der Schlauheit oder der Dummheit des Armseligen,
der vor ihm erscheint. Auf der einen Seite der Stolz, der keine
Vereitelung des vorgefaßten Planes verträgt, auf der andern der
verzweifelte Selbsterhaltungstrieb: in diesem ungleichen Kampf
ist mehr Aussicht, daß der Unschuldige zu Schaden kommt, als
daß der Schuldige frei ausgeht. Diese Verbindung von Richter
und Ankläger hatte sich noch hundert Jahre nach Einführung
der Geschworenengerichte erhalten, bis 1897 in Frankreich, wo
der Richter auf Grund der Anklageakten sein Verhör vornahm,
als ob der Angeklagte schuldig sei.

Aragon bildete eine Ausnahme von der Regel für die meisten
europäischen Länder: der Inquisitionsprozeß war verboten. Es
war für Verteidigung gesorgt, es gab Schutzwehren gegen willkürliche Verhaftungen, wennschon die Annahme von Bürgschaft
beschränkt war; die Ankläger mußten Sicherheit bieten und Schaden-
ersatz leisten, wenn die Anschuldigung sich als unbegründet erwies; die Zeugen wurden sorgfältig ins Kreuzverhör genommen;
in schweren Fällen hatte der Richter bei der Urteilsfindung fünf
unabhängige Juristen als Beisitzer und es gab die Möglichkeit
der Berufung. Bis 1510 kannte man keinen öffentlichen Ankläger, und dann dauerte es noch geraume Zeit, bis das Amt
allgemein besetzt war. Freilich wurden Prozesse in Abwesenheit
eingeleitet, allein der Verurteilte konnte, wenn er in der Folge
erschien, Berufung einlegen. Tadelnswert war auch, daß der
Angeklagte bis zur Durchführung des Prozesses in Ketten blieb.

Valencia hatte die Bestimmung, daß kein Zeuge oder Angeklagter
zu einer Aussage gezwungen werden durfte, durch die er sich
selbst belasten konnte; dies galt wohl auch noch für andere Gaue.
Die 1526 geänderten Fueros für Biscaya, die bis zur Revolution
in Kraft waren, enthielten nachdrückliche Vorschriften, um dem
Angeklagten alle Mittel zu seiner Verteidigung zu gewähren.

Kastilien hatte den „Akkusations-" und den „Inquisitions"-
prozeß nebeneinander. Indes mußte der Ankläger Bürgschaft
leisten, um die Strafe zu entrichten, der er verfiel, wenn sich
ergab, daß er aus Böswilligkeit gehandelt hatte. War kein
Ankläger vorhanden, so stellte der Richter oder Alcalde Ermittlungen an und verfuhr summarisch bei der Untersuchung. Bei
der Durchsicht des Strafrechtes unter Isabella und der Leitung
des Juristen Montalvo durch die Cortes von Toledo 1480 wurden
durchaus billige Grundsätze befolgt, um eine strenge Bestrafung
der Schuldigen herbeizuführen und die Verurteilung Unschuldiger
zu vermeiden: die Gerichte sollten die Prozesse rasch führen,
dem Angeklagten waren alle Verteidigungsmittel zu gewähren,
gegebenenfalls im Armenrecht; er konnte einen Richter ablehnen; gegen jedes Urteil gab es Berufungsmöglichkeit; er konnte
immer gegen Bürgschaft auf freien Fuß gesetzt werden. Indes
war das Verfahren in Abwesenheit erlaubt.

Trotzdem war in der Praxis der Angeklagte manchen un-
nötigen Nachteilen und Härten ausgesetzt. Das zeigt sich in
dem Verfahren gegen einen Mann, der 1499 in Ciudad Real
wegen kleiner Diebstähle zum Nachteil von Mitbewohnern eines
Gasthauses verfolgt wurde; es weist mit dem Verfahren der Inquisition Ähnlichkeit genug auf, um darzutun, daß sie ihre
Methode den weltlichen Gerichten entlehnte, mit Änderungen,
um die Überführung zu erleichtern. Der Mann wurde verhaftet,
seine Sachen in Beschlag genommen; sein Unterhalt in der
Haft wurde dadurch bestritten, daß von Zeit zu Zeit in seiner
Kasse geschöpft wurde; das Zeugenverhör geschah schriftlich,
ohne Kreuzverhör, in Abwesenheit des Angeklagten, dem allerdings die Namen der Zeugen nicht verschwiegen wurden; er
selbst wurde im Gefängnis verhört; er durfte einen Anwalt
nehmen, der die Verteidigung schriftlich einbrachte. Das Gericht hielt die Anschuldigungen für leichtfertig, den Schuldbeweis
durch den Fiskal nicht für erbracht, und erkannte auf Frei-

sprechung. Der Angeklagte hatte eine schwere Zeit im Kerker:
er war ein Hidalgo und verlangte nach einigen Tagen, als
solcher nicht mit gemeinen Verbrechern zusammen bleiben zu
müssen, worauf er eine eigene Zelle erhielt, aber unter strenger
Bewachung in schweren Ketten blieb. Nach seiner Freisprechung
bat er, man möge ihm die Ketten abnehmen; denn er war noch
nicht entlassen worden, weil die Zeugnisse von einigen ketzerischen Äußerungen berichteten, die er allerdings nur im Scherz
getan haben wollte. Nach sechswöchiger Haft wurde er in
Ketten der Inquisition zugeführt, die ihn zwei Jahre behielt und
dann büßte und nach Abschwörung de vehementi entließ.
Der arme Teufel war damit wohl zugrunde gerichtet.

Darin, daß die Inquisitionsgerichte sich vielfach durch Leidenschaft und Geldgier leiten ließen, unterscheiden sie sich nicht
von den weltlichen Gerichten. Die Klagen der Cortes während
des ganzen 16. Jahrhunderts lassen erkennen, daß die Justiz
Kastiliens auf allen Stufen eine käufliche Maschine für die möglichst starke Auspressung der Parteien war, wobei die Armen
zum besten der Reichen bedrückt wurden. Das war durchaus
keine rhetorische Floskel. Nach dem Rangstreit mit den Inquisitoren bei der Trauerfeierlichkeit für Philipp II. 1598 kühlte
die königliche Audiencia von Sevilla (s. Bd. I, S. 227), da sie
gegen die Inquisitoren ohnmächtig war, ihren Zorn an den bürgerlichen Behörden, die in dem Zwist hatten vermitteln wollen.
Sie ließ eine Anzahl angesehener Personen auf dem Fleck verhaften und ʃaß über sie in eigener Sache; 37 Zeugen wurden
schriftlich vernommen, Hörensagen galt als Beweis, die Angeklagten bekamen nur die Anklageschrift des Fiskals zu sehen,
nicht auch die Zeugenaussagen, es wurde ihnen keine Verteidigung
ermöglicht. Ihre Advokaten lehnten darauf die Richter ab, der
Antrag wurde an demselben Tage zurückgewiesen und Anwälte
und Angeklagte wegen der Ablehnung zu schweren Geldstrafen
verurteilt. Tags darauf ergingen im Hauptverfahren die Verurteilungen zu Amtsenthebung, Verbannung, Geldstrafen und
Kosten. Die Angeklagten wie auch der Fiskal legten Berufung
ein; bei der zweiten Verhandlung konnten jene die Zeugenaussagen einsehen. Unterdes hatten sich beide Teile an den Rat
von Kastilien gewandt, der das Urteil einsehen wollte, bevor er
es bestätigte. Ehe indes der Befehl eintraf, hatten die Richter

in eiliger geheimer Sitzung ihr erstes Urteil bestätigt und dessen sofortige Vollstreckung verfügt; einer der Angeklagten, ein Verwandter eines Richters, kam frei. Die Vollstreckung war grausam rachsüchtig. Die Verbannten wurden nach einem Orte gebracht, wo gerade die Pest herrschte, sie wurden krank nach Sevilla zurückgeschafft, wo einer von ihnen, der Alcalde Mayor Juan Ponce de Leon, starb. Die übrigen wurden äußerst hart behandelt. Wenn die königlichen Gerichte die Justiz derart verdrehten, nimmt das geheime Vorgehen der Inquisition weiter nicht wunder; das Volk hatte unter beiden schwer zu leiden.

Auffällig ist demgegenüber die Milde der geistlichen Gerichte gegen die Geweihten. Wenn eine Anzeige bei dem Provisor oder Generalvikar erstattet war, stellte dieser in Person oder durch einen Vertreter Ermittlungen an; der Angeschuldigte wurde vorgeladen und durfte Bürgschaft leisten, das Verfahren spielte sich zwischen ihm und dem Fiskal ab, auf dessen Anklage die Verteidigung schriftlich antwortete; sie brachte Zeugen vor und nach dem Beweisinterlokut und Stellung der beiderseitigen Anträge beraumte der Richter einen Tag für die Urteilsverkündigung an. Es scheint in solchen Fällen ziemlich rasch und formlos zugegangen zu sein, nach zwei Prozessen aus dem 16. Jahrhundert zu urteilen. Der eine zeigt die Verdrängung der bischöflichen Gerichte durch die Inquisition. Ein Priester aus Ciudad Real wurde 1551 wegen ketzerischer Reden und Handlungen, die er im Scherz getan haben wollte, nach dreiwöchiger Untersuchung in eine Kirche verwiesen, um während einiger Tage geistliche Übungen zu verrichten, und hatte die Kosten des Verfahrens mit 32 Realen zu tragen. Zwei Jahre später erfuhr ein Inquisitor auf Reisen von der Sache: er betrachtete das Urteil des geistlichen Gerichtes als nicht vorhanden und leitete den Prozeß gegen den unglücklichen Priester ein.

Als es sich 1565 darum handelte, die Beschlüsse des Tridentinums in Kraft zu setzen, erließ die Provinzialsynode von Toledo eine Reihe von Vorschriften, die in allen Stücken darauf berechnet waren, die Verfolgung und Bestrafung von Klerikern leicht und schonend zu gestalten.

Der Unterschied zwischen dem weltlichen und dem Inquisitionsverfahren lag vor allem in dem Geheimnis, in das sie ihr ganzes Tun hüllte, und das von allen Übelständen der gesamten Einrichtung den Opfern am meisten Schaden zugefügt und die Inquisitoren den stärksten Versuchungen des Amtsmißbrauchs ausgesetzt hat. Es war eine Erbschaft des 13. Jahrhunderts, wo die Inquisition bald erkannt hatte, daß sie eine größere Handlungsfreiheit gewann und dem Volk größere Furcht einjagte, indem sie sich durch das Geheimnis von der öffentlichen Meinung befreite und alle ihre Handlungen verschleierte, bis sie sich in den Feierlichkeiten des Autos kundgaben. Die römische Inquisition behielt das System bei, wenn auch in etwas veränderter Form. Ihre Beamten mußten Schweigen über alle Vorgänge innerhalb der Kongregation geloben, doch wurde dies 1629 auf Fälle beschränkt, wo schwebende Prozesse hätten beeinflußt werden können. In Spanien bildete das Geheimnis einen wichtigen Faktor für die Macht des h. Offiziums.

Es ist bemerkenswert, daß bei der Einführung der Inquisition in Kastilien so wenig von ihrem Wesen bekanut war, daß die Verhandlungen öffentlich waren. Man hielt es für notwendig, Zuhörer heranzuziehen, sei es aus dem eigenen Personal, seien es herbeigerufene Bürger, deren Namen im Protokoll vermerkt wurden. Sogar das Gefängnis wurde als eine Cárcel publica bezeichnet. Die Satzung von 1488 befiehlt, die Register „an einer öffentlichen Stätte aufzubewahren, wo die Inquisitoren für gewöhnlich die Aufgaben der Inquisition verrichten". Das erste Anzeichen eines Wandels findet sich in den Vorschriften von 1498, wo eine Eidesformel für die Inquisitoren und andere Beamten das Gelöbnis der Geheimhaltung einschließt. Indes, noch sind die Verhandlungen, zum Teil wenigstens, öffentlich: 1501 in Toledo stellt der Fiskal seinen Eröffnungsantrag in gewöhnlicher öffentlicher Sitzung, die Untersuchung jedoch geschieht im Gefängnis, in Audiencia de cárcel. Nach den hier gebrauchten Ausdrücken ist anzunehmen, daß das Gerichtsgebäude und das Gefängnis noch getrennt waren und in letzterem ein Raum vorhanden war, in den die Gefangenen aus ihren Zellen zum Verhör gebracht wurden. Das Secreto, das in der Folge das Gefängnis und alle Räume mit Ausnahme der Vorsäle umfaßte, war bis dahin nur als ein Raum gedacht, wo Kasse und Akten sicher untergebracht waren.

Aber auch schon in der Frühzeit zeigt sich in der Geheim-

haltung gewisser Teile des Verfahrens eine Abweichung von der
Übung der sonstigen Gerichte. Es entwickelt sich der Brauch,
die Namen der Zeugen nicht zu nennen, und die Angeklagten
streng von der Außenwelt abzusondern, und die Gründe, die
dafür sprechen mögen, lassen sich auf jede Einzelheit des Verfahrens anwenden, so daß schließlich alles, von der Ermittlung
und Verhaftung an bis zur Entlassung oder dem Auto de fe, in
dem folgenschweren Geheimnis verborgen war.

Es wurde streng gesorgt, daß niemand das Geheimnis brach.
Der Generalvikar von Saragossa hatte 1523 erzählt, was er in
der Inquisition bemerkt hatte, als er zur Consulta de fe berufen
worden war, dafür erhielt er eine Verwarnung. 1544 wurde
gegen eine Angeklagte in Toledo der Vorwurf einer Behinderung
der Inquisition daraus geleitet, daß sie zu erfahren versucht
hatte, ob und was jemand in einem anderen Prozeß ausgesagt
habe. 1547 ließ das Gericht Granada sich durch die Krone ermächtigen, einige Fenster eines Hauses zuzumauern, die auf das
Gerichtsgebäude gingen; anscheinend ohne Entschädigung für
den Besitzer. Als Philipp II. einmal gewünscht hatte, einen
bedeutenden Arzt zu Rate zu ziehen, der verhaftet war, gab der
Großinquisitor Quiroga auf zweimaliges Ersuchen keine Antwort
und erklärte dann, wenn jene Person im Gefängnis sei, könne
sie nicht hinausgelassen werden, auch dürfe man nicht sagen,
ob sie in Haft sei oder nicht; wobei sich der König beschied.
Ein Inquisitor bemerkt hierzu, auf alle Anfragen sei zu antworten, es sei nichts bekannt. Demgemäß wehrte sich 1643 der
Supremo gegen das Ersuchen des Justicias von Aragon, in weltlichen Sachen Haftbefehle zustellen zu dürfen, denn, sagte er,
es wäre ein Bruch des Geheimnisses, wenn ein Gericht genötigt
werden könnte, zwischen einer weltlichen und einer geistlichen
Sache zu unterscheiden und zuzugeben, ob und weshalb es eine
Person in Haft halte. 1678 erklärte der Rat, ein Inquisitor, der
zugäbe, daß jemand sich im geheimen Kerker befinde, verfiele
dem Bann, den nur der Papst lösen könne. Es ist begreiflich,
daß man von dem Gefängnis allgemein als den Cárceles secretas redete und daß, wenn jemand verhaftet worden, es so
war, als ob ihn die Erde verschlungen hatte.

Immer weiter wurde der Kreis derer, die an Schweigen gebunden waren. Zuletzt kamen die Angeber, die Zeugen und die

Angeklagten selbst. Schon 1531 wurde einem Zeugen Verschwiegenheit eingeschärft über alles, was er gesagt und gehört, bei Strafe von Bann und 1000 Dukaten und den sonstigen Strafen wegen Verletzung des Geheimnisses. Noch 1817 wurde in einer geringfügigen Sache, die mit Freisprechung endigte, der Angeber in Geldstrafe genommen, weil er geredet hatte. Der Eid, den der Angeklagte in der ersten Sitzung zu leisten hatte, daß er die Wahrheit sagen würde, enthielt das Gelöbnis des Schweigens über alles, was er nicht nur in seiner Sache, sondern überhaupt wahrnehmen könnte. Bei seiner Entlassung in Freiheit oder zum Strafantritt hatte er eine Eidesformel zu demselben Zweck zu unterzeichnen, und es wurde ihm mit einer Strafe gedroht, die gelegentlich 100 oder 200 Hiebe betrug. In den letzten Jahren wurde das Schweigegebot häufig in das Urteil eingeschlossen. So wurde das Gericht von jeglicher Verantwortung befreit und konnte Unrecht tun, ohne Furcht vor unangenehmen Enthüllungen; das h. Offizium konnte, wie es allzeit tat, ohne Gefahr des Widerspruchs auf die ausgesuchte Gerechtigkeit seiner Urteile pochen. Peña aber verrät uns, daß man in die Handlungen der Gerichte deshalb nicht einsehen durfte, weil sie häufig mit dem gemeinen Recht und den Ansichten der Kirchenlehrer in Konflikt gerieten.

Von der Tätigkeit der Inquisition durfte kein äußeres Zeichen außerhalb ihrer Mauern verbleiben. Jeder Brief, Befehl oder Auftrag mußte mit der Antwort oder einem Ausführungsvermerk zurückgesandt werden, so wurde es jedesmal verlangt. Sogar die Glaubensedikte und Bannflüche, die in den Kirchen zu verlesen waren,[1] waren zurückzugeben mit dem Vermerk, wann die Verkündigung erfolgt sei. Der Verteidiger mußte schwören, mit niemand über die Prozesse zu reden und die kärglichen Schriftstücke, die ihm anvertraut wurden, unter Schloß und Riegel aufzubewahren und sie so zurückzuerstatten, daß keine Spur oder Erinnerung daran draußen blieb. Von der Verteidigungsschrift, die von seiner Hand geschrieben sein mußte, durfte

---

[1] Modo de Proceder, Fol. 55, Bibl. nac. Mss, D 122. Es gab natürlich öffentliche Erlasse, die für den Anschlag an den Kirchentoren bestimmt waren; sie verhängten Strafen wegen Verunstaltung und Entfernung der Verkündigungen.

er keine Urschrift behalten, und kein Drucker durfte eine solche Schrift oder überhaupt ein Schriftstück mit bezug auf die Inquisition ohne Erlaubnis ihres Hauptes drucken, bei Bann und 100 Dukaten.[1] Diese Besorgnis erklärt auch die Art, wie die Akten auf uns gekommen sind: grob geheftet, da kein Buchbinder die geheiligten Räume des Secretos betreten durfte. In den Glaubensedikten fand sich ein besonderes Gebot, alle Fälle von Verletzung des Geheimnisses oder Aneignung von Papieren durch Außenstehende anzuzeigen.

Der venezianische Gesandte Lorenzo Donato, der die Inquisition für Spanien für notwendig hielt, berichtet 1573, ihr Vorgehen sei so geheim, daß man von den Opfern und ihren Prozessen erst dann etwas vernehme, wenn die Urteile in den Autos bekannt würden; die Angst vor ihr sei so allgemein, daß aus Furcht vor einer Verdächtigung wenig von ihr geredet werde. Er konnte nichts über das Verfahren ermitteln, es wurde ihm jedoch gesagt, es sei gut, die Urteile stets gerecht. Die Prozeßvorschriften kannte niemand, obschon sie gedruckt waren, die alten, die Antiguas 1536 in Sevilla, 1576 in Madrid, die neuen, die Nuevas, von 1561, in den Jahren 1612, 1627 und 1630, allein sie waren nur für die Gerichte bestimmt und wurden fortlaufend durch Cartas acordades, Runderlasse des Supremos, ergänzt, die nie das Licht erblickten. Erfahrene Inquisitoren verfaßten Anleitungen für den Gebrauch, deren eine Anzahl in den Archiven und Büchereien handschriftlich erhalten sind, allein auch diese Kenntnis des Prozeßwesens, des Estilo, war den eingeschworenen Beamten vorbehalten. Als 1561 ein Jurist die neue Satzung kennen lernen wollte, war der Fiskal ganz entrüstet und erklärte, die Parteien hätten sich nicht nach dem Verfahren zu erkundigen, die Satzung sei nur für die Anleitung der Gerichte da, und andere erführen davon nur durch die Ergebnisse der Rechtspflege; wenn sie allgemein bekannt würden, könnten Übelgesinnte darüber rechten, ob der Estilo der Inquisition gut sei oder nicht.[2]

---

[1] In zivilrechtlichen Sachen konnte das Gericht jedoch die Druckerlaubnis erteilen.

[2] Ms. der Königl. Bibliothek in Kopenhagen, 214 fol. [Abgedruckt im Originalwerk, Bd. II, Anhang.] — So erklärt sich, daß im Gegensatz zu der reichhaltigen italienischen die spanische Inquisitionsliteratur so dürftig ist.

Man bedurfte ausgesprochenermaßen des Geheimnisses, einmal um der dadurch erzielten Unverantwortlichkeit, dann um des Eindruckes der Unfehlbarkeit auf das Volk willen. Ohne Geheimnis keine unbehinderte Ausübung der Inquisition, schrieb Philipp II. 1595 an den Großinquisitor Manrique de Lara, und der Supremo erließ ein Rundschreiben in demselben Sinne: je größer das Geheimnis, um so tiefer die Ehrfurcht. Er klagte über häufige Verletzung des Geheimnisses und ordnete daher an, daß sie als Meineid und Amtsvergehen angesehen werden solle, weil Geheimhaltung durch den Amtseid gelobt sei. Die Überführung durch einen einzigen Zeugen sollte genügen, und die Strafe Amtsenthebung auf ein Jahr nebst 50 Dukaten, im Betretungsfalle dauernde Entlassung sein; selbst wenn nicht überführt, sollte der Betroffene zur Sühne für sein Gewissen sein Gehalt fahren lassen.

Pablo García, Sekretär des Supremos, stellte ein „Orden de Procesar en el Santo Oficio" zusammen, es war jedoch nur für den Gebrauch der Gerichte bestimmt. 1592 erging an den Oberkämmerer des Supremos ein Zahlungsbefehl für den Druck der Prozeßordnung; es erweist sich daraus, daß es sich um eine streng amtliche Veröffentlichung handelte. Das Werk wurde 1628 in der königlichen Druckerei neu aufgelegt. 1494 erschien in Valencia das gemeinhin unter dem Namen des Miguel Alberto umgehende „Repertorium de privatate haereticorum"; es beruht auf der alten Inquisition, enthält aber Winke über die spanische Übung. Neudruck, Venedig 1588. — Etwas darüber findet sich auch in den beiden Werken des Arnaldo Alberto, Inquisitors in Sizilien „Repetitio Nova" (Valencia 1534) und „De Agnoscendis Assertionibus Catholicis", das nach seinem Tode in Palermo 1553 und Rom 1572 gedruckt wurde. — Nützlicher ist das Werk des Bischofs Simancas „De Catholicis Institutionibus" (Valladolid 1552 u. ö.). Es hat manche Hinweise auf die spanische Übung. Noch mehr sein „Theorice et Praxis Haeresos, sive Enchiridion Judicum violatae Religionis", zuerst 1568, dann in Venedig 1573. — Juan de Rojas, Inquisitor in Valencia, gab 1572 dort mit Widmung an den Großinquisitor Espinosa sein „De haereticis una cum quinquaginta analyticis assertionibus et privilegiis Inquisitorum" heraus; es enthält Erörterungen über das Verfahren. — Als Anhang zu Luis de Páramo's „De Origine et Progressu Officii Sanctae Inquisitionis" (Madrid 1598) sind einige Abhandlungen über das Verfahren beigegeben. — Viel ist der Ausgabe von Eymericus' „Directorium" zu entnehmen, die Francisco Peña mit eingehendem Kommentar bewirkt hat (Rom 1578, auch des öfteren sonstwo). Einen Auszug daraus gab Fra Luigi Bariola in Mailand 1610 „Flores Commentariorum R. D. Francisci Pegnae". — Giovanni Alberghini's: „Manuale Qualificatorum S. Inquisitionis" (Saragossa 1671, Köln 1740, Venedig 1754) ist ebenfalls von Wichtigkeit für die spanische Inquisitionspraxis.

Das Geheimnis bezog sich nicht nur auf die Glaubenssachen, sondern auf jedwede Handlung, auch Stammbaumsachen und alle anderen Dinge; den Parteien durfte darüber nichts mitgeteilt werden, und sogar über die öffentlichen Äußerungen der Gerichte durfte nicht geredet werden. Die obigen Strafen nebst dem großen Bann wurden über diejenigen verhängt, die um Verletzungen des Geheimnisses wußten und sie nicht zur Kenntnis des Supremos brachten. Diese Verfügung war alljährlich den Beamten in einer Sitzung vorzulesen.[1]

Auch die Weisungen für Kommissare betonten die Wichtigkeit der Geheimhaltung, die bis zum Ende beobachtet wurde. Ein Dekret von 1814 verfolgte diesen Zweck. Man zögerte nicht, das Inquisitionsgeheimnis dem Beichtsiegel gleichzustellen und die Kasuistik anzuwenden, wonach ein Beichtiger berechtigt war, unter Eid abzuleugnen, was er im Beichtstuhl erfahren hatte. Es wurde dem Beamten gesagt, daß kein Eid binde, wenn die Inquisition beteiligt sei; er durfte aussagen, was er als Privatmann wußte, nicht aber als ein mit ihren Geheimnissen betrauter Beamter. So versteht man die Tragweite des volkstümlichen Ausspruchs: „Con el Rey y la Inquisicion — — Chiton!", Vom König und der Inquisition — — still! Selbst innerhalb der Inquisition herrschte das Geheimnis. Wenn ein Bruch des letzteren zur Kenntnis eines Gerichtes kam, wurde der jüngste Inquisitor mit der Ermittlung beauftragt, deren Ergebnis er im Geheimen eigenhändig niederschrieb und in eine Kiste steckte, deren Schlüssel der älteste Inquisitor führte; alsdann wurde der Supremo benachrichtigt und Weisung abgewartet.

Ein wichtiges Ergebnis der Methode war, daß die Inquisition dadurch instand gesetzt war, gesetzgebende und richterliche Gewalt in einem Maße zu vereinigen, wie kein anderes Gericht. Wohl waren manche Vorschriften und Einschränkungen, die der Supremo erließ, durch das Gerechtigkeitsgefühl eingegeben; bei dem eifersüchtig gehüteten Geheimnis jedoch fruchteten sie wenig, bis der Rat alles an sich riß und entschied. Bei der Verantwortungslosigkeit — abgesehen von den gelegentlichen und wenig wirksamen Besichtigungen — gab es freies Spiel für jegliche Ungerechtigkeit, jeder falsche Zeuge konnte einer Feindschaft frönen.

---

[1] Abgedruckt im Originalwerk, Bd. II, Anhang.

Die Geheimnisse der dunkeln Verließe werden nie ans Tageslicht kommen, denn die Akten darüber wurden von denen aufgesetzt, deren Handlungen sie berichten; sie können ebensogut gefälscht wie echt sein. Den wahren Verlauf der sogenannten Rechtspflege erkennt man nur in gelegentlichen Enthüllungen, wie denen über die Fälle des Erzbischofs Carranza, der Nonnen von San Placido, des Gerónimo de Villanueva oder des Froilan Díaz. Wenn in solchen Fällen die Spitzen der Inquisition die Gerechtigkeit mit Füßen traten, so ist nicht wahrscheinlich, daß die Gerichte die kleinen Leute anders behandelten. Im besten Falle ließ das Verfahren dem Temperament und dem Ermessen des Richters freie Hand: wenn die Inquisition in das Schicksal eines Angeklagten eingegriffen hatte, war er tatsächlich der Willkür des Gerichtes preisgegeben, das sich unter Ausschluß der Öffentlichkeit nicht beengt zu fühlen brauchte. Zu der Zeit, wo, obschon öffentlich, die weltlichen Gerichte kaum etwas anderes bedeuteten als ein Werkzeug der Bedrückung und Erpressung, kann man sich nicht vorstellen, daß die Inquisitionsgerichte, in ein undurchdringliches Dunkel eingehüllt und für ihr Bestehen größtenteils von Geldstrafen und Gütereinziehungen abhängig, in der Anwendung der grausamen Gesetze gegen die Ketzerei gewissenhaft gewesen seien.

In der mittelalterlichen Inquisition lag das ganze Verfahren, die „Inquisitio", bei dem Inquisitor allein: er war Ankläger und Richter und nahm alle Handlungen vor. Als im 15. Jahrhundert die Einrichtung in sich zerfiel und die Bischöfe deren Aufgaben zum Teil übernahmen, fand sich in ihren vielfältig tätigen Gerichten eine Gliederung vor, zu der ein öffentlicher Ankläger, der Promotor fiscal, ein im weltlichen und im kanonischen Recht ausgebildeter Beamter, gehörte. Zwischen diesem und dem Angeklagten als Parteien entschied der Richter: der Bischof oder sein Offizial. Mit dem Auftreten des Fiskals war wenigstens der eine Grundmangel des reinen Inquisitionsverfahrens beseitigt, daß der Richter Partei war, obschon bei dieser scheinbaren Unparteilichkeit der Fiskal weiter nichts war als der verfolgende Teil. Als die Inquisition in Kastilien errichtet wurde, gab sie sich lediglich als eine Fortsetzung der alten aus und zählte zu ihren Privilegien päpstliche Bullen aus dem

13. Jahrhundert, sowie die neueren, mitsamt den grausamen Gesetzen Friedrichs II. und den Cédulas der Katholischen Könige. Da man von dem alten Verfahren so wenig wußte, übernahm man anstatt des „Inquisitions"systems das im Lande vorhandene „Akkusations"system, mit dem Fiskal oder öffentlichem Ankläger als dessen Träger. War dies äußerlich ein Schritt zur Billigkeit und Gerechtigkeit, so wurde doch dafür gesorgt, daß die Interessen des Glaubens nicht zu kurz kamen. Die Inquisitoren hatten einen Fachjuristen zur Seite, dessen Sache es war, seine Anschuldigungen zu beweisen; der sich befleißigte, die dem Angeklagten vorgehaltenen Beschuldigungen zu übertreiben, deren Richtigkeit er voraussetzte; der allen Versuchen der Verteidigung, sie zu entkräften, widerstand, und von all den Strafen und der Verantwortung befreit war, die den privaten Ankläger trafen. Die von Anfang an übernommene Urteilsform, daß die Richter den Prozeß zwischen dem Fiskal und dem Angeklagten gehört hätten, lautet dahin, daß der Fiskal seine Anschuldigungen ganz oder teilweise bewiesen habe, oder daß ihm das nicht gelungen sei. Es war dies eine falsche Voraussetzung, auf die Wirkung im Volk beim Auto de fe berechnet.

In Wirklichkeit betrieb der Inquisitor die Ermittlung; gemäß der Satzung von 1484 hatte er die Zeugen persönlich und nicht durch einen Notar zu vernehmen, außer wenn der Zeuge krank war und der Inquisitor anstandshalber nicht zu ihm konnte; in letzterem Falle sollte ein geistlicher Richter mit einem Notar die Vernehmung besorgen. Der Drang der Geschäfte war jedoch zu groß, als daß die Inquisitoren die Vernehmung alle in Person hätten abhalten können; sie gaben dazu Vollmacht — niemals dem Fiskal — und die Formel hierfür zeigt, daß man das Vorgehen als unregelmäßig empfand und entschuldigen zu müssen glaubte. Allmählich verschwanden die Bedenken, die Notare durften Zeugen vernehmen, was die Satzung von 1498 unter der Bedingung guthieß, daß der Inquisitor zugegen sei, was indes trotz heftigen Zurechtweisungen durch den Supremo mißachtet wurde, bis zuletzt, als am wenigsten zu tun war, kommissarische Vernehmungen allgemein üblich waren, anscheinend, wie wir wissen, lediglich der Bequemlichkeit der Inquisitoren halber.

An der Theorie wurde festgehalten, daß der Fiskal die Zeugen vorbringe, obschon 1534 der Supremo angeordnet hatte, daß er keine Zeugnisse sammeln dürfe, und wenn er deren habe, er sie dem Inquisitor überweisen müsse. Der Fiskal hatte also die Überführung des Angeschuldigten zu betreiben; daneben war er ein höherer Schreiber, der Anklagen aufsetzte, den Briefwechsel führte, die Inquisitoren beriet, die Beweise zusammenstellte, die Akten in Ordnung hielt oder durch die Sekretäre unter seiner Aufsicht ordnen ließ, bei der Vollstreckung der Urteile zugegen war, eine allgemeine Aufsicht über die Unterbeamten führte, den Sitzungen der Junta de hacienda beiwohnte und nach den finanziellen Interessen des Gerichtes zu sehen hatte. Auch war sein Auftreten darauf berechnet, dem Angeklagten Furcht einzujagen, denn dieser wurde stets bedroht mit allem was da geschehen könne, wenn er nicht eingestehe, bevor der Fiskal mit der förmlichen Anklage erschien, in der er gewöhnlich auf Folter und Relaxierung antrug. Sein Hauptdaseinsgrund jedoch war, den Schein des Parteiprozesses zu wahren. Wie Simancas lehrt, mußte er seine Anklage stellen, auch wenn der Beschuldigte gestanden hatte, damit das Urteil durch Zusammenwirken des Anklägers, des Angeklagten und des Richters entstehe. Kurzum, er war einer der Gerichtsbeamten, der als Jurist den Inquisitoren, die nur Theologen sein konnten, seine Rechtskenntnisse zur Verfügung stellte. Für den Angeklagten war sein Auftreten von Nachteil, denn wenn er ein Urteil zu gelinde fand, konnte er, was nicht selten geschah, Berufung beim Supremo einlegen; seine Zustimmung zu dem Entscheid war also notwendig. Mit der Zeit stieg er im Rang und wurde den Inquisitoren gleichgestellt, deren einer das Amt ausübte, doch ohne dann an der Urteilsfindung teilzunehmen. Indes wurde der Fiskal schon frühzeitig zur Consulta de fe zugelassen, in der er das ungeheuerliche Vorrecht hatte, Tatsachen und Gründe vorzubringen; nur mußte er sich vor der Abstimmung entfernen. Diese Zuziehung hörte 1660 auf, nicht wegen rechtlicher Bedenken, sondern wegen eines Rangstreites mit dem ebenfalls anwesenden bischöflichen Vertreter.

Das Dasein des Fiskals hinderte den Inquisitor nicht, auf Gerüchte oder Aussagen hin das Verfahren einzuleiten; nach Abschluß der Ermittlung erhielt der Fiskal die Akten, um das förmliche Verfahren zu betreiben. Wie ehrlich auch ein Inquisitor sein mochte, die Tatsache, daß er eine Verhaftung und einen Prozeß angeordnet hatte, machte ihn gegen den Angeklagten befangen, eine Freisprechung kostete ihn mehr Überwindung als eine Verurteilung, und das Verfahren war ein Inquisitionsprozeß mit dem Schein des Akkusationsprozesses, weil der Fiskal die Aussichten der Verteidigung nur noch verminderte, indem er die Inquisitoren juristisch beriet. Es war ein Prozeß, in welchem alle Ankläger waren.

Wie man auch über die Ethik des Verfahrens denken mag, es war wirksam. Wenn man die langen und eingehenden Prozeßakten durchgeht, in denen jede Kleinigkeit verzeichnet ist, so ist es lehrreich festzustellen, wie häufig im Anfang der Angeklagte selbstbewußt auf seiner Rechtgläubigkeit besteht, um in den folgenden Sitzungen Zugeständnisse zu machen, die sorgfältig vermerkt und geschickt ausgenutzt werden; wie er dann allmählich im Ableugnen wankt oder vor der furchtbaren Anklage oder dem Beweisinterlokut erliegt und schließlich ein volles Geständnis ablegt und Verwandte und Freunde eifrig mit hineinzieht. Völlig hilflos steht er da, allein vor dem streng mahnenden, geübten und erbarmungslosen Richter. Er brütet in seiner Zelle, von aller Welt abgeschieden, wochen- und monatelang von einer Sitzung zur andern, anscheinend vergessen, jeden Augenblick der Vorführung gewärtig; er quält sein Gehirn ab, welchen Eindruck seine Äußerungen gemacht haben mögen, was man wohl aus seinen Eingeständnissen oder Ableugnungen folgere; er erwägt die Aussicht, durch hartnäckiges Bekräftigen seiner Unschuld davonzukommen oder als ,,unbußfertiger Leugner" verurteilt zu werden, überdies von seinem sogen. Fürsprech angetrieben, zu bekennen und sich der Gnade des Gerichtes auszuliefern. Es bedurfte eines besonderen kräftigen Temperaments, um dieser langen Anspannung standzuhalten in dem Bewußtsein, daß dem Gegner in dem tödlichen Spiel jederzeit das furchtbare Hilfsmittel der Folter zur Verfügung stand. Das ganze Verfahren beruhte auf der Voraussetzung seiner Schuld; es war die Aufgabe des Gerichtes, ihn zum Bekenntnis dieser Schuld zu veranlassen oder zu zwingen, und in den meisten Fällen war die Voraussetzung richtig. In den Augen derer, die Abirrungen vom Glauben als das größte Verbrechen vor Gott und den Menschen und deren Bestrafung als das gefälligste Werk des Menschen gegenüber Gott betrachteten, diente diese Voraussetzung der Schuld dazu, die Grausamkeit des Verfahrens und die Vorenthaltung aller Verteidigungsmittel zu rechtfertigen.

Es kann kein Zweifel sein, daß bei aller Geldgier und hart-
herziger Gleichgültigkeit gegen das wahre Recht manche glaubten,
in dieser Tätigkeit ein gottgefälliges Werk gnädig und milde zu
verrichten. Die Inquisition strafte nicht nur, wie andere Gerichte, am Leibe; sie beanspruchte die hohe und heilige Aufgabe,
die Seelen zu retten. Wie 1563 die Inquisitoren von Valencia dem
des Luthertums angeschuldigten Miguel Mesquita erklärten, verlangten sie von ihm nichts als die Wahrheit, und wenn er in
den Irrtum geraten sei, wollten sie ihn wieder auf den rechten
Weg bringen, um sein Gewissen zu reinigen, damit seine Seele
nicht verloren gehe.

Die Satzung von 1561, bis zum Ende der Inquisition die Grundlage des Verfahrens, warnte die Inquisitoren davor, sich durch
Zeugenaussagen oder Geständnisse der Angeklagten beirren zu
lassen; sie sollten alle Fälle gemäß der Wahrheit und Gerechtigkeit entscheiden und ihre Unparteilichkeit wahren, da sie leicht
einer Täuschung verfallen könnten, wenn sie auf die eine oder
andere Seite neigten. Wenn wir dem alten Inquisitor Páramo
Glauben schenken, so war das h. Offizium nach einem solch er-
habenen Plane geleitet, daß es ein reiner Segen für das Land
war; seine Heiligkeit so offenkundig, daß kein Raum für Haß,
Gunst, Bestechung, Liebe, Fürsprache oder sonstige menschliche
Beweggründe vorhanden war; jede Handlung sei gerichtet auf
Recht und Billigkeit. Die Inquisitoren prüften alles, unbeirrt um
die Menge, in der Weise, daß sie allen Furcht vor den vor ihnen
verhandelten Verbrechen einflößten; in dem undurchdringlichen
Schweigen handelten sie mit einer kaum glaublichen Gewissen-
haftigkeit. Die Zeugenaussagen würden gemäß dem Wesen der
Zeugen bewertet, falsches Zeugnis aufs strengste bestraft. Im
Gefängnis werde der Angeklagte gütig und liberal, nach seinem
Stande, behandelt, Arme und Kranke reichlich mit Nahrung und
Arznei auf Kosten des Fiskus versehen und in jeder Weise unterstützt. Nicht nur würden die Zeugenaussagen mißtrauisch geprüft, sondern, da die Zeit die Wahrheit an den Tag bringe,
würden die Prozesse nicht überstürzt, vielmehr vorsichtig hingezogen, wie es angesichts der Gefahr für Leben, Ehre und Eigentum geboten sei im Interesse des Angeklagten wie seiner Angehörigen. Wenn seine Unschuld durchscheine, werde alles versucht,
um sie zu beweisen, und wenn sie erwiesen sei, werde er, um

seine Ehre zu retten, zu Pferde, mit Lorbeer und Palmen geschmückt, wie ein Sieger entlassen, zur Hebung der Furchtsamen,
die durch die Strenge gegenüber den Schuldigen erschreckt seien.
Die so in Ehren Hergestellten dankten Gott ihr Leben lang, daß
es auf Erden ein solches Gericht gebe, dessen vornehmste Sorge
es sei, die Ehre der Schuldlosen zu wahren. Die Inquisitoren
straften die Ketzer, nicht um sie zu vernichten, sondern damit
sie sich bekehrten und lebten. Indem das h. Offizium richte und
züchtige, strebe es die Besserung der Bestraften an, dadurch nutze
es auch andern, denn sie könnten in Sicherheit leben, wenn die
Bösen beseitigt seien.

Wie dieses Idealbild zutrifft, werden wir noch weiter zu prüfen
haben.

Dritter Abschnitt.

Verhaftung und Beschlagnahme.

Die Gewalt, willkürliche Verhaftungen vorzunehmen, war dem
Inquisitor zwar gegeben, auch mußten eintretendenfalls die weltlichen Beamten dabei Hilfe leisten, in der Praxis bedurfte es
jedoch einer Rechtfertigung durch triftige Beweise. Diese konnten
auf verschiedenem Wege erlangt sein. Entweder erfuhr der Inquisitor durch allgemeines Gerede, daß jemand ketzerischer Handlungen geziehen wurde, und dann konnte er dies durch geheime
Ermittlungen nachprüfen. Oder es handelte sich, wie in den
meisten Fällen, um jüdische oder maurische Apostaten, die von
Mitschuldigen in deren Prozessen oder während der Gnadenfrist
belastet worden waren. Im übrigen war der Anfang häufig eine
Angeberei.

Die Anzeigepflicht für Dinge, die unter die Inquisition fielen,
war unbedingt. Keine Familienbande befreiten davon, die Unterlassung war nach göttlichem Gesetz eine Todsünde, nach kirchlichem Recht zog sie den Bann nach sich. Nach Reichsrecht war
die Anschuldigung naher Verwandter nicht zulässig, eine Mutter
konnte ihren Sohn nur eines Verbrechens gegen sie selbst anklagen, sogar durfte niemand gegen seinen Pflegevater aussagen.

Simancas billigt das zwar, erklärt aber, in zwei Fällen müsse der
Sohn gegen den Vater zeugen: im Verhör vor der Inquisition und
wenn der Vater ein beharrlicher Ketzer sei, und da Kindespflicht
die höchste von allen sei, schließe dies alle anderen Fälle ein.
Die Satzung von 1484 sieht Strafmilderung für Minderjährige vor,
die aus sich ihre Eltern anzeigen, und Alonso de Castro erwähnt.
daß er einem durchaus rechtgläubigen Jüngling die Lossprechung
verweigerte, weil er, nachdem er zugegeben, daß sein Vater Judaist
sei, nicht hingehen und ihn anzeigen wollte, aus Furcht vor Armut
und Schande für sich selbst.

Eine Anzeige nach dem jährlichen Glaubensedikt (s. Bd. I,
S. 407—416) konnte mündlich oder schriftlich, in letzterem Falle
auch anonym geschehen, bei einem Inquisitor oder Kommissar; es
wurde erwartet, daß die Namen der um die Sache Wissenden mit
angegeben würden. Auch zur österlichen Zeit, wenn die Beichtiger die Beichtenden ausfragten, und sie unter der Drohung, sie
nicht loszusprechen, zur Ausübung der Anzeigepflicht ermahnten,
kamen diese Anzeigen. Aus der Anzeige und den dazu einge-
holten Zeugnissen ergab sich die Sumaria, das Ermittlungs-
protokoll.

Indes sollte das Gericht nicht eilfertig vorgehen, da eine Verhaftung Schande über eine ganze Sippe brachte. Nach der aufgeregten Frühzeit, wo niemand vor willkürlicher Verhaftung
sicher war, wurden die Bestandteile der Ermittlung, ohne daß
der Beschuldigte darum wußte, einer „Qualifikation" dahin unterworfen, ob es sich um eine Inquisitionssache handle: Calidad
de oficio. Wir kennen die Bedeutung dieses Verfahrens aus
den Prozessen Carranzas, Villanuevas und Froilan Díaz'. Es kam
darauf an, wie das vorgelegte Material bearbeitet war, und bei
der Geheimhaltung aller Dinge gab es keine Gewähr für eine ehrliche Aufmachung.

Die Qualifikatoren waren Theologen und zum Teil ständig im
Amte (s. Bd. I, S. 526). Wenn keine Einstimmigkeit zu erzielen
war, entschieden die Inquisitoren oder beriefen andere. Eine Vorschrift oder allgemeine Regel scheint es nicht gegeben zu haben.
Die Meinungen in schwierigen Fällen gingen oft weit auseinander,
so daß die Inquisitoren durch die Qualifikatoren eher verwirrt
als erleuchtet wurden. Erst 1708 suchte ein Runderlaß Ordnung
in das System zu bringen. Wenn eine Qualifikation für nötig

erachtet wurde, sollte den Gutachtern ein getreuer Auszug aus
den Aussagen über die zu verfolgenden Reden und Handlungen
vorgelegt werden mit allen zum Verständnis der Sache nötigen
Angaben. Dieses Material war einem der Qualifikatoren mitzuteilen, der drei Tage hatte, um es zu prüfen und mit seiner Ansicht nicht nur über die zu verhängende Strafe, sondern auch
über die mögliche Verteidigung zurückzusenden. Nachdem in
dieser Weise jeder einzelne Gutachter befragt worden, waren alle
zur Abgabe einer gemeinsamen Meinung zu versammeln. Dieses
Verfahren galt auch bei Prozessen wegen Büchern und Schriften.
Die Gutachter brauchten unter sich das Geheimnis nicht zu
wahren.

Nicht alle Beschuldigten wurden des mageren Vorteils der
Qualifikation teilhaft: Judaisten, Moriscos, Bigamisten, Leute, die
ohne Priester zu sein die Sakramente gespendet hatten, Verführer
im Beichtstuhl waren ausgeschlossen. Im ganzen war um die
Mitte des 18. Jahrhunderts die Mehrzahl der Inquisitionsvergehen
ihr nicht unterworfen, und in der Hauptsache wurden qualifiziert:
die Spitzfindigkeiten abenteuernder Theologen, aufgebauschte
Gotteslästerungen, die ketzerisch sein konnten oder nicht, die
Schuldfrage bei unbedachten oder zügellosen Reden, und der Pakt
mit dem Teufel bei den Beschwörungen von Wahrsagerinnen oder
Schatzgräbern. Wie bei so manchen anderen Dingen, die zum
Schutz der Schuldlosen dienen sollten, wurde die Qualifikation
auf ein Mindestmaß beschränkt.

Wann sie ins Leben getreten ist, läßt sich nicht bestimmt
sagen. Llorente nahm an, daß sie nicht vor 1550 bestanden
habe. Das ist nicht richtig, denn schon 1520 gibt der Supremo
Weisungen, keine Qualifikatoren auf deren Wunsch und ohne Benehmen mit ihm zu ernennen. 1556 erklärt er die Einrichtung
dahin, daß es sich nicht um einen Schutz für die Schuldlosen
handle, sondern darum, die Ordinarien zu beschwichtigen und
ihnen zu zeigen, daß die Inquisitoren ihre Befugnisse nicht über
die Ketzerei hinaus erweiterten. Die Satzung von 1561 bestimmt
lediglich, daß, wenn in einer Inquisitionssache ausreichende Beweise vorlägen und der Fall einer Qualifikation bedürfe, man bewährte Theologen von gutem Ruf zuziehen solle; damit war gesagt, daß es nicht nötig sei, sie bei Zeremonien, die als jüdisch oder
maurisch galten, sowie offenkundiger Ketzerei oder Begünstigung

der Ketzerei zu befragen.[1] 1569 wurden die Qualifikatoren ermahnt, sich auf die Kennzeichnung des Wesens von „Propositionen" zu beschränken und nicht zu erklären, ob es sich um
eine Inquisitionssache handle oder nicht. 1577 scheint die Qualifikation eine stehende Bedingung für Verhaftungen gewesen zu
sein, denn es wird angeordnet, falls sie habe unterbleiben müssen,
sei sie wenigstens vor dem förmlichen Eröffnungsbeschluß nachzuholen.

Als der Supremo sich die Entscheidung über Verhaftungen angeeignet hatte, wurde die Qualifikation bedeutungslos, ihre Träger
eher eine Zierde denn ein Triebrad in dem Apparat (s. die Tabelle
von 1746 in Bd. I, Anhang). Sie fanden aber noch Beschäftigung
als Preßzensoren, und wenn sie hierfür bei einem Gericht fehlten,
konnte es irgend welche Theologen aufbieten.

Da die Sumaria erwähnte, daß genügend Beweise vorhanden,
alle Förmlichkeiten erfüllt und weitere Nachforschungen überflüssig seien, bildete die Qualifikation den Abschluß der Ermittlung. Der nächste Schritt war die Einreichung der Clamosa,
des Antrages auf Verhaftung durch den Fiskal. Dafür gab es
eine Formel, wonach er die Sumaria einreichte und beschwor;
die Clamosa umfaßte die Qualifikation als ein Zeichen, daß der
Beschuldigte die strengste Strafe verdiene; darum forderte er
dessen Ergreifung und Gefangensetzung, nebst Vermögenssperre,
und stellte für die gegebene Zeit die Einbringung einer förmlichen
Anklage in Aussicht; mittlerweile verlangte er, daß die Register
der anderen Gerichte nach weiteren Beweisen eingesehen werden
sollten. Es gab Formeln je nach der Art des Vergehens, sowie
für Anwesende oder Tote.

Ein lobenswertes Streben zur Vermeidung von Übereilung liegt
darin, daß vor Erlaß des Haftbefehls eine Consulta de fe,
eine Beratung der Inquisitoren mit den Konsultoren und dem Ordinarius rechtlich noch erfordert war. Schon 1509 verfügte der
Supremo, daß er zu befragen, wenn keine Einstimmigkeit erzielt
sei. Indes zeigt ein Befehl von 1521, eine Consulta in einem
Falle von Moriscos abzuhalten, daß die Sache wohl schon außer

---

[1] Pablo García (Orden de procesar, fol. 1) bemerkt indes, daß maurische
Zeremonien hier und da qualifiziert würden.

Übung gekommen war. Zwischen 1540 und 1550 ergingen in Daimiel Haftbefehle gegen Moriscos gleich nach der Clamosa. Die Satzung von 1561 ließ den Brauch wieder aufleben, stellte aber tatsächlich die Berufung der Consulta in das Ermessen der Inquisitoren. Danach geschah sie häufiger. 1564 wurde, um die Fälle von Sollicitatio im Beichtstuhl nicht bekannt werden zu lassen, verfügt, daß bei solchen nur der Generalvikar zuzuziehen sei, und 1600 wurde auch dieser ausgeschaltet, die Inquisitoren sollten nur unter sich beraten und dann den Supremo befragen. Später, als dieser allein entschied, hatte die Consulta keinen Zweck mehr, im 18. Jahrhundert fiel sie aus, weil, wie gesagt wurde, die Inquisitoren damals Juristen waren.

Die Reformsatzung von 1498 zeigte ebenfalls das Bestreben der oberen Spitzen, Ungerechtigkeit durch übereiltes Vorgehen zu vermeiden. Es wurde den Inquisitoren befohlen, sorgsam zu sein und niemand ohne triftige Beweise zu verhaften. Dieser Befehl mußte häufig wiederholt werden, ein Zeichen für dessen geringe Beachtung. Man wußte genau, daß die Verhaftung an sich eine unauslöschliche Schande bedeutete, und empfahl daher die äußerste Vorsicht im Gebrauch dieser furchtbaren Gewalt. Theoretisch sollten schwerere Verdachtgründe als bei den anderen Gerichten bestimmend sein, so schwer wie diejenigen, welche die Anwendung der Folter rechtfertigten, der sogenannte „Semiplena"-beweis, d. i. allerdings nur die Aussage eines einzigen einwandfreien Zeugen; wenn Fluchtverdacht vorlag, war noch weniger erfordert. Der Supremo schrieb zwar 1630 vor, auf die Aussagen eines einzigen Zeugen hin ohne seine Erlaubnis niemand zu verhaften, dies bewirkte jedoch wenig. Oft wurde die Verhaftung unverzüglich nach der Anzeige vorgenommen.

Bei diesem willkürlichen Vorgehen war die Tätigkeit des Fiskals leerer Schein, und wenn er und der Inquisitor Sinn für Humor hatten, mußten sie über ihre beiderseitigen Rollen in der Komödie lächeln. 1530 klagten die Cortes von Aragon über Verhaftungen wegen der geringsten Ursachen auf einfache Gerüchte hin; die Verhafteten würden dann ohne oder auch mit nur sehr leichten Strafen entlassen, aber in ihrer Person und ihren Nachkommen entehrt. Es sollten nur in schweren Fällen und bei genügenden Verdachtgründen Verhaftungen zulässig sein. Von oben herab erwiderte der Großinquisitor, die Gesetze seien befolgt worden,

wenn aber die Beschwerdeführer anders dächten, sollten sie Beispiele anführen. Bei dieser Stimmung war keine Besserung zu
erwarten, und nach Erlaß der Satzung von 1561 muß es noch
schlimmer geworden sein, da die niederen Organe ihren Vorgesetzten nachäfften, denn die Concordia von 1568 verfügt, daß
ohne Erlaubnis des Inquisitors Vertraute niemand verhaften
dürfen.

Auch als der Supremo vorher zu befragen war, änderten sich
die Dinge nicht. 1694 war in Valencia ein Mann verhaftet worden,
nach etwa vier Monaten fand die Qualifikation statt, nach zehn
Monaten war die Sache noch nicht beendet; der Supremo drückte
sein Erstaunen über die Verhaftung vor der Qualifikation aus
und befahl lediglich, den Prozeß zu beschleunigen. Bei dieser
Milde gegen schwere Verletzungen der Formen überrascht weiter
nicht, daß das Gericht Valladolid im Juli 1699 folgendes mitteilte: ein Mann war Ende August 1697 verhaftet worden; seine
Sache stand noch wie am ersten Tage, weil kein Zeugnis gegen
ihn vorlag. Dasselbe galt von einem 14jährigen Knaben, der im
August 1698, einem 9jährigen Mädchen, das im August 1697,
und einer weiblichen Person, die im September 1698 verhaftet
worden war. Demnach lagen die Ärmsten ein Jahr oder zwei
im Kerker, ohne daß der Schatten eines Beweises gegen sie vorlag. Und das berichtet das Gericht ganz kühl, als etwas Gewöhn-
liches und durchaus nicht Skandalöses.

Einer der Reformversuche Karls III. ging dahin, daß offen-
kundige Beweise der Ketzerei Vorbedingung für eine Verhaftung
sein sollten; Llorente teilt uns mit, daß dies nicht beachtet wurde.
Mit der Zeit besserten sich die Verhältnisse in dieser wie in
mancher anderer Hinsicht, vielleicht weil das h. Offizium zu arm
war, um den Unterhalt der Gefangenen zu bestreiten. In einem
Falle von 1816 wurde regelrecht verfahren.

Nicht nur wären leichtfertige Verhaftungen zu vermeiden gewesen wegen der Schande, die sie über die Betroffenen und deren
Angehörige brachten, sondern wegen der von Anfang an bewirkten völligen Absperrung des Häftlings von jeglichem Verkehr.
Dafür wurde auch gesorgt, wenn die Festnahme nicht am Sitz
des Gerichtes erfolgte, sowie auf dem Transport, auf dem, wenn
mehrere Gefangene eingebracht wurden, diese nicht miteinander

reden durften. Zu dem sonstigen Elend kam für die Einge-
sperrten die Ratlosigkeit, der sie preisgegeben waren.

Was besonders die ärmeren Leute hart traf, war, daß der
Häftling alle Kosten zu tragen hatte. Der Beamte, der die Festnahme vollzog, hatte dem Kerkervogt eine Summe Geld, ein Bett
und Kleider einzuliefern. Wenn, wie gewöhnlich, die Barschaft
des Verhafteten nicht ausreichte, um die Kosten für seinen Unterhalt zu liefern, wurde von seiner Habe so viel versteigert, bis Geld
genug da war. Für einen verrückten Pflugschmied aus der Gegend
von Alcalá de Henares, der 1641 in Toledo eingeliefert wurde,
weil er geäußert hatte, Christus sei nicht am Kreuze gestorben,
sollten 30 Dukaten eingezahlt werden. Seine ganze Habe einschließlich der Werkzeuge aber ergab bei der Versteigerung nur
20, und davon ging ein Teil für den Transport ab. Nach acht
Monaten wurde er als unzurechnungsfähig entlassen, völlig mittellos, so daß seine Heimatgemeinde für seine Rückbeförderung und
in der Folge auch wohl für seinen Unterhalt aufkommen mußte.
Mit der der Inquisition eigenen Logik war er verurteilt worden,
zur Strafe für seine Ketzereien ein grau-grünes Narrenkleid zu
tragen. Reichte bei einer Ordensperson ihre Habe nicht aus, so
mußte ihr Kloster für sie aufkommen.[1]

Mit den weltlichen und den geistlichen Gerichten hatte die
Inquisition gemein, daß in allen Fällen, die zur Gütereinziehung
führen konnten, das Vermögen des Häftlings gleich bei der Festnahme gesperrt wurde. Verluste und Härten, sowie Unterschleife,

---

[1] Proceso contra Benito Peñas, Mss. der Univ.-Bibl. Halle, Yc, 20, T. VI. —
Pablo García, Orden de procesar, fol. 6. — Die römische Inquisition übte
weit mehr Rücksicht gegen die Interessen des Angeklagten. Der Inquisitor
war angewiesen, keinesfalls Geräte, Möbel, Werkzeuge oder Grundstücke zu
verkaufen oder zu verpfänden, sondern sich auf das Einkommen oder Pachten
zu beschränken. Die Ausgaben für den Gefangenentransport fielen dem Bischof
oder der päpstlichen Kammer zur Last, waren indes gering, da es zahlreiche
kleine Gerichte gab, in der Regel eins an jedem bedeutenderem Ort. Es
wurde dafür gesorgt, daß die Kosten nicht anschwollen, und an vielen Orten
war die Inquisition auf einige Räume in dem Kloster des Inquisitors beschränkt, der entweder ein Franziskaner oder Dominikaner war. Die Kosten
für den Transport von Verurteilten nach den Galeeren hatten die Ortschaften
zu tragen, den Unterhalt mittelloser Gefangener die Bischöfe, den von Regu-
laren ihre Orden.

die dabei vorkamen, suchten, was die weltliche Justiz angeht, die Cortes von Aragon 1646 abzuwenden. Auf der andern Seite lag die Gefahr einer Verschleuderung vor, wenn das Vermögen bis zur Durchführung des Prozesses in den Händen der Verwandten blieb; dagegen bot die Beschlagnahme eine Gewähr. Die Wichtigkeit, welche die Inquisition ihr beilegte, ergibt sich aus dem Raum, den die Sache in den Vorschriften einnimmt. Wohl untersagte das kanonische Recht die Beschlagnahme vor der regelrechten Verurteilung, diese Vorschrift erging indes zu einer Zeit, wo das eingezogene Gut dem weltlichen Herrn zufiel, sie wurde aber nicht mehr beachtet, als die Einziehung zugunsten der Gerichtsstelle geschah.

Den Alguazil, der den Haftbefehl vollzog, begleitete der Notar de secretos (Sequestrationen), der Beschlag auf alles sichtbare Eigentum legte und ein Verzeichnis darüber aufnahm; das Vermögen verwaltete bis zum Ausgang des Prozesses der Sequestrador oder Depositario, um es, wenn die Einziehung verhängt war, dem Kämmerer zu überweisen, andernfalls erhielt der Eigentümer sein Gut, oder was davon übrig blieb, zurück.

In der Frühzeit begleiteten den Notar der Kämmerer und dessen Schreiber. Die Aufnahme geschah in doppelter Ausfertigung. Es folgten allerlei widersprechende Vorschriften, um Unterschleife des Kämmerers an den beschlagnahmten Gütern zu verhindern; ein Visitator hatte die Beamten stets auszufragen, ob sie etwas von solchen Veruntreuungen vor Beendigung eines Prozesses gemerkt hätten. Die Unregelmäßigkeiten dauerten fort. 1633 wurde den Opfern gestattet, sich bei der Beschlagnahme und Aufnahme vertreten zu lassen, 1635 vorgeschrieben, daß der erste Inquisitor über die Beschlagnahmen eingehend dem Supremo berichten, auch angeben sollte, ob Veruntreuungen vorgekommen seien; diese Weisung mußte häufig wiederholt werden. Aus einer von Philipp IV. 1654 einberufenen Junta gingen Vorschriften hervor, welche die Interessen des Fiskus, der Gläubiger und des Betroffenen bei Verhaftung eines Steuerpächters zu wahren bezweckten. Allgemein wurde das Vorgehen dahin bestimmt, daß der Verhaftete zuerst nach Schlüsseln und Papieren durchsucht werden sollte, worauf er seinen Vertreter bei der Aufnahme zu bezeichnen hatte, die, wenn angängig, so-

fort, andernfalls am folgenden Tage stattfand, unterdes alles
unter Vorhängeschloß und unter Aufsicht von zwei Wächtern
blieb. Alles wurde peinlich genau, Raum für Raum, Kiste für
Kiste, aufgezeichnet. Die Schlüssel erhielt die dafür ausgesuchte
Geschäftsstelle, die über das gesperrte Gut Quittung gab und
für es haftete. In der Audiencia de hacienda, die gleich
folgte, mußte der Häftling über seinen ganzen Besitz Rechenschaft ablegen. Was verkauft werden mußte oder zum Unterhalt im Kerker nötig war, wurde nach einer im Beisein seines
Vertreters vorgenommenen Abschätzung versteigert. In dem
Inventar mußte jedes Schriftstück nach dem Inhalt genau vermerkt werden, wie überhaupt alles, auch das armseligste Hausgerät.

Häufig zeigten die Beamten Übereifer zum Nachteil von
Dritten. Es war unvermeidlich, daß deren Eigentum in die Beschlagnahme fiel: von Anfang an war auch vorgeschrieben, es
ihnen zurückzustellen, wenn sie ihre Ansprüche klarlegen konnten.
Solche Fälle waren häufig und verursachten Verlust oder Sche-
rerei und wurden in die Länge gezogen. Es werden Beispiele
verzeichnet, wo Haushaltungsgegenstände, Hühner, Wäsche, eine
alte Wiege nach mehreren Jahren von Dritten gefordert wurden.
Wegen dieser Wiege wurden besonders viel Umstände gemacht
und die Berechtigte erhielt sie erst, nachdem sie eine genaue
Beschreibung unter Eid gegeben.

Gesperrtes Gut war heilig und durfte auch in noch so dring-
lichen Fällen nicht abgekehrt werden. Das wurde oft eingeschärft, war jedoch bei dem Mangel an Aufsicht leichter gesagt
als getan. Ferdinand selbst gab das Beispiel, indem er zahlreiche Häuser verschenkte, die vor Errichtung der Inquisition
von Flüchtlingen in Perpignan verlassen worden waren, er eignete sich das Gut der Flüchtlinge an, bevor ihr Prozeß eingeleitet war. Wir wissen auch, daß der Supremo 1644 Philipp dem IV.
zugab, in seiner Not Grundstücke verkauft zu haben, deren
Eigentümer freigesprochen wurden und sie zurückforderten.
Gegen Ende des Jahrhunderts pflegte ein Sequester des Supremos
dem Madrider Gericht aus den Beschlagnahmen Gelder für dessen
Geschäftsbetrieb vorzuschießen, und in einem Falle von 1680
erfolgte die Zurückzahlung erst nach sechzehn Monaten. Das
Gericht war mithin dem ausgesetzt, daß seine Urteile durch den
Betrag seiner Schuld beim Sequester beeinflußt wurden.

Für den Unterhalt der Angehörigen eines Häftlings scheint in der Frühzeit nicht gesorgt gewesen zu sein. Wenn die Beschlagnahme erfolgt war, waren sie ihrem Schicksal überlassen. Ausnahmen waren Gunstbezeigungen. Später, zu einer nicht genau zu bestimmenden Zeit, wurde die von der Menschlichkeit gebotene Vorsorge als notwendig erkannt. Ein Bericht aus Llerena von 1506 bemerkt, daß es grausam sei, eine Familie zur Nachtzeit auf die Straße zu setzen; es sei zwar angeordnet, die Angehörigen aus dem beschlagnahmten Vermögen zu versorgen, allein die Beträge genügten nicht und würden unregelmäßig, oft mit Unterbrechung von mehreren Monaten, ausbezahlt. In einem Falle starben die zwei kleinen Töchter eines wohlhabenden Mannes Hungers, während ihre älteren Schwestern nachts bettelten. Eine Frau erhielt 25 Maravedí täglich, um für zehn Personen zu sorgen, während 250 nötig gewesen wären, und auch von dem bewilligten Betrage hatte sie drei Monate nichts erhalten.

Der Gegenstand wurde wiederholt in den Weisungen von 1538 bis 1558 berührt, es waren jedoch immer nur Versuche. Im allgemeinen hieß es, man solle sich nach Vermögen, Stand und Erwerbsfähigkeit der betroffenen Familie richten. Eine endgültige Regelung brachte erst die Satzung von 1561. Danach sollte der Häftling, dessen Frau oder Kinder um eine Unterstützung einkamen, befragt werden, ob er damit einverstanden sei, worauf ihnen aus dem Vermögen etwas gewährt werden konnte, doch mußten die genügend Erwachsenen und Arbeitsfähigen sich selbst erhalten. Das war eine Gnade und kein Recht und wurde in der Folge zeitlich beschränkt, weil bei längerer Prozeßdauer es sich empfehlen konnte, die Zahlungen einzustellen. 1567 wurde weiter verfügt, daß einfache Kleider und Bettzeug verabreicht werden, jedoch unter genauer Buchung, da die Sequester sich leicht zu freigebig zeigen könnten. So kam es, daß die Fürsorge für die Angehörigen eines Häftlings aus dessen Vermögen grundsätzlich anerkannt wurde, falls er welches besaß; in der Form für den Haftbefehl von 1696 wird diese Fürsorge als Grund für die Sequesterverwaltung angeführt.

Das war soweit menschlich und milderte namentlich in der späteren Zeit die Härten der Inquisition, als sie die Prozesse über Gebühr in die Länge zog. Wenn es sich nicht um ein

außergewöhnlich großes Vermögen handelte, konnte es bei der
verschwenderischen Methode und der Häufung der Ausgaben gar
bald draufgehen. Da war in erster Linie der Unterhalt des
Häftlings im Kerker. Nichts wurde geschenkt. Als in Madrid
die beiden Kinder eines Mannes, die mit ihm verhaftet worden
waren, freigelassen wurden, er aber noch im Kerker blieb, wurden für Essen und Kleider für sie 1423 Realen auf seine Masse
verrechnet. Bei einem solchen System kann man annehmen,
daß, wenn der Angeklagte ohne Güterverlust davonkam, er nur
wenig von seinem Vermögen übrig fand, zumal er die vom Sequester aus der Masse bewirkten Ausgaben anerkennen und vor
der Entlassung aus dem Kerker die Rechnung des letzteren be-
gleichen mußte. In diesem Punkte wurde die Suspendierung
eines Prozesses der Freisprechung gleich erachtet, der Entlassene
erhielt seine Habe wieder, soweit sie vorhanden war.

Ein Geschäftsmann freilich, dessen Geschäfte jahrelang lahm-
gelegt waren, fand nichts wieder, für ihn bedeutete die Sperre
den Ruin, auch wenn er aus dem langen Verfahren frei ausging.
Als Beispiel dafür mag dienen, daß bei einem Drucker 120 Ries
Papier von einem gerade in Satz befindlichen Werke beschlagnahmt wurden; Verfasser und Verleger kamen dabei zu Schaden,
und auch die Versteigerung von solchen Posten mußte schwere
Verluste ergeben.

Das Amt des Sequesters scheint ursprünglich viel gesucht
worden zu sein, jedenfalls hatte es eine Anziehung für unehr-
liche Leute. Ein Jurado von Córdova, Fernando de Mesa, war
zum Sequester bestellt worden, starb aber vor der Verurteilung
des Gefangenen. Eine Rechnungsablage war nicht zu erlangen.
Vier Töchter Mesas waren in ein Kloster getreten und hatten
aus der Masse 30 000 Maravedí erhalten, allein das Kloster erklärte, es sei zu arm, um den Betrag zu ersetzen. Und Ferdinand ließ es dabei bewenden.

Für ehrliche Leute dagegen war das mühsame, aber nicht
besoldete Geschäft höchst unerwünscht. Der Beauftragte mußte
es bei Bann und 10 000 oder 20 000 Maravedí annehmen. Es
sollte ein Mann von gutem Ruf, kein Verwandter des Gefangenen
und kein Converso sein. War der Angeklagte Hausbesitzer, so
blieben dessen Sachen unter Schloß und Riegel; andernfalls

mußte der Sequester sie auf seine Kosten unterbringen, außerdem sich schriftlich den etwa über ihn durch den Alguazil zu verhängenden Strafen unterwerfen und für alle Irrtümer und Fehlbeträge bei seiner Verwaltung mit seiner Person und seinem Vermögen haften, unter Verzicht auf jede andere Gerichtsbarkeit zugunsten der Inquisition. Sie pflegte nicht viel Rücksicht auf die Mitarbeiter dieser Art zu nehmen.

Die Beschlagnahme war auf den Besitz beschränkt, der sich in der Hand des Verhafteten befand; was davon in dritter Hand war, durfte erst nach Verhängung der Gütereinziehung weggenommen werden. Eine Folge davon war die merkwürdige Anordnung, die zuerst 1537 erging und in die Satzung von 1561 aufgenommen wurde, daß keine Beschlagnahmen gegen Tote vorgenommen werden durften, wie schwer sie auch belastet seien, weil ihr Vermögen in dritte Hände übergegangen sei. Wichtiger war die weitere Beschränkung auf Anschuldigung wegen formaler Ketzerei. Der Fiskal sollte in seiner Clamosa erklären, ob er die Sperre verlange oder nicht, obschon noch 1575 der Supremo einem Gericht klar machen mußte, daß Ketzerei eine Vorbedingung für eine Beschlagnahme sei. Der Begriff der Ketzerei aber war dehnbar: 1573 wurde er auf die geläufige Behauptung erweitert, der außereheliche Beischlaf sei keine Todsünde. War formale Ketzerei im Spiele, so war die Beschlagnahme zu verfügen, gleichviel ob der Verfolgte Vermögen besaß oder nicht; 1665 rügte der Supremo, daß ein Gericht die Förmlichkeit gegenüber einem Galeerensträfling unterlassen hatte.

Auf die Dauer, als der Ketzer weniger wurden, störte die Inquisition diese Beschränkung auf formale Ketzerei, und die Beschlagnahme wurde bei den geläufigen Inquisitionsvergehen angewandt, wie Gotteslästerung, Zauberei, Doppelehe, Sollicitatio, Klerikerehen, strafbaren Propositionen, Besitz verbotener Bücher, kurzum in allen Fällen, wo sie nicht statthaft war, und dies schon im 16. Jahrhundert. Der Form wurde dadurch genügt, daß man in diesen Fällen statt der „Sequestration" das „Embargo" verhängte, das jedoch auf dasselbe hinauskam mit dem einzigen Unterschiede, daß beim Embargo der Sequester von dem Verhafteten selbst bezeichnet wurde. Diese gesetzwidrige Ausdehnung der Beschlagnahme erscheint besonders hartherzig. Sie galt bis zum Ende der Inquisition für die kleineren Ver-

gehen, die keine Gütereinziehung nach sich zogen: lediglich um
den Unterhalt des Gefangenen während der Untersuchungshaft
zu gewährleisten, mußte er mit seiner Familie die Gefahren und
Verluste der Sperre auf sich nehmen. Das zeigt, wie verhärtet
die Inquisition gegenüber menschlichen Leiden geworden war,
wie ihre Geldgier alle menschlichen Regungen unterdrückte.

Zum Schluß ein Beispiel des Verfahrens. Die 32 jährige Ana
de Tores, seit kurzem mit dem Zuckerbäcker Gaspar Agustin
aus Ciudad Real verheiratet, ist des Judentums geziehen. Das
Gericht Toledo ermittelt, und verfügt am 9. Mai 1680 ihre Festnahme durch den Vertrauten Don Alvaro Muñoz de Figueroa,
Ritter von Santiago. Er soll Beschlag auf das Vermögen legen
und die Frau mit Kleidern und 100 Dukaten einliefern. Er berichtet am 17. Mai: nachdem er die Wohnung der Frau erkundet, habe er sich mit einem Notar, einem Vertrauten und Diener-
schaft um 9 Uhr abends in das Haus begeben und die Frau in
sein Haus abführen lassen; den Ehemann habe er hinausgesetzt
und zwei Wächter zurückgelassen; die Aufnahme des Bestandes
sollte am andern folgenden Tage bewirkt werden. Soweit sich
übersehen lasse, seien die Sachen im Hause keine 100 Dukaten
wert, und sie gehörten, wie gesagt werde, dem Ehemann, denn
die Frau sei ohne alles zugereist. Zudem sei sie im sechsten
Monat schwanger. Muñoz bittet daher um Befehle. Sie ergehen,
offenbar ohne Rücksicht auf die Rechte des Ehemannes, denn
die Sperre wird angeordnet und die Frau soll mit ihrem Bett
und Kleidern sowie dem Erlös der Sachen eingeliefert werden.
Die Versteigerung geschieht am 24.; der ganze Erlös ist 400 Realen, etwa 36 Dukaten. Unterwegs wird die Frau unentgeltlich
von Vertrauten getragen, die sich ablösen, und tags darauf be-
scheinigt der Kämmerer von Toledo den Empfang der 36 Dukaten als Kostgeld. Am 6. Juli berichtet der Kerkervogt, daß
die Gefangene an einer in ihrem Zustande gefährlichen Halsent-
zündung leide. Der Arzt erscheint und verordnet Aderlaß, Gur-
geln und Entfernung der Patientin aus der ungesunden Kerker-
luft an. Sie wird in das Haus des Vogtes gebracht, es wird ihr
zur Ader gelassen und am 18. Juli hat sie sich so weit erholt,
daß sie um ein Verhör bittet. Am 13. September meldet der
Kerkervogt die Niederkunft, für die er eine Hebamme gestellt

habe; er erhält Befehl, für die Pflege und Bequemlichkeit der Frau zu sorgen. Am 29. findet die Kindtaufe statt und wird die Mutter in den Kerker zurück und mit zwei anderen Frauen in eine Zelle gebracht, und im Oktober ergeht eine Anweisung auf 146 Realen für die Kleider und Wickeln des Kindes nebst 14 Realen für die Taufe.

In diesem Falle ist es erfreulich festzustellen, daß die Fürsorge für die Angeklagte nicht durch die schmutzige Gier beeinträchtigt wurde, die Prozeßkosten nicht ohne Rücksicht auf das dadurch verursachte Elend zu ersparen. Was aus dem wahrscheinlich schuldlosen Ehemann geworden ist, der so an die Luft gesetzt wurde und seine Habe verlor, erfahren wir nicht: er ging die Inquisition nichts an.

Vierter Abschnitt.

Der geheime Kerker.

Die amtliche Bezeichnung des Untersuchungsgefängnisses für Ketzereiverdächtige war Cárceles secretas, der geheime Kerker. Er war mit den Inquisitionsgebäuden verbunden, so daß der Gefangene jederzeit nach dem Sitzungssaale gebracht werden konnte, ohne gesehen zu werden. Fälle, in denen, wie für Carranza, die Haft in einem abgelegenen Gebäude stattfand, wohin sich die Inquisitoren begaben, sind seltene Ausnahmen. Das Haftgefängnis war von dem Strafgefängnis, der Casa de penitencia, völlig verschieden und der Gegensatz, die milde Behandlung der Straf- und die Härte gegen die Untersuchungsgefangenen war eine der Seltsamkeiten des h. Offiziums.

Als allgemeine Regel kann man annehmen, daß die Haft gleich nach der Festnahme begann, Freilassung gegen Bürgschaft war eine Ausnahme in der Frühzeit und hörte später ganz auf. Das Gericht Toledo ließ 1530 einen Priester, dessen Vergehen keine formale Ketzerei war, in der Weise auf freiem Fuß, daß er gegen 100 000 Maravedí, die sein Bruder hinterlegte — wobei dieser auf seinen natürlichen Gerichtsstand verzichtete — und gegen seinen Eid die Stadt nicht verlassen durfte, und daß eine bestimmte Person jederzeit über seinen Verbleib Auskunft geben konnte. Mehrere Anordnungen erklärten Bürgschaft für statthaft, wenn die Verhaftung auf dürftige Beweise hin erfolgt sei, indes war dies seit 1560 nicht mehr bei Beschuldigungen von Ketzerei zugelassen.

Für weniger schwere Dinge war die Übung milder. Die Inquisitionsvergehen waren mannigfaltig und vielfach geringfügig und man mochte keine Ausgaben übernehmen wegen eines Angeschuldigten, bei dem keine Fluchtgedanken vorauszusetzen oder keine Mitschuldigen da waren, die er hätte warnen können. Hierfür gab es verschiedene Arten von Sicherung, die zusammen als Aplacería bezeichnet wurden: die Stadt oder das eigene Haus, für Beamte die leichtere Haft, das sogenannte Cárcel de familiares. Um 1640 erklärt ein Schriftsteller, in Fällen von Gotteslästerung könne man dem Angeschuldigten die Stadt als Gefängnis anweisen oder, wenn es sich um besonders schamlose, Ärgernis erregende und wiederholte Vergehen handle, ihn in dem Cárcel de familiares unterbringen, bei Fluchtverdacht etwa auch in dem geheimen Kerker, obschon letzteres zurzeit nicht Übung sei. Für Sterndeuter, die sich selbst anzeigten, wähle man eine der leichteren drei Sicherungen. Mönche wurden oft, außer in schweren Fällen, in einem Hause ihres Ordens in Haft gehalten, was dem allgemeinen Bestreben entsprach, die Ehre der Kirche zu wahren. Wenn die Inquisitionskerker überfüllt waren, wurden häufig Klöster als Hilfsgefängnisse benutzt, da sie für eine Haft geeignete Zellen enthielten.

Bei einigen Gerichten gab es für andere als Glaubenssachen Cárceles medias, Cárceles comunes und Cárceles públicas, die wohl dem Gewahrsam für Vertraute ähnlich waren; wer darein gebracht wurde, galt nicht als unauslöschlich gebrandmarkt wie derjenige, den der geheime Kerker aufnahm. In diesen Räumen war der Gefangene in der Regel nicht vom Verkehr mit seinen Freunden abgeschnitten, es konnte aber sein. Im Grunde war die ganze Sache dem Ermessen des Gerichtes freigegeben, und wir wissen, daß in dem Widerstreit der Gerichtsbarkeiten die Inquisitoren sich oft an ihren Gegnern rächten, indem sie sie in das schandbare Verließ setzten. Auch solche, die der Ketzerei geziehen waren, konnten, wenn die Beweisgründe nicht triftig schienen, in die Cárceles medias,

und erst wenn die Beweise gegen sie sich verdichteten, in den
geheimen Kerker gebracht werden.

Man darf bei der Beurteilung der Härten des geheimen Gewahrsams die Schrecken der Kerker in diesem Zeitalter nicht
außer Erwägung lassen: sie waren verhältnismäßig geringer bei
der Inquisition als bei anderen Gerichtsbarkeiten. Freilich
hatten die Gesetze Kastiliens verkündigt, daß die Gefängnisse
nicht als Strafanstalten, sondern als Gewahrsam da seien, und
gemäß königlichen Verordnungen von 1489 und 1525 sollten die
Richter die Gefängnisse jede Woche besichtigen und die Klagen
der Insassen anhören. Indes beweist ein Gesuch der Cortes
von 1534, daß diese aufgeklärten Vorschriften wenig beachtet
wurden. In Valencia war um 1630 der Inquisitionssekretär
Pedro Bonet, während ein Kompetenzstreit wegen seiner schwebte,
in Haft gehalten worden; als er seinem Gericht ausgeliefert
wurde, starb er nach drei Tagen. Die Inquisition bestand
immer auf der Versicherung, daß ihr geheimer Kerker menschlicher sei als die königlichen. 1816 forderte sie einen Gefangenen
ein, der antireligiöser und „antipolitischer" Reden beschuldigt
wurde, damit er es besser bei ihr habe.

Die Behauptung mag richtig sein, denn der geheime Kerker
galt als milder denn die Verließe der geistlichen Gerichte. 1629
erschien in Valladolid ein Mönch wegen radikaler Ketzereien;
diese habe er nur geäußert, um aus. dem Zwangsblock seines
Klosters befreit zu werden. Ähnlich ging es 1675 zu, wo ein
im bischöflichen Kerker liegender Kleriker absichtlich judaistische
Äußerungen getan hatte.

Ob besser oder schlechter als andere, die Inquisitionskerker
waren kein geheurer und gesunder Aufenthalt. Die Bauart war
natürlich verschieden, nur wenige waren für ihren Zweck gebaut.
In Saragossa war die Inquisition in der Aljafería, in Barcelona
in dem königlichen Schloß, in Sevilla in der Burg Triana, in
Córdova im Alcazar untergebracht, anderswo wie es eben anging. Die Festen hatten von vornherein Verließe; in anderen
Gebäuden wurden Zellen hergerichtet. Es gab also keinen ein-
heitlichen Plan und keine gleichmäßige Behandlung der Gefangenen. In Palermo waren Zellen in Kasematten eingebaut,
und in Toledo muß es nicht viel besser gewesen sein, nach der

Klage einer Frau zu urteilen, die mit ihrem einjährigen Kinde seit neun Monaten in Haft saß, als sie 1592 bat, aus der Zelle entlassen zu werden, da diese dunkel sei und die Gefangenen unter Krankheiten litten; der Inquisitor eröffnete ihr, sie sei da um ihr Gewissen zu reinigen, ihre Seele zu retten, im übrigen werde ihr Gerechtigkeit widerfahren.

Ungesunde Gefängnisse waren damals die Regel, und die Sterblichkeit muß groß gewesen sein, namentlich bei den häufigen Ausbrüchen von Pest. Statistik ist natürlich keine vorhanden, die Akten erwähnen indes oft den Tod von Untersuchungsgefangenen: 1630 waren es in Valladolid 12, und auf dem großen Auto von 1680 in Madrid waren der Nachrichtungen 8 an Toten, die alle im Kerker gestorben waren.

Die Abführung in den geheimen Kerker galt als daß größte Unglück, das einen Menschen treffen konnte, wegen der Schande, die sie über ihn und seine Nachkommen brachte. Die Consulta magna von 1696 schildert in beredten Worten den Schrecken, den eine solche Haft einflößte, und die Ungerechtigkeit, die darin lag, daß wegen der Laune eines Inquisitors Leute abgeführt wurden, die nichts gegen den Glauben begangen hatten. Sie erwähnt den Fall einer Frau aus Sevilla, die in Streit mit einer Gerichtsschreibersfrau geraten war: als der Alguazil sie verhaften wollte, sprang sie aus Angst vor dem Gefängnis zum Fenster hinaus und brach beide Beine. Häufig genügte die Beleidigung eines Vertrauten zur Abführung in das dunkle Verließ. Dieser Schrecken war eine der wirksamsten Waffen der Inquisition. Als Gregor XV. 1622 den Bischöfen die Zuständigkeit für Sollicitatio zugleich mit dem h. Offizium zusprach, wurde aus Spanien dagegen geltend gemacht, daß die Bischöfe kein solches Abschreckungsmittel besäßen wie die Inquisition; die Furcht vor ihren Gefängnissen wirke auf die härtestgesottenen Verbrecher. Eine solche Gewalt führte zu Mißbräuchen, auch als der Supremo über die Verhaftungen zu gebieten hatte. 1798 wollte Karl IV. die Abführung in den geheimen Kerker von einer königlichen Ermächtigung abhängig machen, nach Llorente vereitelten dies jedoch Hofränke.

Auch die Fesselung der Gefangenen war bei sämtlichen Gerichtsbarkeiten üblich. Ein Italiener erwähnte 1592, daß er in Madrid drei Gefängnisse, das königliche, das städtische und das

der Geistlichen, besuchte; in allen fand er die Gefangenen, auch
bei den leichtesten Vergehen, gefesselt. Das mochte ihm neu
sein, denn er erklärte es aus der Unsicherheit des Gewahrsams.
Vorschriften für die Fesselung gab es bei der Inquisition nicht,
aus einer Anspielung Pablo Garcias geht jedoch hervor, daß sie
selbstverständlich gewesen sein muß.

Die Inquisition befolgte also nur einen allgemeinen Brauch.
Sie hatte indes ihre besonderen Quälereien. Wenn ein Ketzer
sich als unbußfertig erwies, bekam er die Mordaza, den Knebel.
Was es genau war, läßt sich nicht feststellen, jedenfalls galt es
als eine schwere Qual; sie diente auch nicht lediglich dazu, den
Gefangenen zu hindern, seine Ketzereien gegen andere zu äußern,
denn es durfte ja niemand mit ihm sprechen als der Beichtiger,
der in der Nacht vor der Hinrichtung in seiner Zelle erschien,
und auch dann durfte das Ding nicht entfernt werden. Dann
ist der Pié de amigo zu erwähnen, ein Werkzeug der reinen
Grausamkeit: am Kinn war ein eiserner Haken angebracht, der,
durch ein Band um den Hals oder um den Körper festgehalten,
das Opfer zwang, den Kopf steif und hochzuhalten; man wandte
dies bei Verurteilten an, die durch die Straßen gestäupt oder im
schimpflichen Aufzug geführt wurden, oder auch nur, um die
Leiden der Gefangenen zu erhöhen, entweder aus reiner Bosheit
oder um Geständnisse zu erpressen. Der wegen Protestantismus
in Sevilla 1559 verbrannte Dr. Agustin Cazalla war, obschon er
widerrufen hatte, noch am Tage vor der Hinrichtung in Ketten
mit dem Pié de amigo. Bei einem französischen Kalvinisten
wurde dies ebenfalls angewandt, nachdem er eine Störung im
Gefängnis verursacht hatte; dazu bekam er 50 Hiebe; sechs Monate später trug er noch den Pié de amigo, der vom Hals bis
an die rechte Hand reichte, außerdem doppelte Beinschnellen.

Trotz der Fesselung waren Entweichungen nicht selten, indes
führten sie kaum zur Freiheit. Hinter dem Entflohenen ging
ein Steckbrief an die weltlichen Behörden, welche die Bevölkerung aufzubieten hatten, den Organen des h. Offiziums behilflich
zu sein zum Absuchen der Wege, bei Bann und 500 Dukaten.
Einem solchen Aufgebot konnte nur selten einer entrinnen. Da
gemäß der allgemeinen Rechtsprechung der Zeit Flucht aus dem
Kerker als Schuldbekenntnis galt, glaubten einige Autoritäten,
dies gelte auch bei der Inquisition, indes halten Simancas und

Rojas es für überflüssige Strenge. In der Regel erhielt der wieder
Eingebrachte 100 oder 200 Hiebe und sein Prozeß ging weiter.
War der Entflohene entkommen, so wurde gegen ihn in Abwesenheit verhandelt. Bei Personen von Stand wurden die Hiebe durch
Verschärfung der Haft und des Urteils ersetzt. Für den Entkommenen aber, dessen Flucht als Geständnis galt, gab es nur
eine Strafe, die des unbußfertigen Ketzers: den Brandpfahl. Ein
französischer „Lutheraner“, der 1586 nach der Urteilsfindung
mit anderen entflohen war, wurde 1590 im Bilde verbrannt, obschon nur auf Abschwörung de levi und sechs Monate Gefängnis erkannt worden war.

Das Grausamste an der Inquisitionshaft war die völlige Unter-
bindung des Verkehrs mit der Außenwelt. Diese konnte in den
Staatsgefängnissen aus besonderen Gründen verfügt werden, beim
h. Offizium war sie die streng durchgeführte Regel: Sin co-
municacion oder incomunicado. Von der Ergreifung an,
und im Kerker selbst durfte der Häftling nur mit den Beamten
reden, für alle anderen Menschen war er wie ein Mann im Grabe.
Von seinen Angehörigen erfuhr er nichts, sein eigenes Los konnte
er nicht erraten, bis er, vielleicht nach Jahren, bei einem Auto
de fe sich zu lebenslänglichem Gefängnis oder Galeeren verurteilen
hörte; letzteres wurde 1559 in einem Autobericht gerühmt. Für
die unermeßlichen Leiden, die diese Einrichtung während mehrerer Jahrhunderte verursachte, gab es nur die eine Erklärung, ein
Verkehr mit Freunden könne die Verteidigung erleichtern. In der
Inquisitionslehre war der Verhaftete ja von vornherein schuldig,
mithin waren alle Mittel recht, um eine betrügerische Verteidigung zu verhindern.

Die volle Strenge trat nicht mit einem Male ein. Vorübergehend wurden Erleichterungen gewährt, zeitweilig durfte unter
gewissen Bedingungen ein Angeklagter den Besuch seiner Frau
empfangen. 1546 jedoch wurden diese Zugeständnisse aufgehoben.
Man mißtraute den Beamten: von da an hatte jede Zellentür
zwei Schlösser, und einen der Schlüssel führte der Vogt, den
andern der Wärter, so daß sie nur zusammen öffnen konnten.
Die Satzung von 1561 setzt voraus, daß jeder Verkehr von außen
unterbunden ist und gibt eine Hausordnung dahin, das alles, was
für einen Häftling eingeliefert wird, nachdem der Inquisitor er-

laubt hat, es ihm zu geben, sorgfältig nach Botschaften zu durchsuchen ist; haben Gefangene untereinander verkehrt, so ist mit allen Mitteln zu ergründen, wie dies gekommen ist und was sie miteinander hatten; sind Gefangene zusammen untergebracht, so dürfen sie bei einem Zellenwechsel nicht mit andern verteilt werden. Sogar beim Auto durfte niemand mit den Büßern sprechen, die Verbrannten erfuhren nicht einmal vor ihrem Tode etwas über das Schicksal ihrer Angehörigen. Die nach dem Auto Entlassenen mußten unter Eid aussagen, was sie in der Haft erfahren hatten und sich verpflichten, draußen nichts von ihren Erlebnissen zu erzählen, worauf schwere Strafen standen. Dies alles war nicht reine Grausamkeit, sondern die gnadelose Durchführung einer Regel, die über allen menschlichen Regungen stand.

Im einzelnen ergingen häufig peinliche Vorschriften. Der Vogt hatte darauf zu achten, daß der Gefangene Frau und Kinder nicht sah; das durfte niemals sein; die Zellen durfte nur der geschworene Wärter betreten, der die Nahrung reichte; wenn, wie es bei einigen Gerichten vorkam, die Gefangenen selbst kochten, mußte die Nahrung in Steinkrügen und nicht in Papier gereicht werden. Wenn die Nahrung gebracht wurde, sowie beim Reinmachen der Zellen, durfte nur je eine Zellentüre geöffnet sein; kein Fenster mit Aussicht auf die Zellen durfte geöffnet werden. In Murcia durfte der Wasserträger nicht in einen Binnenhof, kurz, die Absperrung wurde mit allen Mitteln durchgesetzt.

Und doch wurde die Wachsamkeit getäuscht, am meisten durch Bestechung der Unterbeamten, aber auch Kerkervögte waren nicht unzugänglich. Auf der andern Seite hatten die Gefangenen manchmal wohlhabende Freunde und Verwandte, die das Geheimnis zu durchbrechen wußten. Das Vorgehen dawider war nicht gleichmäßig. Ein Maurer, der 1635 in Valladolid eine Botschaft von einem Gefangenen zum andern gebracht hatte, worin stand, daß die Frau und der Sohn des letzteren verhaftet seien, der weiter denselben Gefangenen hatte wissen lassen, daß dessen Tochter vom Sanbenito erlöst sei, und einen Auftrag an sie übernommen hatte, kam leicht genug mit einem Verweis, einer sechsmonatigen Ortsverbannung und der Ausschließung von fernerer Beschäftigung für die Inquisition davon. Ein Gefangener, der mit anderen geredet hatte, erhielt 1655 eine Zusatzstrafe von Verweis und Verbannung. Wenn es sich um ihr eigenes Personal

handelte, war die Inquisition strenger. Eine Köchin, die einem
Gefangenen in der Nahrung Briefe zugestellt und dafür 8160 Mara-
vedí erhalten hatte, wurde 1591 in Toledo mit 6000 Maravedí
Geldstrafe, 100 Hieben und vier Jahren Verbannung bestraft.
In Mexiko erhielt ein bestochener Hilfswächter, ein Negersklave,
1650 für ein ähnliches Vergehen 200 Hiebe und sechs Jahre
Galeeren.

Am Ende ihres Daseins herrschte in diesen Dingen eine größere
Milde.

Zu dem System gehörte, daß den Gefangenen kein Schreibzeug erlaubt wurde, es sei denn unter schärfster Aufsicht. Es
war unvermeidlich, unter Umständen einem Gefangenen das
Schreiben zu ermöglichen, so wenn er ein Gesuch an das Gericht
senden wollte, was stets gestattet wurde. Die Bitte um Papier
ging an den Inquisitor selbst; die Blätter wurden gezählt und
numeriert, und was übrig blieb genau nachgezählt. Wieviel
Blätter auch einer verlangte, sie wurden ihm gewährt, allein er
war darüber strenge Rechenschaft schuldig.

Das Absperrungssystem schloß nicht aus, daß mehrere Gefangene zusammen eingekerkert wurden. Im allgemeinen hielt
man für gut, Männer allein und Frauen in Gesellschaft zu lassen,
indes gab es keine feste Regel außer der, daß Mitschuldige und
Negativos, Leugnende, nicht mit anderen zusammen sein
durften. Mann und Frau waren stets getrennt. Wenn nötig nahm
man keinen Anstand, vier oder fünf Personen zusammenzusperren,
wobei sie sich wohlgehen ließen und gegenseitig ihr Leid klagten,
was dann zu Angebereien führte, denn wenn der Angeber einen
Vorteil darin sah, scheute er sich nicht, seine Zellengenossen anzuzeigen. Die Einzelhaft hatte den Zweck, Mitschuldigen nicht
zu ermöglichen, einander zur Standhaftigkeit aufzumuntern und
ihre Verteidigung abzureden. Männer in der Einzelhaft baten oft
um einen Genossen, Frauen noch öfter.

Eine einheitliche Disziplin war unmöglich, die Zucht häufig
sehr lax. 1546 gebietet der Supremo Vorsicht mit Bezug auf
gegenseitige Besuche der Gefangenen. Aus gelegentlichen Andeutungen in den Prozeßakten geht hervor, daß eine gewisse Be-
wegungsfreiheit herrschte, beim Wasserholen, Feuermachen usw.
1562 ordnete Valdés an, zu verhindern, daß die Gefangenen ihr

Essen zu den Boten der Lieferanten holen gingen; es sollte ihnen in die Zellen gebracht werden.

Für den Vogt wurden 1652 eingehende Vorschriften erlassen. Frühmorgens auf der Runde sollte er nach dem Zustande der Gefangenen sehen und sich überzeugen, daß sie keine Messer oder Scheren oder Stricke besäßen und nicht durch Löcher in der Wand miteinander reden könnten. Wenn Scheren nötig seien, sollte er dabei sein, wenn sie gebraucht würden und dann wieder mitnehmen. Bücher durften nur mit Zustimmung des Inquisitors gegeben werden. Zweimal wöchentlich, Sonntags und Donnerstags, wurden die Rationen verteilt; nachmittags vorher hatte der Vogt sich nach dem Verlangen der Gefangenen zu erkundigen. Am Abend war wieder eine Runde vorgeschrieben, die der Möglichkeit einer Entweichung und der Suche nach Schreibzeug galt. Diejenigen, die ihre Nahrung selbst zubereiten konnten, erhielten einen Brasero, für die übrigen sorgte die Anstalt. Es war kein Licht erlaubt, eine harte Entbehrung in dem Dunkel der Zellen. Manche Erleichterung wurde durch die dem Zeitalter eigene Bestechlichkeit erkauft; in solchen Fällen ging das h. Offizium sehr strenge gegen seine Beamten vor.

Ein schwerer Schlag, der die Ketzer nicht traf, war für den Schuldlosen die Ausschließung von den Tröstungen der Religion während der oft Jahre dauernden Haft. Es ist dies schwer verständlich bei Theologen, die die Bedeutung der Sakramente für die geistige Förderung wie auch für das Seelenheil nicht genug hervorheben konnten. Waren doch die Gefangenen oft gute Katholiken, deren Straftat nicht auf formale Ketzerei schließen ließ. Man kann das vielleicht dahin erklären, daß die Schuld von vornherein angenommen wurde und da sie Bann ipso facto nach sich zog, der Häftling keine Sakramente empfangen noch die Messe hören durfte, wie übrigens auch in der römischen Inquisition. Dagegen wandte sich der Kanonist Azpilcueta, wahrscheinlich infolge des Falles seines achtzehn Jahre der Sakramente beraubten Klienten Carranza, mit dem Bemerken, in diesem Punkte könne sich die spanische Inquisition auf kein Gesetz berufen, wenn sie auch besondere Gewalten und triftige Ursachen für sich haben möge; die Gnadenmittel würden die Herzen der Gefangenen erweichen und sie zu Geständnissen führen, während es grausam sei, sie wehrlos den Eingebungen des Teufels zu überlassen. Es blieb indes bei der absoluten Verweigerung.

Nur die Beichte, ohne Lossprechung, war zugelassen. Laut Weisungen des Kardinals Manrique von 1529 und 1540 sollte jedem Gefangenen, der darum bäte, ein Beichtiger gegeben werden, wenn sein Fall das erlaube. Dies wurde durch die Satzung von 1561 dahin verklausuliert, daß man einen Gefangenen, der bei guter Gesundheit sei, besser nicht beichten lasse, es sei denn, daß er vor Gericht gestanden und die Beweise gegen sich bestätigt habe. In diesem Falle sollte, da die Lossprechung erst nach der Aussöhnung wirke, die volle Wirkung nur angesichts des Todes oder bei einer Frau in Wochennöten eintreten. Einem Kranken war der Beichtiger zu gewähren; dieser mußte Geheimhaltung schwören und sich verpflichten, daß, was 'er außer der Beichte erfahre, der Inquisition anzuzeigen, in der Beichte aber keinen Auftrag dazu anzunehmen; war das Geständnis vor Gericht befriedigend, so sollte der Kranke vor dem Tode formell ausgesöhnt werden, und wenn er gerichtlich freigesprochen war, auch in der Beichte absolviert werden, und dann, wenn dem nichts entgegenstehe, ein christliches Begräbnis, so geheim wie möglich erhalten. Einen Kranken, den der Arzt in Todesgefahr sehe und der keinen Beichtiger verlangte, sollte er zum Beichten überreden. So geschah es 1637 in einem Falle von Judaismus in Toledo. Eine Frau hatte, vom Arzt zum Beichten überredet, dem Beichtiger gestanden, daß sie vorübergehend zum Judentum übergeführt gewesen sei. Sie genas und wiederholte das Geständnis, das sie dem Beichtiger auf dessen Aufforderung für das Gericht gemacht hatte, gab auch die Person an, die sie verführt hatte, worauf ihr Prozeß weiterging.

Die kirchliche Vorschrift, daß dem Sterbenden die Absolution niemals verweigert werden solle, durchkreuzte die Inquisition nicht, da sie ja auf die Rettung der Seelen bedacht war. Nach einem Runderlaß von 1632 konnten sterbende Ketzer, die vor Gericht ausreichend bekannt und die Beweise bestätigt hatten, die Wegzehrung erhalten, und zwar war die Hostie im Audienzsaal zu konsekrieren, wenn Zeit dazu war, andernfalls sollte sie ganz im stillen aus der nächsten Pfarrkirche gebracht werden. Niemand durfte wissen, daß bei der Inquisition jemand im Ster-

ben lag. Starb ein Gefangener ohne Aussöhnung, so wurde die
Leiche im geheimen in ein Loch vergraben; die Verwandten erfuhren davon nichts, außer wenn der Prozeß noch nicht spruchreif war, in welchem Falle die Erben aufgefordert wurden, das
Andenken des Toten zu verteidigen; war die Sache spruchreif,
so konnten sie ihn beim Auto im Bilde aussöhnen oder verbrennen sehen. Ging der Prozeß mit Freispruch oder Suspension
aus, so erfuhren die Erben dies durch die Mitteilung von der
Freigebung des Vermögens; andernfalls scheint keine Mitteilung
an sie vorgesehen gewesen zu sein. Selbstmord im Kerker, der
nicht selten war, galt als Beweis von Unbußfertigkeit, auch wenn
der Gefangene Schuld und Reue bekannt hatte; indes konnten
seine Erben Geistesstörung zu seinen Gunsten geltend machen;
gelang ihnen das nicht, so geschah die Verbrennung im Bilde.

Kranke wurden gut behandelt. Nach der Satzung von 1561
sollte ihnen alles gereicht werden, dessen sie nach Ansicht des
Arztes bedurften. Selbstredend hing die Ausführung von der
Stimmung des Gerichtes ab, die Vorschrift an sich berührt jedoch erfreulich, angesichts des damaligen Standes des Gefängnis-
wesens. Wenn es nicht mehr anders ging, wurde die Überführung in ein Krankenhaus ohne weitere Rücksicht auf das Geheimnis verfügt.

Die Behandlung der Frauen bereitete natürlich Verlegenheiten, zumal die Inquisition keine Pflegerinnen kannte. Nach
der Satzung von 1498 sollten Männer und Frauen voneinander
getrennt sein, woraus nicht hervorgeht, daß sie bis dahin zu-
sammengeworfen worden wären; es wurden nur für die Zukunft
besondere Abteilungen vorgeschrieben. So pünktlich wurde es
nicht genommen: man begnügte sich, eine Trennung so weit
durchzuführen, daß keine Gemeinschaft möglich war. Man kann
sich die Lage der hilflosen Frauen vorstellen, die in dem all-
umnachtenden Geheimnis der Willkür männlicher Wärter preisgegeben waren, und es müssen auch Schandtaten vorgekommen
sein, die den Ärger Ximénez' erregten, denn 1512 erging ein Befehl, wodurch jedem Wärter, der mit einer Frauensperson Verkehr gepflogen hatte, der Tod angedroht wurde. Der Strenge
der Ahndung entsprach auch hier nicht die der Ausführung.
1590 wurde in Valencia der Vogt Andrés de Castro verfolgt, weil

er eine Gefangene verführt, andere geküßt oder ihnen Anträge gemacht, zwischen Gefangenen Verkehr gestattet und von deren Angehörigen Schmiergelder genommen hatte; 29 Zeugen belasteten ihn. Er leugnete, brach jedoch aus der Haft aus, wurde wieder eingebracht und kam dann mit 100 Hieben, drei Jahren Galeere, dauernder Verbannung aus Valencia und Unfähigkeit für Inquisitionsämter davon — ein Urteil, das gegenüber der sonstigen Strenge die Milde für geschlechtliche Verirrungen bekundet. Die Todesstrafe dafür war keineswegs abgeschafft, denn noch 1652 wird in Logroño darauf Bezug genommen. Der Brauch, Frauen zusammenzusperren, erklärt sich danach ohne weiteres als Schutzmaßregel.

In den nicht seltenen Fällen von Verhaftung schwangerer Frauen wurde gebührend Rücksicht auf ihren Zustand genommen, wenn auch nicht in der ersten Zeit, da aus dem Jahre 1506 berichtet wird, daß in Llerena Frauen in Kindesnöten starben, weil sie sich selbst überlassen waren.

Im übrigen ergingen neben den allgemeinen Weisungen von Zeit zu Zeit besondere über einzelne Punkte. Der Geist, der sie eingab, war vortrefflich. Leider hing die Ausführung davon ab, ob die Inquisitoren den Vorschriften Nachdruck verliehen, die Zellen regelmäßig untersuchten und die Wärter für ihre Straftaten strenge zur Rechenschaft zogen. Seit 1488 war den Inquisitoren vorgeschrieben, die Zellen zu besichtigen, es war indes dauernd unmöglich, dies von ihnen zu erreichen, und was die Vergehen der Wärter angeht, so wurden sie mit der gegen Beamte üblichen Milde behandelt.

Es wäre gleich verkehrt, das Gefängniswesen in Bausch und Bogen zu verdammen oder es unbedingt zu preisen. Alles hing von den Inquisitoren ab, ein allgemeines Urteil ist bei der großen Zahl der Gefängnisse und der dreihundertjährigen Geschichte nicht möglich. Nur das eine kann man sagen, daß die Kerker im allgemeinen besser waren als die der anderen Gerichte, und daß die von gewissen Schriftstellern geschilderten Greuel, wenn überhaupt, dann nur ausnahmsweise vorkamen. Es gab Gutes und Schlechtes. Die Denkschriften von Llerena und Jean von 1506 erwähnen fürchterliche Höhlen voll Ratten, Schlangen und sonstigem Ungeziefer, wo die Gefangenen dahinsiechten und verhungerten, weil das für sie hinterlegte Geld unterschlagen wurde, weil sie in der Krankheit ohne ärztliche Pflege blieben und von den Wärtern wie Hunde mißhandelt wurden. Nach Abzug der rhetorischen Übertreibungen kann man danach den Zustand in Córdova unter Lucero bemessen. Nicht besser muß es 1560 in Sevilla gewesen sein, wo die Tyrannei des Vogtes Gaspar de Benavides eine verzweifelte Empörung hervorrief, bei der dessen Gehilfe tödlich verwundet wurde. An den Schuldigen wurde Rache geübt: einer wurde lebend verbrannt, ein 14jähriger Junge erhielt 400 Hiebe und lebenslängliche Galeeren, wogegen Benavides, der Urheber des Unheils, lediglich in einem Auto erscheinen mußte, seines Gehaltes für verlustig erklärt und auf immer aus Sevilla verbannt wurde.

Die Nachsicht gegen Amtsvergehen hatte eine Erschlaffung der Disziplin und eine schlechte Behandlung der Gefangenen zur Folge. In Barcelona wurde 1544 der Vogt Monserrat Pastor einfach ausgescholten, weil er, wie eine Visitation ergab, eine Geliebte in seinem Hause hielt, den Kerker unter der Obhut eines Verwandten oder ohne Aufsicht ließ, von entlassenen Häftlingen Gelder annahm, weibliche Gefangene für seine Tasche arbeiten ließ usw.; die einzige Strafe sollte die Erstattung der Geschenke und des Erlöses der Gefangenenarbeit sein. 1550 waren wieder Mißbräuche vorhanden und das Gericht wurde gemahnt, endlich den Posten des Proviantmeisters zu besetzen und nicht länger durch den Vogt versehen zu lassen.

Auch der Kerker der Kanarischen Inseln war zeitweilig schlecht verwaltet. 1574 war dort der Engländer John Hill eingebracht worden. Er hatte keine Mittel und litt bittere Not in jeder Hinsicht. 1792 klagte ein Gefangener über Mangel an jeglicher Bekleidung und darüber, daß er seit vierzehn Monaten nur gesalzene Fische bekomme und vor Durst verschmachte. Aber auch von diesem Gefängnis liegen aus anderen Zeiten günstige Berichte vor, wie übrigens von manchem andern, wo die Gefangenen, auch dürftige, oft recht gut behandelt wurden und solche, die kein Bettzeug hatten, es gestellt erhielten. Kurzum, es kam immer auf den Inquisitor an.

Auffällig ist der Mangel eines jeglichen Systems für den Unterhalt der Gefangenen in den ersten rührigsten Zeiten. Nach

der Satzung von 1484 hatte der Kämmerer die Zahlungen zu
leisten, kurz danach der dafür reichlich besoldete Alguazil. Oder
man ließ für die Mittellosen deren Freunde von außen sorgen.
Um 1498 betrug der Tagsatz in Valencia 9 Dineros für einen
Mann und 8 für eine Frau, aber nur 5 für einen Mauren, wohl
weil dieser keinen Wein trank. Bei der Regellosigkeit kamen
häufig Unterschlagungen vor. Unter den Klagen aus Llerena
und Jaen wurde erwähnt, daß die Beamten sich untereinander
verständigten, um die Rationen zu beschneiden; der Tagsatz sei
auf 10 Maravedí beschränkt, wovon 2 für Bartscheren, Waschen
und Kochen abgingen, während für Brot allein 25—30 erfordert
gewesen wären. Erst 1518 wurde dann der Versuch einer allgemeinen Regelung gemacht und dabei ergab sich, daß man sich
noch auf die Verwandten und Freunde der Gefangenen verlassen
hatte. Diesmal wurde dem Kämmerer die Sorge für Gefangene
von auswärts aufgelegt, für die Vermögenden hatte er aus deren
Vermögen, für die Armen aus den Gerichtsgeldern zu sorgen,
und seine Ausgaben hatte er zu verrechnen. Dies scheint sich
nicht gleich eingebürgert zu haben, da, um zu verhindern, daß
Mittellose Hungers starben, 1531 Barcelona ermächtigt werden
mußte, die Armen auf Fiskuskosten ernähren zu lassen. Indes
war es, nach einer Rechnung aus Valencia von 1541, noch üblich, daß ein Gefangener von seinen Angehörigen ernährt wurde
und es ergibt sich aus den Zahlen, daß manche Familien sich
dafür schwere Opfer auflegen mußten. Bei wohlhabenden Gefangenen war es Regel, zuerst ihre beweglichen Sachen und dann
ihre unbeweglichen Güter zu versteigern; 1547 wurden die Inquisitoren angewiesen, den Erlös von den Ansteigerern sobald
wie möglich einzuziehen, da sonst das Vermögen in dem Unterhalt der Familien draufginge und nichts zur Schadloshaltung des
Fiskus übrigbliebe.

Wenn ein Häftling eingebracht wurde, hatte der Inquisitor
sich nach seinen Verhältnissen zu erkundigen und die Ausgaben
für seinen Unterhalt demgemäß und nach den geltenden Lebens-
mittelpreisen zu bemessen. Ein Reicher durfte über das Nötige
hinausgehen, einem Vornehmen erlaubte man sogar, einen oder
zwei Diener mitzunehmen — wie bei Carranza — und was vom
Tisch abfiel, sollte den Armen gegeben, aber nicht zum Vorteil
des Vogtes oder Pflegers verkauft werden. Es zeigt sich darin

eine gewisse Freigebigkeit, weil bei Gütereinziehung der Anfall des Fiskus sich entsprechend vermindert fand. Sogar von der üblichen Ration konnte ein Gefangener zu seinem Vorteil sparen. Ein eigentliches festes Verpflegungsmaß gab es nicht; für die Armen zwar war ein solches unerläßlich, aber es wechselte nach den Umständen. Klagen der Gefangenen pflegten erhört zu werden. Im 17. Jahrhundert, unter der Herrschaft des Supremos, wurden die Verpflegungsgelder für die einzelnen Gerichte erhöht, wenn eine Teurung oder die Münzverschlechterung es geboten. Bei den langen Prozessen schwollen die Rechnungen der Gefangenen natürlich hoch an.

Ohne Nachsicht trieben die Gerichte ihre Ausgaben für den Unterhalt der Gefangenen von allen ein, die sie verantwortlich machen konnten, u. a. von Klöstern für deren Angehörige. Bei Laien finden sich Beispiele wie folgende: ein entlassener Galeerensklave wird verkauft, um seine Schuld an den Fiskus an Verpflegungs- und Gerichtskosten zu decken. Der Vater haftet für den Sohn. Vor einem Auto müssen diejenigen, die ohne Gütereinziehung davonkommen, sich verpflichten, ihr Vermögen so weit nötig zu veräußern, und Arme müssen sich eidlich verbinden, ihre Schuld an das Gefängnis allmählich abzutragen. Letztere Form wurde auch dann nicht unterlassen, wenn der Betroffene des Landes verwiesen wurde.

Im Grunde waren die geheimen Kerker der Inquisition ein weniger unerträglicher Aufenthalt als die weltlichen und bischöflichen. Die allgemeinen Bestrebungen waren menschlicher und aufgeklärter als bei jeder anderen Gerichtsbarkeit, in Spanien wie anderswo, obschon die Nachlässigkeit der Aufsicht Mißbräuchen Tür und Tor öffnete und besonders strenge Mittel zur Verfügung standen, um die Hartnäckigkeit eines Unbußfertigen zu brechen. Unverzeihlich war die völlige Absperrung des Gefangenen, so daß er nicht wußte, was außerhalb der Kerkermauern vorging, der Mittel zu seiner Verteidigung beraubt war und nicht mit Verwandten und Freunden verkehren durfte. Dadurch wurde die lange Haft besonders bitter, und oft war er jahrelang über sein Schicksal im ungewissen, seine Angehörigen ohne jede Nachricht von ihm.

Fünfter Abschnitt.

Der Beweis.

In dem kontinentalen Europa war die Beweislehre aus dem römischen Recht übernommen. Der Richter galt als Gelehrter in seinem Fach, fähig, Wahres und Falsches zu unterscheiden, so daß die wichtigsten Beweismittel ohne Gefahr für die Beweiswürdigung vor ihm vorgebracht werden konnten, jedoch vielleicht einen Anhaltspunkt ergaben. Bei der Inquisition steigerten sich die Mängel des Systems bedeutend: die Richter, meist Theologen, welche die leichteste Abweichung vom Glauben zu beweisen und zu bestrafen geneigt waren, genossen eine unbegrenzte Gewalt, und das Geheimnis, das über der Person der Belastungszeugen schwebte, gestattete kein Kreuzverhör, wiewohl die Geschichte der keuschen Susanne eine Warnung gegen ein ungerechtes Urteil eines auf sich allein gestellten Richters enthalten mochte.

Nach altkastilischem Recht leisteten die Zeugen den Eid vor den Parteien, wurden aber im geheimen verhört, wohl um der Beeinflussung entzogen zu werden. Es wurde viel Gewicht auf ihren Leumund gelegt; ausgeschlossen waren Leute von schlechtem Ruf, solche, die zu Gefängnis verurteilt waren, dann Meineidige, Juden, Mauren, Ketzer und Abtrünnige, ferner wer an der Sache beteiligt war oder von einer der Parteien abhing, Kinder unter 14 Jahren, ganz arme Leute, außer wenn ihr guter Ruf nachgewiesen werden konnte, während bei Strafsachen kein Zeugnis einer Person unter 20 Jahren oder eines Ordensangehörigen zugelassen war. In Aragon wurde besonderes Gewicht auf die Eigenschaften der Zeugen gelegt; waren sie dem Richter nicht bekannt, so mußte dies in dem Protokoll vermerkt werden und er hatte sie in ein Kreuzverhör über alle Einzelheiten zu nehmen, die auf die Spur eines falschen Zeugnisses führen konnten. In Zivilsachen durften Eltern und Kinder nicht gegeneinander, ein Freigelassener nicht gegen seinen Herrn zeugen.

Alle diese Bürgschaften in einem Verfahren, wo der Richter auch eine Art Ankläger war, schob die Inquisition beiseite. Sie übte die größte Parteilichkeit in der Zulassung der Zeugen für Anklage und Verteidigung. Für erstere gab es keinen Ableh-

nungsgrund außer Todfeindschaft gegen den Angeschuldigten.
Seit den frühesten Zeiten hatte die Kirche das Alter von
14 Jahren für Zeugen gefordert, und in Spanien, wo die Mün-
digkeit erst mit 25 Jahren erreicht wurde, konnten Minderjährige
vor diesem Alter in Strafprozessen nicht aussagen. In den Akten
der Inquisition wird zwar gewöhnlich erwähnt, ob die Zeugen
voll- oder minderjährig sind, allein es wird kein Unterschied dabei in der Annahme der Aussagen gemacht. Rojas lehrt, daß
früher Ketzerei wohl nicht durch zwei Zeugen unter 25 Jahren
bewiesen werden konnte, daß jedoch nach der Vorschrift der
Fiskal nicht gehalten sei, zu beweisen, daß seine Zeugen die gesetzlichen Bedingungen erfüllten; dies werde von jedermann
vorausgesetzt, das Zeugnis eines jeden sei anzunehmen bis Einwände erhoben würden. Da die Verteidigung die Zeugen nicht
kannte, kommt dies darauf hinaus, daß niemand wegen seines
Alters abgelehnt werden konnte. Tatsächlich wurden Kinder
vernommen — wie auch verurteilt —, unter 12 Jahren aber
nicht vereidigt, und ihr Zeugnis wurde zu Protokoll genommen.
Die römische Inquisition hielt sich an die kanonische Vorschrift,
wonach der Fiskal keine Kinder unter 14 Jahren vorbringen durfte.

Eine Streitfrage, ob Sklaven gegen ihre Herren aussagen
durften, wurde 1509 bejaht, es wurde indes hinzugefügt, da sie
im Falle von Ketzerei durch Überführung ihres Herrn die Freiheit erlangten, sei ihr Zeugnis sorgfältig zu prüfen, und wenn es
zweifelhaft erscheine, durch die Folter zu bekräftigen. Nach
dem Fuero Juzgo waren keine Aussagen von Juden gegen Christen
zugelassen, die alte Inquisition nahm sie jedoch an und die neue
war darin nicht strenger. Belastungszeugnisse von Verwandten,
bei anderen Verbrechen nicht zulässig, erschienen nach Simancas
als die wertvollsten in Fällen von Ketzerei, weil nicht der Feindschaft verdächtig; Zeugniszwang sei da angebracht, weil die Religion der Familie vorzuziehen sei. Tatsächlich wurden durch
solche Aussagen viele Beweismittel beschafft, da kein Geständnis
als ausreichend galt, wenn es nicht durch die Anzeige gegen
Mitschuldige ergänzt war, und die Geständigen, um ihr Leben
zu retten, genötigt waren, ihre Angehörigen zu verraten.[1] Der

---

[1] P. Fidel Fita hat mit gewohnter Gründlichkeit die Frage behandelt.
Boletin XXIII, S. 406 ff.

peinliche Widerstreit von Liebe und Selbsterhaltungstrieb, der
daraus entstand, offenbart sich in dem Falle der Maria López
zu Valladolid 1646. Beinahe vier Monate leugnete sie alles ab,
dann waren ihre Kräfte am Ende und sie gestand von sich
selbst und anderen. In ihrer Zelle brütete sie darüber nach und
wollte sich mit einer Hemdschnur erdrosseln. Der Inquisitor
eilte in die Zelle und fand sie unter dem Bett versteckt. Über
die Beweggründe ihrer Tat befragt, erklärte sie, eine Frau, die
ihren Gatten, ihre einzige Tochter und ihre Mutter und Tante
falsch beschuldigt, sei nicht wert zu leben. Sie widerrief das
ganze Geständnis und war somit dem Tode verfallen, und in
ihrer Angst bestätigte sie es wieder, ausgenommen mit Bezug
auf ihren Gatten. Das Urteil lautete auf Aussöhnung, Güterverlust und Gefängnis mit Sanbenito. Die römische Inquisition
war nicht so unmenschlich, indem sie wenigstens auf das Zeugnis der Ehegatten gegeneinander verzichtete.

So bildete sich auch das Vorgehen aus, wenn Ketzerei im
Spiele war, alle, auch die verrufensten Zeugen, zuzulassen. Gebannte, sogar Geistesgestörte wurden nicht abgelehnt. Ein Mann,
der sich 1680 in Valladolid als Lutheraner bekannt hatte, aber
als geistesgestört in ein Irrenhaus gnädig verwiesen worden war,
wurde daraus als Zeuge gegen eine Mitgefangene hervorgeholt
und sogar vereidigt, was er auch als gesund, weil gottlos, nicht
hätte werden dürfen. Der einzige verbleibende Ablehnungsgrund,
Todfeindschaft, war ein dehnbarer Begriff; man war liberal genug, ihn auf einen ernstlichen Streit auszudehnen, allein der
Beweis darüber wurde erschwert, indem man Verwandten des
Angeschuldigten bis zum vierten Grade nicht gestattete, ihn zu
erbringen.

Gewiß, es gab Regeln, die Vorsicht gegenüber wertlosen Aus-
sagen geboten, allein schon ihre Aufzählung zeigt, wie wenig ge-
wissenhaft die Übung war. 1516 ordnete der Supremo an, bei
Zweifeln an der Glaubwürdigkeit eines Zeugen dessen Aussage
nachzuprüfen; 1543 schrieb er vor, den Leumund der Zeugen im
Interesse der Beweiswürdigung zu vermerken. Auch sollten alle
Zeugen beim Beginn der Vernehmung über ihre Bekanntschaft
mit dem Angeklagten und etwaige Feindschaft oder sonstige
Dinge befragt werden, die ihre Aussage beeinflussen könnten; die
Antwort war natürlich immer befriedigend. Mit der Zeit erhiel-

ten in diesem wie in den meisten anderen Punkten die Gerichte
freie Hand; sie ließen jedermann zu und benutzten die Aussagen
unterschiedslos.

Diese skandalöse Ungebundenheit gegenüber den Belastungszeugen steht im grellen Gegensatz zu der Strenge gegenüber den
Entlastungszeugen; es ist der klarste Beweis, daß die Inquisition
nicht nach Gerechtigkeit, sondern nach Strafe zielte. Das ganze
Rechtssystem war von dem Grundsatz durchdrungen, daß es
besser sei, hundert Unschuldige zu verurteilen als einen Schuldigen entkommen zu lassen. Schon 1484 wird sogar die Eidesformel für die beiden Gruppen von Zeugen verschieden abgefaßt:
für die Zeugen der Anklage genügt eine feierliche Warnung des
Inquisitors, wogegen von denen der Verteidigung ein Eid mit
der furchtbarsten Beschwörung verlangt wird, daß Gott sie an
ihrem Leibe in dieser, und an ihrer Seele in jener Welt heim-
suchen möge, wenn sie von der Wahrheit irgendwie abwichen.
Für die Entlastungszeugen wurden die Vorschriften geflissentlich dahin abgefaßt, daß alle ausgeschlossen wurden, deren Aussagen dem Angeschuldigten dienlich sein konnten; der Inquisitor
war mithin gegen Irrtum zu dessen Gunsten gewappnet, während man ihm die Würdigung der belastenden Aussagen ganz
überließ. Verwandte bis zum vierten Grade durften nicht für
die Verteidigung auftreten, auch wenn der Angeklagte seinem
mutmaßlichen Angeber Todfeindschaft vorwarf; ebensowenig
Juden, Moriscos oder Neuchristen, obschon belastende Aussagen
von ihnen willkommen waren; dasselbe galt in bezug auf Diener.
Nach der Satzung von 1561 war der Angeklagte anzuweisen, als
Zeugen keine Verwandten und Diener, und nur Altchristen anzugeben, außer wenn es gemäß der Fragestellung nicht anders
anging; Pablo García fügt hinzu, daß unter diesen Umständen
der Angeklagte eine Anzahl Zeugen nannte, von denen der Inquisitor die geeignetsten auswählen konnte. Die Theoretiker des
Prozeßverfahrens hielten allgemein dafür, daß die Entlastungszeugen „glaubenseifrige" Leute sein müßten. Im Grunde hat
dies nur Bedeutung, um den Geist des Verfahrens zu kennzeichnen, denn bei der Art, wie die Verteidigung beschnitten war,
kam es für den Ausgang des Prozesses nur selten darauf an, ob
die Angeklagten Zeugen für sich vorbringen konnten.

Natürlich bestand Zeugniszwang. Zeugen von auswärts konnten entweder auf Ersuchen vernommen oder persönlich vorgeladen werden. 1524 ordnete Kardinal Manrique an, daß Zeugen von Aragon nach Kastilien geladen werden konnten, was den aragonischen Fueros widersprach. Die Vorladung gebot, binnen einer bestimmten Frist an der Gerichtsstelle zu erscheinen, bei Strafe von 1000 Maravedí und Bann latae sentenciae; die Strafe trat selbsttätig ein und der Vorgeladene wurde gewarnt, daß sie im Falle von Ungehorsam bekanntgegeben und er gemäß dem Gesetz verfolgt würde. Die Zustellung erfolgte im größten Geheimnis und die Ladung war, wie üblich, mit dem Zustellungsvermerk versehen: Zurückzusenden. Stets konnte gegen Zeugen vorgegangen werden, die etwas für sich behielten oder Gedächtnisschwäche vorschützten.

Die Vernehmung der Belastungszeugen war Sache des Inquisitors, wir wissen jedoch, daß er sie auf den Notar abwälzte (s. oben S. 92). 1522 verfügte Kardinal Hadrian, daß, wenn der Inquisitor zu sehr beschäftigt sei um selbst zugegen zu sein, er wenigstens die Aussagen vor der Entlassung der Zeugen lesen solle, damit er diese etwa nochmals vernehmen könne. Das alles deutet auf einen schlotterigen Vorgang in einem so wichtigen Punkte, offenbar eine Erbschaft aus der Frühzeit, wo im Verfolgungseifer die Geschäfte in der oberflächlichsten Weise behandelt wurden. Damals gab es auch eine Art Vernehmungsrichter und wurden Kleriker zu Vernehmungen herangezogen. Später dagegen, als weniger zu tun war, scheinen die Inquisitoren sich mehr mit den Belastungszeugen beschäftigt zu haben, außer ganz gegen Ende, wo sie sich in ihrer Nachlässigkeit durch Ersuchen an Kommissare es bequem machten.

Die Vernehmungen hatten im Sitzungssaal zu geschehen, außer in äußerst dringenden Fällen, wo die Inquisitoren sie bei sich abhalten durften; diese Vorschrift mußte 1538 und 1580 wiederholt werden. Die Zeugen wurden manchmal gruppenweise vereidigt, aber getrennt verhört, damit sie sich nicht untereinander verständigen konnten. Nachdem sich der Estilo ausgebildet hatte, gab es eine bestimmte Vorschrift, wonach der Zeuge zuerst gefragt wurde, ob er die Ursache der Vorladung kenne, was gewöhnlich verneint wurde; sodann, ob er wisse oder gehört habe, daß jemand etwas gesagt oder getan habe, was gegen den Glauben oder die freie Betätigung der Inquisition zu verstoßen scheine. Das nahm sich aus, als ob man den Zeugen nicht lenken wolle, wenn er aber weiter verneinte, änderte sich der Ton und er wurde gewahr, wofür er geladen war und was man von ihm erwartete. Eindringlich wurde er gemahnt, sein Gedächtnis zu prüfen; hier und da wurde ihm offen gedroht, er solle bei der Achtung vor Gott die Wahrheit sagen und die Sache des Angeklagten nicht zu der seinigen machen. Der Supremo durfte fürwahr den Eifer seiner Untergebenen mäßigen und sie anweisen, die Zeugen nicht einzuschüchtern und nicht wie Angeklagte zu behandeln.

Während der Inquisitor solchermaßen gegenüber unwilligen Zeugen als Vertreter der Anklage auftrat, gab er sich bei bereitwilligen keine Mühe, die Wahrheit ihrer Aussagen zu ergründen. Er stellte maßgebliche Fragen ohne jeden Vorbehalt und enthielt sich eines Kreuzverhörs, das die Aussagen umwerfen oder als erlogen erscheinen lassen konnte. Als in dem Verfahren gegen Juan de la Caballería in Saragossa 1489 dessen Prokurator einem Zeugen gewisse Fragen stellen lassen wollte, lehnten die Inquisitoren dies barsch ab, da es ihre Aufgabe sei, die Wahrheit zu finden, um ihr Gewissen zu erleichtern. Solange die Zeugen den Angeklagten belasteten, geschah in der Regel nichts, um die Richtigkeit ihrer Angaben zu prüfen oder durch Fragen über Ort und Zeit und andere Umstände Anhaltspunkte für die Abwehr falscher Anschuldigungen zu finden. Selbst der Supremo erkannte die Ungerechtigkeit dieses Vorgehens an und befahl in einem Falle von Barcelona 1665, die Zeugen nochmals vorzuladen und ins Kreuzverhör zu nehmen, sowie festzustellen, ob sie nicht aus Feindschaft redeten.

Zu dieser bewußten Unbilligkeit steht die Behandlung der Zeugnisse für den Angeklagten in einem schroffen Gegensatz. Der Inquisitor hatte natürlich auch hier freie Hand. Alles was dem Angeklagten zugestanden wurde, war, daß er eine Liste von Zeugen und den an sie zu richtenden Fragen einreichen durfte. Der Inquisitor mußte die Zeugen laden und die Fragen stellen oder kommissarisch stellen lassen, er durfte aber nach Belieben Zeugen und Fragen ausschalten. Überhaupt nahm er die Verhöre nur salvo jure impertinentium et non admittendorum vor, ohne jede Kontrolle und ohne dem Angeklagten oder dessen Rechtsbeistand Kenntnis zu geben von dem, was er vor oder nach der Vernehmung unterdrückte. Wohl gebot der Supremo 1531, die günstigen Aussagen zu seiner Kenntnis zu bringen, damit nicht gesagt werde, die Verteidigung sei beschnitten, allein die Ungerechtigkeit hielt an und die Satzung von 1561 gebot sogar die Vorenthaltung, damit der Angeklagte durch die günstigen Zeugnisse die Urheber der gegnerischen nicht herausfinden könne — so zeitigte eine Rechtsverweigerung die andere. Die Zeugen für die Verteidigung wurden in ein Kreuzverhör genommen, das wenigstens in der Frühzeit der Fiskal führen durfte — eine fast unglaubliche Schamlosigkeit angesichts der Verkümmerung der Verteidigung. 1550 wies Toledo einen Kommissar direkt an, nicht etwa die Glaubwürdigkeit von Klatsch und Hörensagen gegen den Angeschuldigten nachzuprüfen, sondern bei Vernehmung der Entlastungszeugen ein scharfes Kreuzverhör mit diesen anzustellen, um zu erkennen, welchen Beweggründen sie folgten.

Zum Schutz des Angeklagten gegen allgemeine und falsche Anschuldigungen gab es — übrigens nicht bei der spanischen Inquisition allein — die Einrichtung, daß die Zeugen ihre Aussagen nach einer gewissen Frist wieder bestätigen mußten. Dies erwies sich manchmal als nützlich und wäre bei regelrechter Beobachtung eine Gewähr gegen Meineide gewesen. Die Förmlichkeit wurde in Gegenwart von zwei Mönchen als „ehrbaren Personen" vollzogen, und der Fiskal durfte nicht zugegen sein; in der Frühzeit unterblieb die Bestätigung häufig, später wurde sie als ganz wesentlich betrachtet, und der Inquisitor sollte sie selbst entgegennehmen. Obschon Kardinal Hadrian die kommissarische Bestätigung als einen Ungültigkeitsgrund für das ganze Verfahren hingestellt hatte, war das nicht durchzusetzen, und allenthalben wurde die Bestätigung durch Kommissare bewirkt.

In der Regel durften keine Aussagen gelten, die nicht bestätigt waren. Ich habe auch nicht wenig Fälle gefunden — den letzten von 1628 —, die suspendiert wurden, weil die Zeugen nicht mehr zu finden waren. Die Bestätigung sollte nämlich streng genommen vor dem Beweisinterlokut, also erst am Schluß der Beweisaufnahme stattfinden, und da dies sich oft lange hinzog und die Zeugen tot oder verschwunden sein konnten, sah man sich veranlaßt, die Vorschriften zu mildern. 1533, 1543 und 1554 nahm der Supremo an, daß in solchen Fällen die Aussagen auch unbestätigt gelten könnten; es gab auch Autoritäten, die dies für Aragon als zulässig und üblich bezeichneten; anderswo wurde diese Auffassung nicht geteilt.

Schließlich fand man eine wirksame Formel in der Unterscheidung: Ad perpetuam rei memoriam für Vorverfahren und En juicio plenario für schwebende Prozesse. Es wurde Brauch, die Bestätigung unmittelbar nach der Aussage im Vorverfahren vorzunehmen, und dann, wenn der Zeuge während des Hauptverfahrens zu erreichen war, die Formel En juicio plenario in dem Protokoll nachzutragen. Die Neuerung geschah wahrscheinlich um die Mitte des 17. Jahrhunderts.

Während man auf diese Weise dem Angeklagten den Vorteil der Bestätigung äußerlich beließ, wurde der Zweck der Einrichtung vereitelt, zwischen der Aussage und der Bestätigung eine längere Frist verstreichen zu lassen. Zuerst hielt man für die Formel Ad perpetuam eine viertägige Frist für eine ausreichende Bedenkzeit, aber auch hier wurde das Interesse der Anklage maßgebend, und es ergingen 1770 Weisungen über die Frist, die vier Tage „wenn möglich" (1758 waren es drei Stunden), dann 24, dann 28 Stunden währen sollte; all das beweist, daß es sich um eine reine Förmlichkeit handelte.

Tatsächlich bestand sie darin, daß den Zeugen ihre Aussagen einfach vorgelesen wurden. 1519 und 1546 suchte der Supremo wenigstens zu erreichen, daß sie nach Abschluß der Ermittlung das Wesentliche noch einmal vor der Verlesung vorbringen sollten, indes wurde in der Folge auch davon abgesehen: nach der Satzung von 1561 sollte einfach der Zeuge seine Aussagen wiederholen; wenn sein Gedächtnis ihn im Stich lasse, sollte man ihm durch Fragen helfen, und wenn er das Protokoll verlange, sollte man es ihm vorlesen. Natürlich wurde nun letzteres die Regel. Für die Bestätigung gab es gedruckte Formulare, welche die einfache Bekräftigung voraussetzten. Zwar waren Zusätze und Änderungen erlaubt, jedoch war es nicht geheuer für den Zeugen, die Beweismittel wesentlich zu mindern, da ein Widerruf ihn der Bestrafung wegen Meineids aussetzte.

Bischof Simancas erwähnt den Brauch, bei Meineidverdacht den Zeugen nochmals zu vernehmen, nicht aber auch in andern

9*

Fällen, um ihm nicht Gelegenheit zu einem Meineid zu geben —
eine Sorge, die man besser dem Opfer zugewandt hätte. Doch
das war vor 1561. Rojas, der nachher schrieb, äußert sich ganz
frei über die Übung als einen leeren Schein; besser wäre es, den
Zeugen nochmals zu vernehmen, und dann durch den Vergleich
der beiden Aussagen seine Glaubwürdigkeit feststellen. Es gab
wenige Inquisitoren, die sich dieser Mühe unterzogen, einer indes, der um 1640 schrieb, weist nach, wie sie sich lohnen konnte:
es hatten sich bei der doppelten Aussage Meineide ergeben und
er setzte die Zeugen in einsame Zellen, wo sie in sich gingen
und ihren Betrug bekannten. Er habe in vielen alten Prozeßakten gesehen, daß Kommissare und Notare abgesetzt wurden
und öffentliche Strafen im Auto erlitten; woraus man schließen
kann, wie wenig Verlaß auf die Vernehmungsbeamten war.

Vor Einführung der Formel Ad perpetuam konnte die Verzögerung einer Bestätigung schlimme Folgen für den Angeklagten haben. 1630 starb im geheimen Kerker zu Valladolid ein
Portugiese, der der Doppelehe angeklagt war, nach dreijähriger
Haft; zweiundeinhalb Jahre waren verstrichen, bevor aus Coimbra
Zeugnisse und deren Bestätigung eingeholt waren, und dann zog
sich der Prozeß selbst noch unerledigt hin.

Die von der alten Inquisition überkommene schmähliche
Übung, die Namen der Zeugen zu verschweigen, war das wirksamste Mittel, um die Angeber aufzumuntern und die Verteidigung zu schmälern. Bonifaz VIII. hatte sie 1298 ersonnen unter
dem Vorwande, die gegen Ketzer auftretenden Zeugen zu schützen, sie aber auf Fälle beschränkt, wo der Angeklagte dem Zeugen gefährlich werden konnte, und demgemäß hatte er auch auf
Gesuche der Juden Roms hin handeln lassen.[1] Allein die Erlaubnis, eine Ungerechtigkeit zu begehen, wird allzuleicht als ein
Rat und dann als ein Befehl dazu aufgefaßt, und die Verheimlichung wurde bei der Inquisition überall Brauch. Auch in
Spanien. Zuerst war die Sache in das Ermessen des Inquisitors
gestellt. Die Namen der Zeugen wurden 1584 in einem Falle in
Valladolid geheimgehalten, wo der Hauptangeklagte Regidor war

---

[1] Ein nichtiger Versuch wurde unternommen, um die Geheimhaltung
durch die Partidas (III, XVII, 11) zu rechtfertigen.

und mächtige Freunde hatte und die Zeugen bedroht worden
waren. Die Satzung von 1484 stellt die Verheimlichung anheim,
schreibt sie aber nicht vor; es wird auf die Gefahr eines Auf-
tretens gegen Ketzer angespielt und erwähnt, daß schon einige
Zeugen ermordet oder verwundet worden seien. Es bedurfte also
nur einer Erlaubnis zur Geheimhaltung, sie wurde aber Regel.

Nun könnte man bei allen Strafgerichten dieselben Gründe
für die Geheimhaltung der Zeugennamen geltend machen; sie blieb
indes ein Privileg zugunsten des „Glaubens". Nicht als ob An-
griffe gegen Zeugen häufig gewesen seien, im Gegenteil, die Fälle
sind angesichts der Herausforderung und der Zahl der Opfer
selten genug. Allein die Inquisition malte stets die Gefahr vor.
Ferdinand erlangte 1500 die Auslieferung eines Mannes und dessen
Schwiegersohnes von Manoel von Portugal; die beiden hatten die
schwangere Frau eines Zeugen geschlagen und dessen Söhnchen
ermordet. Als sie nach Spanien zur Aburteilung gebracht wurden,
wies Ferdinand das Gericht Sevilla an, eine Consulta de fe abzuhalten, um das Verfahren zu bestimmen. Es scheint also keine
vorbildlichen Fälle gegeben zu haben. Auch 1502, in dem Falle
der Bedrohung eines Zeugen, zeigen die Weisungen Ferdinands,
daß noch keine Methode gefunden worden war. Immerhin war
eine Bestätigung vorhanden, denn als 1507 in Llerena einige Conversos als Nachbarn gelauert hatten, wer als Zeuge das Inquisitionsgebäude beträte, ordnete der König an, ihre daneben-
liegenden Wohnungen zu räumen und in diese Vertrauenspersonen
einziehen zu lassen.

Die Conversos mußten die Verheimlichung der Zeugennamen
als ein Hemmnis für die Verteidigung und ein Lockmittel für
falsche Anzeigen empfinden, die zu widerlegen sie keine Möglichkeit hatten. Die Denkschrift aus Jaen von 1506 beschuldigt
offen die Beamten, solche Beweismittel herbeizuschaffen, und
Luceros Treiben in Córdova zeigt, wie man damit arbeiten konnte,
wenn die Angeklagten ihre Angeber nicht kannten. Es ist uns
bekannt, daß Karl V. sowohl wie Ferdinand hohe Angebote der
Conversos für die Vorschrift der Bekanntgebung ausschlugen. Bei
Karl lautete das Angebot auf 800 000 Kronen. Seine geldgierigen
Ratgeber unterstützten das Gesuch, Ximénez jedoch trat nachdrücklich dagegen auf, verwies auf Ferdinands Ablehnung und
sagte den Zusammenbruch des h. Offiziums voraus. Ein von diesem

kürzlich in Talavera de la Reina gestrafter Judaist habe den
Namen des Angebers erfahren, auf ihn gelauert und ihn erschlagen.
Die von der Inquisition verhängte Schande sei so groß, der von
ihr erzeugte Haß so gewaltig, daß, wenn die Zeugennamen bekanntgegeben würden, die Aussagenden nicht nur in den Einöden,
sondern auf offener Straße und gar in Kirchen totgeschlagen
würden; niemand würde mehr wagen, Ketzer anzugeben, außer
mit Lebensgefahr, so daß die Inquisition zugrunde gerichtet würde
und Gott keine Verteidiger mehr hätte. Karl ließ sich dadurch
überzeugen und das verlockende Angebot wurde abgelehnt.[1]

So sehr wurde die Geheimhaltung üblich, daß sie auch da
getrieben wurde, wo die Ursache, die Sicherheit der Zeugen, nicht
im mindesten mitsprach, etwa wenn der Zeuge hinter Schloß und
Riegel bei der Inquisition saß und gar seiner Hinrichtung ent-
gegensah. Überdies erkannten die Inquisitoren selbst die Ungerechtigkeit des Vorgehens an, wenn ein Visitator nämlich die
Beamten eines Gerichtes gegeneinander vernahm.

Das Trugbild, daß die Nützlichkeit der Inquisition von der
Geheimhaltung der Zeugennamen abhänge, wurde stets vorge-
schützt, namentlich gegen die Möglichkeit der Berufungen nach
Rom, wie in dem Falle Villanuevas, wo geltend gemacht wurde,
niemand würde mehr Ketzer anzeigen, wenn er Gefahr liefe, daß
die Namen der Zeugen in Rom durch die dorthin gesandten Akten
verraten würden. Daß es eine leere Redensart war, ergibt sich
aus der Seltenheit der Fälle und der gewöhnlichen Milde der Bestrafung. Der schwerste Fall, der mir aufgestoßen, ist folgender.
Luis Pallas, Herr von Cortes, war wegen Beschirmung seiner
moriskischen Hintersassen zu immerwährendem Gefängnis verurteilt worden. Darauf wurde ein der Angeberei verdächtiger
Mann ermordet, und als dieser Tat schuldig wurden 1577 vier

---

[1] Cartas de Ximénez, S. 261—263. — Páramo, S. 159. Die Echtheit der
Ximénez zugeschriebenen Denkschrift ist in Zweifel gezogen worden, das
Zeugnis Páramos jedoch beweist, daß der Kardinal Karl dem V. Vorstellungen
über die Sache machte, und ob er nun der Urheber der Denkschrift war oder
nicht, fraglos gibt sie die an amtlicher Stelle damals herrschende Ansicht
wieder. — Die Ermordung des Angebers von Talavera bezieht sich wahrscheinlich auf den Fall des Bernardino Díaz, dessen Folgen zu einer Erkal-
tung des Verhältnisses zwischen Leo X. und der spanischen Inquisition führte
(s. Bd. I, S. 431).

Leute von der Gefolgschaft der Pallas „relaxiert". Der Generalkapitän von Valencia zögerte, das Urteil vollziehen zu lassen und
wandte sich an Philipp II., der es ihm gebot. Nun, es handelte
sich um einen Mord, und auf Mord stand Todesstrafe. In leichteren Fällen war die Bestrafung milde genug. 1631 wurde eine
Frau aus Segovia zu einem Verweis im Sitzungssaal verurteilt,
nebst zwei Jahren Verbannung aus der Stadt, weil sie den Angeber ihrer Schwiegermutter im Gesicht verletzt hatte. Unter
einer Anzahl von Fällen der Bedrohung von Zeugen finde ich als
schwerste Strafe 100 Hiebe und eine mehr oder weniger lange
Verbannung, und dabei ist zu bedenken, daß die Stäupung wegen
geringfügiger Dinge verhängt wurde. So selten waren die Fälle,
daß in Toledo von 1648 bis 1794 nur einer vorkam: Jemand, der
ohne Verurteilung davongekommen war, hatte die Zeugen bedroht und beschimpft; er erhielt einen Verweis und eine Warnung.

Um die Wirkung des Verfahrens zu kennzeichnen, sei hervorgehoben, daß der Angeklagte erst dann erfahren konnte, welche
Aussagen gegen ihn vorlagen, wenn das Beweisinterlokut vorgelesen wurde. Vorläufig sei über letzteres nur so viel gesagt, daß
das Bestreben, den Angeklagten in der Erkennung der Zeugen
irrezuführen, zu einer Entstellung der Aussagen, mithin einer
Erschwerung der ohnehin kümmerlichen Verteidigungsmöglichkeit
führen mußte. Gelegentlich aber stoßen wir auf Fälle, die vermuten lassen, daß es den Inquisitoren weniger darauf ankam,
die Sicherheit ihrer Zeugen zu gewährleisten, als den Glauben an
diese Sicherheit zu erwecken, der die Angeberei förderte. Es war
auch kaum zu vermeiden, daß der Angeklagte die Namen von
Zellengenossen erriet, die als Angeber aufgetreten waren, oder
ein als Verführer angeklagter Beichtiger die der verführten oder
versuchten Frauen.

Von der in den weltlichen Gerichten üblichen Gegenüberstellung wurde nur im äußersten Falle Gebrauch gemacht. Valdés
erwähnt in der Satzung von 1561, daß sie bei der Inquisition
nicht üblich, und abgesehen von der Durchbrechung des Geheimnisses, auch nicht vorteilhaft sei. Sie fiel jedoch nicht ganz
außer Übung, denn 1568 kanzelte der Supremo das Gericht Barcelona ab, weil es zu häufig Gebrauch davon mache. Die letzte
Anspielung darauf finde ich 1620. Einen beschränkten Gebrauch
von der Gegenüberstellung machte die römische Inquisition, die

sie unter Personen niederen Standes, nicht aber unter höheren
oder ungleich gestellten gelten ließ.

Wenn es notwendig wurde, daß ein Zeuge den Angeschuldigten sah und erkannte, um eine Verwechsluug zu verhindern,
wurde ersterer im Sitzungssaale hinter einem Lattenvorhange
versteckt.

Das System, das soviel Spielraum für böswillige Anzeigen bot,
erforderte besondere Maßregeln für die Entlarvung und Bestrafung falscher Zeugen, zumal der Meineid ein Volksübel war und
der Eid überhaupt leicht genommen wurde, wie aus den Zeugnissen der Cortes vom 16. Jahrhundert hervorgeht; es wurde
ganz offen gesagt, daß man für Geld so viel Zeugen kaben könne
wie man wolle.

Wir wissen, daß 1488 in Toledo acht Juden mit feurigen
Zangen gezwackt und dann gesteinigt wurden, weil sie gegen gute
Christen falsch ausgesagt hatten, um die Inquisition verhaßt zu
machen. Dazu steht in einem auffälligen Gegensatz, daß in einem
der Prozesse wegen der Ermordung des Pedro Arbués der Prior
von Daroca, Pedro de Santangel, der seinen Bruder Luis durch
falsche Zeugnisse zu retten suchte, lediglich dazu verurteilt wurde,
eine brennende Kerze vor dem Altar zu halten; ebenso leichten
Kaufes kamen die Zeugen davon. Wohl um eine einheitlichere
Übung zu erzielen, wurde 1498 angeordnet, öffentliche Strafen,
wie es das Gesetz vorschreibe, gegen die entlarvten falschen
Zeugen zu verhängen. Man schwur auf beiden Seiten falsch und
die Inquisitoren konnten keinem Zeugen recht trauen.

Ferdinand schritt 1500 und 1501 wiederholt zugunsten von
Schützlingen ein, die er als Opfer von Meineiden erklärte, und
das Vorgehen Luceros in Córdova und Barcenas in Arjona
mit falschen Zeugen ist uns bekannt (s. Bd. 1 S. 132). Nicht
besser war es in Katalonien bestellt. Eines der Ersuchen der
Cortes von Monzon 1512 ging dahin, daß die Inquisitoren die Bestrafung von Falschschwörern nicht verhindern sollten, die einen
Menschen auf den Scheiterhaufen gebracht hätten. Das System
mußte Meineidige aus Gewerbe wie solche aus Bosheit erzeugen,
und die Angeschuldigten mußten ihrerseits dazu gelangen, sich
ihrer zu bedienen. In Segovia scheint es 1504 einen ganzen
Rattenkönig gegeben zu haben: 2 wurden auf seiten der Anklage,

22 auf seiten der Verteidigung verurteilt, andere starben vor der Verurteilung, und zuletzt blieben noch mehr in Erwartung ihrer Strafe, die sich meist auf Hiebe und Verbannung beschränkte. Noch stand die Gerichtsbarkeit über Meineid nicht fest. Die Bulle Pastoralis officii von 1516 erklärte für Meineide, die vor der Inquisition geleistet waren, diese und die geistlichen Richter für zuständig, aber nur beide Gerichte zusammen. Das erwies sich als so wenig wirksam, daß Leo X. 1518 den Inquisitoren volle Zuständigkeit erteilte und ihnen erlaubte, bis zur „Relaxierung" zu gehen, ohne dafür der Irregularität zu verfallen. Einmal allein zuständig, tat die Inquisition wenig, um meineidige Anschuldigungen abzuwenden, und die Cortes von Valladolid verlangten 1523 Berufung der Meineidigen nach dem geltenden Rechtsgrundsatz der Talio. Eine Denkschrift aus Granada von 1526 führt aus, gegen die Unterdrückung der Zeugennamen spreche, daß viele durch ihre Meineide in die Hölle gekommen seien, denn das System verleite dazu, aus Falschheit oder Bestechung, die täglich vorkomme, jemand zu vernichten.

Tatsächlich bewirkte das System, daß das Verbrechen gefördert und dessen Aufdeckung sehr erschwert wurde, wenigstens wenn es sich um Belastungszeugen handelte. Da alle Maßregeln getroffen waren, um die Erkennung der Zeugen durch den Angeschuldigten zu verhindern, wäre es zuviel von dem Durchschnittsinquisitor verlangt gewesen, daß er aus sich ohne des Angeklagten Mitwirkung festgestellt hätte, ob sie in dem mechanisch im Gerichtssaal oder kommissarisch vorgenommenen Verhör die Wahrheit gesagt hatten. Mußte doch der Supremo 1531 anordnen, die Meineidigen zu strafen, um andere abzuschrecken; wobei zu erwägen sei, ob die Tat aus Bosheit oder Unwissenheit begangen worden sei. Vielleicht haben daraufhin einige Gerichte zuviel Eifer gezeigt, denn der Rat schrieb 1536 vor, die Strenge des Breves Leos X. nur walten zu lassen, wenn ein falsches Zeugnis eine Verurteilung herbeigeführt habe; und auch dann wollte der Rat vorher befragt werden. Vor allem durfte die Unfehlbarkeit des h. Offiziums nicht gefährdet werden.

Die Neigung zur Milde blieb. Bischof Simancas führt aus, nach dem Breve müßten Meineidige vsrbrannt und ihr Gut eingezogen werden, allein dies sei nur der Fall, wenn der Angeklagte schwer gelitten habe; meist sei der Schaden gering und dann

genüge es, den Meineidigen mit einer Mitra in einem Auto vorzuführen und ihn zu stäupen, auf die Galeeren oder in die Verbannung wandern zu lassen; auch wenn das Opfer eines Meineidigen verbannt werde, treffe dessen Nachkommen keine Unfähigkeit; die Talio sei außer Brauch gekommen und nur in
äußersten Fällen anzuwenden; die Unterschiebung von mein-
eidigem Zeugnis sei noch viel schlimmer und verdiene gleiche Strafe.
Dieser Theorie entsprach die Übung. Ich bin nur auf einen Fall
gestoßen, 1562 in Sardinien, wo ein Meineidiger verbrannt wurde;
ein erfahrener Inquisitor berichtet jedoch um 1640, daß er Akten
von solchen Fällen in Logroño eingesehen habe und daß deren
auch anderswo gelegentlich vorkämen. Wie dem auch sei, die
Handhabung war milde. Mit Vergüenza und Verbannung kam
um 1638 einer davon, der durch einen falschen Eid jemand auf
zwei Jahre in den geheimen Kerker und um die Ehre gebracht hatte.

Noch auffälliger ist der Fall des Niederländers Jean de la Barre,
der, in Madrid ansässig, es dort zum stellvertrenden Alkalden
des königlichen Pardopalastes gebracht hatte. Er war sehr fromm
und ließ die Messe täglich durch einen eigenen Kaplan in der
Palastkapelle lesen. Das sagte dem verordneten Kaplan, Dr. Robles,
zugleich Kommissar der Inquisition, nicht zu und er verwies jenen
in die Trinitarierkirche. Darauf suchte la Barre eine Brüderschaft zu gründen, um Messen lesen zu lassen, allein als Robles
verlangte, an die Spitze der Brüderschaft gesetzt zu werden und
deren Gelder ohne Rechnungsablage zu verwalten, wurde der
Plan fallen gelassen, obschon die Mitglieder 500 Dukaten für
eine Lampe in der Kapelle ausgegeben hatten. Robles suchte
sich dann la Barre zu nähern, wurde aber abgewiesen, worauf
er ihn im Januar 1656 ketzerischer Reden, Vernachlässigung von
Beichte und Messe, und was noch schlimmer war, wegen einer
angeblichen Äußerung anzeigte, die Inquisitoren seien Räuber, die
es nur auf das Geld der reichen Leuten abgesehen hätten. Entlassene Arbeiter de la Barres bekräftigten dies. Er erkannte sie
unschwer und brachte 35 Gegenzeugen auf, die nicht nur seine
Frömmigkeit bekundeten, sondern auch die Todfeindschaft Robles'
und der Arbeiter beweisen konnten. Der Fall lag also klar, es
war eine Verschwörung, um einen ehrlichen Mann ins Unglück
zu stürzen. Dennoch wurde er zu einem Verweis und Verbannung verurteilt und mit 100 Hieben bedroht, falls er von der ihm

widerfahrenen Behandlung spräche. Daß sein Fall suspendiert und er nicht einmal de levi abschwören mußte, zeigt, daß kein Verdacht der Ketzerei erwiesen war und daß das Urteil, mit seinen Folgen an Schande für ihn und seine Nachkommen, reine Willkür war. Die falschen Zeugen gingen frei aus.

Noch galt die Talio als gesetzliche Strafe, aber nur wenn ein Meineid zu einer Verurteilung geführt hatte; mithin wurde nicht das Schuldmaß, sondern das Ergebnis des Verbrechens erwogen. Wie leicht jedoch der Meineid an sich aufgefaßt wurde, gibt sich in folgendem Falle kund. Ein Student hatte 1630 in Valladolid angezeigt, es hätten Portugiesen versucht, ihn vom Glauben abzukehren. Als die Nachforschungen ergaben, daß kein wahres Wort daran sei, räumte er ein, gelogen zu haben, weil er wegen eines Prozesses um ein Pferd ins Gefängnis und dann auf den Gedanken dieser Fabel gekommen sei, um in ein kirchliches Asyl verwiesen zu werden. Das Verfahren ging seinen regelrechten Gang und der Supremo verurteilte den Studenten zu einer Verwarnung, sechs Jahren Verbannung von Valladolid und 200 Dukaten; wenn er unvermögend sei, solle er schwören, daß er zahlen würde sobald er könne. Ganz anders waren die Gesetze Kastiliens und Aragons auf Grund der Talio: die schwersten Strafen trafen den Meineid, und die Inquisition konnte ihre Milde nicht mit dem Hinweis auf die Landesgesetze entschuldigen, die noch im 17. Jahrhundert die alte Strenge aufwiesen.

Mit dem Eifer für Reinbürtigkeit kam eine neue Ursache, ein ergiebiger Quell für Meineide. Hier galt es Lücken in den Stammbäumen auszufüllen, oder auch einem Gegner oder Mitbewerber zu schaden, indem man Zeugen unterschob, die seinen Leumund schmälerten oder über Sanbenitos seiner Vorfahren aussagten. Schon 1560 und 1574 mußte der Supremo Weisungen dagegen erlassen. Auch in den Fällen von Doppelehe wurde reichlich falsch geschworen, wenn eine Partei ihre Ehelosigkeit bezeugen lassen wollte. Trotz dieser Zunahme der Möglichkeit von Falscheiden und der Tatsache, daß es sich dabei um Verabredungen handelte, sind die Prozeßfälle überaus selten. Zum Teil erklärt sich das daraus, daß wegen der Geheimhaltung der Zeugennamen eine Entlarvung äußerst schwierig war, zum Teil aus der Gleichgültigkeit der Gerichte, die es nicht für nötig hielten, Meineidige zu verfolgen, wenigstens nicht auf seiten der Anklage. In Valladolid

hatte sich 1640 eine Anschuldigung gegen einen Pfarrer, er habe
bei der Prozession ungeweihte Hostien getragen, als meineidig
erwiesen; der Supremo mußte das Gericht erst darauf aufmerksam machen, daß der Ankläger und seine Zeugen zu verfolgen
seien. Eine Liste von 1172 Prozessen aus Toledo aus den Jahren
1575—1610 enthält nur 8, eine andere von 1204 Prozessen von 1648
bis 1794 keinen einzigen Fall wegen Meineids. Valladolid hatte
solcher Fälle 7 auf 667 Prozesse von 1622 bis 1662. Die Madrider
Akten von 1703 bis 1751 weisen einen Fall auf, und zwar in
einer Ehesache.

Diese mageren Zahlen lassen leider nicht darauf schließen,
daß die Meineide eine Seltenheit geworden seien. Unter den
Reformversuchen Philipps V. ist ein Dekret von 1705 zu erwähnen, das auf die Leichtigkeit von Meineiden und auf deren
Folgen hinweist; Mißbräuche und die Verurteilung Schuldloser
seien auf die mangelhafte Bestrafung zurückzuführen, und die
Berichte anzuweisen, strenger vorzugehen. Einen gewissen Erfolg
scheint das daraufhin erlassene Dekret des Supremos gehabt zu
haben, da auf den Autos für ganz Spanien von 1721 bis 1727
von 962 Urteilen 8 gegen zusammen 17 Falschschwörer ergingen,
mit Strafen wie ehedem: Stäupung, Galeeren und Verbannung,
ohne Unterschied, ob es sich nur um Ehesachen oder um die
todeswürdige Straftat des Judentums als Gegenstand falscher
Beschuldigungen handelte. 1722 hatten drei Personen, die wegen
Judentums gestraft worden waren, 14 andere fälschlich desselben
Verbrechens geziehen. Ihr Meineid wurde entdeckt und die
Schuldlosen erhielten eine feierliche Ehrenrettung in einem besonderen Auto, während in einem folgenden die Ankläger zu
100 Hieben, und die beiden Männer darunter zu sieben Jahren
Galeeren obendrein verurteilt wurden. Ein ähnlicher Fall ereig-
nete sich 1742 in Santiago.

Die Milde gegen Meineid war in der letzten Periode so groß,
daß 1817 einem Diakon deswegen das Gericht von Santiago einen
Verweis erteilen ließ, worauf er acht Tage in einem Kloster geistliche Übungen verrichten sollte; er hatte durch falsches Zeugnis die Verfolgung eines Geistlichen verursacht.

Was die Wirkung der Beweismittel für eine Verurteilung angeht, so war in der Theorie ein lobenswertes Streben vorhanden.

Der alte Glossator des Decretum hielt dafür, daß zwei Zeugen genügten, um einen Papst zu überführeu, die alte wie die neue Inquisition jedoch waren der Ansicht, daß dies zwar im gemeinen Recht gelten möge, nicht aber in einer so folgenschweren Sache wie Ketzerei, zumal die Verteidigung durch die Verheimlichung der Zeugennamen erschwert sei; deshalb müsse man sehr vorsichtig sein, wenn man jemand auf die Aussagen von nur zwei Leuten hin verurteilen wolle. Immerhin wurden zwei als genügend erachtet; wenn sie Mitschuldige waren, war ein drittes Zeugnis und sonstige Anzeichen erfordert. Da indes ein Zeuge für die Anwendung der Folter genügte, konnten jene Bedenken den Angeschuldigten nicht retten, sondern setzten ihn der Gefahr aus, sich selbst zu überführen, wenn seine Ausdauer nicht den Folterqualen angemessen war. Tatsächlich war in dem geheimen Verfahren das Ermessen des Gerichtes allein entscheidend, das sich das Beweisrecht nach Belieben zurechtlegen konnte. So finden wir, daß infolge einer Visitation der Supremo 1568 das Gericht Barcelona tadelt, weil es einen Angeschuldigten auf ein einziges Zeugnis hin verfolgt, zweimal gefoltert und dann, ohne ihn überführt zu haben, relaxiert hatte; es wird noch ein anderer Fall dieser Art verzeichnet. Wie oft dies anderswo vorgekommen ist, wird die Welt nie erfahren.

Die Theorie wurde dahin ausgebildet, daß die beiden Zeugen eine und dieselbe Tatsache bekräftigen müßten — als Contestes, wenn sie ausschlaggebend sein sollten. Nun findet sich oft bei der Verteidigung der Einwand, daß die Zeugen singulares und nicht contestes seien, doch darüber ging man hinweg, und zur Not half die Folter. In dem Falle einer Jüdin, wo eine Anzahl Zeugen in ihren Aussagen auseinandergingen, wurde der Supremo angerufen; in der Consulta de fe hatten die einen für Relaxierung, die anderen für die Folter gestimmt; wie auch der Rat entschied, in jedem Falle mußte die Angeklagte leiden.

Noch im 17. Jahrhundert hielt Escobar an der Theorie fest: wenn ein Zeuge schwöre, Pedro habe auf dem Marktplatz gesagt, Gott sei nicht die Dreifaltigkeit, ein anderer Zeuge aber aussage, die Worte seien in einem Hause gefallen, so sei dies keine Überführung, keine der beiden Tatsachen sei bewiesen. Diese Lehre stand der Verfolgung zu sehr im Wege, als daß sie nicht umgangen worden wäre; übrigens gab es Fälle, in denen

nur ein Zeuge für eine Handlung da sein konnte, wie bei der
Verführung im Beichtstuhl. Auch bei Verfolgungen wegen Judentums, wo die Tatsachen sich auf Jahre erstreckten und geringfügige Handlungen des täglichen Lebens betrafen, waren über-
einstimmende Zeugnisse über eine und dieselbe Tatsache kaum
aufzubringen. Dennoch erforderte die Behauptung der Inquisition,
daß sie äußerst milde vorgehe, ein Festhalten an der von Escobar niedergelegten Theorie, die in der Praxis mißachtet wurde.
Man fand den Ausweg der Contestes in genere: wenn diese
Zeugen verschiedene ketzerische Handlungen hinterbrachten, war
der Beweis voll. Wohl hält Rojas nach Prüfung der Meinungen
dafür, daß die Regel von zwei übereinstimmenden Aussagen für
eine Tatsache zu beobachten sei; eine seiner Autoritäten indes
erklärt, das Gegenteil sei Übung, und dies bekräftigte der Supremo, indem er 1590 anordnete, wenn es sich um formale
Ketzerei handle, seien Aussagen über verschiedene Zeremonien
und Glaubenspunkte als Contestes zu betrachten. Dies war
unvermeidlich und bedeutete nur die Gutheißung eines bei den
Gerichten schon lange gepflogenen Brauches.

Die Art der Zeugniswürdigung war sehr lax. Bei den weltlichen Gerichten war Hörensagen kein Beweis, es sei denn, daß
ein Zeuge etwas schon als öffentliches Gerede darstellen konnte,
in welchem Falle der Aussage ein gewisses Gewicht beigelegt
werden konnte.[1] Bei der Inquisition galt diese Regel der Theorie
nach, tatsächlich war Hörensagen willkommen. Jeder Dorf-
klatsch wurde eifrig aufgegriffen und verzeichnet, um in dem
Beweisinterlokut verwertet zu werden, und wog zweifellos in der
Consulta de fe bei der Urteilsfindung mit. Die Zeugen mußten
oft beschwören, daß sie einen eigentlichen Zeugen den Angeklagten hatten der fraglichen Ketzerei zeihen hören, und dies
galt dann als ein hinlängliches Zeugnis. Hier und da ging ein
solcher Nebenzeuge über die Aussagen des Hauptzeugen hinaus;
alsdann hatte der Fiskal die beiden Aussagen für die Anklage

---

[1] Archivo hist. nac., Inq. de Toledo, Valencia, Leg. I, n. 1, fol. 401.
Unter dem alten Fuero von Teruel, das von 1176—1597 galt, war für die
Gültigkeit eines Beweises Sehen und Hören zusammen erfordert: „Quia
nullus pro solo visu nec pro solo auditu debet recipi in testimonium, juxta
forum."

zu verwerten mit dem Vorbehalt, daß bei der Beweiswürdigung nur das Hauptzeugnis gelten solle; die Absicht war, den Angeklagten einzuschüchtern. Was da alles aufgegriffen wurde, zeigte sich 1594 in dem Falle eines in Toledo ausgesöhnten Lizenziaten: der vierte Zeuge hatte jemand hören sagen, eine gewisse Morisca sei eine große Hündin, denn sie verbinde sich mit anderen Hunden, womit der Angeklagte gemeint war. Der so hinterbrachte Klatsch wurde in einem unglaublichen Maße gesammelt, und man kann sich die Wirkung auf den Angeklagten denken, wenn er das alles schlau versteckt in dem Beweisinterlokut fand. 1641 traten in Valladolid gegen einen Pfarrer 14 Augenzeugen und 20 Zeugen de oidas, auf Hörensagen, auf; 1659 wanderte mit Gütersperre ein Mann in den geheimen Kerker auf das Zeugnis von einem einzigen Augenzeugen und 11 Ohrenzeugen. Die Laxheit konnte wohl nicht weiter gehen als in dem Falle eines Krankheitsbeschwörers, gegen den 1643 20 Zeugen auftraten, „Männer und Frauen, Voll- und Minderjährige, einige als direkte Zeugen, andere nach Hörensagen und andere aus Verdacht". Wenn man sich erinnert, daß kein noch so übelberufener und ungeeigneter Zeuge abgelehnt wurde, kann man sich vorstellen, welcher Art die Beweismittel waren, von denen das Schicksal des Angeklagten abhing.

Da die Inquisition nicht nur der durch Worte und Handlungen geäußerten Ketzerei, sondern auch den geheimen Neigungen der durch die Taufe ihrer Gerichtsbarkeit verfallenen Neuchristen zum mosaischen oder mohammedanischen Gesetz nachging, brauchte sie Beweise für diese Neigungen, und diese Beweise wurden in dem Geheimnis des häuslichen Lebens, in angeborenen äußerlichen Handlungen gefunden, die als untrügerische Kundgebungen der Apostasie angesehen wurden. Deshalb mußten die Inquisitoren über die Bräuche der verurteilten Religionen unterrichtet sein, und es gab dafür ausführliche Aufzählungen für ihren Gebrauch. Allein auch das Volk sollte unterrichtet sein, damit jeder auf seine Nachbarn aufpassen könne; deshalb wurden derartige Bräuche in den Glaubensedikten erwähnt. Viele Aussagen in den Prozessen betreffen Handlungen, die, an sich ganz unverfänglich, uns völlig gleichgültig und belanglos erscheinen, aber meist als beweiskräftig angesehen wurden. Für die Beobachtung des Ramadhans oder Estherfasttages freilich gab es keine Milderung, man hatte jedoch eine Reihe kleiner Bräuche, die nach moderner Anschauung durchaus nicht die ihnen in den Prozessen beigelegte Bedeutung verdienen, und die Kleinlichkeit, mit der man vorging, um daraus Apostasie zu leiten, war eine Neuerung. Früher erkannte die Kirche an, daß es unmöglich sei, Gewohnheiten des täglichen Lebens plötzlich auszurotten; wohl sollten sie bekämpft, doch nicht als Ketzerei behandelt werden. Das große Lateranische Konzil von 1215 erwähnt die Häufigkeit dieser Gewohnheiten, beschränkt sich indes darauf, die Prälaten anzuweisen, dafür zu sorgen, daß die Neuchristen zum Verzicht auf alle Überbleibsel ihres alten Glaubens gezwungen würden. Anders in Spanien, wo die geringsten Dinge als beweiskräftig angesehen wurden.

Dazu gehörten das Wechseln der Körperwäsche oder der Tischdecken am Samstag, das Anzünden von Lichtern am Freitag und ähnliches, wie der Genuß von „Amin", einer bei den Juden geliebten Brühe. Weil Brianda de Bardaxí 1491 in Saragossa gestand, daß sie als Kind einen mundvoll ungesäuerten Brotes das ihr eine Gespielin gereicht, gegessen hatte, wurde sie wegen „schweren Verdachtes" strenge bestraft. In späteren Zeiten war die Beschneidung geradezu entscheidend, weshalb ärztliche Untersuchung üblich war; früher allerdings vor der Zwangsbekehrung, diente sie nur als Unterscheidung zwischen Alt- und Neuchristen, obwohl in Saragossa 1486 zwei Männer, die beschnitten waren, deshalb allein in einem Auto mit brennender Kerze erscheinen mußten, um dann zehn Jahre in die Verbannung zu wandern. Bei den Moriscos war das Färben der Nägel mit Henna ein Verdachtgrund, die Weigerung, Fleisch von gefallenen Tieren zu essen, sehr bloßstellend, eine Neigung zur Reinlichkeit und öfteres Waschen ein Zeichen von Apostasie. Als unbußfertig rückfällig wurde 1550 in Toledo eine Frau verbrannt, weil sie in einem früheren Prozeß nicht gestanden hatte, daß fünfzehn Jahre vorher in ihrem Hause ein Zicklein geschächtet worden war.

Als Dr. Jorge Enriquez, Leibarzt des Herzogs von Alba, gestorben war, fand man nötig, den beschmutzten Leichnam zu waschen und mit einem frischen Hemde zu bekleiden. Es traten Angeber auf, die erklärten, dies sei wegen eines jüdischen Begräbnisses geschehen. Die Consulta de fe war über die Verhaftung nicht einig, der Supremo jedoch ließ die Beteiligten, eine ganze Familie nebst Kindern und Dienern, unter Gütersperre in den geheimen Kerker werfen, wo der 21jährige Sohn an den Folgen der Folter starb. Schließlich wurden sie freigesprochen, aber die Sache hatte über zwei Jahre gedauert von 1622—1624. Weil ein Schuster von Salamanca 1625 eine Hammelkeule hatte braten lassen, nachdem er erst das Fett abgetrennt hatte, wurde er wegen Judentums angezeigt. Das Gericht war unschlüssig, der Supremo aber ordnete Verhaftung und Gütersperre an und der Prozeß ging seinen regelrechten Gang. Als der Angeklagte endlich erfuhr, wessen er beschuldigt sei, erklärte er, er habe nicht gewußt, daß das mit dem Judentume zusammenhänge, und nur aus kulinarischen Gründen gehandelt. Er konnte beweisen, daß er ein guter Christ sei; dennoch wurde sein Fall nur suspendiert. Hätte er sich nicht als Altchristen ausweisen können, so wäre er gefoltert und gestraft worden, gleichviel ob er in der Folter bekannt hätte oder nicht. 1646 wurde jemand angeschuldigt, weil er beim Brotschneiden von sich weg anstatt wie unter Christen üblich auf sich zu geschnitten hatte. Hier und da freilich lohnte diese Art der Aufspürung durch die Entdeckung von wirklichen Ketzern, so 1642, wo 15—20 Judaisten in Benavente gefunden wurden; das Anzeichen war, daß vor dem Braten das Fleisch in warmem Wasser von Blut und Fett gereinigt worden war. Diese ersten verwickelten andere in ihre Geständnisse, da jedoch reichlich gefoltert wurde, ist fraglich, ob die Wahrheit ermittelt wurde.

Auch negative Anzeichen wurden benutzt, denn Aufpasser gab es überall. Man fand sie darin, daß der Angeschuldigte die Gebete nicht kannte oder sich nicht in der richtigen Weise bekreuzigte.

Sechster Abschnitt.

Das Geständnis.

Da der Ketzer zugleich ein Verbrecher und ein Sünder war, hatte die Inquisition wie für die Ermittlung und Bestrafung seines Verbrechens, so auch für die Rettung seiner Seele zu sorgen. Dadurch befand sie sich in einer sonderbaren Stellung, denn sie war kaum als ein geistliches Gericht anzusehen, und ihre Mitglieder, auch beim Supremo, konnten Laien sein. Nun war die Gewalt über Ketzerei eine besondere Delegation des h. Stuhles, allein wiewohl der Inquisitor den Kirchenbann verhängen konnte, löste er ihn nicht selbst, wenn es dazu kam, sondern beauftragte irgend einen Priester damit. Desgleichen nahm er keine Beichte entgegen; sogar wenn ein Protestant in den Schoß der Kirche aufgenommen werden wollte, wurde für dessen Beichte und Lossprechung ein Priester gerufen.

Während somit der Inquisitor eine geistliche Gerichtsbarkeit ausübte, enthielt er sich, auch wenn er Priester war, der priesterlichen Handlungen. Dennoch war seine richterliche Tätigkeit nicht rein weltlich, denn das h. Offizium war in der Theorie zur Rettung der Seelen eingesetzt, und die Entdeckung und Bestrafung der Ketzerei waren nur Mittel zu diesem Zweck. Die Verbrennung des verstockt Unbußfertigen bedeutete eine Sühne für das Verbrechen gegen Gott und die Ausscheidung eines angefaulten Gliedes, um den Körper vor Fäulnis zu bewahren. Den Reuigen traf keine Strafe, sondern nur eine Buße, er war kein Verurteilter, sondern nur ein Büßer, und alles was er im Prozeß erklärte, auch wenn er die behaupteten Tatsachen beharrlich bestritt, war ein Bekenntnis und das Strafgefängnis war die Casa de penitencia oder de misericordia, das Büßerhaus. Sogar Anzeigen und Entlastungszeugnisse wurden manchmal als Geständnisse bezeichnet.

Bei aller Unterscheidung zwischen einem Bekenntnis in der Beichte und in der Inquisition wurde indes angenommen, daß ein Geständnis vor Gericht den doppelten Charakter habe. Das ganze Verfahren war darauf gerichtet, den Angeklagten zum Bekenntnis von Schuld und Reue zu bringen. Das sollte ihm sein sogenannter Verteidiger zugleich mit der Erklärung beibringen, daß das h. Offizium nicht sei wie andere Gerichte, die den Körper straften, denn sein Zweck sei nur die Heilung der Seele und die Wiedervereinigung der durch die Sünde abgefallenen Glieder mit der Kirche, da sie ihr Taufgelöbnis gebrochen; er solle daher alle Gedanken an seinen Leib beiseite schieben und nur seiner Seele gedenken, indem er seine Verbrechen gestehe, damit das h. Offizium sein Gebrechen heilen könne, von dem zu erlösen keinem anderen Richter oder Beichtiger Gewalt gegeben sei.

Es gab fraglos viele Inquisitoren, die ernsthaft glaubten, daß dies ihre erhabene Aufgabe sei. Es gab indes einen andern Beweggrund, der nicht ohne Gewicht bei der Anwendung der grausamsten Mittel war: ein Geständnis, wie immer erreicht, machte Mängel und Unregelmäßigkeiten des Verfahrens gut. Ein Inquisitor, der sich bewußt war, die Grenzen überschritten zu haben, war daher doppelt eifrig, zu seiner eignen Erleichterung dem Angeklagten Geständnisse abzuringen.

Von der ersten Sitzung bis zur endgültigen Verlesung des Urteils im Auto de fe war deshalb das Gericht darauf bedacht, den Sünder zur Reue oder doch zum Geständnis zu bringen, und Beschwörungen, trügerische Versprechungen von Gnade, Drohungen, nötigenfalls die Folter wurden zu diesem Ende angewandt. Auf dem Weg nach dem Scheiterhaufen begleiteten den hartnäckig leugnenden Verurteilten Beichtiger, die in ihn drangen, seine Schuld zu gestehen und Reue zu bekennen, ebenso wurde die Todesangst der Sterbenden im Kerker ausgenutzt. Die Folge eines solchen Druckes war, daß die Angeklagten häufig sich der Anklage unterwarfen, in dem Glauben, die Gnade der Richter zu gewinnen. Der Supremo erließ 1541 mit Hinweis darauf eine Warnung vor Überschätzung der Geständnisse. Es liegen jedoch wenig Anzeichen vor, daß sie beherzigt worden wäre; in der Regel wurde das Geständnis angenommen, wenn es genügend belastend war und, soweit Dritte in Betracht kamen, zu deren Verurteilung führen konnte.

Eine unerwartete Erscheinung in den Akten der Gerichte ist die große Zahl der Espontaneados, der Selbstankläger, z. B. auf 1172 Prozesse in Toledo von 1575—1610 nicht weniger als 170. Wer sich selbst anklagte, setzte voraus, daß die dadurch bekundete Reue eine milde Beurteilung verdiente. Wir kennen den Unterschied zwischen der Selbstanzeige während und nach der Gnadenfrist; in der Frühzeit war im Grunde gleichgültig, ob nach der Gnadenfrist jemand sich anzeigte oder angezeigt wurde. Als der erste Verfolgungseifer nachgelassen hatte, und die Selbstanklage mehr aus Reue denn aus Furcht vor Anzeige geschehen mochte, wurde sie nach Ablauf des Gnadenediktes gnädiger behandelt. 1568 ordnete der Supremo mit einem scharfen Tadel für das Gericht die sofortige Aufhebung der gegen zwei Personen, die sich ohne sonstige Anzeige angeklagt hatten, in Barcelona verhängten Gütereinziehung an, und das Gericht wurde noch wegen eines anderen Falles von Härte gegen einen Selbstankläger getadelt.

Nun gibt es aus Toledo eine ganze Reihe von Fällen, welche zeigen, daß die Selbstankläger recht verschieden behandelt wurden, je nach der Art ihres Bekenntnisses und den angenommenen Beweggründen dazu. 1591 wandert eine Schar von 12 Judaisten nebst 12 anderen, die sie mit sich bloßgestellt, auf Lebensdauer ins Gefängnis mit Sanbenito und Vermögensverlust. Dagegen kommt 1586 ein Seemann, der sich von einem englischen Kapitän zum Protestantismus bekehren lassen und diesem sechs Jahre angehangen hatte, wegen seiner Reue mit geheimer Aussöhnung und geistlichen Strafen davon. Eine französische Nonne, die, lutherisch angehaucht, ein Kruzifix absichtlich geschlagen und Freitags Fleisch gegessen hatte, geht gar mit einfacher Lossprechung aus, worauf sie sich wieder anklagt, daß sie in die abgeschworenen Irrtümer zurückverfallen sei, und in den geheimen Kerker gesetzt wird, um schließlich nach abermaligem Zeichen der Reue zu einem Jahr Klosterzelle verurteilt zu werden. Sie hätte als Rückfällige schon gleich verbrannt werden können, und das geschah auch 1594, als sie nach dreimaliger Aussöhnung wieder mit einer Selbstanklage kam.

Zwar bestanden noch die alten Vorschriften über Gnadenedikt und Selbstanzeige, anscheinend wurde indes jeder Fall für sich behandelt. Erst 1605 schrieb der Supremo vor, Ausländer, die sich freiwillig anzeigten, ohne Gütereinziehung auszusöhnen; bei Einheimischen, namentlich Moriscos und Judaisten, wollte er befragt werden, und in der Regel ließ er die Gütereinziehung nach. Im ganzen blieb die Behandlung der Espontaneados ungewiß, aber mit einer zunehmenden Neigung zur Milde. In leichteren Fällen, bei ketzerischer Gotteslästerung oder unbedachten Äußerungen, blieb es bei einer Verwarnung und der Mahnung zur Beichte, auch wenn vorher eine Anzeige ergangen, der keine Folge gegeben worden war. In schwereren Fällen wurde ebenfalls ein gnädiges Vorgehen vorgeschrieben, selbst wenn Furcht vor einer Anzeige zur Selbstanklage getrieben haben mochte; Haus- und Stadtarrest genügte, falls keine Absperrung von möglichen Führern geboten schien. In Fällen von bewußter formaler Ketzerei wurde es Brauch, geheime Aussöhnung mit sofortiger Erlösung vom Sanbenito, aber mit Güterverlust, zu verfügen; letzteren ließ der Supremo jedoch gewöhnlich nach oder ging auf eine Ablösung ein. In einigen Fällen aus Santiago aus dem 17. Jahrhundert hatten die Betroffenen eine fast ihr ganzes Vermögen darstellende Zahlung angeboten, allein der Supremo beschied sie, sie brauchten nur zu zahlen was das Gericht für gut finden würde.

Jedes Geständnis, ob freiwillig oder nach der Verhaftung abgelegt, mußte, um bei der Inquisition zu gelten, Reue, Verzicht auf Irrtum und die Bitte um Wiederaufnahme in die katholische Gemeinschaft einschließen. Es mußte in der Form wie in der Beichte, Handlung für Handlung, Sünde für Sünde geschehen, ohne Unterlassung, widrigenfalls es als Confessio diminuta, unvollständig, oder ficta, erheuchelt, galt und der Bekennende seine Schuld nur vermehrte, denn es wurde die Reue vermißt, welche die Lossprechung sucht, und die Angabe von Mitschuldigen war nötig, um den frischen Haß gegen die Ketzerei zu bekunden. Der Diminuto war ebenso schlimm wie der Negativo, der Leugner, im Herzen ein Ketzer. Nach der Satzung von 1484 waren die Diminutos als Unbußfertige zu verfolgen, wenn Anzeigen kamen, die auf die Unvollständigkeit ihres Bekenntnisses schließen ließen. So bemessen, waren die Bekenntnisse unter den Gnadenedikten der ersten Jahre leicht als unvollständig zu deuten, und um die schrecklichen Folgen davon abzuwenden, wurde es Brauch, eine Verwahrung wegen etwaiger Unterlassung aus Gedächtnisschwäche hinzuzufügen, mit dem Versprechen, das Versäumte gegebenenfalls nachzuholen. Diese Verwahrung nutzte wenig. 1485 brachte eine Unterlassung einer jungen Frau aus Guadalupe immerwährendes Gefängnis ein, aus reiner Gnade und in Ansehung ihrer Jugend, wie das Gericht seine Milde entschuldigend bemerkte.[1] Eine andere, die sich im

---

[1] Hier die ungeschminkte Formel (Arch. hist. nac., J. de Toledo, Leg. 133 und 46): „Und sintemal das Gedächtnis ausgleiten kann und es möglich ist, daß es einige andere Dinge einschließt, deren ich mich jetzt nicht erinnere, beteure ich vor Ew. Gnaden, daß, sobald ich mich eines oder mehre-

Januar 1485 aller üblichen jüdischen Bräuche für schuldig bekannt hatte, wurde im Juli als Diminuta lebend verbrannt,
weil ihr Tatsachen nachgewiesen wurden, die zwanzig Jahre
zurücklagen und die sie nicht angegeben hatte. Ähnlich erging
es dem schon erwähnten Pfarrer (s. oben S. 78). In all diesen
Fällen war Judentum zugegeben worden, und die späteren Ermittlungen bestätigten nur Einzelheiten. Die grausame Übung
erklärt die große Zahl der Verbrennungen in der Frühzeit und
hielt noch lange an. 1531 wurde in Toledo eine alte Frau zu
Aussöhnung, Gütereinziehung und Gefängnis verurteilt: sie hatte
— 1484 — nicht alle ihre eigenen und einer anderen jüdische
Handlungen bekannt.

In der Beichte wurden vergessene Sünden gnädig mit verziehen. Darüber hinaus wurde in der Inquisition ein durchaus
vollständiges Bekenntnis gefordert, und so erklärt sich das hart-
näckige und oft grausame Eindringen in den Inquisiten, sein
Gedächtnis zu schärfen und alles was gegen ihn vorlag zu bekennen — es war das, was man die Begleichung der Beweise
nannte. Zwar sagt Bischof Simancas, durch Gedächtnisschwäche
könne ein Geständnis unvollständig werden; wer überhaupt zu-
gebe, ein Ketzer gewesen zu sein, schließe alle ketzerischen
Bräuche ein, und die Strenge des Gesetzes solle nicht über diejenigen kommen, die zum Glauben zurückkehrten; und Rojas
verurteilt die strenge Ansicht derer, die den Büßer verbrennen
wollen, wenn er den ganzen Umfang seiner Ketzerei nicht angibt.
Trotzdem galt die alte strenge Auffassung während des ganzen
18. Jahrhunderts, und das einzige Zugeständnis scheint gewesen
zu sein, daß, wenn der Büßer in seinem Gedächtnis etwas unterließ, was zur Relaxierung führen konnte oder auf Mitschuldige
Bezug hatte, falls die Dinge durch Zeugen bewiesen waren, er
sich durch die Folter reinigen konnte.[1]

---

rer sonstiger Dinge erinnere, ich zu ihr kommen werde, um selbige zu sagen
und anzuzeigen und bitte ich jetzt um Buße dafür, und um mich überdies
besser zu reinigen und säubern, sage ich, daß, wenn andere Personen weitere
Dinge außer den oben angegebenen anzeigen kommen und diese Dinge derart
sind, daß Ew. Hochwürden ihnen Glauben schenken muß, so will ich sie schon
jetzt bestätigen und erklären, daß sie wahrhaftig sind und um Buße dafür bitten.“
[1] Dies galt nicht nur bei der spanischen Inquisition, sondern war ständiger Brauch der Kirche, wo immer sie die Gewalt hatte.

Indes war diese Grausamkeit nur mehr akademisch. Schon 1570 hatte der Supremo angeordnet, daß in allen Fällen von Diminucion unter Angabe der Mängel des Geständnisses ihm behufs Entscheidung zu berichten sei; was nur bezwecken konnte, die Ausführung zu mildern ohne das Prinzip preiszugeben, und für die späteren Zeiten habe ich keine Beispiele äußerster Strenge gefunden. Zwar wurde immer auf ein erschöpfendes Geständnis gesehen, und wo sich Mängel ergaben, ein neuer Prozeß einge- leitet, indes beschränkte sich die Strafe in der zweiten Hälfte des 17. Jahrhunderts auf einige Jahre Gefängnis mit Sanbenito und Verbannung oder auch Herumführung in Vergüenza. Während der Reaktion in der ersten Hälfte des 18. Jahrunderts wurde unnachläßliches Gefängnis und lebenslängliches Sanbenito ver- hängt, in Barcelona erhielt 1723 eine Frau außerdem 100 Hiebe.

Mit der Diminucion verwandt war das Geständnis von Handlungen unter Leugnung der Absicht. Da aus der Beobach- tung jüdischer und maurischer Bräuche auf Abtrünnigkeit ge- schlossen werden konnte, erklärten häufig die Bekennenden, von dem religiösen Charakter dieser Bräuche nichts gewußt zu haben. Hatte jemand Schweinefleisch gemieden, so war es, weil er es nicht vertrug; hatte er sich die Hände gewaschen oder die Wäsche gewechselt, so war es aus Reinlichkeitsbedürfnis gewesen; und hatte er ketzerische Meinungen geäußert, so war es im Scherz geschehen. Da die Absichten des Menschen unergründlich sind, konnte in solchen Fällen nur das universale Rechtsmittel gegen Zweifel, die Folter helfen, wenigstens in der späteren Zeit, wo- gegen zu Anfang die Handlungen an sich als beweiskräftig an- gesehen wurden und ohne weiteres zur Verurteilung führten. Später waren die Sachkundigen nicht einig. Im allgemeinen waren sie dafür, daß es für ketzerische Handlungen gemäß dem Recht keine Milderung wegen Mangels an Absicht gab, der An- geklagte sollte dem Tode verfallen; in der Praxis jedoch wurde ihm die Rechtswohltat der Folter zugebilligt, und wenn sein Wille zusammenbrach, wurde er mit Aussöhnung, Galeeren und immer- währendem Gefängnis gestraft; blieb er standhaft, so wurde er nach der Rechtslogik der Zeit nicht freigesprochen, sondern mehr oder weniger hart, wegen des Verdachtes, bestraft. Handelte es sich um Worte oder Meinungen, so wurde die Absicht durch die

Folter erkundet, wenn es sich um ernste Dinge handelte, bei geringeren jedoch nicht, damit kein Mißverhältnis zwischen Folter
und Strafe entstünde, wobei ein Schriftsteller erstere immerhin
für angezeigt hält bei der landläufigen Behauptung, außerehelicher Beischlaf sei nicht Sünde. Wurde in solchen Dingen die
Folter angewandt und nach der üblichen Rechtssprache genügend
ertragen, um die Zeugnisse auszuräumen, so pflegte man den Fall
durch Suspendierung oder Freispruch zu erledigen.

Der Geständige mußte über andere aussagen. Die Formeln
für das Verhör des Angeklagten enthalten genaue Weisungen, wie
er über Glaubensgenossen und Ketzer auszufragen sei; es mußte
auch eine Personalbeschreibung der Angezeigten gegeben werden,
damit Steckbriefe erlassen und Verwechslungen von Namens-
vettern vermieden werden konnten. Ein wegen Judentums 1720
Ausgesöhnter wurde in Sevilla zwei Jahre darauf zu immerwährend statt zeitweiligem Gefängnis verurteilt, weil er nicht
alles angegeben hatte was er wußte. Das auffälligste Beispiel
von Angeberei ist wohl das eines Moriscos, eines wandernden
Schneiders aus Valencia, der sich in Monserrat von der christlichen Gnade erleuchtet fühlte, in Saragossa sein bisheriges Mo-
hammedanertum bekannte und dann als Angeber nach Valencia
gebracht wurde, wo er nicht weniger als 4000 Personen als heimliche Moslim nannte.

Nur wenige Opfer der Inquisition besaßen die Standhaftigkeit
des Manuel Díaz, der auf dem großen mexikanischen Auto vom
8. Dezember 1596 erschien. Gegen die Aussagen von zehn Mitgefangenen und alle Drohungen und Künste der Inquisitoren bestritt er seine Schuld und sollte daher als unbußfertiger Leugner
verbrannt werden. Vorher wurde er noch in caput alienum
gefoltert, damit er andere angebe. Er erklärte, er sei bereit.
Er war ein kräftiger Mann von 38 Jahren und hielt ungewöhn-
liche Qualen aus, obschon er schrie und bat, man möge ihn nur
töten, und um Mitleid für seine fünf Kinder flehte, allein er bestritt jede Kenntnis des mosaischen Gesetzes und wollte niemand
anzeigen. Das galt als eine Erschwerung seiner Schuld und das
Urteil kennzeichnete ihn als Beschützer und Gönner jüdischer
Ketzer. Solchen vereinzelten Beispielen von Selbstverleugnung
stehen die unzähligen Fälle gegenüber, in denen die menschliche

Natur von ihrer verächtlichen Seite zu erkennen ist. Kaum hatte ein Gefangener von einem Leidensgenossen etwas Bloßstellendes vernommen, so bat er um ein Verhör, um es anzuzeigen. Man empfindet eine gewisse Genugtuung darin, daß solche Enthüllungen kaum je als ein Milderungsgrund für den Angeber selbst angesehen wurde, ich habe es nirgendwo gefunden.

Wichtig für die Strafbemessung war der Zeitpunkt, an dem das Geständnis abgelegt wurde. Zu Anfang zögerte man überhaupt, es als ein unfehlbares Zeichen von Reue und Bekehrung zu betrachten. Seit 1484 wurde einfach unterschieden, ob es vor dem Beweisinterlokut geschehen sei, in welchem Falle die vorgesehene Strafe gemildert wurde, oder nach diesem, aber vor dem Endurteil, wo dann bei Reuigen Vermögensverlust und immerwährendes Gefängnis, bei solchen aber, deren Reue nicht aufrecht schien, Relaxierung eintreten sollte. Dies wurde 1498 in Erinnerung gebracht mit einer Warnung vor Leichtgläubigkeit gegen Reuebezeigungen, da schon eine lange Zeit seit Errichtung der Inquisition verstrichen sei, und somit war derjenige, der verhaftet war und gestand, in die Hand der Inquisitoren gegeben; wenn sie nicht an seine Reue glaubten, bestieg er den Scheiterhaufen.

Mit der Zeit jedoch bildete sich eine Staffelung des Strafmaßes danach aus, ob das Geständnis mehr oder weniger bald nach der Verhaftung erfolgt war. In einem Falle von 1585 wurde dabei auch die Dauer der Haft und die Schwere der Straftat berücksichtigt. Das System bildete sich allmählich aus, und nach einem Schriftsteller scheint gegen die Mitte des 17. Jahrhunderts die Übung die folgende gewesen zu sein: ergeht das Geständnis vor der förmlichen Anklage, so wird auf Gefängnis mit Sanbenito auf kurze Dauer erkannt; geschieht es noch vor dem Beweisinterlokut, so tritt Gefängnis von 1—2 Jahren ein; nach der Folter sind es drei Jahre, noch später aber sogenanntes immerwährendes Gefängnis, und ist der Verurteilte kräftig, so verbringt er die ersten 3—5 Jahre auf den Galeeren. Dabei ist dem Ermessen des Richters noch viel überlassen, je nach der kundgegebenen Reue oder den Anzeigen gegen andere. Sklaven erhielten Hiebe statt der Freiheitsstrafen, damit sie ihren Herren nicht verloren gingen. In der Folge wurden auch andere als Sklaven mit Hieben

bestraft; auf den vielen Autos der 1720er Jahre wurden zahlreiche Männer und Frauen mit 200 Hieben und unerläßlichem
Gefängnis mit Sanbenito wegen später Ablegung des Geständnisses
bestraft.

Ursprünglich galt ein Geständnis unter der Folter nicht als
freiwillig und erlöste nicht von der Relaxierung, woraus sich ergibt, daß die Folterung eines Leugnenden entweder nur zur Befriedigung der Neugier oder zur Erpressung von Anzeigen benutzt
wurde. Spätere Kasuisten jedoch hielten dafür, daß die Bestätigung der Urgicht (binnen 24 Stunden) sie freiwillig machte,
und in solchen Fällen wurde es dann meist Brauch, die Aussöhnung zuzulassen. Dabei blieb es, obwohl die Satzung von 1561
vorschrieb, zu unterscheiden, ob der Inquisit die Ketzerei selbst
gelehrt habe oder von anderen angenommen habe und welcher
Art die Ketzerei sei.

Es ist leicht verständlich, daß die in dem angsterregenden
Verfahren, unter dem Druck der langen Haft und der Drohung
mit der Folter, sowie der Furcht vor den Scheiterhaufen und
unter wechselnden Stimmungen erreichten Teile eines Geständnisses nicht untereinander übereinstimmten. Das reizte dann
den Inquisitor, und der Vario schien ihm in seiner Reue verdächtig und erhielt eine Zusatzstrafe, etwa zur Aussöhnung noch
100 Hiebe.

Noch schlimmer erging es denen, die Geständnisse zurück-
nahmen, den Revocantes, die bei der Art der angewandten
Methode durchaus nicht selten waren. Ein Schriftsteller emp-
fiehlt, sie als unbußfertig zu behandeln, mithin bei formaler
Häresie zu relaxieren, und so wurde es auch allgemein gehalten; bei Ausnahmen trat jedenfalls eine Verschärfung der
sonst verwirkten Strafe ein. Es gab jedoch manches Schwanken
gegenüber den Revocantes, da ein gewissenhafter Inquisitor durch die Mittel zur Überredung oder zur Erzwingung
eines Geständnisses in Verlegenheit geraten mußte, und dies
findet einen Ausdruck bei einzelnen Schriftstellern des 17. Jahrhunderts.

Unvermeidlich war auch, daß der erschreckte Inquisit in einer
Verfassung tatsächlicher Unzurechnungsfähigkeit ein Geständnis
ablegte, das er nachher widerrief. In einem Falle dieser Art, wo
1579 in Toledo ein Mann bei Androhung der Folter gestanden

hatte, dann sein Bekenntnis ausdrücklich als ein Angstprodukt widerrief, wandte sich das Gericht in seiner Verlegenheit an den Supremo, der eine milde Strafe verfügte.

Höchst ärgerlich waren für die Inquisitoren Widerrufe, weil geeignet, ein schlechtes Licht auf ihr Verfahren zu werfen, etwa wenn nach dem Prozeß ein Büßer sagte, er habe nur gestanden, um der Strafe für Leugner zu entgehen. Das kam so häufig vor, daß die Glaubensedikte es unter die anzeigepflichtigen Vergehen einreihten. Gemäß der Satzung von 1484 sollte in diesem Falle die Strafe für Unbußfertige eintreten. Zwar mäßigte sich diese Strenge, allein die Tatsache wurde noch immer abschreckend bestraft: 1578 an einem Sardinier mit zwei Jahren Verweisung aus der Residenz und aus Sardinien.

Großes Aufsehen erregte 1540 in Valencia ein Fall von massenhaftem Widerruf. Eine Anzahl vornehmer Conversos war auf die Anklage wegen jüdischer Konventikeln und Beschimpfung des Kruzifixes verurteilt worden, einige zur Verbrennung. Später gaben sie an, die Geständnisse seien ein Ergebnis der Furcht; hohe Geistliche spornten sie zum Widerruf an, und das Ansehen der Inquisition war ernstlich in Gefahr. Sie sandte einen besonderen Kommissar zur Untersuchung der Sache, dann den Inquisitor Loazes zur Verstärkung des Gerichtes nach Valencia, wobei letzterem Beförderung in Aussicht gestellt wurde, darauf zwei Supremomitglieder und zwei weitere Inquisitoren, und bald war das Gericht in voller Tätigkeit gegen alle, die widerrufen hatten. Sie waren in Einzelhaft, und es waren ihrer so viele, daß die Räume der Inquisitoren und die Nebenhäuser als Haftlokale dienen mußten. Die Zahl der Verurteilten ist nicht festzustellen, indes erwähnt ein Brief vom November 1543, daß in 22 Prozessen abgestimmt sei und 20 schwebten, und daß Tag und Nacht gearbeitet werde, um die sämtlichen Angeklagten auf einem Auto abzutun. Die Angeklagten waren rettungslos verloren. Der Supremo regte an, das Beweisinterlokut zu unterdrücken, weil viele Zeugen ihre Aussagen zurückgenommen hatten und die Kenntnis dieser Tatsache die Verteidigung erleichtert hätte; die Consultas de fe waren eigens zu besetzen, so daß keine den Angeklagten günstig gesinnte Person daran teilnehmen konnte. So war das Ergebnis unvermeidlich. Die vollen Einzelheiten fehlen, wir wissen nur, daß Autos stattfanden, auf denen Ver-

urteilte zum zweitenmal erschienen; die Strafen scheinen milde
gewesen zu sein, aber die Inquisition war gerächt.

Für den Negativo, der angesichts maßgeblicher Zeugnisse
seine Schuld beharrlich leugnete, gab es keine Wahl, er wurde
als unbußfertiger Ketzer lebendig verbrannt, und wenn er auch,
wie Simancas sagt, tausendmal versicherte, daß er ein Katholik
sei und im Glauben leben und sterben wolle.[1] Das war die un-
vermeidliche Logik der Verhältnisse, denn sonst hätte der Schuldige
durch die einfache Behauptung seiner Schuldlosigkeit billig davonkommen können, und man hätte auf die Bemühungen zur Reinigung des Landes verzichten dürfen. Tatsächlich gab es nur
wenige Angeklagte, die nicht zu Anfang ihre Rechtgläubigkeit
beteuert, und auch nur wenige, die am Ende nicht dem wirksamen Druck zur Erlangung eines Geständnisses nachgegeben
hätten. Diejenigen, die bis zum Ende beharrten und den Scheiterhaufen unter Beteuerung ihrer katholischen Gesinnung bestiegen,
waren unzweifelhaft gute Christen, die lieber in den schrecklichsten Tod gingen als zuzugeben, daß sie Ketzer gewesen seien
und Ketzereien zu bekennen, und abzuschwören, die sie niemals
gehegt hatten. Denn wären sie wirklich schuldig gewesen, so
hätten sie durch Leugnen nicht mehr gewinnen können als durch
die herausfordernde Bekräftigung ihrer Ansichten. Solche Fälle
waren durchaus nicht selten: 5 in Toledo von 1575—1606; 3 in
einem einzigen Auto zu Granada 1593; in dem großen Madrider
Auto von 1680 einer und in denen von 1691 in Mallorca 2. Die
Inquisitoren selbst gaben die Gefahr zu, daß ein guter Katholik
verbrannt werden könnte, dessen Gewissen ihm nicht erlaube,
sich selbst der Ketzerei zu zeihen, und Peña prüft des längeren
die Frage, ob es erlaubt sei, in der Angst vor dem nahenden
Feuertode ein falsches Geständnis abzulegen. Er verneint dies
und tröstet das Opfer mit der Versicherung, daß es durch seine
Standhaftigkeit die Märtyrerkrone erringen werde. Die Kirche
wird nie erfahren, wieviel Märtyrer dieser Art die Inquisition der
Liste ihrer unkanonisierten Heiligen beigefügt hat.

Es gehörte in der Tat für den wahren Gläubigen eine starke
Beharrlichkeit dazu, bis zum Ende beim Leugnen zu bleiben,

---

[1] Aus der mittelalterlichen Inquisition übernommen.

denn die Inquisition hielt die Türe für die Reuigen so lange auf wie möglich. Wenn im letzten Augenblick, auf dem Auto, ein Negativo um eine Audienz bat, wurde sie sofort gewährt. Er wurde vom Scheiterhaufen genommen und bekam Gelegenheit zu einem Bekenntnis von Schuld und Bekehrung, sein Fall wurde geprüft und die Strafe richtete sich nach der Schwere des Verbrechens und der Verzögerung des Geständnisses. Solche Fälle waren auch nicht selten, sie zeugen für die furchtbare Spannung, der die schwache Natur des Durchschnittsmenschen ausgesetzt war.

Und wenn alle andern Mittel versagten, um ein ausreichendes Geständnis zu erlangen, dann war das stets wirksame der Folter in Bereitschaft.

Siebenter Abschnitt.

Die Folter.

Der Gebrauch der Folter vor Gericht zur Ermittlung der Wahrheit ist so abstoßend und unlogisch, daß wir nur zu leicht vergessen, daß sie von alters her bei fast allen gesitteten Völkern üblich war. Während in unseren Tagen die Geschworenen dem Richter die Verantwortung abnehmen, fand bis in die neuere Zeit, wenn die Beweise mangelhaft waren oder die Aussagen sich widersprachen, der Richter in der Folter ein Mittel, um ein Geständnis zu erlangen oder um die Unschuld desjenigen festzustellen, der sie überstand. Daß sie gefährlich und trügerisch war, wurde zugegeben, Vorsicht in der Anwendung wurde daher empfohlen, allein nachdem man auf Eideshilfe und Gottesurteile verzichtet hatte, wußte man nicht, was die Folter hätte ersetzen können.[1]

Ihre Übernahme in das System der Inquisition war selbstverständlich, denn der Nachweis der Ketzerei war oft besonders schwer, ein Geständnis war immer das Ziel des Verfahrens, und

---

[1] „Res est fragilis et periculosa et quae veritatem fallit." L. I, § 23, Dig. XLVIII, XVIII.

von der Mitte des 13. Jahrhunderts an war die stetige Anwendung der Folter durch das h. Offizium das wirksamste Mittel zu ihrer Verbreitung unter den christlichen Völkern auf Kosten der alten barbarischen Gebräuche gewesen. Spanien widerstrebte der Neuerung. In Kastilien, das die Inquisition verwarf, verlangte Alfonso X., daß ein Geständnis freiwillig, und wenn durch die Folter errungen, nachher ohne Drohung und Druck bestätigt sei. In den aragonischen Gauen, wo die Inquisition durchdrang, blieb die Folter ungesetzlich und wurde 1311 gegen die Templer nur auf Geheiß Klemens' V. angewandt.[1] Indes war sie in Kastilien bei der Einführung der spanischen Inquisition schon allgemein üblich und ihre Anwendung bei dem neuen Gericht nicht fraglich. Im eigentlichen Aragon war die Folter, nach Peña, bei den weltlichen Gerichten verboten, aber in Glaubenssachen zulässig, wenn auch mit solchen Beschränkungen, daß 1646 die Cortes einen Versuch, sie an dem Mörder eines Vertrauten zu vollziehen, als eine Neuerung bezeichneten und daß die Anwendung vereitelt wurde. Dagegen war Valencia der Folter an sich weniger abgeneigt, ließ aber ihren Gebrauch nur in einem so beschränkten Maße zu, daß das Glaubensgericht sie in den Fällen von widernatürlicher Unzucht als zu leicht und unwirksam 1684 nicht mehr anzuwenden erklärte.

Zwar gab es Gerichte, die gelegentlich Mißbrauch mit der Folter trieben, allein die geläufige Ansicht, daß die Folterkammer der Inquisition der Schauplatz einer besonders ausgesuchten Grausamkeit, besonders fein ersonnener Quälmittel gewesen, und daß man besonders hartnäckig in der Erpressung von Geständnissen gewesen sei, ist ein Irrtum, der auf sensationslüsterne, mit der Leichtgläubigkeit ihrer Leser rechnende Schriftsteller zurückzuführen ist. Das System war schlimm an sich und in der Ausführung, allein die spanische Inquisition war für dessen Einführung nicht verantwortlich, sie war im allgemeinen auch weniger grausam als die weltlichen Gerichte und beschränkte sich eigentlich auf einige wenige bekannte Arten. Wir dürfen annehmen, daß sie von der Folter um so weniger häufig Gebrauch machte, als ihr ein wohldurchdachtes System zur Verfügung stand, um

---

[1] S. des Verfassers „History of the Inquisition of the Middle Ages", III, 313, 315.

die Hartnäckigen zu beugen, wirksamer als das rohe und barbarische Vorgehen der weltlichen Gerichte, bei denen nach dem Zeugnis des Erzbischofs Pedro de Castro von Granada niemand ein Geständnis ablegte, ohne durch die Folter gegangen zu sein.

Auch mit der römischen Inquisition hält die spanische den Vergleich vorteilhaft aus, denn die Anwendung der Folter war, wie wir sehen werden, beschränkt, während bei jener es Regel war, den Angeklagten, der in Glaubenssachen gestanden hatte oder überführt war, zu foltern, um das Bekenntnis zu ergänzen und andere anzugeben. Dazu gab es Fälle, in denen die Folter in Spanien, nicht aber in Rom ausgeschlossen war, so bei einfacher Vermutung der Ketzerei, die sich aus Sollicitatio, Zauberei, Gotteslästerung usw. ergab. Ferner war in Rom dem Ermessen des Richters keine Schranke in bezug auf Art, Dauer und Wiederholung der Probe gesetzt. Spanische Schriftsteller über das Inquisitionsverfahren dürfen daher auf die in Italien unbekannte sparsame Anwendung der Folter hinweisen, während die in den Akten häufige Erwähnung, daß der Angeklagte in der Folter nicht gestanden habe, andeutet, daß sie nicht bis zum äußersten getrieben wurde, wie so oft bei den weltlichen Gerichten.[1]

Die mittelbare Folter, die Erschwerung der Haft, war der Inquisition nicht unbekannt und wurde gelegentlich angewandt, um Widerspenstige zum Geständnis zu bringen, war aber nicht,

---

[1] Keine Folterkammer der Inquisition war so reich an Mitteln wie der Corregidor, der 1612 drei Stunden lang an Diego, Herzog von Estrada, arbeitete, um das Geständnis eines Mordes herauszupressen: Wasserfolter, Mancuerda, Bock, Brennen der Fußsohlen mit glühendem Eisen, Steine für den Magen und das Gesäß, Garrotillos oder Knochenbrecher, die Trampa zum Ausrenken der Beine und der Bostezo zum Aussperren des Mundes. Estrada erzählt („Vida de Don Diego, Duque de Estrada", in Mem. hist. español, XIII, 55—60), daß er nach der Folterung dem Profos 200 Dukaten zahlte für ein Mittel, um nicht Krüppel zu bleiben. Das Verfahren war sehr schmerzlich, indem alle Glieder gestreckt und mit einer Salbe eingerieben wurden, die zu gleichen Teilen aus Menschen-, Schlangen-, Bären-, Löwen-, Viper- und Froschfett bestand, alles zu gleicher Zeit über einem Feuer von süßen Mandeln, Pericon, Kamomillen, Rosado und Balsam des Orients geschmolzen. Die Behandlung hatte Erfolg. — Über einen furchtbaren Fall von Folter aus Antwerpen, nach 1792, der sich mit Unterbrechungen über mehr als ein Jahr erstreckte, s. Eugène Hubert, „La Torture dans les Pays-Bas autrichiens", S. 124—129 (Brüssel 1897).

wie in der mittelalterlichen Inquisition, geradezu vorgeschrieben, sondern in das Ermessen des Richters gestellt. Später, als man ruhiger vorging, bewirkte die einfache Verlängerung der Haft soviel wie die scharfen Qualen der Folterkammer, ebenso der Antrag des Fiskals auf Folterung, der, zu Anfang nicht üblich, in der Satzung von 1561 als ein bewährtes Mittel empfohlen wurde, weil der Angeklagte in dem entsprechenden Augenblick am wenigsten darauf vorbereitet sei. Danach wurde der Antrag Regel in allen Fällen, wo Folterung zulässig war.

Übrigens wurde die Folter als eine ernste Sache aufgefaßt, die man nicht der Willkür eines verdutzten oder ärgerlichen Inquisitors überlassen durfte, und war mit Förmlichkeiten umgeben, um Mißbräuche zu verhüten. Es war das letzte Mittel, wenn die Untersuchung Zweifel gelassen hatte. Nachdem die Anklage und die Verteidigung zu Ende waren und die Consulta vor der Urteilsfindung die Überführung nicht für ausreichend, aber auch die Unschuld des Angeklagten nicht für erwiesen hielt, konnte sie Folterung verfügen und ihr Urteil aufschieben, bis das Ergebnis vorliege. Sogar in der wilden Frühzeit wurde diese Vorsicht oft geübt, in der Hast aber auch häufig außer acht gelassen. So ordnete eine Consulta 1490 gegen einen Priester, der zwanzig Jahre vorher als Knabe geäußert hatte, daß Sakrament sei einfach Brot, nach zweimaliger Beratung eine gelinde Wasserfolter an, die er ohne Bekenntnis überstand, worauf er in Ehren entlassen wurde, aber — widerspruchsvoll genug — d e v e h e m e n t i abschwören mußte und sechs Monate keine Messe lesen durfte. Indes war die Abstimmung der Consulta nicht allgemein üblich und 1518 und 1568 mußte die Vorschrift in Erinnerung gebracht werden.

War die Folterung beschlossen, so wurde der Angeklagte in den Sitzungssaal gebracht, wo alle Inquisitoren und der bischöfliche Ordinarius zugegen sein mußten, wenn ihm die Verfügung der Consulta de fe bekanntgegeben und ihm mitgeteilt wurde, in welchen Punkten er als „Diminuto" sein Bekenntnis zu ergänzen habe; hatte er geleugnet, so war keine Erklärung notwendig; geschah die Probe zur Erkundung der Absicht oder in c a p u t a l i e n u m, so wurde er es gewahr. Er wurde bei Gott und der h. Jungfrau beschworen, alles zu bekennen und nichts Falsches über sich und andere auszusagen, und wenn er sich dadurch nicht bewegen ließ, erging das von sämtlichen Richtern zu unterzeichnende und ihm vorzulesende Urteil, wonach er, angesichts der gegen ihn aus den Zeugnissen sich ergebenden Verdachtgründe, so lange zu foltern war, wie sie es für gut hielten, damit er die Wahrheit der gegen ihn vorliegenden Aussagen bekräftige. Dabei wurde ihm bemerkt, falls er in der Folter sterben, Blut vergießen oder verstümmelt werden sollte, dies nicht auf sie, sondern auf ihn fallen würde, weil er die Wahrheit nicht gesagt habe. Geschah die Probe zur Ermittlung von Mitschuldigen, so vermied man jede Anspielung auf ihn selbst und gab ihm keine Gelegenheit, sich zu reinigen, denn er galt schon als überführt.

Damit waren die Förmlichkeiten noch nicht zu Ende. Brachte der Inquisit neue Verteidigungsgründe vor, so waren sie zu prüfen, auch stand ihm rechtlich zu, wie von allen anderen Zwischenurteilen Berufung an den Großinquisitor einzulegen. Dies wurde anscheinend noch 1538 anerkannt, wogegen 1561 die Satzung den Inquisitoren anheimstellte, in bedenklichen Fällen der Berufung stattzugeben, doch sie als leer und dilatorisch abzuweisen, wenn das Urteil ihnen gerechtfertigt erschiene. Das Recht selbst blieb in der Theorie anerkannt, so zwar, daß bei Minderjährigen unter 25 Jahren der Vormund anwesend sein mußte, um gegebenenfalls die Berufung zu erheben. Diese ließen die Gerichte nicht selten weitergehen, sie führte jedoch gewöhnlich zu nichts und wurde wesenlos, als der Supremo die Folterurteile an sich gerissen hatte, so daß 1690 verfügt wurde, es sei ihr keine Folge zu geben.

War der Inquisit gar zu leicht belastet, so beschloß die Consulta die einfache Androhung der Folter. Das Folterurteil wurde ausgefertigt und dem Angeklagten vorgelesen, der vor die Folterbank geführt, ausgezogen und vielleicht auch darauf gebunden wurde — in conspectu tormentorum —, aber dabei blieb es. Es war die „Territion". Einmal wurden darüber bei einer alten Frau Foltermerkmale bemerkt, die dem Verdacht neuen Stoff gaben, zu einem umständlichen Verfahren führten und der Ärmsten nach Geständnis und Widerruf eine schwere Bestrafung einbrachten. Es bedurfte starker Nerven, um beim Anblick der Folter nicht zusammenzubrechen, und die Drohung führte oft zu dem gewünschten Ziel.

Eine Bedingung für die Anwendung der Folter war, daß das
Verbrechen hinlänglich schwer, die Schuld aber nicht genügend
erwiesen sei, dennoch dem Inquisiten Gelegenheit gegeben werden
müsse, die Anschuldigung auszuräumen, indem er eine seinen
Kräften angemessene Folter ertrug. Vom Standpunkt des Richters
war das eine Gunst, die den von vornherein Verurteilten versagt
war. Den Unterschied beleuchtet ein Fall von 1488 aus Toledo.
Ein vielbepfründeter, echt altchristlicher Geistlicher konnte seine
lose Zunge nicht bezwingen; er hatte lange in Rom gelebt, wo
man offen zu reden pflegte. Seine Freunde und Neider brachten
ihn vor das h. Offizium. Die Aussagen gegen ihn waren nichtig:
er hatte die Inquisition zum Teufel gewünscht, wenn seine Mieter
behaupteten, wegen ihrer nicht zahlen zu können. In einer späteren Zeit hätte er sich durch die Wasserfolter reinigen können,
doch solches wurde ihm versagt und als Leugner bestieg er den
Scheiterhaufen und seine Gegner konnten sich in die Beute teilen.

Im weltlichen Recht galt als Grundsatz, daß die Folter nicht
angewandt werden dürfe, wenn das Vergehen eine leichtere Strafe
bedingte als die Folter darstellte — eine Gleichung der Leiden,
aus der die Gelehrten sich bemühten, die unbekannte Größe
herauszurechnen. Die Inquisition übernahm die Regel. Es sollte
keine Folterung geben bei einfach verletzenden, voreiligen, ärgerlichen oder gotteslästerischen Reden, bei der Behauptung, der
außereheliche Beischlaf sei keine Todsünde, bei ketzerischer
Gotteslästerung, Zauberei, Reden aus Unwissenheit, Doppelehe,
einjährigem Verbleiben im Kirchenbann oder sonstigen Dingen,
aus denen nur leichte Ketzerei hergeleitet werden konnte, obschon mehrere dieser Vergehen mit Stäupung und Galeeren geahndet waren. Häufig wird darauf hingewiesen, daß die Folter
eine ernste Sache und in solchen Dingen nicht anzuwenden sei,
indes kehren sich die Gerichte nicht immer an diese Beschränkungen. Einem 18 jährigen Pagen des Herzogs von Pastrana
wurde 1592 das Geständnis abgepreßt, daß er gesagt habe, Juden
und Mauren könnten selig werden, wenn sie ihrem Glauben ernsthaft anhingen; das Vergehen selbst büßte er nur mit Abschwörung d e levi, einigen Kirchenstrafen und einem Verweis. Ähnlich verlief der Fall eines Italieners, der die Wunderkraft zweier
Bilder der Mutter Gottes dieser selbst und nicht den Bildnissen
zugeschrieben hatte, diese Reden zugab, aber doch gefoltert

wurde, wohl um zu erkunden, ob ketzerische Absicht vorliege. 1646 wurde in Valladolid ein 15jähriger, der in langer Kerkerhaft geisteskrank geworden war, nach Befragen des Supremos gefoltert, um festzustellen, ob er es wirklich sei; es hatte keinen Erfolg, und so kam er zur Beobachtung in ein Krankenhaus, wo er wahrscheinlich gestorben ist.

Was das Maß der Belastung angeht, die durch die Folter zu bekräftigen war, so bemühten sich die Juristen vergeblich, eine Regel festzustellen, die Sache blieb den Gerichten überlassen. Ein Bekenntnis war zwar erwünscht, aber zur Überführung nicht nötig, und der genügend überführte Negativo war nicht zu foltern, sondern zu verbrennen. Sogar darüber konnte sich die Laune des Richters hinwegsetzen, es war dann jedoch in den Akten zu vermerken, daß er die Folter nicht gegen die erwiesenen Tatsachen gerichtet habe; diese hätten ja durch Ertragung der Folter umgestoßen werden können. Es war nicht möglich, diese widersinnigen Dinge in eine logische Form zu bringen, oder genau zu umschreiben, wann die Beweise ungenügend zur Überführung, aber ausreichend für die Folterung seien. Zwar hieß es, ein „Semiplena"-Beweis genüge für die Folter. Allein was war Semiplena? Nach den einen das Zeugnis eines Mannes, auch eines Mitschuldigen, nach den andern das Zeugnis dreier Mitschuldiger. Bei einem einzigen unparteiischen und einwandfreien Zeugen, hieß es manchmal, müsse auch die allgemeine Meinung mitsprechen, die Akten zeigen indes viele Fälle, in denen auf das Zeugnis eines einzigen, ohne weitere Gewähr, die peinliche Frage verfügt wurde. Ferner stritten die Gelehrten ohne Ergebnis über das Gewicht gewisser Umstände als Bestätigung: Flucht vor der Festnahme oder aus dem Kerker, Schwanken und Zweideutigkeit beim Verhör, sogar Blässe galt als solche. Bei alledem mußte es dahin kommen, daß nach dem Ermessen des Richters, von Fall zu Fall, und wieder nach Periode und Ort verschieden verfügt wurde. Hier wurde ein Fall suspendiert, weil die Beweise nicht bestätigt waren, dort wurde ebendeshalb gefoltert und dann erst suspendiert.

Der Diminuto war, der Regel gemäß, auf Bestätigung der nicht eingestandenen belastenden Dinge zu foltern. Überstand er ohne weiteres Bekenntnis, so richtete sich das Strafmaß nach dem was feststand, andernfalls wanderte er auf die Galeeren. Die Folte-

rung war manchmal eine reine Zugabe, anscheinend um die Neugier des Gerichtes zu befriedigen, wie 1585 in Toledo, wo Antonio
de Andrada genügend bekannt hatte, um verurteilt zu werden
und dennoch gefoltert wurde, um einige Aussagen zu ergänzen.

Im 17. Jahrhundert indes wird versichert, man sei vorsichtig
in der Folterung von Diminutos, sie trete nur ein, wenn das zu
Ergänzende sich auf Kapitalfälle beziehe; wenn jedoch der Diminuto im Verdacht stehe, Mitschuldige zu decken, werde sie in
caput alienum angewandt; Widerruf oder Widerspruch in den
Geständnissen rechtfertige natürlich die Folterung, um den Widerspruch auszugleichen; häufig verwickelten sich nämlich furcht-
same Personen, die beim Folterantrag des Fiskals etwas gestän-
den, um es nachher zu widerrufen, und so verfielen sie der Qual,
die sie vermeiden wollten. Die schon erwähnte Folterung zur
Erkundung der Absicht einer Handlung war häufig; sie war unvermeidlich und das einzige Mittel für ein Gericht, das dem Angeklagten ins Herz sehen wollte.

Immerhin ist es möglich, daß, wo die Folter als reine Zutat
erscheint, die Absicht gewesen sein mag, zur Seelenrettung des
Dulders beizutragen, indem man ihn zur Bestätigung und Bekehrung veranlassen wollte; denn bei einer fortlaufenden Verfolgung zur Ehre Gottes bildete sich eine Gemütsverfassung ab-
seits von jedem vernünftigen Vorgehen aus, wenn der Glaube in
Frage kam. Rojas lehrt uns, daß man die Folter nicht sparen
solle, wenn die Seelenrettung auf dem Spiele stehe, damit der
Schuldige mit der Kirche ausgesöhnt werde und durch Buße zum
Heil gelange.

Die Folterung der Zeugen war ein Mißbrauch, der allenthalben
üblich war, wo die Folter Eingang gefunden hatte. Zwar verbot
das römische Recht, jemand, der seine eigene Schuld bekannt
hatte, als Zeugen gegen einen andern zu vernehmen, und dieser
Grundsatz ging durch die falschen Dekretalen in das kanonische
Recht über. Bei der Inquisition jedoch war eine Überführung
des Ketzers nur die Vorstufe zur Anzeige von Mitschuldigen, und
die erste päpstliche Erlaubnis, zu diesem Ende die Folter anzuwenden, ist von 1252. Paul IV. und Pius V. gaben den Inquisitoren hierfür freie Hand. So wurde die question préalable

oder dèfinitive, die Folterung auf Anzeige von Mitschuldigen, durch den Einfluß der Inquisition ein Bestandteil des Strafrechtes in den Ländern, wo gefoltert wurde. In Wirklichkeit war es eine Folterung von Zeugen, denn das Schicksal des Gefolterten stand schon fest.

Die spanische Inquisition folgte der allgemeinen Übung durch Folterung der Geständigen in caput alienum. Ein Geständnis war nur ausreichend, wenn es die Anzeige derer umfaßte, die der Inquisit ketzerischer Handlungen schuldig wußte, und wenn die Vermutung vorlag, daß er sein Gewissen in dieser Hinsicht nicht voll entlastet hatte, war die Folter das letzte Hilfsmittel. Auch der unbußfertige Rückfällige, dessen Los die Verbrennung war, entging ihr nicht. Es wurde ihm bedeutet, daß er als Zeuge und nicht als Inquisit gefoltert werde, und das Ertragen der Folter ihn nicht vor dem Scheiterhaufen retten würde. Indes wurden in der Satzung von 1561 die Inquisitoren aufmerksam gemacht, daß bei Folterung in caput alienum Vorsicht zu üben sei, und die Handhabung war in Spanien die Ausnahme, in Rom dagegen die Regel. Beim Negativo, dessen Schuld so weit feststand, daß er ohne weiteres verurteilt werden konnte, gab die peinliche Frage nach Mitschuldigen Gelegenheit, ihn zum Geständnis für sich selbst und zur Bekehrung zu bringen. Wir kennen den Fall des Manual Díaz aus Mexiko, der von der Folter zum Scheiterhaufen ging, ohne etwas gestanden zu haben. Anders verlief 1639 ein Fall in Lima, wo der Verurteilte, der in der Folter gegenüber fünf aufeinander folgenden Beweisinterlokuten standhaft geblieben war, in der Nacht vor dem Auto, auf dem er verbrannt werden sollte, über sich selbst und 30 andere alles angab, worauf er zu Aussöhnung und Galeeren begnadigt wurde.

Gewöhnliche Zeugen durften ebenfalls gefoltert werden, wenn sie in ihren Aussagen schwankten oder sich oder Dritten widersprachen, so daß die Folter Klarheit bringen mußte; ob auch Kleriker als Zeugen so behandelt werden durfen, war umstritten. Im allgemeinen sollte die Folterung von Zeugen mäßig, weder zu leicht noch zu hart sein; sie durfte bis dreimal stattfinden, wenn eine Aussage widerrufen war. Sklaven durften gegen ihre Herren immer gefoltert werden, wenn es auf ihre Aussagen ankam (s. oben S. 125). Eine Sklavin des Juan de la Caballería belastete ihn nach der Ermordung des Pedro Arbués, wurde zum

Widerruf veranlaßt, dann zweimal gefoltert, worauf sie ihre Aussage bestätigte.

Wie bei der Majestas gab es bei Ketzerei keine Standesvorrechte für die Folter. Adlige, Geistliche jedes Ranges wurden ihr unterworfen, letztere jedoch außer in sehr ernsten Fällen nicht hart, und durch einen geistlichen Profos, wenn ein solcher zu haben war; wie der Haftbefehl bedurfte für sie seit 1633 ein Folterurteil der Bestätigung des Supremos.

Was das Alter angeht, so scheint es auf keiner Stufe vor der Folter geschützt zu haben. Von einer Regel, die Llorente erwähnt, indem er die Folterung einer 90jährigen anführt: daß sie nur hätte vor die Werkzeuge geführt werden dürfen, habe ich nichts gefunden. Der Supremo befahl 1540, Rücksicht auf Stand und Alter zu nehmen, gegebenenfalls sehr mäßig foltern zu lassen; die doch sehr ausgiebige Satzung von 1561 dagegen gibt keine Altersgrenze und überläßt alles dem Gericht. Alter und Gebrechen zusammen wurden nicht selten als Gründe für eine milde oder die Unterlassung jeder Folterung gelten gelassen, Alter allein indes nicht. In Toledo erging ein Folterurteil einmal gegen eine 78jährige, die gleich nach Einsetzen der Werkzeuge bekannte; eine 80jährige brach bei der fünften Drehung des Seils zusammen und konnte nur mühsam wieder zur Besinnung gebracht werden, und 1607 wurde in Valencia ein 76jähriger gepeinigt, um festzustellen, ob er ein Alfakí sei. Auch der Jugend galt keine Rücksicht. Ein 13jähriges Mädchen wurde 1607 in Valencia gefoltert, weil sie ganz obenhin maurischer Bräuche bezichtigt war, sie überstand und wurde mit 100 Hieben gebüßt. Gnädiger war man dort in demselben Jahre einem Knaben von 10 oder 11 Jahren, der nach lügnerischem Zeugnis maurischen Lehren nachgegangen sein sollte: sein Fall wurde suspendiert, nachdem er vor die Werkzeuge geführt worden war. Geistige Unfähigkeit, außer direkter Geistesstörung, war nicht oft ein Schonungsgrund. 1607 ordnete der Supremo eine Folterung in Valencia an, das Gericht erhob sich jedoch dagegen, weil der Angeklagte nicht erfassen könne, worum es sich handle.

Es war allgemein Gesetz, nicht zu foltern, wenn das Leben oder die Gliedmaßen der Dulder dadurch gefährdet werden konnten, und obschon dies nicht immer eingehalten wurde, bedingte es eine gewisse Prüfung, ob er in einem Zustande sei, die Peinigung auszuhalten; in der Theorie war dies Vorschrift, in der Praxis nicht immer Übung. In zweifelhaften Fällen wurde manchmal der Inquisitionsarzt zugezogen, und sein Gutachten ersparte 1600 einem Inquisiten die Qualen. Wenn es auf den Supremo angekommen wäre, hätte man 1636 in Toledo einen kranken Angeklagten noch gefoltert, ehe er ins Spital gebracht wurde; es wurde nach der Genesung bewirkt. Schwangerschaft galt immer als einen Grund wenigstens zum Aufschub, doch das Madrider Gericht machte seit 1690 nur das Zugeständnis, daß die Schwangere nicht auf die Folterbank gestreckt, sondern auf einen Stuhl gesetzt und der harten Seilfolter unterworfen wurde. Leistenbruch galt anfänglich als Unterlassungsgrund, seit 1666 nicht mehr, nur das Wippen sollte unterbleiben, und bei den anderen Folterarten sollte ein gutes starkes Bruchband angelegt werden, um die Gefahr abzuwenden. Darauf wurden in Madrid die an Bruch Leidenden wie Schwangere sitzend gefoltert. Gegenüber stillenden Müttern war die Übung ungleichmäßig: bald wurden sie verschont, bald nicht; der Supremo gebot letzteres in einem Falle von 1660.

Es kam vor, daß bei besonderen Fällen, wie Herzfehlern, allgemeiner Schwäche, wiederholten Ohnmachten während der Tortur usw. auf die Folter verzichtet wurde. Der Arzt und der Wundarzt wurden herbeigerufen, wenn der Inquisit entkleidet wurde, um ihn zu untersuchen, und blieben zur Verfügung. Die Gerichte waren anscheinend gnädiger als der Supremo, der 1662 keine Schonung bei Schwächezustand oder einem Armbruch gelten lassen wollte. — Es wurde darauf gesehen, daß die Inquisiten mit nüchternem Magen gepeinigt wurden.

Bei der Folterung sollten die Inquisitoren, der bischöfliche Vertreter, ein Notar oder Sekretär als Protokollführer, außerdem gegebenenfalls nur ein Arzt oder Barbier zugegen sein. In der ersten Zeit war es nicht immer leicht, einen Vollstrecker für das abstoßende Werk zu finden: Versuche, die niederen Beamten des Gerichtes oder den Kerkervogt zur Verrichtung zu zwingen, hatten keinen Erfolg. 1536 verfügt der Supremo nach Navarra, wenn der Vogt die Werkzeuge nicht zu handhaben verstehe, sollten die Inquisitoren jemand suchen, der es verstände, nicht aber das Werk selbst verrichten, wie es geschehen zu sein scheine, weil es mit der Würde ihrer Person und ihres Amtes nicht vereinbar sei. In Valencia soll gemäß einem Befehl des Supremos ein gewissenhafter Vertrauter herangezogen werden. 1646 wird in Valladolid eine Folterung aufgeschoben, weil der Henker verreist ist; unterdes gesteht die Inquisitin. In Madrid erhält der Stadthenker für 11 Folterungen 1681: 44 Dukaten.[1] Seltsamerweise ließ man nicht von vornherein zu, daß der Profos sich unkenntlich machte: 1524 wurde dies verboten, später der Gebrauch einer Kapuze und Wechseln der Kleider erlaubt, im 17. Jahrhundert hieß es, er könne eine Maske oder sonst eine Vermummung tragen, wenn es besser schiene, daß er nicht erkannt würde.

Bei jedem Vorgang: nach Verlesung des Urteils, bei der Abführung in die Folterkammer, wenn der Profos hereingerufen, wenn der Inquisit entkleidet und auf den Bock gebunden wurde, hielt man inne, um ihn feierlich zu beschwören, um Gottes willen die Wahrheit zu bekennen, da die Inquisitoren ihn nicht gerne leiden sehen möchten. Die Entkleidung war keine rein frevelhafte Erschwerung, sondern notwendig, weil das Opfer an den Armen, Fußknöcheln, Brust und Schultern gebunden, wobei ein Gürtel angelegt wurde, von dem Stricke vorn und hinten nach den Schultern liefen; wenn die Sache vorüber, waren fast alle Körperteile gleichmäßig in Mitleidenschaft gezogen. Den Frauen wurde die Entblößung nicht erspart, nur wurde ihnen eine Art Badehose gestattet, die aber erst nach der völligen Auskleidung angezogen werden konnte. Während der ganzen Dauer wurden dem Opfer nur die Worte zugerufen: „Sag die Wahrheit!", allein es wurde ihm kein Wink gegeben über das was er sagen sollte, und zwar, wie es heißt, damit er in seinen Nöten sich nicht daran klammere und gegen sich und andere falsch aussage. Der Profos durfte nicht mit ihm reden oder ihm Zeichen geben, ihn auch nicht bedrohen, und die Inquisitoren mußten sich überzeugen, daß die Stricke und Geräte keinen Knochenbruch oder dauernde Verkrüppelung verursachen konnten. Das Werk sollte langsam vor sich gehen, und zwischen den einzelnen Drehungen der Stricke oder dem Anziehen des Wippgalgens sollte eine Pause liegen,

---

[1] In den Rechnungen erscheint der Posten zumeist als „diligencias secretas".

damit die Wirkung nicht verloren ginge und das Opfer die Qual nicht überwinde.

Nach allgemeiner Regel durfte die Folter nur einmal angewandt werden, außer wenn neue Tatsachen zu ergründen waren, allein diese Vorschrift wurde leicht übergangen, indem man die Folter „fortsetzte"; es wurde dem Opfer gesagt, die Inquisitoren seien nicht zufrieden und ließen die Folterung unterbrechen, um sie ein andermal vornehmen zu lassen, wenn es nicht die ganze Wahrheit sage. So konnte man vorgehen, so oft die Consulta de fe es für notwendig hielt. Der Protokollführer verzeichnete alles genau, selbst die Schreie und verzweifelten Rufe des Opfers, die Bitten um Gnade oder daß man ihn totschlagen möge, und es gibt kaum etwas, das mehr ergreift als diese kaltblütigen Berichte.

Was die Art der Qualen angeht, so war man vielfach auf den öffentlichen Henker angewiesen, der sich an das hielt, was bei den weltlichen Gerichten Brauch war, und demgemäß gingen auch die Gehilfen des Gerichtes vor, wenn die Aufgabe auf sie fiel. Die Inquisition hatte keine eigene Methode, und soweit ich erforschen konnte, entnahm sie der reichen Rüstkammer der öffentlichen Behörden nur einige Arten. In der Frühzeit wurden nur die Garrucha, der Wippgalgen, und die Wassertortur allgemein angewandt. Dem Gepeinigten wurden bei der Anwendung der ersteren die Hände auf den Rücken gebunden, worauf er an einem um die Handgelenke gewundenen Seil in die Höhe gezogen wurde, mit oder ohne Gewichte an den Füßen; man ließ ihn so lange schweben, wie es nötig schien, und gelegentlich mit einem Ruck etwas niedergehen. Um 1620 führt ein Schriftsteller aus, man solle das Opfer nur langsam in die Höhe ziehen, denn wenn es rasch geschehe, halte die Pein nicht an; eine Zeitlang solle man ihn nur so hoch halten, daß seine Zehen kaum den Boden berührten; während er schwebe, solle man dreimal still das „Miserere" beten; wenn er dann nicht rede, solle man ihn herunterlassen und ihm die Gewichte anhängen, um ihn so während der Dauer von zwei „Miserere" schweben zu lassen; das sei dann mit immer schwereren Gewichten so lange zu wiederholen, wie es nötig erscheine.

Die Wassertortur war weniger einfach. Das Opfer wurde auf

die Escalera oder den Potro, eine leiterförmige Bank mit
scharfkantigen Sprossen, gebunden. Sie war so gestellt, daß der
Kopf tiefer lag als die Füße, und am unteren Ende war eine
Senkung für den Kopf, der durch ein eisernes Band um die
Stirne oder den Hals festgehalten wurde. Scharfe Stricke, die
Cordeles, die in das Fleisch schnitten, waren von den Leiterbäumen aus um Arme und Beine gewunden, und andere Stricke,
die Garrotes, mit Haspeln, wurden an den Ober- und Unter-
armen, Schenkeln und Waden angezogen, damit die Hauptstricke
fester einschnitten. Der Mund wurde durch ein eisernes Gerät,
Bostezo, aufgesperrt; ein Stück Leinen, die Toca, wurde
hineingesteckt, um das aus einem Krug mit reichlich einem Liter
Gehalt gegossene Wasser langsam einzuträufeln. Der Inquisit
reckte sich und schnappte nach Luft, und von Zeit zu Zeit wurde
der Lappen entfernt und er wurde beschworen, die Wahrheit zu
sagen. Die Prozedur wurde manchmal mit 6—8 Krügen vorgenommen. 1490 leistete der Geistliche Diego García mit einem
Kruge den Inquisitoren Genüge und wurde freigesprochen.[1] Bei
Manuel Díaz in Mexiko 1596 (s. oben S. 152) wurden die Stricke
angelegt, sieben Garrotes um Arme und Beine gewunden, die
Toca in die Gurgel gedrückt und 12 Krüge von je $1/2$ Liter durch-
gegossen, wobei das Tuch viermal herausgenommen wurde. In
dem Falle der Marí Gómez 1592 in Toledo war die Folter geteilt:
zuerst mußte sie auf dem Bock sitzend acht Seildrehungen aushalten, dann wurde sie auf die Leiter gespannt, die Garrotes
angezogen, es folgte die Wasserfolter mit zwei Krügen, sie er-
brach sich schwer, wurde losgebunden und fiel zu Boden. Der
Henker hob sie auf und zog ihr das Hemd an, sie wurde aufgefordert, die Wahrheit zu sagen, widrigenfalls die Folter fortgesetzt würde. Da sie erklärte, sie habe die Wahrheit gesagt,
wurde die Folterung abgebrochen. Sie blieb noch neun Monate
im Kerker, worauf die Consulta Suspendierung aussprach und ihr
gesagt wurde, sie könne in Gottes Namen gehen.

Diese Folterarten kamen, wohl nicht lange danach, außer
Brauch und wurden durch andere ersetzt, die als gelinder galten.
1646 ließ der Supremo sich aus Córdova über die Garrucha

---

[1] Arch. hist. nac., Inq. de Toledo, Leg. 99 n. 25. — In dem Bericht befindet
sich am Rande eine grobe Skizze der Escalera:

und die Silla berichten und eine Beschreibung der Trampa
und des Trampazo geben, die dort benutzt wurden; das Gericht sollte sich über die Wirkungen äußern. Der Bescheid lautete, daß die Silla als zu wenig peinlich aufgegeben sei; der Wippgalgen sei es wegen der Gefahr einer Verrenkung, letzterer
übrigens auch bei den weltlichen Gerichten, desgleichen das
Kohlenbecken, heiße Steine, die Wasserfolter mit sieben Krügen,
Depiñoncillo, Escarbajo, Tablillas, Sueño u. a. Dafür
gab es Cordeles mit Garrotes in drei Arten, die Vuelta de
trampa, die Mancuerda und das Ausrecken auf der Folterbank. Es folgt eine genaue Beschreibung, aus 'der sich ergibt,
daß die Qualen nicht geringer waren als vordem. Der Gepeinigte
wurde an einem Gürtel emporgehoben; die Arme waren kreuz-
weiz über der Brust befestigt und durch Stricke mit Ringen verbunden, die in die Mauer eingelassen waren. Bei der Trampa
oder Trampazo war in der Leiter zum Durchstecken der Beine
eine Sprosse ausgenommen; unten war eine andere scharfe Sprosse
angebracht, und in dem engen Zwischenraum wurden die Beine
durch ein Seil angezogen, das um die Zehen und einmal um die
Knöchel lief. Jede Drehung betrug drei Zoll, und fünf Drehungen
galten als die schärfste Folter, drei waren gewöhnlich, auch für
die Kräftigsten; wenn das Opfer in dieser Stellung war, kam die
Mancuerda daran: ein um die Arme gewundenes Seil, das der
Profos sich um den Leib wand, um sich mit seinem ganzen
Gewicht zurückzulegen, indem er sich mit den Füßen gegen die
Bank stemmte. Das Seil schnitt in das Fleisch bis auf die
Knochen, während der Leib des Opfers durch diese Bewegungen
und die Fußstricke ausgereckt wurde, indes der Gürtel unter
dem Druck hin und her ging und viel zu der Qual beitrug. Die
Mancuerda wurde mehrfach an verschiedenen Stellen der Arme
angesetzt, und die Opfer, namentlich Frauen, fielen gewöhnlich
in Ohnmacht.

Danach wurde das Opfer auf die elf scharfen Sprossen der
Leiter (Potro) gelegt, so daß die Fußknöchel fest an den Leiterbäumen gebunden waren und der tiefliegende Kopf durch ein
Seil festgehalten wurde. Der Gürtel wurde gelockert. Um die
Arme liefen je drei Stricke, die an den Leiterbäumen durch Ringe
gingen und mit Haspeln zum Anziehen versehen waren; ebenso
liefen Stricke um Knöchel und Waden, im ganzen waren es deren

zwölf, deren Enden in ein Hauptteil ausliefen, so daß der Profos alle auf einmal anziehen konnte. Sie schnitten nicht nur ein, sondern gingen hin und her, und rissen Haut und Fleisch weg. Jede halbe Drehung galt als eine Einheit, sechs bis sieben waren das Höchste, fünf das gewöhnliche, auch bei starken Männern. Früher wurde auch der Strick am Kopf gespannt, man gab dies jedoch auf, weil die Augen dabei herausquollen. All das, berichtet Córdova, sei sehr heftig, aber weniger, und auch weniger gefährlich als die früheren Methoden.

Diese Folterungen blieben in Brauch, denn aus späteren Akten geht hervor, daß die Methode von Córdova im wesentlichen amtlich anerkannt war. Gallicien erhielt 1662 Weisungen mit Beschreibungen davon. Wahrscheinlich wurde sie bei allen Gerichten geübt.[1]

Über die Strenge der Folterung konnte es keine genauen Vorschriften geben, und der Supremo überließ in dieser Hinsicht durch die Satzung von 1561 alles dem Ermessen der Gerichte, die sich nach dem Körperzustand des Inquisiten, Gesetz, Vernunft und Gewissen richten sollten. Über die Anwendung im einzelnen gingen die Meinungen auseinander. Manche waren dafür, die Folter nicht länger als eine halbe Stunde dauern zu lassen, zahlreich jedoch sind die Fälle, in denen sie zwei oder gar drei Stunden dauerte. 1648 ging in Valladolid ein Mann aus der dreistündigen Folterung mit einem gebrochenen Arm und starb nach einem Selbstmordversuch binnen eines Monats.[2] Ein in Valencia 1710 dreimal Gefolterter, der auf die Galeeren sollte, bekam diese nachgelassen, weil er gebrechlich aus der Folterkammer hervorging. Übrigens kamen auch Todesfälle, „Unfälle", während und

---

[1] Ich verdanke Abschriften des Berichtes von Córdova und des Briefwechsels mit Gallicien der Freundlichkeit des verstorbenen Generals Don Vicente Riva Palacio aus Mexiko. Daß sie dort vorhanden waren, scheint anzudeuten, daß sie den sämtlichen Gerichten gesandt worden waren. Die Weisungen des Supremos von 1662 im Archiv Simancas, Inquisicion, Lib. 934; Lib. 977, fol. 267.

[2] Bei der Regelung des Strafverfahrens in Rom 1548 verbot Paul III. die Verlängerung der Folter auf eine Stunde und darüber, sowie deren Unterbrechung wegen der Mahlzeiten. — Pauli PP. III. Const. Adonus Apostolicae, § 6 (Bul. Car. I, 776).

nach der Folter vor; in einem solchen Falle wurde der Prozeß gegen eine Tote fortgeführt.

Die zahlreichen Beispiele von Inquisiten, die ohne zu bekennen aus der Folter gingen, könnten annehmen lassen, daß diese verhältnismäßig gelinde gewesen sei. Dies trifft sicherlich in weitem Maße zu, indes überstanden ohne Bekenntnis auch solche, denen der Arm gebrochen wurde, so 1643 eine 60jährige in Valladolid, die allerdings nach einer späteren Anklage jüdische Bräuche bekannte. Eine andere von derselben Gruppe, die drei Drehungen der Mancuerda und den Potro ausgehalten hatte, erhielt trotzdem Aussöhnung und Gefängnis.

Zum Verständnis des Verfahrens sei aus den zahlreichen Folterprotokollen eins ausgewählt, das eine mäßige Wasserfolter schildert, mit einem einzigen Krug. Es handelt sich um Elvira del Campo, die 1568 in Toledo wegen Meidung von Schweinefleisch und Wechselns der Wäsche an Samstagen angeklagt war. Sie leugnete nicht die Handlungen, sondern die ketzerische Absicht. Der Bericht lautet:

Sie wurde in die Folterkammer gebracht, wo ihr eröffnet wurde, daß sie die Wahrheit sagen müsse, worauf sie erwiderte, daß sie nichts zu sagen habe. Es wurde befohlen sie auszukleiden, sie wurde abermals ermahnt und schwieg. Nachdem sie entkleidet war, sagte sie: ,,Ihr Herren, ich habe alles getan, was man von mir sagt und ich zeuge falsch gegen mich selbst, denn ich mag mich nicht in diesem Zustande sehen; bei Gott, ich habe nichts getan." Es wurde ihr bedeutet, sie dürfe nichts Falsches über sich sagen, sondern nur die Wahrheit. Es wurde mit dem Binden der Arme begonnen, und sie sagte: ,,Ich habe die Wahrheit gesagt; was muß ich sagen?" Ein Strick wurde um die Arme gezogen und sie wurde ermahnt, die Wahrheit zu sagen, allein sie erklärte, sie habe nichts zu sagen. Dann schrie sie und sprach: ,,Ich habe alles getan was man sagt." Aufgefordert, im einzelnen anzugeben was sie getan, erwiderte sie: ,,Ich habe die Wahrheit schon gesagt." Dann schrie sie und sagte: ,,Sagt mir, was ihr wissen wollt, denn ich weiß nicht, was ich sagen soll." Es wurde ihr bedeutet, sie solle sagen, was sie getan habe, denn sie werde gefoltert, weil sie nichts gesagt habe, und eine weitere Drehung des Seiles wurde angeordnet. Sie schrie: ,,Laßt mich los, ihr Herren, und sagt mir, was ich sagen soll; ich weiß nicht, was ich getan habe; o Herr, habe Mitleid mit mir Sünderin." Nach einer weiteren Drehung sagte sie: ,,Laßt mich ein wenig los, damit ich mich besinne, was ich zu sagen habe, ich weiß nicht, was ich getan habe; ich aß kein Schweinefleisch, weil es mich krank machte; ich habe alles getan: laßt mich los und ich will die Wahrheit sagen." Es wurde wieder eine Drehung befohlen und sie sprach: ,,Laßt mich los und ich will die Wahrheit sagen; ich weiß nicht, was ich zu sagen habe — laßt mich los um Gottes willen — sagt mir, was ich sagen soll — ich habe es getan, ich habe es getan — sie tun mir weh, Herr, — laßt mich los, laßt mich los und ich sage es euch." Es wurde ihr bedeutet, sie solle es sagen, und sie antwortete: „Ich weiß nicht, was ich sagen soll — ich habe es getan, Herr — ich habe nichts zu sagen — o meine Arme, laßt mich los und ich will es sagen." Auf die Frage, was sie getan, antwortete sie: „Ich habe es nicht gegessen, weil ich es nicht mochte." Befragt, warum sie es nicht mochte, sagte sie: „Ach! laßt mich los, laßt mich los — nehmt mich hier weg und ich will es euch sagen, wenn ich hier weg bin — ich sage, daß ich es nicht aß." Es wurde ihr gesagt, sie solle reden, und sie sprach: „Ich aß es nicht, ich weiß nicht warum." Es wurde eine weitere Drehung befohlen und sie sagte: „Herr, ich aß keins, weil ich es nicht mochte, laßt mich frei und ich will es euch sagen." Sie wurde aufgefordert zu sagen, was sie unserem katholischen Glauben zuwider getan habe. Sie sagte: „Nehmt mich hier weg und sagt mir, was ich zu sagen habe — sie tun mir weh — o, meine Arme, meine Arme!", was sie oftmals wiederholte. Und sie fuhr fort: „Ich entsinne mich nicht — sagt mir, was ich zu sagen habe — o, ich Unglückliche — ich will alles sagen, was man will, ihr Herren — sie brechen mir den Arm — laßt mich ein wenig los — ich habe alles getan, was man von mir sagt." Es wurde ihr bedeutet, im einzelnen wahr zu berichten, was sie getan habe. Sie sagte: „Was verlangt man, daß ich sagen soll? Ich habe alles getan — laßt mich los, denn ich erinnere mich nicht, was ich sagen soll — seht ihr nicht, was für eine schwache Frau ich bin? — o, o, meine Arme brechen." Es wurden weitere Drehungen befohlen, und darüber sagte sie: „O, o, laßt mich los, ich weiß ja nicht, was ich sagen soll — o meine Arme — ich weiß nicht, was ich sagen soll — wenn ich es getan hätte, würde ich es sagen." Die Stricke wurden enger angezogen und sie sagte: „Ihr Herren, habt ihr denn kein Mitleid mit einer sündigen Frau?" Es wurde ihr bedeutet, ja doch, wenn sie die Wahrheit sagte. Sie sprach: „Herr, sagt es mir, sagt es mir." Wieder wurden die Stricke angezogen und sie sagte: „Ich habe schon gesagt, daß ich es getan habe." Es wurde ihr befohlen, Einzelheiten anzugeben, worauf sie erwiderte: „Ich weiß nicht, wie ich es sagen soll, Herr, ich weiß es nicht." Darauf wurden die Stricke gelöst und gezählt, und es gab sechzehn Drehungen, und bei der letzten riß der Strick.

Es wurde nun befohlen, sie auf den Potro zu legen. Sie sagte: „Ihr Herren, wollt ihr mir nicht sagen, was ich zu sagen habe. Herr, legt mich auf den Boden — habe ich nicht gesagt, daß ich alles getan habe?" Sie wurde geheißen, es zu sagen. Sie sagte: „Ich erinnere mich nicht — nehmt mich weg — ich habe getan, was die Zeugen sagen." Sie wurde geheißen, im einzelnen zu sagen, was die Zeugen gesagt hätten. Sie sprach: „Herr, wie ich es euch gesagt habe, ich weiß es nicht gewiß. Ich habe gesagt, daß ich alles getan habe, was die Zeugen sagen. Ihr Herren, laßt mich los, ich erinnere mich ja nicht." Es wurde ihr geboten, es zu sagen. Sie sagte: „Ich weiß nicht. O, o! sie reißen mich in Stücke — ich habe gesagt, daß ich es getan habe — laßt mich gehen." Sie wurde geheißen, es zu sagen. Sie sagte: „Ihr Herren, es hilft mir nichts, wenn ich sage, daß ich es getan habe, und ich habe zugegeben, daß, was ich getan habe, diese Qual über mich gebracht hat — Herr, ihr kennt die Wahrheit — ihr Herren, um Gottes willen habt Mitleid mit mir, ihr Herren, nehmt mir diese Dinge von den Armen — ihr Herren, laßt mich los, sie töten mich." Sie wurde mit den Stricken auf den Potro gebunden und ermahnt, die Wahrheit zu sagen, und die Garrotes (Nebenstricke) wurden angezogen. Sie sprach: „Herr, seht ihr nicht, daß diese Leute mich töten! Herr, ich habe es getan — um Gottes willen, laßt mich gehen." Sie wurde aufgefordert es zu sagen und sprach: „Herr, erinnert mich an das, was ich nicht weiß — Herr, habt Mitleid mit mir — laßt mich in Gottes Namen gehen — sie haben kein Mitleid mit mir. — Ich habe es getan — nehmt mich hier weg und ich will mich besinnen, hier kann ich es nicht." Sie wurde ermahnt, die Wahrheit zu sagen, oder die Stricke würden fester angezogen. Sie sprach: „Erinnert mich an das, was ich zu sagen habe, denn ich weiß es ja nicht — ich habe gesagt, daß ich es nicht essen mochte —" und dies wiederholte sie oftmals. Befragt, warum sie es nicht essen mochte, antwortete sie: „Aus der Ursache, wie die Zeugen sagen — ich weiß nicht, wie ich das sagen soll — ich Ärmste weiß nicht, wie ich es sagen soll — ich habe gesagt, daß ich es getan habe, und ich weiß nicht, mein Gott, wie ich es sagen soll!" Dann sagte sie, wie könne sie es sagen, da sie es nicht wisse — „Sie wollen nicht auf mich hören — diese Leute wollen mich töten — laßt mich los und ich will die Wahrheit sagen." Abermals ermahnt, die Wahrheit zu sagen, erwiderte sie: „Ich habe es getan, ich weiß nicht, wie ich es getan habe — ich habe es getan aus der Ursache, wie die Zeugen sagen — laßt mich los und ich will die Wahrheit sagen." Dann sagte sie: „Ihr Herren, ich habe es getan, ich weiß nicht, wie ich es sagen kann, aber ich sage es, wie die Zeugen sagen. — Ich will es sagen — nehmt mich hier weg — Herr, wie die Zeugen sagen, so sage und bekenne ich." Sie wurde geheißen, es zu erklären, und antwortete: „Ich weiß nicht, wie ich es sagen soll — ich habe kein Gedächtnis — Herr, du bist Zeuge, daß, wenn ich mehr wüßte, ich es sagen würde. Ich weiß nicht mehr zu sagen, als daß ich es getan habe, und Gott weiß es." Sie sagte mehrmals: „Ihr Herren, ihr Herren, nichts hilft mir. Du, Herr, hörst, daß ich die Wahrheit sage und nicht mehr sagen kann — sie reißen mir die Seele aus — befehlt, daß sie mich loslassen." Dann sagte sie: „Ich sage nicht, daß ich es getan habe — ich habe nicht mehr gesagt." Dann sagte sie: „Ich habe es getan, um jenes Gesetz zu beobachten." Auf die Frage, welches Gesetz, antwortete sie: „Das Gesetz, das die Zeugen sagen — ich erkläre ja alles, Herr, und erinnere mich nicht, welches Gesetz es war — o, unglücklich die Mutter, die mich geboren hat." Befragt, welches Gesetz sie meine und welches Gesetz es sei, das die Zeugen, wie sie sagte, meinten, erwiderte sie nichts, obschon die Frage mehrmals wiederholt wurde, und schließlich sagte sie, sie wisse es nicht. Sie wurde aufgefordert, die Wahrheit zu sagen, oder die Stricke würden fester angezogen, allein sie schwieg. Es wurde eine weitere Drehung der Stricke befohlen und sie wurde ermahnt zu sagen, welches Gesetz es sei. Sie sagte: „Wenn ich wüßte, was ich sagen soll, so würde ich es sagen. O Herr, ich weiß nicht, wie ich es sagen soll — o, o, sie bringen mich um — wenn sie mir nur sagten, was — o, ihr Herren! o, mein Herz!" Dann fragte sie, warum sie verlangten, daß sie sagen solle, was sie nicht wissen könne und schrie mehrmals; „Ach! ich Elende!" Dann sagte sie: „Herr, sei mein Zeuge, daß sie mich töten, ohne daß ich imstande bin, zu bekennen." Es wurde ihr gesagt, daß, wenn sie die Wahrheit sagen wolle, bevor das Wasser in ihre Gurgel eingelassen würde, könne sie das tun und ihr Gewissen reinigen. Sie sagte, sie könne nicht reden und sei eine Sünderin. Darauf wurde die leinene Toca (in ihre Gurgel) angebracht und sie sagte: „Nehmt das weg, ich erwürge und hab Weh im Magen." Darauf wurde ein Krug Wasser eingelassen und es wurde ihr bedeutet, die Wahrheit zu sagen. Sie schrie, sie wolle beichten, denn sie sei am Sterben. Es wurde ihr erklärt, die Folter würde fortgesetzt, bis sie die Wahrheit gesagt habe, und sie wurde ermahnt, sie zu sagen, allein trotz mehrfacher Fragen schwieg sie. Da der Inquisitor sie durch die Folter erschöpft fand, befahl er, diese zu unterbrechen.

Es lohnt sich nicht, diese traurigen Einzelheiten fortzusetzen. Man ließ vier Tage verstreichen, weil die Erfahrung gelehrt hatte, daß unterdes die Glieder steif und die Qual bei einer Wiederholung dadurch größer wurde. Elvira wurde nochmals in die Folterkammer geführt und ausgezogen, worauf sie bat, man möge ihre Blöße bedecken. Das peinliche Verhör ging weiter, ihre Aussagen waren verworrener als zuvor, und schließlich hatten die Inquisitoren die Genugtuung, ein Bekenntnis von Judentum mit der Bitte um Gnade und Buße aus ihr zu pressen.

Beim Lesen dieser schauerlichen Berichte muß man staunen, daß diese zusammenhanglosen und widerspruchsvollen Geständnisse, mit denen das Opfer in seiner zunehmenden Angst irgend etwas zu sagen suchte, um dem eintönigen Befehl nach Bekenntnis der Wahrheit zu genügen, bei Staatsmännern und Gesetzgebern als wesentlich und wertvoll galten. In einem Falle hielt der Gepeinigte unerschütterlich stand, während ihm die Stricke durch das Fleisch drangen und die Knochen dem Brechen nahe waren, in einem andern dagegen kam ein Geständnis nach den ersten Drehungen oder gar schon beim fürchterlichen Anblick der Folterbank heraus. Kurz, es war eine Probe mehr auf das, was der Inquisit aushalten konnte, denn auf Wahrhaftigkeit. Obwohl man das wußte, blieben die geistlichen und weltlichen Gerichte Jahrhunderte lang bei einem System, das im Namen der Gerechtigkeit eine endlose Reihe von Greueln zeitigte.

Was dem System jede Entschuldigung nimmt, ist, daß das so erhaltene Foltergeständnis, die Urgicht, als wertlos erkannt wurde, indem es nach 24 Stunden außerhalb der Folterkammer frei und ohne Drohung bestätigt werden mußte, um gültig zu

sein. Das geschah bei allen Gerichtsbarkeiten, bei der Inquisition
gewöhnlich am Nachmittag des folgenden Tages im Sitzungssaal,
wo dem Angeklagten die Urgicht vorgelesen wurde. Er wurde
befragt, ob sie wahr und vollständig sei und ob er noch etwas
zuzusetzen habe oder weggelassen haben möchte. Er hatte sie
unter Eid als richtig aufgenommen zu bestätigen, sowie, daß sie
nicht der Furcht vor der Folter oder anderen Gründen entspringe.
Dies galt auch für die Urgicht mittels Territion oder dem Geständnis nach Verlesung des Folterurteils.

Die Erklärung, daß die Bestätigung aus freien Stücken geschehe, entsprach nicht der Wahrheit, da bei allen Gerichten ein
Widerruf eine „Fortsetzung" der Folter nach sich zog. Auf diese
Weise konnte eine auffällig milde Vorschrift umgangen werden.
Gemäß der Satzung von 1484 nämlich sollte bei einem Widerruf der Inquisit die Ketzerei, deren er angeschuldigt war, wegen
der Schande, die sich aus dem Prozeß ergab, öffentlich abschwören
und die Strafe erhalten, welche die Inquisitoren ihm mitleidig
auflegen würden. Die Gnade wurde indes stark verklausuliert
durch die weitere Bestimmung, daß der Widerruf eine Wiederholung der Folter in den Fällen nicht ausschließe, in denen sie
nach dem Gesetz eintreten konnte und sollte. Wahrscheinlich
nach der ersten dieser Bestimmungen richtete sich Toledo 1528
bei dem des Luthertums angeklagten Diego de Uceda. Beim
Anblick der Folterkammer gab er alles zu, was die Zeugen ausgesagt, konnte sich aber nicht erinnern, was es war. Da dies
offenbar ein Angstprodukt war, ging die Folterung vor sich, und
bei der ersten Seildrehung beschuldigte er sich so eifrig, daß er
gewarnt wurde, nicht gegen sich selbst falsch auszusagen. Er erklärte, es sei die Wahrheit, und wurde losgebunden. Noch vor
der Aufforderung, die Urgicht zu bestätigen, verlangte er eine
Audienz und erklärte das Geständnis für eine Folge der Angst;
er sei bereit, für den Glauben der Kirche zu sterben: eine Woche
später widerrief er die Urgicht nochmals. Er wurde nicht wieder
gefoltert, sondern gemäß der Satzung zu Vorführung im Auto,
Abschwörung de vehementi und Geldstrafe nach dem Ermessen
der Inquisitoren verurteilt.

Solche Fälle waren Ausnahmen, es war vielmehr Brauch, die
Folter zu wiederholen, wenn der Urgicht ein abermaliger Widerruf folgte, so daß das Opfer dreimal gefoltert werden konnte.

Es war nicht ausgemacht, ob die Prozedur bis ins Unendliche fortgesetzt werden konnte; einzelne verneinten die Frage, weil die menschliche Natur und die Gerechtigkeit die Unendlichkeit ausschlössen, dennoch kam es in der Praxis darauf an, ob man durchaus eine Überführung haben wollte. Eine Gewähr gegen Widerruf boten die Strafen für Revocantes. Als bezeichnend kann der Fall des 1544 in Valladolid wegen Judentums verfolgten Miguel de Castro dienen. Er leugnete, gestand dann in der Folter, bestätigte die Urgicht, widerrief, bestätigte sie wieder. Ein Prozeß wegen Widerrufs nun führte zur Folter, in der ihm der Arm ausgerenkt wurde und er zwei Finger verlor, aber gestand, um nochmals zu widerrufen. Ohne das Einschreiten des Arztes wäre er zum drittenmal gefoltert worden. Der Supremo befahl Auslieferung an den weltlichen Arm, falls er nicht Reue übte, worauf er sich von zwei Qualifikatoren zum Geständnis über sich und andere überreden ließ, um schließlich zu Aussöhnung und unnachläßlichem Gefängnis mit Sanbenito, nebst 100 Hieben für den Widerruf, verurteilt zu werden.

Einzelne schlaue Angeklagte bekannten, um der Folter zu entgehen, gleich zu Anfang der Qualen, um dann zu widerrufen, und setzten dies stets fort, zum großen Ärger der Inquisitoren. Was sollten diese in der verlegenen Lage tun? Einer empfahl gegen Ende des 17. Jahrhunderts — solange dauerte die Verlegenheit — außergewöhnliche Strafen. Um 1725 indes hielt man eine dritte Folterung nicht mehr für zulässig: ein Fall aus Cuenca endigte mit Büßen auf dem Auto, Abschwörung und Verbannung aus gewissen Bezirken. Früher wäre es nicht ohne Stäupung, Galeeren und Gefängnis abgegangen.

Hatte die Folter keine Urgicht ergeben, so wäre der Inquisit logischerweise freizusprechen gewesen, da er die Probe gegen die Belastung bestanden hatte. Das war auch Gesetz, allein die Anerkennung der Schuldlosigkeit hätte die Anerkennung eines Irrtums bedeutet, durch den ein Unschuldiger gelitten hatte, und der Widerwille dagegen führte zur Umgehung der Vorschrift. Eine bestimmte Regel konnte es für den Fall nicht geben, und die Satzung von 1561 wies den Inquisitor an, die Art der Belastung, das Maß der Folterung und den Zustand des Inquisiten abzuwägen; wenn er völlig gerechtfertigt erscheine, solle er ganz frei-

gesprochen werden; wenn es jedoch scheine, daß er nicht genug
gefoltert worden sei, so könne er entweder zu Abschwörung de
vehementi oder de levi oder zu einer Geldbuße verurteilt werden,
doch sei dabei Vorsicht geboten. Somit war die Sache in das
Ermessen das Gerichtes gestellt, wobei stillschweigend eingeräumt
wurde, daß, wenn die Folter keinen Erfolg hatte, sie eine reine
Zusatzstrafe war.

Die Sachkundigen waren sich in diesen Fragen nicht einig,
außer daß Freisprechung so selten wie möglich sein sollte. Zwar
kommen in den Akten viel Fälle von Folter ohne Urgicht vor,
Freispruch oder auch nur Suspendierung dagegen ist ungebräuch-
lich. Um 1600 äußert sich einer, in solchen Fällen solle eine
außergewöhnliche Strafe oder Freisprechung oder Suspendierung,
je nach dem zurückbleibenden Verdacht, eintreten, Moriscos aber
müsse man auch bei noch so leichtem Verdacht de vehementi
im Auto abschwören lassen, und wenn ein einziger Zeuge sie be-
laste, seien sie auf drei Jahre oder mehr auf die Galeeren zu
senden; bei anderen möge bei leichtem Verdacht Freisprechung
oder Suspendierung erfolgen, letztere sei das üblichere; alles hänge
davon ab, in welchem Maße die Belastung durch die Folter ausgeräumt sei — was das Gericht frei würdigen konnte. In Valencia
wurden gemäß obigem Rat 1607 von 16 Moriscos, die in der
Folter nichts gestanden hatten, die meisten mit Gefängnis, Stäupung oder Geld gestraft. Nach der Ausweisung von 1609/10 gab
es keine Unterscheidung mehr, und um 1640 war es allgemein
üblich, bei solchen, die durch mehrfaches Einzelzeugnis belastet,
in der Folter nicht bekannt hatten, eine schwere außerordentliche
Strafe zu verhängen, etwa Abschwörung de vehementi mit Verlust des halben Vermögens oder eine hohe Geldstrafe, am liebsten
letztere, da der Bestrafte sie leichter ertrug und seinen Kredit
nicht verlor. In einer Anzahl von Fällen aus Cuenca von 1654
wurde bis zu 500 Dukaten und teilweise Verbannung verhängt,
dagegen begnügte sich Valencia 1624 mit einfacher Suspendierung von sechs Prozessen und verhängte nur in einem davon
sechsjährige Verbannung über eine Frau, die falsches Zeugnis
abgelegt.

Daß die Folter so häufig ohne Ergebnis angewandt wurde,
mag sich zum Teil durch Bestechung des Henkers erklären. Das
war wegen der allgemeinen Geheimtuerei nicht leicht, aber mög-

lich, und die Verwandten der Verhafteten suchten naturgemäß
den Vollstrecker günstig zu stimmen für den Fall, wo jener in
seine Hände fallen sollte. Auf einem Auto in Valencia 1564 erschienen 96 Moriscos, von denen 53 die Folter ohne Urgicht überstanden hatten, und das eine oder andere Mal wurden auch Henker
wegen Begünstigung von Ketzern gestraft.

Es fällt einigermaßen auf, daß die doch allgemein übliche Folterung in den sonst so ausgiebigen Prozeßberichten auf den Autos
nicht erwähnt wurde. Ja, in der Frühzeit, als das Geheimnis
noch weniger streng gehütet wurde, war die Abneigung, die Folter
zu erwähnen, noch größer, und 1484 wurde in Toledo einmal
der Wahrheit zuwider erwähnt, daß der Verurteilte freiwillig gestanden habe. Die Verschweigung blieb die Regel. In einem
Urteil von 1551 finde ich die Folterung ausdrücklich, sonst nur
hier und da durch verschämte Anspielungen erwähnt, so in dem
Falle der Elvira del Campo (s. oben S. 173) mit den Worten „mas
diligencia", und 1725 mit „cierta diligencia", d. h. eindringliche,
nachdrückliche Ermahnung zum Geständnis.

Eine Statistik oder auch nur eine annähernde Übersicht für
den Gebrauch der Folter ist unmöglich, dagegen erhält man aus
den Gerichtsakten von Toledo für die Jahre 1575—1610 wenigstens
eine gewisse Vorstellung: wegen ketzerischer Handlungen, welche
die Folter zuließen, wurden 411 Personen abgeurteilt, davon 109
einmal, 8 zweimal gefoltert, in 2 Fällen wurde außerdem das
peinliche Verhör wegen Ohnmacht der Inquisiten eingestellt, in
7 erfolgte ein Geständnis bei Beginn der Folterung, daneben gab
es 5 Urgichte durch Territion. Im ganzen wurde die Folter in
etwa 32% der Ketzereiprozesse in der einen oder andern Weise
benutzt, und dieser Satz steht wohl unter dem Durchschnitt. In
einer Anzahl von Prozessen in Lima von 1635—1639 scheinen fast
alle Angeklagten peinlich verhört worden zu sein, in Valladolid
kamen 1624 auf 11 Fälle Judentum und 1 Protestantismus 11 Folterungen, und 1655 wurden sämtliche Fälle von Judentum durch
die Folter behandelt. Übrigens sind Zahlen, wie eindrucksvoll
auch an sich, nicht maßgebend, sie sprechen nur für den Eifer
des Gerichts, nicht für die in Betracht kommenden Grundsätze.
Wenn Zweifel vorlagen, war das peinliche Verhör einfach selbst-

verständlich, und man hatte oft ein kindliches Vertrauen auf dessen Wirkung. So wurde 1710 in Valencia ein angeblicher Jude, der behauptet hatte, er sei nicht getauft, darauf gefoltert, ob das zutreffe: man hatte damit keinen Erfolg. 1579 wurde in Toledo ein alter Bauer gefoltert, damit seine wahren Ansichten über die Seelenrettung hervorgingen; das frivole Spiel, einen Greis unter solchen Umständen zu Äußerungen über theologische Spitzfindigkeiten zu zwingen, endigte mit Abschwörung de levi, Verweis und Anhören der Messe im Gerichtssaal.

Als die Inquisitionstätigkeit nachließ, in der zweiten Hälfte des 18. Jahrhunderts, nahm der Gebrauch der Folter natürlich ab, allein bis 1813 stellte der Fiskal seinen Antrag. Der königliche Rat hatte 1798 festgestellt, daß in den Madrider Gerichten die Erpressung von Geständnissen mittels des schärfsten Druckes üblich sei, und Daumenschrauben und andere Werkzeuge, dem Gesetz zuwider, gebraucht würden. Darauf wurde 1803 die Anwendung dieser Mittel verboten, und nur mehr die Fesselung der Füße gestattet: zugleich ergab eine Untersuchung, daß bei allen Gerichten des Landes durch mancherlei Zwang Unschuldige dahin gebracht wurden, sich selbst fälschlich anzuklagen. Unter dem Hinweis auf all dies untersagte 1814 Ferdinand VII. jegliche Art von Zwang gegen Angeklagte oder Zeugen. Das mag sich kaum auf die Inquisition bezogen haben, da sie nunmehr nur wenig mit wirklicher Ketzerei zu tun hatte. Allein bevor sie wieder tätig wurde, waren alle Zweifel durch Rom weggeräumt. Llorente erwähnt, daß 1816 ein römischer Bericht der „Gazette de France" von einem Verbot der Folter bei den Inquisitionsgerichten spricht, das den Botschaftern Frankreichs und Portugals mitgeteilt worden sei. Ich habe keinen Grund, daran zu zweifeln, habe aber in dem Bullarium Pius' VII. keinen solchen Erlaß gefunden. Wir mögen annehmen, daß die Inquisition am Ende ihres Daseins von dem Makel erlöst war.

Dem Profos stand im 16. Jahrhundert eine Gebühr von 1 Real für jeden Gefolterten zu, von $\frac{1}{2}$ bei Territion. Bei den weltlichen Gerichten hatte das Opfer den Henker zu bezahlen; wenn es arm war, erhielt er nichts als dessen Kleider. Bei der Inquisition wurde der Henker gegebenenfalls aus dem eingezogenen Gut des Opfers gelöhnt und seine Gebühr stieg, wie wir gesehen haben,

1681 bis auf 4 Dukaten. Trat keine Gütereinziehung ein, so
wurde der Lohn wohl mit den Gerichtskosten aus dem gesperrten
Gut bestritten. Bei der römischen Inquisition, wo die Folter
noch reichlicher angewandt wurde, hatte seit 1614 das Opfer nicht
mehr dafür zu zahlen.

Achter Abschnitt.

Der Prozeß.

Auf die Überführung eher denn auf Gerechtigkeit gerichtet,
hatte das Inquisitionsverfahren eine gewisse Ähnlichkeit mit der
Beichte. Der als schuldig erachtete Angeklagte erschien wie ein
Sünder, der Reue bekennen und Buße auf sich nehmen sollte.
Wenn er unter vielfältigem Druck eine ausreichend scheinende
Belastung nicht bestätigte, wurde er als hartgesottener und un-
bußfertiger Sünder der schwersten Strafe für würdig erachtet.

Die Ermittlungen, die der Ergreifung vorangingen, konnten
Jahre dauern, und wenn der Verdächtige in der Haft saß, war
sein Fall zum guten Teil schon im voraus erledigt. Es war
Sache des Gerichtes, unter Einhaltung der äußeren Rechtsformen
ihn zu überführen oder gestehen zu lassen, die Verteidigung war
geschmälert, Zweifel wurden in der Folterkammer gelöst, und
wenn ein Verdacht zurückblieb, konnte er als ein Verbrecher an
sich bestraft werden.

In der Frühzeit war das Vorgehen formlos, es gab keinen
Estilo, kein anerkanntes Verfahren. Ohne Erfahrung suchten
die Gerichte nur rasch zu arbeiten und das Ergebnis war die
Häufigkeit und Fülle der Autos. Für eingehende Protokolle
hatte man keine Zeit. Die Satzung von 1484 ist ein Rohbau:
das herkömmliche Inquisitionsverfahren sollte nur so weit ergänzt
werden, wie es den Umständen und den Absichten des Königspaares entsprach. Es galt zum großen Teil der Gütereinziehung
und den unter dem Gnadenedikt eingehenden Geldstrafen, und
da nicht alle Umstände vorgesehen werden konnten, wurde alles
dem Ermessen der Inquisitoren überlassen, die nach dem Gesetz und ihrem Gewissen im Dienste Gottes und des Königs-

paares handeln sollten.[1] Noch bei der Beratung der Satzung von 1488 stritt man lange, ehe man zu dem Beschluß kam, daß für alle Gerichte ein einheitliches Verfahren notwendig sei, da die Verschiedenheit Unzuträglichkeiten ergeben habe. Das damalige Verfahren wird sich für uns aus Vergleichen mit dem späteren ergeben. Für Gleichförmigkeit sorgte der Supremo 1561 durch Erlaß der Satzung, die Pablo García 1568 durch sein Orden de procesar, eine Prozeßordnung, ergänzte, die alle nötigen Formeln enthält. Diese Vorschriften blieben, mehr oder weniger genau eingehalten, mit gelegentlichen Änderungen in der Hauptsache bis zum Ende in Kraft.

Wenn der Angeschuldigte im geheimen Kerker saß, war in der Eilfertigkeit der Frühzeit die nächste Sorge der Inquisitoren, wann er vorzuführen sei. Er konnte indes jederzeit eine Audienz verlangen, die stets gewährt wurde, weil er vorübergehend zum Geständnis neigen konnte. Solche Vorführungen zählten indes für den Gang des Verfahrens nicht. In der ersten eigentlichen Audienz wurde er darauf vereidigt, daß er während des ganzen Verfahrens die Wahrheit sagen und nachher nichts von dem erzählen werde, was er gesehen und gehört, auch nicht von seinen eigenen Erlebnissen. Er wurde über seine Personalien befragt und wie lange er in Haft sei. Lautete die Anschuldigung auf Ketzerei, so erfolgte eine ausgiebige Nachforschung über seine Abstammung. Dies war in der Frühzeit unbekannt, von 1530 bis 1540 noch formlos, um die Mitte des Jahrhunderts erst ausführlich. Die Untersuchung erstreckte sich auf zwei Generationen zurück, bis auf Onkeln, Tanten, Vettern und Basen mit Angabe ihrer Rasse, und ob sie von der Inquisition abgeurteilt waren. Dabei war man manchmal recht töricht: 1763 mußte in Lima ein Mandingo aus Westafrika, ein Negersklave, schwören, daß seine Vorfahren und Verwandten nicht von der Inquisition gestraft worden seien; er war 70 Jahre alt und als Kind nach Amerika gebracht worden. — Der Angeschuldigte wurde über seine Taufe und Firmung und über Beobachtung der religiösen Vorschriften befragt, mußte sich bekreuzigen, das Glaubens-

---

[1] Instruciones de 1484, § 28. Wird im wesentlichen in der Ergänzungssatzung von 1485 wiederholt mit dem Zusatz, daß in wichtigen Dingen die Inquisitoren die Befehle des Königspaares einholen sollen.

bekenntnis und die üblichen Gebete hersagen, und schließlich seinen Lebenslauf erzählen. All dies wurde sorgfältig zu Protokoll genommen.

Nach dieser Einleitung wurde er befragt, ob er die Ursache seiner Verhaftung kenne oder vermute. Mit seltenen Ausnahmen wurde dies verneint; dann erging die erste der sog. drei Mahnungen. Dies wurde früh, aber nicht allgemein Regel, bis 1561 drei Warnungen für Ketzerei und eine für leichtere Fälle vorgeschrieben wurden. Der Inhalt war auf Furcht berechnet. Ohne ausreichenden Grund, so hielt man dem Angeschuldigten vor, werde beim h. Offizium niemand als Täter oder Zeuge von glaubenswidrigen Handlungen oder wegen Behinderung der Inquisition verhaftet; er müsse daher annehmen, daß er auf triftige Aussagen hin ergriffen worden sei. Er erhielt bei der Achtung vor Gott und seiner glorreichen und heiligen Mutter die Ermahnung und den Befehl, sein Gedächtnis zu prüfen und die ganze Wahrheit zu bekennen über das, wessen er sich angeklagt fühle oder was er von anderen Personen wisse, ohne Verheimlichung oder falsches Zeugnis; so werde er sein Gewissen als katholischer Christ entlasten und seine Seele retten, und sein Fall werde schleunig und mit angemessener Gnade erledigt, andernfalls werde Recht ergehen. In gewissen Zwischenräumen erfolgte die zweite und dritte Mahnung, die letztere mit dem Zusatz, daß der Fiskal eine Anklage gegen ihn erheben wolle, und es für ihn vorteilhaft sei zur Befreiung seines Gewissens wie zur raschen und günstigen Erledigung seines Prozesses, vor der Anklageerhebung die Wahrheit zu sagen, da er alsdann mit der gewohnten Milde des h. Offiziums für aufrecht Geständige behandelt werden würde, widrigenfalls der Fiskal zu Worte kommen, und Recht ergehen würde.

Das mußte auf den erregten Gefangenen wirken, besonders wenn er bei dem System von berechneter oder nachlässiger Verschleppung Monate oder Jahre in seiner Zelle über die so auffällig bekräftigten Ursachen seiner Verhaftung nachsann. Kein Wink ward ihm gegeben, er mußte selbst ergründen, wessen er sich vor dem furchtbaren Gericht zeihen konnte. Das bewirkte auch häufig Geständnisse von Straftaten, von denen das Gericht keine Kenntnis hatte, die es jedoch kaltblütig vermerkte, um den Angeklagten unter weiteren Beschwörungen, sich zu besinnen und sein Gewissen zu reinigen, wieder in seine Zelle zu senden.

Dieses grausame Vorgehen wurde nun allmählich Übung, gegen 1540 war es allgemein geworden, wenn auch nicht förmlich vorgeschrieben. Es entsprach wohl dem Prinzip der Beichte, die spontan sein mußte. Erst gegen Ende ihrer Laufbahn, unter Karl III. und der Restauration, gewährte die Inquisition gelegentlich dem Angeklagten eine Audienz, in der er über die vorliegenden Punkte unterrichtet wurde (Audiencia de Cargos); in geringen Sachen wurde er unter einem seinen Ruf schonenden Vorwand vorgeladen, und nachdem er über den Gegenstand aufgeklärt und seine Äußerungen gegeben hatte, entschied sich das weitere. So wurde es sogar 1816 in dem schweren Falle eines Laien gehalten, der Messe gelesen hatte, und schon in Haft saß.

Wie man vorging, zeigt der Fall der Angela Pérez zu Toledo 1680. Nach elfmonatiger Haft verlangte sie eine Audienz, um den Gegenstand zu erfahren. Sie wurde am 19. Mai vorgeführt und zum Bekennen ermahnt, bekannte aber nicht und wurde wieder abgeführt. Ebenso am 13. Juni. Nachdem sie am 22. aus den Cárceles medias in den geheimen Kerker gebracht worden, geschah dasselbe am 25.; sie bat bei der h. Jungfrau um Angabe der Ursache ihrer Haft, doch alles was sie erreichte, war, daß ihre Abstammung vermerkt wurde und sie die erste Mahnung erhielt, die sie dahin beantwortete, daß sie nichts zu bekennen habe und nach dreizehn Monaten Haft um Erledigung ihres Prozesses bitte. Allein die unerbittliche Inquisitionsmethode siegte, denn anderen Tages gestand sie, acht Jahre gemäß dem mosaischen Gesetz gelebt zu haben.

Vielleicht noch tiefer läßt der Fall des mexikanischen Geistlichen Joseph Brunon de Vertiz blicken, der sich durch einige Seherinnen hatte irreführen lassen. Am 9. September 1649 verhaftet, wollte er in mehreren Sitzungen die Ursache seiner Gefangenschaft erfahren; er sagte alles, was er von sich und anderen wußte und kroch vor den Inquisitoren, indem er erklärte, er wolle alles bekennen, was man von ihm verlange. Die Spannung schädigte seinen ohnehin nicht starken Verstand. Es zeigten sich bei ihm Anzeichen von Besessenheit, und nach $2^{1}/_{2}$ Jahren schrieb er allerlei krauses Zeug und erklärte die In-

quisitoren für eine Teufelskongregation und die Jesuiten für die
schlimmsten Feinde Gottes. Darauf lag er wieder zwei Jahre
in seiner Zelle, dann schrieb er am 23. Juni 1654 ähnliches, und
am 3. April 1656 starb er ohne je den Grund seiner Einkerke-
rung erfahren zu haben. Er wurde in ungeweihter Erde begraben und sein Prozeß ging weiter. Am 11. Mai 1657 erging
die Aufforderung an seine Verwandten, sein Andenken zu retten,
am 22. Oktober 1659 die förmliche Anklage, gegen die keine
Verteidigung möglich war, und im November wurde der Tote
im Bilde verbrannt.[1]

Die Ankündigung, daß der Fiskal die Anklage erheben würde,
falls der Angeklagte nicht gestände, bedeutete nur eine Täuschung, denn das Verfahren ging unter allen Umständen weiter.
Es war üblich, daß nach der Antwort des Angeklagten auf die
dritte Mahnung der Fiskal noch in der Sitzung erschien, die Anklage erhob, sie beschwor, und sich dann zurückzog. Das
Schriftstück mußte Furcht einjagen. In Fällen von Ketzerei
legte es dar, daß der Angeklagte als getaufter und gefirmter
Christ in Mißachtung der Furcht vor der Gerechtigkeit Gottes
und der Inquisition und schwerer Verletzung der Religion, zum
Ärgernis für das Volk und zum Schaden für seine eigene Seele
ein Ketzer gewesen sei und noch sei, ein unbußfertiger, meineidiger Negativo und falscher Geständiger; daß er viele und
schwere Verbrechen gegen die göttliche Majestät und die freie
Ausübung der Inquisition begangen habe und ein Begünstiger
und Berger von Ketzern sei. Darauf folgte eine Aufzählung
der durch die Belastungszeugen bekundeten Tatsachen, in Artikel
geordnet, mit Wiederholungen und Übertreibungen und in möglichst gehässigem Lichte. Außerdem sei er eidbrüchig, weil er
entgegen seinem Eide nicht alles bekannt habe, woraus man
schließen könne, daß er andere, schwerere Verbrechen begangen
habe, deren er jetzt allgemein unter Vorbehalt späterer Umschreibung angeschuldigt werde. Aus alledem ersuchte der Fiskal, den Angeklagten der angegebenen Verbrechen für schuldig

---

[1] Dieser Fall ist nach einer Hs. Daniel Fergussons, Esq., ausführlicher
behandelt in des Verfassers „Chapters from the Religious History of Spain",
S. 362/73.

zu erklären, die Einziehung seines Vermögens zu verfügen und ihn selbst dem weltlichen Arm auszuliefern und ihn aller sonstigen Strafen und Unfähigkeiten für verfallen zu erklären, die durch päpstliche Briefe, Vorschriften des h. Offizium's und Verordnungen des Königreiches angedroht seien; diese Strafen seien in aller Strenge zur Sühne an ihm und zur Abschreckung für andere zu vollziehen. Dann kam die berüchtigte Klausel, genannt Otrosi, wodurch verlangt wurde, daß er so lange und so oft wie es nötig erschiene, gefoltert werden solle, um ihn zum Bekenntnis der ganzen Wahrheit zu zwingen.

Ganz ungerechtfertigt war, daß die Anklageschrift alle etwaigen Verfehlungen mit aufzählte, die außerhalb des Inquisitionsbereiches lagen, und zwar, gemäß der Satzung von 1561, als Erschwerung für seine Ketzereien und Beweis für seinen unchristlichen Lebenswandel, aus dem man Anzeichen für Glaubenssachen erkennen könne. Gleich nach Verlesung wurde die Schrift Punkt für Punkt vorgenommen, und der durch die Drohung noch betäubte Angeklagte mußte über alles vom Fleck weg Rede stehen, völlig unvorbereitet und ohne Beistand, und seine Antworten wurden zu Protokoll genommen. Dann wurde ihm gesagt, er solle sich einen Rechtsbeistand wählen.

Die Verteidigung durch einen Rechtsbeistand, die der Inquisition den Schein der Gerechtigkeit gab, war in Spanien üblich; man kannte dort sogar die Verteidigung im Armenrecht. Die mittelalterliche Inquisition ließ anfänglich keinen Advokaten zu, und solche, die die Verteidigung von Ketzern übernahmen, wurden ihres Amtes entsetzt und auf immer für ehrlos erklärt. Gegen Ende des 15. Jahrhunderts wurden Verteidiger in Hexenprozessen unter gewissen Beschränkungen zugelassen. Übereifer für ihre Klienten brachte die Verteidiger als Begünstiger von Ketzern in den Kirchenbann.

Bei Errichtung der spanischen Inquisition wurde das weltliche System übernommen: der Prokurator (Anwalt, Avoué, Solicitor), trat neben den Letrado (Advokat, Barrister), und man scheint den Angeklagten volle Freiheit in der Auswahl gelassen zu haben. In einer Anzahl von Verhandlungen in Ciudad Real 1483 scheint die freie Wahl von Advokaten und Prokuratoren zugestanden worden zu sein. Bei der Verfolgung in Guadalupe

1485 war die Verteidigung ebenfalls vollständig und eindringlich. Dies entsprach der Satzung von 1484, wonach der Advokat zu schwören hatte, daß er dem Angeklagten treu beistehen wolle, ohne falsche Einreden und Verschleppungskünste; daß er jedoch, falls nach seiner Erkenntnis das Recht nicht auf dessen Seite sei, ihm nicht länger helfen, sondern den Inquisitor benachrichtigen werde. War der Angeklagte bemittelt, so sollte er den Verteidiger bezahlen; wenn nicht, so sollte dieser seine Gebühr aus anderen Konfiskationen erhalten, denn so wollten es die Könige. Diese Vorteile wurden dadurch vereitelt, daß der Advokat gehalten war, den Klienten zu verraten; dadurch hörte jedes Vertrauen zwischen ihnen auf und wurde die Verteidigung notwendig verkrüppelt.

Die Gerichte murrten anscheinend gegen die Zulassung von Verteidigern, der Fiskal lehnte sie 1488 in Toledo einem Angeklagten rundweg ab, und die Vorschrift mußte der Supremo ihnen in Erinnerung bringen, mit dem Zusatz, es dürfe den Kindern und sonstigen Verwandten des Angeklagten nicht verwehrt werden, sich mit dem Verteidiger frei zu benehmen, auch sei dem Angeklagten eine Abschrift der Anklage und der Zeugenaussagen und anderer Schriftstücke zuzustellen. All diese elementaren Forderungen der Justiz wurden, wie wir sehen werden, beiseite geschoben.

Die Verteidigung war nicht ungefährlich. 1505 wurde der Regent der königlichen Kanzlei von Katalonien, Francisco Franch, verfolgt, weil er einen vornehmen Ketzer verteidigt hatte, als er noch königlicher Fiskal war. Vergebens sprach Ferdinand für ihn. Ein besonders für den Fall bestellter Inquisitor verhängte über Franch ein Urteil, worin ihm vorgeworfen wurde, daß er versucht habe, einen Zeugen zum Widerruf seiner Aussagen zu bewegen, ferner durch nutzlos hinhaltende Aufschübe die Inquisition behindert habe, womit er dem Bann verfallen sei; außerdem habe er falsche und irrtümliche Anträge gestellt und so einen Meineid begangen, und wegen all dessen habe er um Gnade und Verzeihung gebeten. Nachdem er die Lossprechung von einem Geistlichen erhalten, sollte er am folgenden Tage während der Messe im Büßergewande und mit einer brennenden Kerze vor dem Hochaltar einer bestimmten Kirche stehen, und sein Honorar aus den Konfiskationen der Verurteilten sollte verwirkt sein. Franch machte noch einige Einwände, weil in das Urteil ein Satz nachträglich eingeschoben worden sei, den er hersagen mußte, allein nach einer Drohung des Fiskals mit einer Berufung an den Supremo, während der Franch im Kerker harren sollte, gab er nach und leistete den geforderten Widerruf. Unter solchen Umständen konnte man keine wirkliche Verteidigung mehr erwarten, die Inquisitoren brauchten keine Störung zu befürchten. Aber auch so war es ihnen noch zu viel. Dem Angeklagten wurde die freie Wahl des Verteidigers entzogen; das Amt wurde auf einen oder zwei beschränkt, auf deren Glaubensfestigkeit das Gericht sich verlassen konnte. Dies Verfahren wird zum erstenmal aus Jaen und Llerena 1506 erwähnt, wo es wahrscheinlich auf Lucero zurückzuführen war. Den dortigen vom Gericht ernannten Advokaten wurde in der mehrerwähnten Denkschrift vorgeworfen, sie seien Volksfeinde, die eine Häufung der Fälle erstrebten, da sie in jedem 3000 Maravedí nähmen, was bei 200 Gefangenen 600 000 Maravedí ausmache. Das System paßte der Inquisition und wurde allgemein; eine Beschwerde der Cortes von Monzon, 1533, hatte keine Wirkung. 1537 erschienen die Abogados de los presos schon als anerkannte, vom Gericht ernannte Beamte. Sie hatten ein Monopol, und 1540 entschied der Supremo, wenn ein anderer Verteidiger mitwirken wolle, müßte es im Einvernehmen mit dem amtlichen sein, doch auch dies wurde 1562 aufgehoben.

Der Abogado de los presos mußte vor allem rasserein sein ebenso seine Frau; er war vom Gericht abhängig, um dies indes zu sichern, befahl der Supremo 1580 dem Gericht Lima — wahrscheinlich auch den übrigen —, die Advokaten zu Vertrauten zu ernennen. So wurden sie regelrecht bestallte Beamte, die ganz im Einvernehmen mit den Inquisitoren arbeiteten. Sie verlangten und erhielten einen Platz bei den Autos, den letzten unter den ordentlichen Beamten, mit der Zeit jedoch rückten sie höher hinauf, indem sie unter anderem ihre treuen Dienste gegenüber dem Gerichte geltend machten. Es scheint ihnen nicht zum Bewußtsein gekommen zu sein, daß sie Treue vor allem ihren Klienten schuldeten.

Tatsächlich war der sog. Fürsprech nur ein Werkzeug für Geständnisse und Überführungen, wozu ihn der Schein des

freundlichen Beraters besonders eignete. Er durfte mit seinem
Klienten nur im Beisein des Inquisitors und des Sekretärs reden,
welch letzterer darüber Protokoll führte. Zwar hatte er zu
schwören, dem Angeklagten sorgfältig, fleißig und treu beizustehen, wenn er es verdiene, und ihn nicht zu täuschen; allein
wenn das nicht der Fall sei, war seine Pflicht dahin bestimmt,
daß er den Angeklagten ins Geständnis treiben und ihm die
Folgen des Leugnens ausmalen sollte. Er wurde recht kurz gehalten. Als 1621 in Toledo ein Advokat einige Punkte zum
Mißfallen des Inquisitors berührte, sandte ihn dieser auf der
Stelle aus dem Gerichtssaal und den Angeklagten zur Auffrischung seines Gedächtnisses in die Zelle; zwei Tage darauf
hatte der Verteidiger seinen Schriftsatz einzureichen, ohne weitere
Besprechung mit dem Angeklagten. Ein anderer verstand seine
Sache besser. Er hatte eine des Protestantismus Angeklagte zu
verteidigen. Nachdem er ihr vergeblich zum Geständnis zuge-
redet, fragte er sie, ob sie keine Feinde habe, die er ablehnen
solle, damit er die Verteidigung darauf aufbauen könne; als sie
ihm mehrere nannte, erklärte er, das würde nicht viel nutzen,
da die Inquisitoren den Prozeß erledigen wollten und nicht zu
vermuten sei, daß falsches Zeugnis aus Feindschaft abgelegt
worden sei; er überredete sie, sie habe schon genug gestanden,
um ihre Sache hoffnungslos zu machen. Und die arme Frau
bestieg den Scheiterhaufen, ohne daß der Verteidiger sich der
Mühe eines Schriftsatzes zu unterziehen brauchte.

Bei unbußfertigen Ketzern war nach der alten Regel eine
Verteidigung ausgeschlossen und auch überflüssig; sie hätte den
Schein indes gewahrt. Hie und da wurde sie auch beliebt. Die
Advokaten legten sie nieder, wenn es ihnen nicht gelang, ihre
Klienten zum Verzicht auf ihre Irrtümer zu bewegen.

Wenn trotz allem ein Advokat eine Verteidigung übernahm,
wurden ihm die Mittel dazu vorenthalten; es scheint der berüchtigte Lucero gewesen zu sein, der die Vorschrift von 1488
vereitelte, denn darüber klagen die Beschwerden aus Jaen und
Llerena bitter. 1522 erließ dann Kardinal Hadrian die nachher
wiederholt eingeschärfte Vorschrift, keinen Verkehr zwischen dem
Advokaten und den Angehörigen des Angeklagten zu gestatten.
Alles, was dem Verteidiger mitgeteilt wurde, war eine Abschrift
des Beweisinterlokuts. An Verteidigungsgründen durfte er nur

vorbringen, was der Angeklagte selbst in der Besprechung mit
ihm im Sitzungssaale geltend machen konnte. Er durfe keine
Zeugen vorladen lassen, die dieser nicht genannt hatte; das wäre
straffällig gewesen als eine Störung des Gerichtes. War ein
Advokat des Übereifers verdächtig, so konnten die Inquisitoren
ihn über die Vorkehrungen für die Verteidigung, die Quelle der
Nachrichten und anderes ausfragen. Kurz, die Verteidigung
mußte mit unverdeckten Karten gegen den Fiskal arbeiten, der
verheimlichte, was er wollte; jenem wurden lediglich irreführende
Mitteilungen gemacht. Obschon sich unter diesen Umständen
kaum ein Advokat finden konnte, der sich der wahren Beihilfe
zugunsten seiner Klienten schuldig machte, hatten die Visitatoren sich zu erkundigen, ob die Advokaten die Verteidigung
„hinterlistig" führten und Verschleppungskünste gebrauchten,
überhaupt, ob sie notwendig seien oder nicht. Es kam vor, daß
einem Angeklagten ein Verteidiger aufgedrängt wurde, wie 1565
in Toledo, wo ein Angeklagter bekannt hatte; es war nur eine
Form, denn er wurde verbrannt. So wurde der Schein äußerlich gewahrt. Auch war den Inquisitoren vorgeschrieben, alle
ihnen zugehenden Schriftstücke anzunehmen und auf jedermann
zu hören, der den Mut hatte, zugunsten eines Angeklagten auf-
zutreten.

Während die Tätigkeit des Advokaten solcherweise beschnitten wurde, verschwand der Sachwalter, der Prokurator, ganz
von der Bildfläche. Die Inquisitoren wollten die Anklage allein
in der Hand haben. Der Prokurator wird noch 1545 in einer
Vorschrift erwähnt, worin es heißt, wenn der Angeklagte einen
Sachwalter verlange, solle man ihm ihn gewähren, was jedoch
nicht bedeute, daß die Angehörigen des Angeklagten zur Verteidigung helfen könnten. Zur Abwehr von äußerlichen Ein-
flüssen ließen einzelne Gerichte überhaupt keine Sachwalter zu,
außer für Abwesende und Tote; die Angehörigen konnten dem
Inquisitor die Namen von Zeugen angeben, die er schon vorladen würde. Bei der Besichtigung in Barcelona 1560 wies
Cervantes auf die Unzuträglichkeiten einer solchen Vertretung
des Angeklagten hin: Störung der Heimlichkeit, Erkennung der
Belastungszeugen und mithin eine Erleichterung der Verteidigung.
Das wirkte: die Vorschrift von 1561 schaltet den Sachwalter
aus, es sei denn in notwendigen Fällen, wo dem Advokaten die

entsprechenden Vollmachten gegeben werden könnten, sowie für
Abwesende und Tote, wo der Prokurator unentbehrlich war.
Die römische Inquisition ihrerseits ließ den Sachwalter zu.

Als ein lebendes Beispiel der Fürsorge der Inquisition für die
Hilflosen erscheint der Vormund (Curador) für die Minderjährigen (unter 25 Jahren), eine Einrichtung, welche die Inquisition aus dem römischen Recht übernommen hatte. Er mußte
alle Zwangshandlungen des Angeklagten im Prozeß gutheißen.
Damit diesem kein Vorteil daraus erwuchs und das Geheimnis
gewahrt blieb, wurde als Vormund etwa der Advokat, lieber
noch der Kerkervogt, ein Bote oder sonst ein niederes Gerichts-
organ bestellt. Da der Zweck des Amtes in dieser Weise ver-
dreht wurde, liegt ein lächerlicher Zynismus in den pomphaften
Förmlichkeiten, unter denen der Vormund in den Prozeß eingeführt wurde, mit einem feierlichen und wortreichen Eide, daß
er nach allen Richtungen hin die Interessen seines Mündels
wahrnehmen, auch mit dessen Verteidiger beraten wolle, und
als Bürgen für seine aus der Vormundschaft erwachsende Ver-
bindlichkeit eine andere Person (ebenfalls ein Unterorgan des
Gerichtes) bestelle, wofür sie beide unter Verzicht auf jede gesetzliche Verteidigung sich und ihre Habe der Inquisition an-
heimgaben. Wir brauchen bei dieser Förmlichkeit, dieser Täuschung, die einen Meineid einschloß, nicht länger zu verweilen.
Als ein Zeichen des Formalismus, mit dem die Sache betrieben
wurde, sei nur erwähnt, daß in einem Falle, wo nach Bestellung
eines Vormundes die Volljährigkeit der Angeklagten erkannt
wurde, das ganze Verfahren von vorne wieder angefangen werden mußte.[1]

Ein anderes Hilfsmittel bestand darin, daß, wenn die Anklage theologische Spitzfindigkeiten betraf, die der Advokat für

---

[1] Arch. de Simancas, Inq., Leg. 552, fol. 22. — Über den Brauch, als
Vormund den Advokaten oder einen anderen Beamten zu bestellen s. Praxis
Procedendi, cap. 9, n. 4 (arch. hist. nac., Inq. de Valencia, auch sonst).
Den Zweck der Ernennung des Curador gibt Pablo García offen zu (Orden
de procesar, fol. 14). Dennoch bezieht sich auf dieses Zerrbild der Justiz
ein moderner Apologist, indem er berichtet, wenn der Angeklagte unter
25 Jahren alt gewesen sei, habe das Gericht für ihn unter den leitenden
Advokaten der Stadt einen ausgewählt, um ihm während des ganzen Verfahrens beizustehen. L'Abbé L. A. Gaffre, Inquisition et Inquisitions, S. 105
(Paris 1905).

gewöhnlich nicht beherrschen konnte, gelehrte Theologen, P a -
t r o n e s T e ó l o g o s, herbeigerufen wurden, um dem Angeklagten beizustehen, nachdem er seine angefochtenen Behauptungen verteidigt hatte. Das Verhör wurde ihnen vorgelesen,
und sie antworteten Punkt für Punkt, ob er sich genügend gerechtfertigt habe oder nicht, ob er widerrufen müsse, oder was
sonst angezeigt erscheine; das endgültige Gutachten gaben die
Qualifikatoren ab. Dem Schein nach konnte der Angeklagte
die Patrone frei wählen, aber auch hier hatte die Inquisition
sich die Bestimmung angemaßt. 1574 wurden dem berühmten
Bruder Luis de Leon Patrone aufgezwungen, die er gerade
n i c h t wollte. Das Klügste für einen Theologen war, wie es
1642 einer in Valladolid tat, auf den Advokaten und die Patrone zu verzichten und die angefochtenen Sätze preiszugeben.

Bei der Wahl eines Advokaten wurden dem Angeklagten
manchmal zwei ihm unbekannte Namen, öfter aber nur einer
genannt. Er konnte ablehnen; wenn er aber zustimmte, war
der Advokat auch schon zur Stelle, das Verfahren bis dahin
wurde ihm vorgelesen und er begann seine Tätigkeit mit einer
Mahnung zum Geständnis. Ob der Angeklagte darauf einging
oder nicht, der Advokat erklärte, es sei Zeit für die Anträge, worauf der Fiskal erschien und dasselbe erklärte und die
Inquisitoren ihnen die gegenseitigen Anträge mitteilten. Nun
begann die förmliche Beweiseröffnung mit dem Antrag des
Fiskals auf Bestätigung der Beweise und Einreichung des Beweisinterlokuts. Die Bestätigung konnte Zeit wegnehmen, solange man nicht darauf verfallen war, die Aussagen gleich bestätigen zu lassen. Die Einreichung des Beweisinterlokuts war
kein endgültiger Schritt, sie konnte, wenn neue Zeugnisse ein-
gesammelt wurden, ein halbes Dutzend mal wiederholt werden,
etwa ¦wenn eine Gruppe Judaisten ergriffen worden war und
einer nach dem anderen seine Genossen angab.

Engracia Rodriguez war 1643 in Valladolid ohne Ergebnis
gefoltert worden. Von Zeit zu Zeit kam ein neues Beweisinterlokut, und beim siebenten, elf Monate nach der Folterung, gab
sie nach und bekannte Judentum. Wahrscheinlich hatte sie
bemerkt, daß ihre Freunde nacheinander abfielen und sie anzeigten, so daß Widerstreben länger nicht mehr half, und sie sich

sagen mußte, was ihr Advokat ihr ohne Zweifel klarmachte, daß Beharrlichkeit unwiderruflich zu ihrer Verbrennung als einer un- bußfertigen **Negativa** führen würde.

Das Beweisinterlokut bildete für den Angeklagten den ein- zigen Wink über den Gegenstand der Anklage. Es konnte ihm die Verteidigung erleichtern, er konnte seine Angeber erraten. Der Vorwand, die Zeugen schützen zu müssen, diente zur Recht- fertigung für die Unterdrückung ihrer Namen und aller An- gaben, die sie erraten lassen konnten. Selbst wenn dies ge- wissenhaft aufgefaßt worden wäre, hätte die Verteidigung sich noch gelähmt gefunden; indes war eine strenge Auslegung bei den Gerichten nicht üblich, und wenn einmal zugegeben war, daß einzelne Teile des Materials unterdrückt werden durften, so wurde die Auswahl dessen, was bekannt gegeben werden sollte, in weitem Maße willkürlich. 1498 und 1499 erließ der Supremo Weisungen, zu unterdrücken, was dem Angeklagten als Anhaltspunkt dienen könnte. Daß Unrecht darin lag, wurde dadurch zugegeben, daß alle Weisungen hierüber mit einem „Wenn" umgeben waren. Die Angabe von Zeit und Ort einer Handlung war unentbehrlich, wenn der Angeklagte Gelegenheit haben sollte, ein falsches Zeugnis aufzudecken, solche Einzel- heiten konnten jedoch möglicherweise zur Entdeckung der Zeugen führen. Zwischen diesen Erwägungen schwankten die Befehle: man wollte den Nutzen des Vorgehens haben und war sich der Ungerechtigkeit bewußt. 1525 tadelt der Supremo das Gericht Toledo wegen Unterlassung dieser Angabe; 1527, da die Gerichte sich nicht daran kehren, befiehlt er allen, nur die Tat- sachen an sich anzugeben; 1530 macht er das Zugeständnis, daß er befragt werden will, wenn die Angabe von Monat und Jahr „unzuträglich" erscheint; 1532 heißt es bestimmt, Ort, Zeit und Personen seien anzugeben, denn der Zweck sei nur, die Zeugen gegen direktes, nicht gegen mittelbares Erkennen zu schützen; 1537 wieder wird die alte Vorschrift angerufen, das ganze Ma- terial bekanntzugeben mit Ausnahme dessen, was zum Er- kennen der Zeugen führen könne; Barcelona wird 1560 belehrt, die Zeit sei anzugeben, der Ort dagegen nur in einer Form, welche die Zeugen nicht erkennen lasse. Endlich schreibt die Satzung von 1561 vor, Zeit und Ort anzugeben, zugleich aber alles auszulassen, was die Zeugen verraten könne. Eine Warnung wider die Verwendung von Zeugnissen, die nicht in das Beweisinterlokut aufgenommen sind, läßt auf einen recht bedenklichen Mißstand schließen.

Bei der Bedeutung des Beweisinterlokuts war es Pflicht der Inquisitoren, es selbst aufzusetzen, nicht aber ihre Untergebenen, am wenigsten den Fiskal damit zu betrauen. Das geschah trotzdem, ungeachtet der Satzung; die Inquisitoren wälzten die weitschweifige Arbeit auf die Sekretäre ab, die ihrerseits befürchteten, gerüffelt zu werden, wenn sie zuviel sagten. Es war Brauch, jedes Zeugnis als das „einer gewissen Person" anzugeben, wenn möglich in Artikel für jede einzelne Tatsache gegliedert, wodurch es leicht wurde, dem Angeklagten den Schlüssel der Zeugnisse zu nehmen, während man sich nichts daraus machte, wegzulassen, was der Verfolgung schaden konnte. Es kommt vor, daß eine Aussage geteilt wird und als die zweier Zeugen erscheint; oder „die Aussage des siebenten (oder achten) Zeugen ausgelassen" wird; es gibt keine Kontrolle, der Inquisitor hat freies Feld, der Angeklagte ist ihm ausgeliefert.

Häufig ist das Beweisinterlokut kaum mehr als eine Wiederholung der Anklageschrift. Ist es aber ausführlich, so bildet es ein Wirrsal von Behauptungen, Vermutungen und Klatsch, von 25—30 Zeugen, alle als „eine gewisse Person" bezeichnet, die etwas von einer anderen gewissen Person erfahren hat, ohne Angabe von Ort und Zeit, und man wundert sich, wie der Angeklagte sich daraus einen bestimmten Begriff von der Art und dem Wert der Zeugnisse machen konnte. Während vielleicht sein Leben in der Wagschale schwebt, muß er auf der Stelle jeden einzelnen Punkt beantworten, und über seine Antworten ein Kreuzverhör bestehen. In den Fallstricken, die so tückisch gelegt werden, kann sich auch ein Unschuldiger verfangen, und dennoch wird das Beweisinterlokut gegenüber den sonstigen Beschränkungen der Verteidigung als eine Gunst hingestellt, welche die weltlichen Gerichte nicht immer gewährten.[1]

---

[1] Praxis Procedendi, cap. 15, n. 1. Als 1601 Maximilian von Bayern die Rechtsfakultät der Universität Padua über Hexenprozesse zu Rate zog, lautete eine der Fragen, ob dem Angeklagten eine Abschrift des Beweisinterlokuts zuzustellen sei, oder ob das Ergebnis ihm durch den Richter mitzuteilen sei und er dann sofort zu antworten habe, da die Wahrheit dadurch besser ermittelt werden könnte. Der Bescheid war sehr eindringlich. Alle

Nach dieser Probe trat der Advokat ein und wurde über Beweisinterlokut und Antworten des Angeklagten unterrichtet. Unter den Augen des Inquisitors berieten sie miteinander, während der Sekretär schrieb. Wenn der Angeklagte auf den Rat des Verteidigers, zu gestehen, nicht einging, war der Plan für die Verteidigung fertig. Wie dieser Plan ausfiel, machte wenig aus. 1499 fanden die Generalinquisitoren für nötig, die Inquisitoren aufzufordern, auf die Verteidigung und die Einreden des Angeklagten zu achten; das deutet darauf, daß sie mehr als Ankläger denn als Richter angesehen wurden. Es wurde indes zugegeben, daß sie bei der Beschränkung der Verteidigung alles ernsthaft erwägen sollten, was vorgebracht würde.

Die Verteidigung war eine so unwesentliche Form, daß die meisten Kommentatoren sie mit der Bemerkung abtun, die von ihr geladenen Zeugen müßten gute Christen sein und in keiner Verbindung zu dem Angeklagten stehen. Simancas allerdings beschäftigt sich des längeren damit. Er führt den Rechtssatz an, daß es unmöglich sei, etwas nicht Vorhandenes zu beweisen, was ja tatsächlich in den meisten Fällen die Aufgabe des Angeklagten war; dann, was dieser tun könne: seinen religiösen Leumund bezeugen lassen, einen Zeugen wegen Todfeindschaft ablehnen, oder nachweisen, daß Zeit und Ort nicht stimmten. Weiter werden dann verschiedene Milderungsgründe erwähnt, sowie die Ablehnung eines Richters.

Letztere war in Spanien gemeines Recht und ging auch in die Inquisition über, freilich, wie wir in den Fällen Carranzas und Villanuevas erkennen können, ohne tatsächlichen Vorteil, wenn die Ablehnung wirklich durchging. Sie galt nur für die Mächtigen oder Geübten, im besten Falle war sie ein gefährlicher Versuch, und sie mußte notwendig bei Beginn des Ver-

---

Autoritäten verlangten einhellig, daß dem Angeklagten eine !Abschrift zu übergeben und eine angemessene Zeit zur Beantwortung zu lassen sei. Nirgends im Gesetz sei eine Abweichung hiervon zu finden, auch nicht bei dem schrecklichsten Verbrechen; das Recht der Verteidigung sei ein natürliches Recht, das dem Angeklagten nicht geraubt werden dürfe. Der Eindruck hiervon wird jedoch einigermaßen dadurch abgeschwächt, daß dem Monarchen das Recht zuerkannt wird, die Verteidigung zu beschränken. — Marc. Anton. Peregrini Consilium de Sagis, n. 144/50 (Diversi Tractatus, Colon. Agripp. 1629).

fahrens ausgeübt werden. Nach der Satzung von 1561 sollte ein abgelehnter Inquisitor sich zurückziehen und seinen Kollegen die Führung der Sache überlassen; war nur einer da oder wurden beide abgelehnt, so war die Entscheidung des Supremos abzuwarten. Nun mußte aber die Einrede wegen des Richters begründet werden. Als sieben Jahre nach der Verurteilung des überspannten Elucidarium Deiparae, eines Werkes zur Verherrlichung Mariae, durch die römische Indexkongregation auf Drängen des Nunzius die spanische Inquisition gegen den Verfasser, den Jesuiten Bautista Poza 1628 in Toledo vorging, wurde dessen erfolgreiche Ablehnung des Inquisitors Cienfuegos bei seinen Ordensbrüdern als eines der merkwürdigsten Ereignisse gefeiert, die in Spanien vorgekommen seien. Weniger Glück hatte Br. Luis de Leon, als er nach $2^{1}/_{2}$ Jahren Haft wissen wollte, wer Großinquisitor und Mitglied des Supremos sei, damit er sie gegebenenfalls ablehnen könne. Nicht nur wurde ihm das verschwiegen, sondern sein Advokat wurde von der Inquisition ausgestoßen, weil er es ihm gesagt hatte. In Wirklichkeit war die Ablehnung wegen ihrer Seltenheit bedeutungslos.

Von den bei Simancas angegebenen Milderungsgründen galt zunächst das jugendliche Alter wenig. Straffällig war, wer das Vernunftalter erreicht hatte, und es wurde dabei wenig Gnade gezeigt. Tatsächlich wurde bei Kindern unter 14 Jahren das Urteil aufgehoben, bis sie dieses Alter erreicht hatten.

Wichtiger war die Geistesstörung. Ein Geistesschwacher war unverantwortlich und sollte in eine Anstalt gebracht werden. Geistesstörung wurde häufig geltend gemacht, die Inquisitoren waren jedoch auf ihrer Hut vor Täuschungen. Die Inquisition nahm gegenüber dem Hexenwesen eine aufgeklärte Haltung ein und war geneigt, Hexen als geistesgestört zu betrachten. Um 1537 wurde in Barcelona eine Frau demgemäß behandelt, ebenso wurde nach längerem Zögern 1541 ein Feldarbeiter entlassen, der Erscheinungen der wildesten Art gehabt hatte.

Ein bestimmtes Verfahren bei Geistesgestörten gab es indes nicht. Die Prozeßordnung von 1561 erwähnt auffälligerweise nur die während der Haft eintretenden Störungen: es ist dem Betroffenen ein Vormund zu geben — der Prozeß ging also weiter. 1665 verlor in Granada ein Mann den Verstand, nachdem er bekannt hatte. Der Prozeß wurde gegenüber dem Vormund durchgeführt und endigte mit der Verurteilung als Ketzer und Vermögensverlust. Da der Verurteilte noch bei klarem Verstande Reue bekannt hatte, wurde er mit der Kirche für versöhnt erklärt, der Urteilsspruch mit Bezug auf Gütereinziehung und die sonstigen Handlungen, die geistige Befähigung erforderten, jedoch bis nach seiner Genesung aufgehoben. Trat die Störung nach der Überführung oder dem Urteil ein, so sollte nach Peña die Vollstreckung aufgeschoben werden, bis der Verurteilte wieder bei Verstand sei, denn vielleicht werde er Reue bekennen, und er sei durch seinen Zustand schon gestraft genug; selbst wenn der Irrsinn vorgetäuscht, sei es besser so, als daß man ihn unbußfertig hinrichte. Auf jeden Fall wurde die Gütereinziehung vollstreckt.

Der Irrsinnige sollte in ein Spital gebracht werden; wenn dieses sich gegen die Aufnahme wehrte, wurde es dazu gezwungen.

Naturgemäß bereitete der Inquisition die sichere Erkenntnis der Geistesstörung in der damaligen Zeit große Schwierigkeiten, und Täuschungen galten als häufig. Peña weiß nichts Besseres zu raten, als den Kerkerwärter aufpassen zu lassen; die Inquisitoren könnten mit der Folter drohen und sie auch anwenden — außer bei Gefahr für das Leben —, um den wahren Zustand des Angeklagten festzustellen. Indes pflegte die Inquisition in zweifelhaften Fällen Geduld und Langmut zu üben. Ein Fall zeigt dies besonders deutlich.

Die erzbischöfliche Behörde zu Madrid nahm 1621 einen Landstreicher, Benito Ferrer, fest, der in priesterlichen Kleidern umherging. Sie war auf dem Punkte, ihn zu entlassen, als er einmal während der Messe in der Kapelle auf den Geistlichen lossprang, ihm die Hostie entriß und diese mit den Worten: „O du verräterischer Gott, jetzt mußt du zahlen!" zerdrückte und Teile davon auf den Boden warf. Das erzbischöfliche Gericht hätte auch jetzt den Mann entlassen, aber die Inquisition zog den Fall an sich nach Toledo. Ehe er dahin übergeführt wurde, erklärte er, er sei bei klarem Verstand, die Hostie aber nicht geweiht gewesen, denn der Priester und alle um ihn seien Teufel. Vor Gericht gestand er, er sei 1609 bezaubert worden. Nach anderen wilden Reden wurde er nicht gleich für geisteskrank erklärt, sondern für einen Simulanten. Der Supremo indes gebot, über seine Person Erkundigungen einzuziehen, die ergaben, daß er früher versucht hatte, in das eine oder andere Kloster einzutreten, aber entweder abgewiesen oder nach kurzer Zeit weggeschickt worden sei. Das war zwanzig Jahre her, allein mit Mühe fand man Personen, die sich der Sache einigermaßen erinnerten und von einem Teufelsbesessenen berichteten. Die Mitgefangenen und die Ärzte hielten Benito für einen Simulanten, und die Consulta de fe war für Verbrennung, der Supremo jedoch ordnete die Folterprobe an, die drei Stunden währte und sehr blutig verlief, aber, wenn sie etwas bewies, wegen seiner irren Reden nur seine geistige Störung hätte ergeben können. Trotzdem blieb die Consulta de fe bei der „Auslieferung". Nachdem er auf Geheiß des Supremos nochmals gefoltert worden, wurde er in einer Zelle von zwei Mönchen und einem Arzt, die vereidigt worden, beobachtet und wieder für geistesklar erklärt, wogegen Dr. Antonio Gómez darlegte, jemand könne über alles vernünftig reden bis auf ein Ding, das er wider den Verstand auffasse. Nach weiteren Beobachtungen gab der Supremo dem wiederholten einstimmigen Urteil der Consulta de fe nach und Ferrer wurde am 21. Januar 1624 als verstockt verbrannt. Mag dies verkehrt gewesen sein, der Wille, die Wahrheit zu ergründen, war vorhanden, und kein anderes Gericht hätte damals so viel Geduld gezeigt. Die erzbischöflichen Behörden freilich hatten von Anfang an das Richtige getroffen.

Eine von Nymphomanie befallene Frau, die 1688 als Illuministin verhaftet wurde und mit ihrer Leidenschaft allerlei religiöse Wahnvorstellungen verband, machte dem Gericht Valencia viel zu schaffen. Da man aus ihr nicht klug wurde, hielt man sie immer wieder eingesperrt, bis 1695 der Supremo ungeduldig wurde und befahl, die Sache zu beschleunigen. Darüber brechen die Akten ab, allein die Ärmste sollte für zurechnungsfähig gehalten werden, obschon sie sieben Jahre im tiefsten Verließ gelegen hatte und den Verstand, wenn sie ihn überhaupt mit hineingebracht, kaum behalten haben konnte. Die Absichten mögen menschenfreundlich gewesen sein, Vorurteil und Unwissenheit lenkten jedoch zur Grausamkeit über.

Es war ein Fortschritt, daß mit der Zeit üblich wurde, den Angeber zu fragen, ob er bei dem Angeschuldigten Trunkenheit oder eine geistige Störung wahrgenommen habe. Die Kommissare sollten diese Fragen immer stellen. Recht vernünftig wurde 1818 in Santiago ein Fall eines Irren behandelt, indem eine schonende und vorsichtige Beobachtung vorgeschrieben wurde. Dennoch konnte man sich nicht entschließen, in dem Konflikt zwischen der Furcht vor Irrtümern in der Lehre, die ihm vorgeworfen wurden, und den Forderungen der Vernunft mehr zu tun, als ihn, seinem Beruf entsprechend, dem Gärtner eines Klosters als Gehilfen zuzuweisen: es mußte ein Kloster mit hohen Mauern sein, damit er keine Ketzereien verbreiten könne.

Die übrigen Milderungsgründe: Trunkenheit, Affekt, Gedankenlosigkeit, Unwissenheit, Scherz usw. konnten nur in kleineren Fällen, wie bei Gotteslästerungen und Behauptungen ohne ketzerischen Charakter in Betracht kommen und wurden als Milderungsgründe mehr oder weniger angenommen, je nach der Auffassung des Gerichtes, und bewirkten nicht selten eine Verringerung der Strafe.

Was der Verteidigung übrig blieb, wenn der Angeklagte nicht gestand, war die Ablehnung von Zeugen wegen Tachas, Feindschaft oder anderer Ungeeignetheit, oder die Abonos, der Nachweis eines guten religiösen und sonstigen Leumunds. Dazu wurde gelegentlich das Interrogatorio de indirectas benutzt, in welchem durch Zeugnisse gewisse bestimmte Anschuldigungen ausgeräumt wurden; hier und da wurden dabei Lücken oder Widersprüche in der Belastung nachgewiesen, oder wenn Zeit und Ort angegeben waren, ein Alibi aufgestellt, doch solche Fälle bildeten Ausnahmen. Bei schweren Fällen kamen nur Tachas und Abonos in Betracht, und letztere pflegten kaum ins Gewicht zu fallen. Es kam also nur auf die Ablehnung an, und hierfür war die Geheimhaltung der Namen ein Hindernis. Einen oder zwei Zeugen mochte der Angeklagte erraten, meist tappte er im Dunkeln und nannte Leute, mit denen er in Streit geraten war und die ihn aus Rache hätten angeben können. Er durfte nur die Namen dieser Gegner sowie der Personen nennen, die die Feindschaft beweisen konnten, die aber während seiner langen Haft schon gestorben sein mochten, sowie die ihnen zu stellenden Fragen angeben. Wir wissen, daß die Inquisitoren in der Zulassung von

Entlastungszeugen freie Hand hatten, aus den Verhören streichen konnten was sie wollten, und in bezug auf Tachas sehr peinlich waren, und etwa Ehefrauen von angefochtenem Ruf, sowie Personen ausschlossen, die nicht rasserein waren. Ja, sie konnten alles, was ein Angeklagter zu seiner Verteidigung vorbringen wollte, als unerheblich abtun. Der Inquisit und sein Advokat bekamen die zugelassenen Zeugen nicht einmal zu sehen, die, wenn auswärts wohnhaft, kommissarisch vernommen wurden und bestimmte Fragen mit ja und nein zu beantworten hatten; wenn sie erklärten, nichts zu wissen, wurden sie entlassen. Wenn das Gesuch die Vernehmung von Personen verlangte, die nicht ausgesagt hatten, so wurde sie gewöhnlich unterlassen, ungeachtet der Vorschrift, die bezweckte, den Angeklagten auf diese Weise noch mehr im Dunkel zu lassen, so wie auch empfohlen war, solche Zeugen deshalb zu vernehmen, weil sie aus Feindschaft ihn weiter belasten konnten. Waren die Zeugen der Verteidigung weit verstreut, so konnte eine geraume Zeit vergehen, während der Gefangene in seiner Zelle verzagte. Schließlich wurde ihm in der Sitzung schlechthin erklärt, es sei nach seinem Wunsche verfahren worden, und ob er noch etwas zu sagen habe. Seit 1561 war vorgeschrieben, ihm die Aussagen sorgfältig vorzuenthalten (s. oben S. 130).

Bei dieser Abwälzung des Beweises auf den Inquisiten und der grundsätzlichen Erschwerung seines Gegenbeweises hätten die Richter Ungerechtigkeit nur dadurch vermeiden können, daß sie ihm Hilfe geleistet hätten; statt dessen aber waren sie gewöhnlich auf seiten der Anklage. Hierfür einige Beispiele.

1494 wurde in Toledo Diego Sánchez aus Zamora wegen jüdischer Äußerlichkeiten verfolgt. Er war seit seinem 14. Jahre in der Kathedrale erzogen worden und hatte sein Amt als Organist und eine Pfründe seit zwanzig Jahren inne. Ein Kaplan des Erzbischofs und ein übelberufenes Mädchen, das auf dem Wege zum Scheiterhaufen, als es Mitschuldige nennen sollte, auch Sánchez, bei dem es gedient, erwähnt hatte, waren seine Angeber. Daß sie nicht mehr unter den Lebenden war, wußte er nicht, allein man ließ ihn und seinen Advokaten Anträge stellen und Fragen für sie aufsetzen, es wurden ihm allerlei Fallstricke gelegt, von jenem Geistlichen erfuhr er jedoch nichts. Schließlich, da er seinen guten Ruf beweisen konnte, kam er mit Abschwörung de levi und einem Verbot, ein Jahr lang Messe zu lesen, davon — leicht, aber entehrt.

Ebenso wurde 1528 in Toledo Diego de Uceda, den ein ihm unbekannter Reisegefährte wegen Luthertums angezeigt hatte, auf der Fährte eines andern Reisegenossen gelassen, der mit der Sache nichts zu tun hatte. Es wurden auf seine Kosten auf weite Entfernungen Boten nach den von ihm genannten Leumundszeugen ausgeschickt, die wie er mit dem Hofe gereist und weit verstreut waren. Am Ende wurde ihm erklärt, daß diese Zeugen bis auf vier vernommen worden seien, er könne aber noch andere nennen; was er aber ablehnte, nachdem er im Kerker die Reisetage der Boten als lange genug empfunden hatte. Den Angeber hatte er nicht erraten. Diego wurde, wie oben erwähnt, verurteilt (s. S. 177).

Indes waren die Gerichte im allgemeinen eifrig bestrebt, die Aussagen der von ihnen zugelassenen Zeugen auch zu erlangen. 1573 traf der Supremo Anstalten, um Geleitbriefe für Zeugen aus Frankreich zugunsten eines in Barcelona verfolgten Franzosen zu erhalten, natürlich auf dessen Kosten.[1] In einem andern Falle wurde lange nach einem als Entlastungszeugen undeutlich bezeichneten Manne, dann nach Personen gesucht, die ihn gekannt haben sollten, und schließlich wurden andere Leumundszeugen vernommen, welche die Angeklagte genannt hatte; alles hing von der Auffassung des Gerichtes ab.

Die Ablehnung feindseliger Zeugen hatte manchmal Erfolg. Ein Angeklagter aus der Gegend von Chinchon, den 1531 in Toledo 35 Personen belastet hatten, nannte etwa 150, darunter seine Frau und Tochter, und es gelang ihm, sein Netz über fast alle Zeugen zu werfen, so daß er mit einer gelinden Buße entkam. Aus Valencia und Valladolid werden aus dem 17. Jahrhundert mehrere Fälle verzeichnet, die mit Einstellung des Verfahrens oder gar Freisprechung endigten. Im allgemeinen jedoch ergeben die Akten den Mißerfolg des Rechtsmittels.

Es kam oft vor, daß ein Angeklagter behauptete, nicht getauft, mithin der Inquisition nicht unterworfen zu sein. Dann

---

[1] 1574 wurde indes in einem ähnlichen Falle durch das Gericht entschieden, es solle nicht in Frankreich nachgeforscht werden.

entstanden theologische Streitfragen, der Kernpunkt indes war,
ob der Fiskal die Taufe nachwies. Dagegen wurde ein Dekret
Pauls IV. von 1556 angerufen, das die Verfolgung von Portugiesen in Italien befahl, mit dem Bemerken, wenn sie nicht getauft seien, hätten sie nicht in Portugal weilen dürfen. Ein alter
Inquisitor erwähnt um 1640, daß in Saragossa ein Morisco verfolgt wurde, der bestritt, getauft zu sein; in den Registern seiner
Pfarrei war sein Taufakt auch nicht zu finden, wohl aber die
zweier seiner Brüder; auf Grund der päpstlichen Entscheidung
endigte der Fall mit Aussöhnung.

All dem gegenüber blieb dem Advokaten nur wenig Spielraum. Er durfte seinem Klienten keine andre Anregung geben
als die, zu gestehen, aber keinen Rat auf Ablehnung eines Zeugen
oder Vorladung eines andern erteilen. Seine einzige Pflicht, hieß
es, sei zu verhindern, daß der Angeklagte verstockt bleibe, und
ihn zum Geständnis der Wahrheit zu bringen. Was er etwa
draußen erfuhr, durfte er nicht dem Angeklagten, sondern nur
dem Inquisitor mitteilen, und wenn Verwandte des Angeklagten
ihn befragten, mußte er erklären, er wisse nichts von der Sache.
In seiner schriftlichen Verteidigung durfte er nichts aus sich beibringen, sondern sich auf die Eingebungen des Klienten verlassen.
Und von dessen Verwandten durfte er nach dem Prozeß kein
Geld nehmen; das Gericht setzte seine Gebühren fest und der
Kämmerer zahlte sie ihm aus.

Was konnte der Advokat da noch geltend machen? Gegebenen-
falls die Jugend und die gefährdeten Aussichten des Angeklagten.
Derartige Stimmungsbilder konnten aber nicht wirken, da der
Eindruck fehlte, den sie in der Öffentlichkeit machen. So be-
gnügte sich der Advokat mit der formellen Abwicklung seiner
Aufgabe und hütete sich, die Inquisitoren oder den Fiskal, seine
Vorgesetzten, zu ärgern. Es finden sich Fälle von geschickter
und sorgfältiger Verteidigung, allein sie bilden Ausnahmen.

In jedem Stadium des Verfahrens war der Angeklagte einem
Verhör ausgesetzt, das der Inquisitor, oder, wenn ihrer zwei
waren, beide vornehmen sollten, „damit sie ein sachverständiges
Urteil abgeben könnten". Der Fiskal durfte, wie es angemessen
war, nicht zugegen sein, der Protokollführer keine Fragen stellen.

Die Weisungen sind an sich lobenswert. Der Inquisit sollte nicht durch überflüssige Fragen verwirrt werden, die Fragen sollten einfach und verständlich gestellt und mit ja und nein zu beantworten sein, auch waren Täuschungen über angebliche Belastungen zu vermeiden und Fragen über Mitschuldige nur dann zu stellen, wenn dazu ein Anlaß vorlag. So war es 1518 und 1529 geboten worden, wogegen die mittelalterliche Inquisition mit jeder Art von Täuschung arbeitete. Der endgültigen Vorschrift gemäß, wie sie Pablo García aufstellt, hatte der Inquisitor den Angeklagten nicht über Dinge zu fragen, die nicht durch die Aussagen getroffen oder berührt waren, ihn auch nicht zu der Meinung zu verleiten, daß der reine Verdacht aus bekannten und bewiesenen Tatsachen herrühre. Allein wie vereinigt sich mit diesem vernünftigen System das der drei Mahnungen, das die Schuld als erwiesen und das Geständnis als geboten hinstellte?

In den Eröffnungssitzungen ließ man den Angeklagten meist reden, ohne ihm Fragen zu stellen. In späteren Zeiten wurden manchmal besondere Audiencias de preguntas angeordnet, in denen er Fragen zu beantworten hatte, und solche Sitzungen konnten mehrere Tage dauern. Das eigentliche Verhör aber begann mit der Beantwortung der Anklageschrift und wurde nach dem Beweisinterlokut fortgesetzt, während eine Gelegenheit zum Bekenntnis jederzeit wahrgenommen wurde, ohne daß dabei dem Angeklagten durch Fragen Anhaltspunkte gegeben werden durften. Das Verhör mußte scharf und gründlich sein; 1564 beschwerte sich der Supremo gegen die Nachlässigkeit, wegen der manche Verbrechen ungestraft blieben; die Inquisitoren sollten mit Fragen nicht nachlassen.

Wenn der Fiskal seine Schlußanträge gestellt hatte, wurde die Untersuchung für beendet erklärt, allein der Fiskal konnte sie jederzeit wieder eröffnen, wogegen dem Angeklagten Berufung zustand. Zur Urteilsfindung mußten der Vertreter des Diözesanbischofs des Inquisiten und wie in der alten Inquisition eine Anzahl Graduierter im Recht oder der Theologie als stimmfähige Konsultoren erscheinen. Das war die Consulta de fe. Die Zahl der Konsultoren war nicht festgesetzt; 1488 wurden in Barcelona je 5 Magister der Theologie und Doktoren des kanonischen Rechtes berufen, in einem andern Falle je 12; solche Versammlungen

erschienen indes unhandlich, und der Supremo ging 1596 auf
2 Theologen und 3 Juristen herab. Skandalös war seit 1561 die
Zulassung des Fiskals, ohne beschließende Stimme, für tatsächliche Mitteilungen, die er aber ausspann; dies wurde in der Folge
nur bei einigen Gerichten geübt, immer aber durfte der Fiskal
zu mündlichen oder schriftlichen Äußerungen herbeigeholt werden.[1] Solches war dem Angeklagten versagt. Sogar Juristen,
die Abogados de los presos waren, durften nicht Konsultoren sein.

In den oberflächlichen Akten der ersten Zeit wird die Consulta häufig nicht erwähnt, meist aber bezieht sich das Urteil
auf die Anhörung gelehrter und gottesfürchtiger Männer. Auch
das fehlt manchmal, indes wurde die Form wohl regelmäßig erfüllt, wenngleich es in jenen schrecklichen Tagen weiter nichts
als eine Form war. Für gewöhnlich wurde die Consulta einbe-
rufen, wenn genug Fälle spruchreif waren und ein Auto wünschens-
wert erschien. Dann machte man nicht immer viel Umstände,
und es kam 1484 in Ciudad Real vor, daß eine Urteilsberatung
zwischen die Folterung und die Bestätigung der Urgicht fiel.
Immerhin gab es auch richtige Verhandlungen, wie 1490 in Toledo,
wo acht für die Folter und drei für lebenslängliches Gefängnis
stimmten, worauf anderen Tags Einstimmigkeit für Folter erzielt
wurde. Damals wurde in der Consulta noch das ganze Verhand-
lungsprotokoll verlesen, denn es war kurz. Nachgerade, als die
Akten Hunderte oder gar Tausende von Blättern umfaßte, wurde
der Consulta nur ein Auszug mitgeteilt, den das Gericht nach
Belieben abfassen konnte. 1560 wurde vorgeschrieben — es war
also nötig —, daß der Fiskal den Auszug nicht verfassen durfte.
Hier und da wurde der Angeklagte vorgeladen, u. a. in mehreren
Fällen von Geistesstörung.

Sollten die Konsultoren beratende oder beschließende Stimme
haben? Kardinal Hadrian gebot 1515 und der Supremo 1518,
Juristen zuzuziehen, stellten jedoch den Inquisitoren anheim, nicht
nach deren Ansicht zu urteilen, und andere zu berufen. Arnaldo
Albertino dagegen verweist auf das kanonische Recht und erklärt,

---

[1] Als ein ähnlicher Mißbrauch sich bei den Kriminalgerichten Kataloniens
zeigte, wurde dem Fiskal nachdrücklich untersagt, bei der Urteilsberatung
zugegen zu sein.

die Inquisitoren seien durch Mehrheitsbeschluß gebunden. Da kannte er die Selbständigkeit der spanischen Inquisition schlecht. Diese ging zwar nicht soweit wie Rojas, den Konsultoren nur beratende Stimme zuzugestehen, sondern fand 1561 den Mittelweg, daß, wenn die Inquisitoren und der Ordinarius übereinstimmten, ihre Ansicht gegen diejenige einer größeren Zahl Konsultoren durchdringe; seien aber jene nicht einig, in discordia, so müsse der Supremo befragt werden; in wichtigen Fällen sollte er dies ohnehin vor der Urteilsfindung, und später vor sämtlichen, vor Folter- wie Endurteilen. Von da ab verlor die Consulta ihre Bedeutung. Der bischöfliche Vertreter wurde theoretisch noch herangezogen, allein in einer Reihe von Beschlüssen aus Madrid vom 18. Jahrhundert werden die Konsultoren gar nicht mehr erwähnt. Der Ordinarius erscheint bald, und bald nicht. Nur einige Gerichte hatten am Ende noch Konsultoren, deren einzelne das Ende der Inquisition erlebten. Die alte Einrichtung aus dem 13. Jahrhundert aber hatte sich längst abgelebt.

Ehe es zu der Zentralisierung kam, unter der die Gerichte kaum mehr zu tun hatten als Beweise einzusammeln und die formellen Verhöre vorzunehmen, mag die Consulta de fe gelegentlich Unheil abgewendet haben, denn die Konsultoren hatten mitunter eine eigene Meinung. Es wurde nämlich in der Abstimmung bei ihnen angefangen und bei dem ältesten Inquisitor aufgehört, und dann konnten Meinungsverschiedenheiten entstehen; freilich konnten die Inquisitoren ihre Ansicht vorher zu erkennen geben. Hier und da begründeten die Mitglieder der Consulta ihre Meinung, es gab dann wohl ausführliche und scharfsinnige Denkschriften; Zweifel wurden leider allzu oft durch die Folter gelöst, und danach ließ sich leicht ein Urteil finden.

Nicht am wenigsten grausam wirkte die Verschleppung. Im gewöhnlichen Strafverfahren mag ein Angeklagter, dem es um den Kopf geht, sein Schicksal aufzuschieben versuchen, hier aber, wo er in der geheimen Haft von der Welt abgeschnitten war und vom Stande seiner Sache nichts erfuhr, war er von vornherein gestraft. Daher die verzweifelten Bitten der Ärmsten um Durchführung ihrer Prozesse, und die Inquisitoren benutzten die Beklemmung, indem sie ihnen erklärten, ein Bekenntnis würde das Verfahren beschleunigen. Die lange Folter des Hinhaltens war ein wohlersonnenes Mittel aus der alten Inquisition, um Geständnisse zu erlangen; damals konnten zwischen Verhaftung und Urteil fünf, zehn und zwanzig Jahre liegen.[1] In Spanien dagegen war es weniger Berechnung als hartherzige Nachlässigkeit und gewohnter Schlendrian. Galt doch der Inquisit als schuldig und keines Mitleides wert.

Während der Hast der ersten Jahre wurde es nicht nötig, Beschleunigung der Prozesse einzuschärfen. Es gab viele Opfer abzutun, und die Ernte an Geldstrafen und Gütereinziehungen trieb zur Eile an, obschon das umständliche Verfahren und das Ineinandergreifen der Prozesse manchmal Hemmungen verursachten. Als man auf dem großen Auto von Ciudad Real am 23. Februar 1484 auf einmal 76 Menschen in Person oder im Bilde zu verbrennen hatte, abgesehen von den Aussöhnungen, konnte nicht jeder Fall mit Muße behandelt werden. Das Verfahren gegen einen der „Relaxierten" begann am 1. Dezember 1483. Die Inquisitoren setzten neun Tage für die Beweiserhebung fest. Als der Fiskal um eine Verlängerung bat, mußte er schwören, daß er dies aus dienstlichen Rücksichten und nicht aus Bosheit tue. Am 8. und am 12. wurden schon die beiderseitigen Zeugen vernommen. Für ein Menschenleben, das auf dem Spiele war, gönnte man sich nicht zuviel Zeit.

Indes schon 1488 wurde zur Beschleunigung gemahnt, und 1498 wurde eine zehntägige Frist zwischen Verhaftung und Anklageerhebung gesetzt, und in diese Frist sollten die drei Mahnungen fallen; danach sollten keine Beweise mehr abgewartet werden, um nicht Menschen und Eigentum zu schädigen. Wieder ergingen, 1500, Weisungen gegen das Hinziehen der Prozesse, woraus hervorgeht, daß die Schuld auf das Gericht und nicht auf die Verteidigung fällt. Es wurde nicht besser. 1510 befahl auf eine Bittschrift von fünf Frauen hin Ferdinand die Erledigung ihrer schon verhandelten Fälle, und 1533 klagten die Cortes von Aragon über Verschleppungen, erhielten aber nur ein Versprechen.

Ob beabsichtigt war, das zu halten oder nicht, es wurde nicht anders. Schlendrian war allen spanischen Gerichten gemeinsam, und die Inquisition hatte ebensowenig wie sie Rücksichten für

---

[1] S. des Verfassers „History of the Inq. in the Middle Ages", Bd. I, S. 149.

die ihr Verfallenen. Zu den sonstigen Ursachen der Verschleppung kam, daß man die Opfer aufsparte, um die Autos gut besetzt und eindrucksvoll zu haben. Verweise des Supremos dawider blieben ohne Wirkung. Toledo hatte 1534 seit vier Jahren kein Auto gehalten und die Opfer dafür gefangen gehalten, zum Schaden für ihre Gesundheit, Ehre und Vermögen, und folglich auch für das Ansehen der Inquisition, wie der Fiskal des Gerichtes bemerkte. Die Angeklagten und ihre Verwandten hatten sich beim Großinquisitor und beim Kaiser beschwert, und eine Untersuchung ergab, daß es sich nur um neun Folterungen und zehn Urteilsfindungen handelte, das Gericht also in den vier Jahren durchaus nicht überlastet war. Die Sorge um gutgefüllte Autos blieb indes maßgebend, wiederholt ergingen in den 1570er Jahren Verweise dagegen mit dem Wink, namentlich Arme bald abzufertigen — die Reichen konnten ja ihre Unterhaltkosten aufbringen.

Nach 1594 scheint die Vorschrift bestanden zu haben, daß die Anklage spätestens am zehnten Tage zu erheben sei, allein die Prozeßvorschrift von 1561 hatte mittlerweile daneben den Inquisitoren freie Hand für die Vorführung gegeben und keine Fristen für die Mahnungen gesetzt. Damit war der Willkür die Türe geöffnet, und der Supremo scheint außer in einzelnen schier endlosen Fällen nicht mehr gedrängt zu haben. Die Häftlinge mußten monatelang auf die erste Vorführung und Mahnung warten, wiewohl dies keine Vorbereitung erforderte. In acht Fällen aus Valladolid von 1647 verging ungefähr ein Jahr bis zur ersten Vorführung, und dann wieder bis zur dritten Mahnung ein bis acht Monate.[1] Es ist nicht anzunehmen, daß das Verfahren in

---

[1] Arch. de Simancas, Leg. 552, fol. 38. Es sind folgende Fälle:

	Verhaftung	1. Audienz	2. Audienz	3. Audienz
Acacio Bautillo . . .	24. I. 1647	14. I. 1648	25. I. 1648	20. V. 1648
Antonio Rodríguez del Cano.	18. I. „	9. I. „	25. I. „	4. VI. „
Gaspar Rodríguez del Cano.	25. I. „	13. I. „	10. II. „	16. V. „
Juan de Isla	24. I. „	15. I. „	25. I. „	8. VII. „
Francisco de Herrera	26. I. „	27. I. „	1. II. „	7. VII. „
Gaspar de Herrera . .	25. I. „	27. I. „	1. II. „	16. V. „
Miguel Vázquez . . .	28. I. „	22. I. „	27. I. „	16. XI. „
Antonio de Espinosa .	18. I. „	7. I. „	24. I. .,	17. II. „

den folgenden Stadien beschleunigt wurde, obschon damals der Beamten übermäßig viel und der Prozesse weniger waren. Über den schon gestreiften Fall des Brunon de Vertiz aus Mexiko verstrichen zehn Jahre.[1] In Spanien war es nicht besser. Gabriel Escobar, ein Kleriker in den niederen Weihen, 1607 in Toledo als Illuminist verhaftet, starb 1622 im Kerker, ehe der Prozeß durchgeführt war. Wegen desselben Vergehens hatte ein andrer von 1592 an drei Jahre auf die Anklageerhebung gewartet, als der Supremo das Gericht Valencia dafür tadelte; $2\frac{1}{2}$ Jahre waren seit der letzten Audienz verstrichen. So blieb es bis zum Schluß, Beispiele finden sich bis 1819.

Die Verfolgung von Abwesenden und Toten gab namentlich in der Frühzeit viel Stoff. Der plötzliche Ausbruch einer Verfolgung trieb Tausende von Conversos zur Auswanderung trotz den willkürlichen Maßregeln gegen letztere, und aus den Prozessen ergaben sich Beweise gegen weitere Tausende, die äußerlich rechtgläubig gestorben waren. Weder Kirche noch Staat kannten Nachsicht gegen die einen und die andern. Wenn der Glaube nicht durch Verbrennung der Lebenden geschützt werden konnte, so ließen sich wenigstens die Gebeine der Toten ausgraben und verbrennen, und bei den Flüchtigen fand sich die symbolische Verbrennung im Bilde, in beiden Gattungen von Fällen aber trat die Vermögenseinziehung mit rückwirkender Kraft ein.

---

[1] 9. IX. 1649 Verhaftung; — 5. X.—12. XI. zahlreiche Audienzen; — 22. XI. Audienz auf sein Verlangen; — 23. XI.—4. XII. fünf Audienzen zur Prüfung seiner Papiere und Sachen; — 25. I. 1650 Audienz zur Bestätigung seines Geständnisses; 8. und 19. II., 23. III, 9. VI., 17. VIII., 9. I. 1651, 19. IV. 1652 Audienzen auf sein Verlangen; — 11. V. besuchen die Inquisitoren seine Zelle; — 27. V. Audienz auf sein Verlangen; — 23. VII. 1654 desgl.; — 14. VIII. 1655 Vorladung, um ihn zu fragen, ob er noch etwas zu sagen habe; — 26. IV. 1656 ersucht er um eine Audienz in seiner Zelle, da er krank ist; — 27. IV. wird eine Audienz irrtümlich gewährt; — 30. IV. sein Tod; — 11. V. 1657 reicht der Fiskal die Anklage ein; — 1. VI. 1658 Aufgebot der Verwandten; — 3. XI. Bekanntmachung des Aufgebots in Vera Cruz; — 10. XII. legt der Sachwalter seines Bruders Berufung ein; — 3. III. 1659 beantragt der Fiskal die Vereidigung des Sachwalters; — 22. X. Vereidigung des Sachwalters und des Advokaten, Verzicht auf die Verteidigung; im folgenden Monat Auto de fe mit Verbrennung im Bilde.

Das entsprach dem lateinischen Rechtssystem und den Anschauungen der Zeit. Auf kirchlichem Gebiet war die Ausgrabung der toten Ketzer aus geweihtem Grund und deren Aburteilung frühzeitig üblich. Ebenso unerbittlich war das Recht des Reichs in Sachen der Majestas, des Hochverrats, mit Verfolgungen von Toten und Gütereinziehung, was Theodosius dann auf Ketzerei ausdehnte. Noch 1600 und 1609 kamen in Schottland die Verschwörungsprozesse des Earl of Gowrie und Genossen angesichts der Leichen zur Verhandlung und grausigen Urteilen. In den kontinentalen Ländern war das Kontumazialverfahren gegen Abwesende allgemein. In Aragon wurde die Vorladung gegen einen solchen an dessen Haustor geheftet; erschien er nicht binnen fünfzehn Tagen, so ging das Verfahren seinen Gang, er konnte sich aber stellen und Berufung einlegen, in welchem Falle er dem Ankläger dessen Auslagen zurückzuerstatten hatte.

Die Ernte, welche die Verfolgung von Toten einbrachte, läßt sich daran ermessen, daß auf zwei Autos in Toledo, 1485 und 1490, je über 400 Tote im Bilde verbrannt wurden. Eine schaurige Feierlichkeit! Vor der Bühne, auf der die Inquisitoren Platz genommen hatten, erhob sich ein Aufbau, schwarz behängt; nachdem das Urteil gegen einen Toten verlesen worden, wurde sein Name aufgerufen und aus dem Aufbau wurde die in jüdische Grabkleider gewickelte Puppe hervorgeholt und wegen Ketzerei verurteilt. Darauf wurde auf der Plaza ein großes Feuer angezündet und Puppen und ausgegrabene Gebeine verbrannt. In der Kathedrale wurden dann die Namen der Nachgerichteten verlesen und ihre Erben aufgefordert, binnen zwanzig Tagen zu erscheinen und über den dem König zustehenden Nachlaß Rechenschaft abzulegen. 1484 erging in Toledo eine solche Aufforderung, die 61 Tote betraf, deren Prozeß noch lief, während ein einziges Urteil 42 Tote wegen Übung des Judentums umfaßte. In keinem einzigen dieser Fälle erschienen die Erben.

Dies geschah gemäß der Satzung von 1484, die offenbar der Übung entsprach, solche zu verfolgen, die schon 30—40 Jahre im Grabe lagen (s. oben S. 9). Bei der Rührigkeit der Gerichte von Ciudad Real und Toledo scheint es überflüssig, daß Torquemada 1485 den Gerichten die Verfolgung von Toten und die Vermögenseinziehung noch einschärfte. Die Rückwirkung ging so weit, daß um 1525 die Gebeine eines Mannes ausgegraben wurden, der 1416 Christ wurde, als solcher lebte und 1456 starb, und seine Güter wurden eingezogen.

Das schwerfällige Verfahren wurde pünktlich eingehalten, wenngleich die Erhebung nur oberflächlich war und das Urteil meist im voraus feststand. Ein einziger Fall möge das Vorgehen beleuchten. Am 8. August 1484 stellt der Fiskal von Ciudad Real einen Antrag auf Verfolgung mehrerer Toten, darunter der Beatriz González. Die Inquisitoren erlassen am selben Tage an die Erben der Beatriz und zweier anderer die Aufforderung, zu erscheinen, um deren Ehre und Gut gegen die Anklage des Judentums zu verteidigen. Das Edikt, das ihnen dreißig Tage setzt, soll ihnen vorgelesen, an der Haustüre, an der Peterskirche oder auf dem öffentlichen Platz angeheftet oder in der Kirche verlesen werden; falls sie erscheinen, würden sie mit dem Fiskal, falls nicht, dann dieser allein gehört und der Prozeß durchgeführt werden. Während der Frist erscheint alle Tage der Fiskal, um die Rebeldía, das Nichterscheinen der Aufgeforderten, dem Gericht anzumelden und am 6. September reicht er pünktlich die Anklageschrift ein, von der für die Kinder eine Abschrift ausgefertigt wird, die sie binnen neun Tagen beantworten sollen. Am 14. meldet er weitere Rebeldía an und stellte seine Anträge, worauf die Inquisitoren dreißig Tage für die Beweiserhebung ansagen. Am 20. führt der Fiskal vier Zeugen vor, die, einzeln verhört, über Beobachtung des Sabbats durch Anzünden von Lichtern und Anlegen von reiner Wäsche berichten und Andeutungen über das Schlachten von Geflügel durch Kopfabschneiden machen. Es folgt eine Unterbrechung bis zum 18. Januar, wo der Fiskal das Beweisinterlokut anmeldet und einbringen darf, von dem die Inquisitoren verfügen, ihm, und auf Verlangen den Kindern, eine Abschrift anzufertigen, und darauf sechs Tage für den Abschluß der Verhandlung festsetzen. Am 24. meldet der Fiskal wieder Rebeldía an, stellt seine Anträge, die Kinder werden für contumax erklärt, die Verhandlung geschlossen; das Urteil soll nach drei Tagen ergehen. Überdem wird ein großes Auto vorbereitet, auf dem am 15. März das Urteil verlesen wird, zugleich mit zahlreichen ähnlichen, die Gütereinziehung und Verbrennung nach dem Tode verfügen. So ging es in Tausenden von Fällen: die äußeren Formen waren

14*

gewahrt, aber die Erben hüteten sich, zu erscheinen, und das
Urteil hätte von vornherein ergehen können.

Das Vorgehen war zu leicht, um nicht zu unbedachten Urteilen zu verleiten. Hier und da, wenn bedeutende Persönlichkeiten im Spiele waren, wurde eine Rettung versucht, manchmal auch mit Erfolg. Der Supremo mußte 1498 vor der über-
eilten Verfolgung von Toten warnen, sie sollte nur auf ausreichende Beweise hin geschehen und niemals zum Schaden der
Erben durch Suspendierung endigen, sondern gegebenenfalls
durch Freisprechung, damit die Erben heiraten und über ihr Gut
verfügen könnten. Auch Verschleppung wurde verboten.

Erst durch die Satzung von 1561 wurde die Beschlagnahme
zum Nachteil von Dritten verboten, d. h. zu einer Zeit, wo die
Verfolgung der Toten selten geworden war. Zugleich wurde
angeordnet, nur nach triftigen Beweisen vorzugehen, nach den
Kindern zu forschen, um sie persönlich vorzuladen, keinen Entlastungszeugen, und sei es einen Untersuchungsgefangenen, abzuweisen und wenn kein Verwandter erscheine, eine geeignete
Person außerhalb des Gerichtspersonals für die Vertretung aus-
zusuchen. Um diese Zeit war das Verfahren gegen Tote auch
auf die Fälle von formaler Ketzerei beschränkt; die Toten, die
nur zu Verdacht Anlaß gaben, zählten nicht mehr, der Tod löschte
den Verdacht aus. Auch mußten die Beweise stärker sein als
bei Lebenden, wo nach Rojas die Semiplena genügte — anscheinend weil die Toten nicht gefoltert werden konnten.

Aber sie konnten sich auch nicht durch Bekenntnis und Abschwörung vom Scheiterhaufen retten. So wurden sie denn im
Bilde verbrannt, oder doch, wenn der Gefangene über dem
Prozeß nach dem Bekenntnis der Reue gestorben war, feierlich
im Bilde ausgesöhnt! Selbstmord im Gefängnis galt als Geständnis ohne Bußfertigkeit.

Die Urteilsfällung gegen Tote war noch eindrucksvoller als
gegen Lebende. Das Urteil erklärte, der Tote habe als Ketzer
gelebt, sein Andenken und Ruf werde verurteilt und sein Vermögen eingezogen. Dann hieß es:

Und wir befehlen, daß am Tage des Autos ein Bildnis, das seine Person
darstellt, auf das Schafott gestellt wird, mit der Mitra der Verurteilung und
einem Sanbenito, das auf der einen Seite das Abzeichen des Verurteilten und
auf der andern eine Tafel mit dessen Namen tragen soll. Und dieses Bildnis
wird nach Verlesung dieses unseres Erkenntnisses dem weltlichen Arm und

Gerechtigkeit ausgeliefert, und seine Gebeine sollen, wenn sie sich von denen treuer Christen unterscheiden lassen, ausgegraben werden und jener Justiz zur öffentlichen Verbrennung überwiesen werden aus Abscheu vor so großen und schmählichen Verbrechen. Und wenn sein Grabstein eine Inschrift hat und sein Wappen irgendwo angebracht ist, so sollen sie getilgt werden, damit keine Erinnerung an ihn auf dem Antlitz der Erde bleibe, es sei denn unser Erkenntnis und dessen von uns darin befohlene Vollstreckung. Und auf daß es im Gedächtnis der Lebenden erhalten bleibe, befehlen wir, daß jenes Sanbenito mit den besagten Abzeichen des Verurteilten und seinem Namen in der Kathedrale oder Pfarrkirche von —, der er zugehörte, an hervorragender Stelle aufgehängt werde und auf ewige Zeiten bleiben möge. Außerdem befehlen wir, daß seine Kinder und Enkel in männlicher Linie aller Würden, Benefizien und öffentlichen Stellungen, die sie inne haben mögen, entkleidet und anderer unfähig werden, sowie auch zu Pferde zu reiten, Waffen zu tragen, desgleichen Seide, Kamelott und andere feine Stoffe, Gold, Silber, Korallen und sonstige durch das Gesetz verbotene Dinge.

Was die in der Frühzeit zahlreichen Verfolgungen von Abwesenden angeht, so galt es nicht nur den vor der drohenden Gefahr Entflohenen, sondern allen, deren Auswanderung die Prüfung der Register ergab, und die oft vor vielen Jahren sich nach Granada zu den Mauren oder über See gewandt hatten. Solche Verfahren waren nach dem ersten Sturm weniger häufig, wenn indes ein Judaist oder Morisco verhaftet war, suchten alle, die ihm nahe standen, zu entkommen. Kam dies der Inquisition zur Kenntnis, so wurde das Verfahren in Abwesenheit gegen sie eingeleitet. Es unterschied sich in mehreren Punkten von dem gegen Tote, und nach der Satzung von 1561 gab es drei Wege. Der einfachste und bequemste, wenn auch zeitraubende war, gemäß kanonischem Recht, wonach der Kontumax heftig glaubensverdächtig war, den Kirchenbann über ihn zu verhängen; blieb er über ein Jahr darin, so konnte die Verurteilung wegen Ketzerei ohne weitere Beweisaufnahme erfolgen. Eine einfache Verdrehung der Abwesenheit in formale Ketzerei! Der Abwesende wurde aufgeboten, zu erscheinen, um sich in Glaubenssachen und von einer bestimmten Anschuldigung der Ketzerei zu reinigen, widrigenfalls der Bann verhängt würde. Erschien er nicht, so stellte der Fiskal die Abwesenheit fest und beantragte Bannung, und die Zustellung erging durch Anschlag am Kirchentor an dem Wohnort, der Bann wurde in der Kirche feierlich ausgerufen.

Ein rascheres Verfahren wurde eingeschlagen, wenn die Ketzerei

völlig nachgewiesen werden konnte. Es erging eine Vorladung
an den Angeschuldigten, zu erscheinen, um sich zu reinigen; sie
geschah ungefähr in der Form wie die für die Erben von Toten,
und nach Ablauf der Fristen, wenn der Beweis als erbracht galt,
konnte das Urteil ohne weiteres ergehen.

Einen dritten Weg schlug man ein, wenn die Beweiserhebung
wenigstens eine schwere Vermutung rechtfertigte: die Vorladung
lautete dahin, der Angeschuldigte sollte binnen einer bestimmten
Frist erscheinen, um sich nach kanonischer Weise zu reinigen;
bleibe er aus oder gelinge ihm die Reinigung nicht, so gelte er
als überführt, und demgemäß würde verfahren. Das war noch
das Schleunigste; die Satzung bezeichnet es zwar als streng,
aber durchaus gesetzlich. Im übrigen wurde den Inquisitoren
die Wahl des Vorgehens ganz überlassen. Die den Flüchtigen
gesetzten Fristen waren bald ausreichend, bald nicht; in dem
einen Falle wurden die Förmlichkeiten beobachtet, in dem andern alles überstürzt.

Ein im Bilde als Kontumax Verbrannter konnte sich nachträglich stellen, und wenn er Schuld und Reue bekannte, nur
zu Aussöhnung verurteilt werden; oder er konnte seine Unschuld
behaupten und seine Verteidigung antreten. Jedoch verfügte
Torquemada 1493, daß die Wiederaufnahme des Verfahrens eine
Gnade sei und die Gütereinziehung nicht aufhebe; und 1494,
daß, wenn die Verurteilung auf falsches Zeugnis hin ergangen,
sie aufzuheben sei, ohne das Erscheinen des Verurteilten abzuwarten.

Nach 1561 wurde die dritte Art des Verfahrens, die Reinigung,
aufgegeben, die zweite mitunter, die erste, die Bannung, in der
Regel angewandt, und die Verurteilung fußte lediglich auf dem
Verbleiben im Bann.

War einmal der Prozeß eingeleitet, so führte er notwendig
auf den Scheiterhaufen. Einigen Schriftstellern, die dafür sind,
den verurteilten Kontumax zu verbrennen, wo immer er ergriffen
werde, hält Simancas die Übung entgegen, daß er zu hören sei,
ob er sich nun gestellt habe oder aufgegriffen worden sei, denn
für die Verteidigung gebe es keine Verjährung; binnen Jahresfrist könne er noch die Gütereinziehung anfechten, danach aber
nur mehr sich selbst verteidigen, außer wenn er offenbar unschuldig oder durch triftige Ursachen aufgehalten gewesen! Man

darf bezweifeln, ob Verurteilte wegen ihrer Abwesenheit tat-
sächlich verbrannt worden seien. Es sei auf das Schicksal einer
Gruppe von Beas verwiesen (s. unter VIII. Buch 1. Abschnitt).
Auf den Autos bildeten die Puppen von Abwesenden und
Toten noch lange eine Hauptsehenswürdigkeit. Auf der großen
Feier in Madrid 1680 eröffneten deren 34 die Prozession. Sie
wurden bis auf 2 verbrannt, einige mit ihrem vermodernden
Gebein. 1721 wurden in Granada nur Puppen, 7 an Zahl, verbrannt, die der Oberalguazil, die Inquisitoren und die Sekretäre
trugen; durch dieses Beispiel angefeuert, brachten die Beamten
des königlichen Obergerichtes sie nach dem Scheiterhaufen. Und
der Berichterstatter hebt hervor, daß der Ruhm des katholischen
Eifers ebensosehr durch die Verbrennung der Toten wie die
der Lebenden gefördert werde. Noch 1752 wurden in Logroño
6 im Bilde und eine Leiche verbrannt.

Aus dieser Darstellung der Tatsachen geht hervor, daß das
Inquisitionsverfahren in Spanien durchaus nicht so milde und
gerecht war, wie dessen Vertreter und nach ihnen moderne Verteidiger dartun wollen, vielmehr jeden Grundsatz der Gerechtigkeit verletzte. Die Schuld des Angeklagten galt von vornherein
als ausgemacht, die Anklage wurde in jeder Weise begünstigt,
die Verteidigung derart verkümmert, daß sie kaum als mehr
denn ein Vorwand erscheint, während der Richter, in Wirklichkeit der Ankläger, in dem undurchdringlichen Geheimnis Schutz
gegen jede Verantwortung außer gegenüber dem Supremo fand.
Mag er die ihm zustehende Gewalt auch nicht immer mißbraucht
haben — denn die Menschen waren nicht notwendig so schlecht
wie das System —, diese Gewalt war vorhanden, und ob sie
zum Guten oder Schlimmen ausschlug, hing ganz von Veran-
lagung und Versuchung ab.

Siebentes Buch

Die Strafe.

Erster Abschnitt.

Das Urteil.

In einem wesentlichen Punkte unterschied sich die Inquisition von den weltlichen Gerichten. Das öffentliche Recht ahndete verstockte Ketzerei mit Feuertod und Gütereinziehung und belegte den Büßenden und dessen Nachkommen mit gewissen Unfähigkeiten, davon abgesehen jedoch hatte die Inquisition bei ihrer vielfältigen Zuständigkeit über Ketzerei mit Reue, Ketzereiverdacht und andere Vergehen völlige Freiheit im Strafmaß. Sie war das einzige Gericht der gesitteten Welt, das die Strafen androhte und nach freiem Ermessen änderte, und in dieser wie in mancher andren Hinsicht verband sie die gesetzgebende mit der richterlichen Gewalt.[1]

Die Urteilsverkündigung war in allen Prozessen, die den Angeklagten auf das Auto de fe brachten, öffentlich, die Verlesung sollte dem Volk die erhabene Aufgabe des h. Offiziums und die Schwere der so gesühnten Schuld nahelegen. Es war eine Gelegenheit zur Machtbekundung, und sie wurde ausgiebig benutzt.

Es gab Urteile mit genauer Darlegung des Tatbestandes — con meritos — und andre kürzere, die nur die Art des Verbrechens erwähnten — sin meritos. Welche von den beiden Arten zu wählen war, bestimmte bei der Urteilsfindung die Consulta de fe, ebenso ob der Verurteilte im Auto vorzuführen sei, was eine Erschwerung der Strafe bildete, wie auch das aus-

---

[1] S. im Anhang einige statistische Angaben über die verhältnismäßige Häufigkeit der verschiedenen von der Inquisition verhängten Strafen.

führliche Urteil eine weitere. Bei leichteren Fällen fand die Verkündigung im Gerichtssaal statt — im Auto particular.

Das Urteil con meritos begann mit einer Darlegung aller Einzelheiten des Prozesses, der als ein Parteiprozeß zwischen dem Fiskal und dem Angeklagten dargestellt wurde, und endigte mit der Aufzählung der erwiesenen und gestandenen Verbrechen. Er konnte ungeheuer lang werden, wie in dem ganz Spanien lange aufregenden Prozeß der Wunderschwindlerin Magdalena de la Cruz 1546 in Córdova, wo die Verlesung von 6 Uhr früh bis 4 Uhr nachmittags dauerte, oder wie bei einem Bigamisten 1761 in Lima, wo der Sekretär alle Verhandlungsprotokolle abgeschrieben zu haben scheint, wie um die Demütigung des Verurteilten zu verlängern. Den Schluß bildete mit den Worten Christi nomine invocato, wenn eine Überführung stattgefunden hatte, die Erklärung, daß der Fiskal die Anklage bewiesen habe, weshalb die Inquisitoren den Angeklagten der fraglichen Ketzerei für schuldig erklären müßten, und dann folgte die Zuteilung der Strafe.[1]

In der Regel erfuhren die Verurteilten ihr Schicksal erst am Morgen vor dem Auto, wenn ihnen die Mitra aufgesetzt und das Sanbenito umgelegt wurde, aus denen sie die Art ihrer Straftat erkennen konnten. Um sie solange im Dunkel zu lassen, durften bei der Ausrufung des Autos — vierzehn Tage vorher — die Beamten sich dem Gefängnis nicht nähern, damit die Gefangenen durch den Trommel- und Trompetenschall nicht erfuhren was vorging. In Lima sperrte man während der Ausrufung 1639 die farbigen Gehilfen des Kerkervogts in ein Verließ, wo sie nichts davon hörten, damit sie den Gefangenen nichts hinterbrächten und die Arbeiter, welche die Schandkleider herrichteten, ließ man in einem Raum der Inquisition arbeiten, wo sie nicht gesehen werden konnten, und außerdem Geheimhaltung schwören. Wegen der Wirkung der plötzlichen Eröffnung auf die Verurteilten ließ man sie vorher in ihren Zellen essen, anstatt sie bis zum Sammeln zur Prozession warten zu lassen, wo es herzzerreißende Auftritte gab, wenn Verwandte einander

---

[1] S. im Anhang des Originalwerkes das Beispiel eines Urteilsschlusses.

wieder erkannten. In Valladolid hatte 1644 ein zur Aussöhnung
Verurteilter in der Meinung, er werde verbrannt werden, in seiner
Zelle am Morgen die Schlagader mit einem Nagel seiner Bett-
stelle zu öffnen versucht, und Llorente erzählt als Augenzeuge
von einem Franzosen, der sich 1791 erhängte, weil er in Unwissenheit gehalten wurde.

Zweck der Geheimhaltung war, die Einlegung der Berufung
an den Supremo zu verhindern, auf die man in den Streitigkeiten mit Rom so sehr pochte. Das System bildete sich allmählich aus. Ursprünglich scheint den Gerichten anheim gestellt gewesen zu sein, das Urteil bis zum Auto einzuhalten, obschon Ausnahmen davon selten waren. Die Satzung von 1561, welche
die Berufung in gewissen Fällen vorsieht, hebt dies dadurch auf,
daß die Akten im voraus dem Supremo einzusenden seien, ohne
daß der Angeklagte davon erfahre. 1568 wird angeordnet, in
andern als Ketzereifällen, wo die Strafen willkürlich sind, den
Verurteilten vor dem Auto zu benachrichtigen, und 1573, in
Sachen, die Berufung zulassen, den Beteiligten die Ankündigung
rechtzeitig zu machen; man schwankte noch zwischen Gerechtigkeit und Bequemlichkeit. 1577 indes wurde die Berufung als
störend empfunden, man kehrte zu der früheren Übung zurück
und hielt die Urteile bis zum Auto ein.

In leichten Fällen, bei der Verkündigung im Gerichtssaal,
blieb das Berufungsrecht für den Fiskal wie für den Verurteilten
bestehen, es mußte aber auf der Stelle, ohne Beirat, ausgeübt
werden. Später, als die öffentlichen Autos seltener wurden,
gab es mehr Gelegenheit zu Berufungen, und sie hatten manchmal Erfolg. Die Geistlichen hatten mehr Vorteil davon als die
Laien, weil sie nur dann auf die Autos gebracht wurden, wenn
ihre Strafe die Degradierung einschloß, und weil sie mit den
Rechtsverhältnissen besser vertraut waren. Bei ihnen sind die
Fälle von Berufung denn auch nicht selten. Nachdem der Supremo die Urteilsfindung an sich gerissen hatte und sozusagen
die ganze Inquisition geworden war, hatte die Berufung keinen
Zweck mehr, allein es blieb bei der Geheimhaltung des Urteils
bis zum Auto, außer für die „Auszuliefernden", denen es, damit
sie ihre Seele retten konnten, etwas vorher, in der ersten Zeit
um die Mitternacht vor der Handlung, später drei Tage vorher
mitgeteilt wurde.

Den Vorwurf der Grausamkeit kann man nicht verallgemeinern. Zumal in der Frühzeit hing viel davon ab, ob der Inquisitor milde oder strenge gestimmt war. Für den verstockten Ketzer oder unbußfertigen Leugner konnte es nach Gesetz und Volksauffassung nur eins geben: den Brandpfahl, wohl aber konnte gegenüber reuigen Ketzern und für die mannigfaltigen der Inquisition unterworfenen Straftaten je nachdem Milde oder Härte obwalten. Fälle von letzterer können manche beigebracht werden. Anderseits finden sich in den Meldungen des Gerichts Toledo um 1600 an den Supremo, wie um die geübte Milde zu entschuldigen, erläuternde Bemerkungen, etwa: „sie war eine arme, unwissende Frau“; „sie erhielt keine schwere Buße, weil sie erst 16 Jahre alt ist“; „kürzlich getauft, und betrunken“. Bei Doppelehe wird manchmal die Geißelung mit Galeeren — die ständige Strafe — in Ansehung von Alter und Schwächezustand erlassen. Ausnahmsweise werden die Leiden der langen Haft berücksichtigt und als Strafe angesehen. Dem Einfluß der humanitären Anschauungen konnte sich auch die spanische Inquisition nicht entziehen, im Gegensatz zu den weltlichen Gerichten des aufgeklärteren Frankreichs, deren Fanatismus 1766 der Chevalier de la Barre zum Opfer fiel. Etwas Grausameres hat auch sie nicht aufzuweisen, und in einem Falle wie diesem von handgreiflicher Gotteslästerung an einem Kruzifix unter erschwerenden Umständen, wäre nicht Tod durch Enthaupten nebst Verbrennung, sondern je nach Art der Straftat und der Person des Schuldigen, Vorführung im Auto de fe mit den Abzeichen des Gotteslästerers, Abschwörung de levi und 100 Hieben oder Vergüenza oder Verbannung die Sühne gewesen.

Sie rühmte sich, ohne Ansehung der Person zu urteilen. In einem Punkte wenigstens unterscheidet sie sich vorteilhaft darin vor dem weltlichen Rechte Spaniens, das die Adligen leichter strafte als die Gemeinen: umgekehrt traf sie die Vornehmen schwerer, wohl aus der Erwägung, daß sie besser gebildet sein mußten, der Versuchung weniger ausgesetzt waren und das gute Beispiel hätten geben müssen. Wenn es sich hingegen um Geistliche handelte, für die es nicht so leicht eine Entschuldigung gab, war das Urteil milder als gegen Laien, ihre Schwächen und Irrungen wurden vor der Öffentlichkeit verdeckt, um das Ansehen der Kirche beim Volke nicht zu schädigen.

Außer einigen durch den Brauch fest bestimmten Ahndungen hatte die Consulta de fe freie Hand für die Verhängung der sogenannten Penas extraordinarias, nicht vorgesehener, von Fall zu Fall verfügter Strafen. Bei der Abmessung der Strafe gab es endlose Abstufungen, um die Strafe dem Vergehen und dem Täter anzupassen und wohl auch, um die Einstimmigkeit der Consulta zu erzielen, so daß ein Urteil oft sechs oder acht Sühnearten enthält. Da war in einem Zeitraum von drei Jahrhunderten keine Folgerichtigkeit möglich, indes kann man kaum behaupten, wenn man die menschliche Schwäche und die Versuchung durch die Unverantwortlichkeit berücksichtigt, daß die Gewalt gewohnheitsmäßig mißbraucht worden sei, vielmehr wurde sie gemäß der barbarischen Anschauung der Zeit angewandt, und mißbräuchlich war allerdings die Verhängung der Geldbußen, von denen die Finanzen der Anstalt abhingen, sowie Geltendmachung ihrer Macht gegen alle, die ihre Überlegenheit in Frage zu stellen wagten. Sie kannte kein Mitgefühl für diejenigen, deren Schuld sie voraussetzte, sie erfand ein schauerliches Prozeßverfahren, allein wenn sie ein Geständnis oder eine Überführung erzielt hatte, war sie nicht, wie so häufig behauptet worden ist, systematisch und böswillig grausam.

Die Ausführung der Strafe geschah zum Teil durch Vollstreckung, bei Auslieferung, Gütereinziehung, Geldstrafen, Hieben, Galeeren, Aussöhnung und Abschwörung, oder mehr oder weniger mittels Erfüllung durch den Verurteilten, bei Gefängnis, Sanbenito, Verbannung und Haft. Die Strafe war der Theorie nach eine freiwillig angenommene Buße, die Inquisition schenkte dem Gebüßten indes nicht dasselbe Vertrauen wie der Beichtiger dem Sünder, nach der Auffassung der Theologen war die Strafe doch insofern eine Buße, als die Nichterfüllung einen Beweis falscher Reue und des todeswürdigen Rückfalls in die Ketzerei bedeutete. In letzterem Falle bedurfte es keines neuen Prozesses, und in der Frühzeit verfuhr man auch danach: wenn ein Verurteilter den ihm auferlegten Arrest nicht eingehalten hatte, und dann entflohen war, zog man das Verfahren gegen Abwesende vor und verhängte den Kirchenbann, mit der Verbrennung im Bilde als letzter Folge. Die Rückfalltheorie war 1561 schon erschüttert. Simancas verwarf sie: der Entflohene sei nur unbußfertig, und wenn er zurückkehre, sei er in aller Form zu hören, und, wenn reuig, wegen der Flucht nur mit Strafver- schärfung zu treffen. Man ging bereits so weit, um 1570 einen Flüchtling, von dem ein Rückfall aus der Fremde berichtet wurde, einfach als Kontumax zu behandeln. Mitte des 17. Jahr- hunderts galt Simancas' Auffassung gemeinhin.

Ein Ausbruch aus dem Strafgefängnis war leicht, und der Entflohene warf natürlich das Sanbenito ab. Obwohl solche nach kanonischem Recht als Rückfällige galten, wurden sie für die damalige Zeit verhältnismäßig milde behandelt, etwa mit 100 Hieben (1645). Ähnlich verfuhr man mit den vorzeitig aus der Verbannung Heimgekehrten; die Verweisung wurde um etwas verlängert. Seltsam war 1606 das Vorgehen gegen einen Mo- risco, der acht Jahre Galeeren erhalten hatte. Im fünften Jahre wurde das Schiff, auf dem er diente, von den Engländern auf- gegriffen, und er fand sich in Lissabon frei. Obschon er nach den Galeeren ins Gefängnis sollte, glaubte er, dem Recht Ge- nüge getan zu haben und nahm in seiner Heimat im Valencia- nischen seine ärztliche Praxis wieder auf. Da wurde er auf- gegriffen und zu 100 Hieben und 100 Libras Geldstrafe verur- teilt, wiewohl letztere bei einem Morisco nicht über 10 Du- katen gehen durfte.

In den 1720er Jahren, wo die Inquisition zeitweise wieder härter vorging, wurde einmal ein Entflohener zu 200 Hieben und fünf Jahren Galeeren mit nachfolgendem Gefängnis verur- teilt, aber im ganzen zu fünf Jahren Strafarbeit in einer afrika- nischen Feste begnadigt. Bei einem andern wurde die ursprünglich dreijährige in immerwährende Gefängnisstrafe umgewandelt, mit Zusatz von fünf Jahren Galeeren nach einer zweiten Flucht.

Es handelte sich in diesen Fällen stets um formale Ketzerei, auf der kanonisch Verbrennung stand. Bei geringeren Straftaten wurde gelegentlich eine Strafe für Nichterfüllung angedroht. Eine Regel hierfür gab es nicht, sonst könnte man sich das Weglassen der Klausel in den einen und ihre Verfügung in an- dern Urteilen bei ganz ähnlichen Fällen nicht erklären. Der Unterschied zeigte sich bei einer Anzahl Urteilen in einem und demselben Auto 1565 in Sevilla. Wurde die Drohung ausge- sprochen, so war sie hart: Galeeren für vorzeitige Heimkehr aus der Verbannung: einem Manne, der Waffen nach der Berberei geliefert hatte, verbot das Urteil lediglich, dorthin zu reisen, bei Strafe von lebenslänglichen Galeeren. Doch die Inquisition sprach auch häufig Drohungen aus, die sie nicht so grausam war, zu vollstrecken.

Aus dem Fall eines Augustinermönches von 1716 ergibt sich, wie durch Nichterfüllung ein Verdacht der formalen Ketzerei eröffnet werden konnte. Wegen verwerflicher Behauptungen hatte er in Córdova vier Jahre Klosterhaft erhalten, war dann ausgebrochen und hatte seine Äußerungen wiederholt. Toledo erklärte ihn für rückfällig in schweren Straftaten und verhängte Abschwörung de vehementi, einjährige Ausschließung vom geistlichen Stand, dauernde Unfähigkeit zum Predigen und schwere Klosterhaft und Geißelung durch die Brüder. Für den Betretungsfall sollte er als unbußfertig rückfällig gelten. Nicht die Häufung der Strafen ist hierbei bemerkenswert, sondern die Abschwörung de vehementi, nach der ein Rückfall auf den Scheiterhaufen führen sollte.[1]

In der mittelalterlichen Inquisition war ein Freispruch sozusagen verboten: wohl mochte ein Urteil erklären, eine Schuld sei nicht erwiesen, ein Freispruch dagegen hätte bedeutet, daß Fehlbarkeit möglich sei, und eine neue Verfolgung auf weitere Beweise hin war ausgeschlossen.[2] Demgemäß handelte auch die römische Inquisition, außer im 18. Jahrhundert, wenn die Anschuldigung sich klar als falsch erwies. Die spanische war nicht so empfindlich, scheute vor mehrfacher Verfolgung nicht zurück, somit kam es ihr auf eine Freisprechung nicht so sehr an. Freisprüche wegen Mangels an Beweisen waren zwar nicht ganz unbekannt, es gab aber dafür einen Ersatz, indem der Angeklagte entlassen wurde, ohne für unschuldig erklärt zu werden, durch „Suspendierung", so daß er jederzeit wieder zur Verantwortung gezogen werden konnte.

Von Torquemada wissen wir, daß Freisprechungen ihm zuwider waren und daß er das Verfahren wiederholt von neuem beginnen ließ (s. Bd. I S. 107). Obschon wir in der ersten Zeit

---

[1] Arch. hist. nac., Inq. de Toledo, Leg. 1. — Carena (Tract. de Off. s. Inquisit., P. II. Tit. XII, n. 9) erwähnt einen Fall, in welchem das Gericht Murcia einen Priester zu den Galeeren verurteilte, weil er, obwohl durch den h. Stuhl suspendiert, Messe gelesen hatte.

[2] S. des Verfassers „Inquisition of the Middle Ages", I, 453; III, 513.

Freisprechungen begegnen, mußte sein Vorgehen auf seine Untergebenen Eindruck machen, allein durch eine seltsame Begriffs-
verwirrung wurden Freisprechungen mit Strafe verbunden. So
1485 in einem Falle, wo die Inquisitoren zur Erleichterung ihres
Gewissens Abschwörung de levi eintreten ließen und den Angeklagten ad cautelam wegen etwaiger bannwürdiger Verbrechen
lossprachen, wegen derer ein Verdacht bei ihnen zurückgeblieben
war. Alle mir vorgekommenen Freisprechungen aus dieser Zeit
sind in dieser Weise belastet, manchmal mit Abschwörung de
vehementi und Strafen für das Versprechen, dessen der Angeklagte für unschuldig erklärt wurde.

In Barcelona erfolgte die erste Freisprechung erst zwölf Jahre
nach Einsetzung des Gerichtes. Aus den vorhandenen Akten ergeben sich für die Jahre 1499—1501 einzelne Freisprüche, unbedingt oder durch Abschwörung und Bußen bedingt. Toledo
hatte von 1484—1531 nur 86 Freisprechungen — weniger als zwei
im Jahre während dieser rührigsten Zeit —, ein Beweis, wie
wenige Angeklagte der Inquisition entkamen. Von den Freige-
sprochenen bekamen einzelne Abschwörung mit öffentlicher Buße,
sogar Geißelhieben, ja zweimal mit Gütereinziehung, die in dem
einen Falle nachgelassen wurde.

Tatsächlich bedeutete ein Freispruch nicht mehr als eine Entlassung mangels an Beweisen. Pablo García macht darauf aufmerksam, da die Freisprechung nicht als „endgültig" bezeichnet
sei, könne der Fiskal das Verfahren jederzeit wieder aufnehmen,
wenn neue Beweise vorlägen; in dem Falle Villanuevas traf nicht
einmal das zu. Daß es in Glaubenssachen keine chose jugée
gab, hatte Pius V. durch die Bulle Inter multiplices erklärt,
unter Aufhebung und Ungültigerklärung sämtlicher von Inquisitoren und anderen geistlichen Richtern erlassenen Freibriefe und
Freisprüche.[1] Demgemäß wurde es Regel, auf Autos nur die
Freisprechungen von Toten, dagegen die von Lebenden nur auf
deren Wunsch zu verkündigen, und in dem einen wie in dem
andern Falle wurde nur die Anschuldigung der Ketzerei ohne

---

[1] Pablo García, Orden de Procesar, fol. 41. — Kap. 10, Tit. III in Sep-
timo Lib. V. Trotz der Formel Garcías heißt es in dem freisprechenden Urteil über Jan von Antwerpen, der 1561 in Toledo wegen Luthertums verfolgt
war, es sei diffinitiva. — Arch. hist. nac., Inq. de Toledo, Leg. 110, n. 31,
fol. 30.

Einzelheiten erwähnt, der Lebende erschien nicht auf dem Auto, der Tote wurde nicht im Bilde vorgeführt. All dies widerspricht dem glühenden Lobe Páramos, daß die Inquisitoren alle Mittel anwendeten, um die Unschuld eines Angeklagten festzustellen, und wenn sie feststehe, für eine feierliche Ehrenrettung sorgten. Solche Fälle, wie der uns bekannte der 14 fälschlich Angeschuldigten von Cádiz, die im Triumph vom Auto zurückkehrten, sind mir für Spanien keine weiteren aufgestoßen (s. oben S. 140), wohl aber einige für Peru. Noch 1718 endigte eine Anklage wegen Doppelehe, auf der Hiebe und Galeeren standen, mangels Beweisen mit Verlesung des Urteils con meritos in dem Sitzungssaal, Verweis, Drohung und sechsjähriger Verbannung von Madrid und Barcelona. In der früheren Zeit wäre es dabei geblieben, diesmal aber gebot der Supremo volle Freisprechung, erklärte das Verfahren für nichtig und legte den Inquisitoren die Kosten der Vorhaft auf.

Bei der Suspendierung konnte der Prozeß jeden Augenblick da aufgenommen werden, wo er abgebrochen worden war, und dann schwebte immer eine neue Verfolgung über dem Haupte des Entlassenen. Das Vorgehen war bequem, es entband von der Verantwortung und verschleierte den Fehlschlag. Mit der Zeit mehrte sich die Anwendung, und die Suspendierung hob wohl auch die Schande auf; in der Regel war sie mit Aufhebung der Beschlagnahme verbunden. Einige wollten einen Fall nicht als suspendiert eintragen lassen, wenn ein Verweis gerechtfertigt war oder der Angeklagte bei geringen Vergehen angehalten wurde, gewisse Dinge nicht zu sagen oder zu tun, allein so strenge wurde es in der Praxis nicht gehalten. War Suspendierung beschlossen, so wurde der noch unwissende Angeklagte einfach vorgeführt; kam er aus dem geheimen Kerker, so wurde er ausgefragt über das, was er dort erfahren habe, und mußte Geheimhaltung schwören; dann wurde ihm erklärt, aus billigen Gründen werde ihm die Gunst gewährt, nach Hause zurückzukehren, er müsse aber sein Gewissen befreien, denn sein Prozeß schwebe noch. Das Geheimnis hielt ihn in der Spannung, wenn er aber erfuhr, daß die Vermögenssperre aufgehoben sei, konnte er wissen, was das bedeutete. Formell durfte er ein endgültiges Urteil, Überführung oder Freisprechung verlangen, es sind mir jedoch keine Bei-

spiele davon aufgestoßen; wohl wenige mögen den Mut gehabt
haben, ihr Schicksal in dieser Weise zu versuchen. Wenn er be-
scheinigt haben wollte, daß er frei ausgehe oder daß sein Fall
suspendiert sei, wurde das nicht gewährt, wohl aber konnte der
Supremo ihm bezeugen, daß er ohne Buße oder Verurteilung
ausgehe.

Suspendierung ohne jede Buße war jedoch ungewöhnlich, die
Unfehlbarkeit der Inquisition erforderte eine mehr oder weniger
schwere Auflage. Die leichteste war ein Verweis mit Verwarnung
bei der Entlassung. In dieser Weise erledigte Toledo 1650 eine
ganze Anzahl Fälle, eine Anklage von Zauberei obendrein mit einjähriger Verbannung von Madrid und Toledo, ebenso die Anklage
wegen irriger Behauptungen. 1801 wollte ein Inquisitor einen
Fall durch Suspendierung und lebenslänglichem Krankendienst
in Ceuta abschließen. Da die Suspendierung um diese Zeit häufiger geworden war, pflegte man sie mit schwereren Auflagen zu
verbinden, wie 1815 in Llerena, wo einer Frau ein Verweis,
100 Hiebe und drei Jahre Spitalhaft zuerkannt wurden, mit
Aufschub der Hiebe in Erwartung ihrer Besserung; ein Mitangeklagter erhielt nach dem Verweis einige leichtere Strafen.

Damit hatte die Suspendierung aber aufgehört, ein Ersatz für
die Freisprechung zu sein. Sie war eine zweifelhafte Gnade, weil
der ohnehin gesühnte Verstoß immer aufs neue verfolgt werden
konnte. Zahlreiche Fälle beweisen, daß es ein Behelf war, um
nicht zugestehen zu müssen, daß man Unschuldige verfolgt hatte.

Eine andre zwanglose Form von Freisprechung bestand darin,
den Angeklagten Bürgschaft leisten zu lassen. Wieder bequem
für das Gericht, aber grausam für den Betroffenen, der nur teilweise freikam und der Schande unterworfen blieb. 1534 wurde
in Toledo ein Mädchen wegen Luthertums verhaftet. In der
Folter widerrief ihr mitangeklagter Bruder, der Angeber, die Anschuldigung gegen sie, und daraufhin wurde sie nach einjährigem
Kerker entlassen, aber nur unter lästiger Bürgschaft, ohne Aufhebung der Vermögenssperre. Die Bürgschaft wurde ihr nach
wiederholten Bitten endlich erlassen, nicht aber die Sperre, und
so blieb sie unter dem Bann der Inquisition, mit 25 Jahren, als
Waise, ohne Möglichkeit zu heiraten oder ins Kloster zu treten.

Noch loser war die einfache Entlassung ohne Aufschluß oder
Urteil. Es wurde dem Gefangenen einfach bedeutet, er könne

gehen. Damit war er einer peinlichen Unsicherheit über sein
Schicksal preisgegeben. So erging es 1536 einem des Luthertums
Bezichtigten in Valencia; die Anschuldigungen hatten so wenig
ergeben, daß eine Freisprechung unbedingt hätte erfolgen
müssen.

Die verhältnismäßige Häufigkeit der einen oder andern Form der
Entlassung ergibt sich aus der Statistik für Toledo aus drei verschiedenen Zeitabschnitten: 1484—1531: 86 Freisprüche, 4 Suspendierungen, 2 einfache und 4 Entlassungen gegen Bürgschaft; — dann,
als man sich scheute, einen Irrtum einzugestehen, 1575—1610, auf
1172 Fälle: 51 Freisprüche, 98 Suspendierungen und 30 einfache
Entlassungen, — und von 1648—1794, auf 1205 Fälle: 6 Freisprüche, eine Entlassung wegen Irrtums in der Person und 104 Suspendierungen, diese fast alle mit Verweis im Gerichtssaal — wohl
wegen der zwecklosen Störung, welche die Entlassenen dem Gericht verursacht hatten. Die Suspendierung geschah fast immer
auf Anordnung des Supremos, als ob die Gerichte sich gescheut hätten, ein verdecktes Geständnis zu machen. Die
Übung mit dem Verweis findet sich bis in die letzten Jahre der
Anstalt.

Es gab noch eine Art Suspendierung, die im geheimen eintrat, wenn das Anklagematerial keine Handhabe zu einer Verfolgung gegeben hatte. Alsdann wurde das Material sorgfältig
zu etwaiger späterer Verwendung aufbewahrt; ohne daß der Angeschuldigte davon erfahren hatte, stand sein Name auf den
Listen der Gerichte. Solcher Fälle gibt es Tausende.

Alles in allem, wenn man die Versuchung erwägt, die das
System dem Richter für eine Verurteilung bot, wegen der Gütereinziehung, der Erhebung von Strafen, Bußen und Ablösungs-
und Dispensgelder, so wirkt es erleichternd, daß Freisprechungen
und Suspendierungen doch noch in dem angedeuteten Verhältnis
vorkamen, wenn wir auch nicht wissen, ob sie zugunsten der
Reichen oder der Armen ergingen.

Die Inquisition kannte das System der Eideshelfer. Dieses
war in Spanien, wo die Westgoten frühzeitig das römische Recht
annahmen, nicht üblich, während es noch in den andern Ländern
galt, wo während der Völkerwanderung die Germanen hingezogen

waren.[1] Nachdem die mittelalterliche Inquisition es angenommen hatte, ging es auch auf die spanische über. In Fällen, wo die Beweise und die Folter keine Überführung ergaben, konnte der Angeklagte sich durch Eideshilfe reinigen. Freilich nicht auf seinen Wunsch, sondern auf Aufforderung, der er nachkommen mußte; indes konnte er Berufung gegen das Urteil einlegen, das die Eideshilfe gebot. Gelang es ihm nicht, sich loszuschwören, so galt er als überführt, hatte er Erfolg, so wurde er nicht etwa freigesprochen, sondern mußte abschwören und eine Buße nach Ermessen des Gerichtes leisten, denn wenn er auch rechtlich kein Ketzer war, so mußte er sich doch wegen „Verdachtes" reinigen.

Die ältesten Vorschriften enthalten nichts über den Gegenstand, die Angaben, die ich darüber vorfand, lassen kein regelmäßiges Verfahren erkennen; es erscheint wie eine Art Geschwornengericht, das auftrat, wenn das Gericht nicht zu einer Entscheidung kommen konnte. So geschah es 1489 in Saragossa mit Beatriz Beltran, der Witwe des im Gefängnis gestorbenen, der Mitschuld an der Ermordung des Pedro Arbués angeklagten Juan de la Caballería. Die Anklage gegen sie lautete auf Judentum, die Belastungszeugen waren abgelehnt worden und Leumundszeugen hatten ihr tiefchristliches Verhalten bekundet. Wegen ihres hohen Alters wurde sie nicht gefoltert, sondern die Inquisitoren ließen die Reinigung durch zwölf Eideshelfer zu, die sorgfältig ausgesucht wurden. Das Urteil wurde ihr vorgelesen, worauf sie beschwor, daß sie die ihr zur Last gelegten Verbrechen nicht begangen habe, und aus dem Saale entfernt wurde. Die Zwölf wurden vereidigt, und nach Verlesung des Beweisinterlokuts und der Vereidigung bezeugten sie nacheinander, daß sie Beatriz als gute Christin kannten. Die Reinigung war gelungen, allein einem Zwischenurteil entsprechend erschien Beatriz erst in einem Auto, dann mußte sie wegen heftigen Verdachtes abschwören, und da die ihr zur Last gelegten Verbrechen nicht ungesühnt

---

[1] Die Geistlichkeit hatte das System als eine Erlösung vom Gottesurteil durch Zweikampf aufgegriffen; es hieß daher die kanonische Reinigung und wird noch heutzutage im kirchlichen Recht als Probe angewandt. Im November 1904 wurde ein Dispens für die Auflösung einer Ehe auf den Eid der Parteien über Nichtvollziehung gewährt; der Eid wurde bekräftigt „dal testimonio di settima mano". Il Consultore Ecclesiastico, Gennaio 1905, S. 8.

bleiben durften, wurde sie mit dem Verbote gebüßt, sie zu begehen und mit den Kosten des Verfahrens belegt, die das Gericht
sich festzusetzen vorbehielt, außerdem zu den ihr aufzulegenden
Bußen. Was letztere waren, ergeben die Akten nicht; wahrscheinlich erhielt das Gericht ein gut Teil des bei der Gütereinziehung
gegen Beatriz' Gatten geretteten Vermögens.[1]

Mit der Anordnung der Reinigung durch Eideshelfer war die
Drohung verbunden, wenn die Reinigung nicht gelänge, sei die
Überführung gegeben, und es gibt Fälle, wo der mißlungene Versuch auf den Scheiterhaufen führte. 1500 wurde das Verfahren
wesentlich umgeändert, wohl im Hinblick auf die Geheimhaltung:
den Eideshelfern sollten Beweisinterlokut und Verteidigung nicht
mehr vorgelesen werden, sondern in ihrer Gegenwart sollte der
Angeklagte unter Eid die von den Inquisitoren angegebenen Anschuldigungen bestreiten, worauf sie einfach bezeugen sollten,
ob er ihrer Ansicht nach wahr geschworen habe.

In der Eingabe der Conversos an Karl V. von 1520 um Erleichterung des Inquisitionsverfahrens wurde auch eine Änderung
der Eideshilfe vorgeschlagen, um eine Freisprechung zu erleichtern. Natürlich ohne Erfolg. Indes wurde 1523 wenigstens verfügt, daß nach Vereidigung der Eideshelfer der Fiskal nicht zugegen sein sollte, wohl um sie nicht einzuschüchtern, und 1526,
daß Belastungszeugen nicht auch Eideshelfer sein konnten, was
sich daraus erklärt, daß die Namen der Zeugen geheimgehalten
wurden und der Angeklagte auf einen gegnerischen Zeugen verfallen konnte, ohne daß die Inquisitoren fest genug gewesen
wären, ihn abzulehnen; seine Freunde hingegen durften sie zurück-
weisen. Gegen Mitte des 16. Jahrhunderts war von der ursprünglich notwendigen Einstimmigkeit der Eideshelfer abgesehen worden;
das Gericht hatte deren Zahl und das erforderliche Mehr zu bestimmen. Damals war der Brauch aber schon ziemlich verfallen.
Simancas verurteilt ihn als blind, gefährlich und täuschend,
namentlich bei jüdischen und maurischen Conversos, von denen
jedermann Schlechtes denke. Die Satzung von 1561 behält das
Vorgehen noch bei, mahnt jedoch zur äußersten Vorsicht bei

---

[1] Bibl. nat. de France, fonds espagnol, 30, fol. 346—352. — Zwei Fälle
aus Barcelona mit etwas verschiedenen Einzelheiten, bei Carbonell „de Gestis
Haereticor." (Col. de Doc. de la C. de Aragon, XXVIII, 26/7, 123—135.)

dessen Anwendung. Pablo García gibt darüber Einzelheiten, die zeigen, wie gefährlich es für den Angeklagten werden konnte. Die Eideshelfer mußten glaubenseifrige Altchristen sein, die den Angeklagten seit Jahren kannten, aber nicht mit ihm verwandt oder ihm günstig gesinnt sein durften. Er mußte mehr als die erforderliche Zahl angeben, weil der eine oder andre gestorben oder verzogen sein konnte; und in seiner langen Gefangenschaft hatte er davon nichts erfahren. Nach Verlesung des Zwischen-urteils bekam er eine Frist für seine Wahl; ließ er sie verstreichen, so war er in der Hand des Gerichtes. Mit den Eideshelfern durfte er sich nicht vorher benehmen, und wenn sie, jeder einzeln, vorgelassen werden sollten, wurde ihnen eine Reihe von Fragen gestellt, die ergeben sollten, daß keine Freundschaft sie mit dem Angeklagten verband; Feindschaft dagegen wird nicht er-wähnt.

Das Losschwören war eine feierliche Handlung. Auf dem Gerichtstisch stand zwischen brennenden Kerzen ein Kreuz und lag das Evangelium. Der Angeklagte wurde eingeführt, die Liste seiner Wahl wurde ihm verlesen und er hatte zu erklären, ob er die Eideshelfer erkenne, was er bejahte, um sie als seine Eides-helfer vorzuschlagen. Darauf wurden sie befragt, ob sie als solche ihm beistehen wollten, und wenn sie dies bejahten, wurde der Angeklagte vereidigt. Nach Verlesung der Anklagepunkte, die einen schweren Verdacht begründeten, wurde ihm die Schuld-frage gestellt, und nachdem er sie verneint, ging er in die Zelle zurück. Dann wurde den Eideshelfern, soweit nötig, die Sache dargelegt, sie wurden vereidigt, von einander getrennt und einzeln darüber verhört, ob nach ihrer Kenntnis des Angeklagten dieser die Wahrheit gesagt habe. Zuletzt hatte jeder Geheimhaltung zu schwören, bei Strafe des Bannes, und das Vernehmungspro-tokoll zu unterzeichnen.

Kein Wunder, daß unter diesen Umständen die Eideshilfe als blind und gefährlich galt. Der Angeklagte konnte nicht auf seine Eideshelfer vertrauen, zumal diesen der Mann, der ihrer zum Los-schwören bedurfte, nach den Anschauungen der Zeit verdächtig erscheinen mußte. Der Drang zur Geheimhaltung wurde durch die Einführung von zwölf Außenstehenden gestört, die einen schlechten Begriff von der Unfehlbarkeit des h. Offiziums erhalten konnten. Dieses hatte ein Verfahren, das jahrhundertelang bei

den geistlichen Gerichten die Befreiung auch schuldiger Angeklagter bewirken konnte, in eine Falle für den Unschuldigen umgewandelt. Es widersprach dem sonstigen System der spanischen
Inquisition und wurde nur beibehalten, weil es zum kanonischen
Recht gehörte, und da den Gerichten dessen Anwendung freistand,
wurde es wenig angewandt. Immerhin wurde noch 1645 danach gefragt, ob die kanonischen Formen dabei eingehalten
würden, ein Schriftsteller aus dieser Zeit belehrt uns jedoch, daß
es nicht angewendet werden solle, denn wenn der Angeklagte eine
ausreichende Folter überstanden habe, sei er freizulassen. Die
römische Inquisition hatte seit etwa Mitte des 17. Jahrhunderts
auf die Reinigung durch Eideshilfe verzichtet.

Diese Übersicht der Urteilsarten ergibt, daß die spanische Inquisition Formeln für alle Möglichkeiten in ihrer weiten und vielfältigen Gerechtsame besaß. Bis zur Zentralisierung der Urteile
durch den Supremo hing die Anwendung der einzelnen Formeln
von der Auffassung der jeweiligen Inquisitoren ab, die in ihrer
geheimen Tätigkeit — außer in Bagatellsachen — und bei der
üblichen Beschneidung der Berufungsmöglichkeit verantwortungs-
los entschieden. Es ist dabei zu bedenken, daß auch, wenn
ihre Entscheidungen gnädig waren, diese stets sich mit der
schweren Schädigung eines ganzen Geschlechtes an Ehre und Gut
verknüpften.

Zweiter Abschnitt.

Die minderen Strafen.

Verweis.

Fast allgemein war die Strafe des Verweises. Natürlich fehlt
er bei der Aussöhnung und Relaxierung, sonst aber wurde er kaum
einem Angeklagten erspart, wie grundlos auch die Anklage, wie
klar auch die Unschuld war. Es hieß in Toledo ganz geläufig:
„da kein Vergehen festgestellt war, erhielt er einen Verweis mit
Verwarnung für die Zukunft." Streng genommen war der Verweis unvereinbar mit Suspendierung, doch das wurde allgemein
mißachtet, ebenso durfte er nur kraft eines Urteils erteilt werden,

allein auch davon wurde häufig abgesehen, manchmal sogar auf Befehl des Supremos. Der Inquisitor hatte das Recht, den Angeklagten auszuschelten, und verzichtete selten darauf, zumal es eine Gelegenheit war, die Milde der Strafe hervorzuheben.

Der Inhalt und die Strenge hing natürlich von Anlage und Übung des Inquisitors ab, der darauf bedacht war, das Opfer an seiner empfindlichsten Stelle zu treffen. Da war es nichts Überraschendes, daß der Betroffene manchmal erwiderte, was ihm sofort eine Geldstrafe zuzog. Es gab Leute, die eine solche überhaupt lieber auf sich genommen hätten, als eine verletzende Zurechtweisung. Nicht der Inhalt, sondern nur die Tatsache des Verweises wurde vermerkt, es hat sich jedoch einer in seinem vollen Wortlaut erhalten. Es war der Lizenziat Juan de Mañozca, früher Präsident der Kanzlei von Granada, der den Verweis über einen unglücklichen Herrn verhängte wegen der Äußerung, der Glaube in religiösen Dingen sei eine Sache der guten Erziehung. Das war eine übellautende, nach Ketzerei riechende Behauptung, die Mañozca auf zehn engbeschriebenen Seiten mit ätzendem Spott abtat. „Bei der andalusischen Thunfischerei", so führte er aus, „gibt es allerlei Thunfische, und der kleinste davon ist so groß wie ihr, und doch weist keiner davon auch nur das kleinste Teilchen Salz auf, obschon sie alle mitten im Salz gelebt haben." So ging es weiter, unter Anführung der Schrift, der Klassiker und Platos, um zu beweisen, daß der Angeklagte ein unwissender Mensch und nahezu ein Ketzer sei. Eine solche Unwissenheit sei ähnlich den tauben Ähren, die ausgespreut und verbrannt würden, und in bezeichnender Weise schloß der Ausfall damit, solche wertlose Spreu sammle die Inquisition, um sie dem weltlichen Arm auszuliefern, damit sie durch das zeitliche in das ewige Feuer übergehe.

Die Abschwörung.

Schon der Verdacht war ein Verbrechen. War eine Anschuldigung der formalen Ketzerei nicht zu erweisen, so blieb meistens doch ein Verdacht zurück, und es gab daneben viele Verstöße, aus denen sich mittelbar auf Ketzerei schließen ließ; wer aufrecht an die Sakramente und die Lehre glaubte, machte sich ihrer nicht schuldig. Wie die alte, so unterschied auch die spanische Inquisition zwischen schwerem und leichtem Verdacht. Nur der

letztere soll uns einstweilen beschäftigen. Die Unterscheidung
war ziemlich verschwommen, wie alles in moralischen Fragen,
und Versuche, sie festzulegen, schlugen fehl. Auch konnten
äußere Umstände mitbestimmend sein; so kennt Miguel Calvo
gegenüber Moriscos nur schweren Verdacht. Den letzteren nahm
die Inquisition glücklicherweise nur selten an: in Toledo kamen
1648—1794 auf 314 Abschwörungen de levi nur 51 de vehementi.

Wenn auf Verdacht erkannt wurde, kam es, abgesehen von
sonstigen Strafen, unvermeidlich zur Abschwörung der Ketzerei
im allgemeinen und der vermuteten Ketzerei im besonderen.
Sie erfolgte entweder im Sitzungssaal oder im öffentlichen Auto,
stets aber in feierlichen Formen. Der Schuldige schwor vor
dem Kruzifix, die Hand auf das Evangelium, daß er dem katholischen Glauben huldige und jegliche Ketzerei, insbesondere die,
deren er verdächtig war, verabscheue und verfluche. Er erklärte,
wer sich gegen den katholischen Glauben wende, verdiene eine
Verurteilung und dürfe nicht auf seine Unterstützung, sondern
auf eine Anzeige bei den Prälaten und den Inquisitoren rechnen.
Weiter schwor er, die ihm aufgelegte Buße geduldig und de-
mütig auf sich zu nehmen und sie nach seinen Kräften zu erfüllen. War die Abschwörung de levi, so erklärte er es als
seinen Willen und Wunsch, daß, wenn er darin fehle, er als unbußfertig gelten solle, und sich den strengen Vorschriften der
Canones unterwerfe, deren Strafen ihn am Leibe treffen möchten,
und schließlich ersuchte er den Notar, all dies zu Papier zu
bringen, und alle Anwesenden, es zu bezeugen. Bei der Abschwörung von heftigem Verdacht unterwarf er sich im voraus
für den Fall einer Wiederholung den schweren Strafen für die
Rückfälligkeit. Hier ist der Unterschied in der Behandlung von
leichtem und schwerem Verdacht zu erkennen; im ersteren Falle
ist die Wiederholung der Tat nicht mit einer bestimmten Strafe
geahndet, das Gericht kann die Vorstrafe abermals aussprechen
oder verschärfen; im letzteren Falle verwirkt der Rückfällige
nach kanonischem Recht unweigerlich die Verbrennung, ipso
facto und ohne Prozeß, und um auf ihn Eindruck zu machen,
hat er die Abschwörungsformel zu unterschreiben und wird am
Tage nach dem Auto vorgeführt, sie wird ihm verlesen, es wird
ihm klar gemacht, was ihm bei Rückfall droht, wie auch einfach

bei Nichterfüllung der zugeteilten Buße. Trotz dieser Drohung
halte ich es für zweifelhaft, daß nach dem wilden Verfolgungs-
sturm der ersten Zeit die Verbrennung für Rückfall nach Abschwörung de vehementi Gewohnheit war. Meist suchten in
der Folge die Inquisitoren sie zu vermeiden. Teilnahmslos waren
sie, doch nicht unnötig grausam. Ein weiterer Unterschied
zwischen den beiden Arten der Abschwörung bestand darin,
daß sie, wenn de vehementi, auf dem Auto im Sanbenito
mit zwei Querstreifen zu leisten war.

Gemäß der Satzung von 1561 gab es bei „Halbbeweis", oder
wenn sonst ein Anlaß vorlag, daß der Angeklagte nicht freigesprochen werden konnte, drei Hilfsmittel: Eideshilfe, Folter
und Abschwörung; dies trifft kaum zu, denn nach erfolgter Reinigung durch Eideshilfe kam es stets, nach der Folter allgemein
zur Abschwörung. Auch wird hinzugefügt, jegliche Abschwörung
sei mehr zur Abschreckung für die Zukunft denn als Strafe gedacht, deshalb werde sie gewöhnlich mit Geldbuße verbunden.
Tatsächlich fehlt außer in ganz leichten Fällen oder bei Suspendierungen nur selten eine mehr oder weniger harte Nebenstrafe,
und dies war unvermeidlich bei den zahlreichen Vergehen, die
mit Gewalt als Ketzerei verdächtig konstruiert werden konnten.
War in solchen Fällen die Schuld erwiesen, so bestand die Strafe etwa
in Geißelung oder Galeeren, und die Abschwörung erschien nur
als eine Förmlichkeit, um die künstlich unterstellte Ketzerei zu
sühnen. Bei Verdacht wirklicher Ketzerei war die Abschwörung
in der einen oder andern Form eine notwendige Beigabe zur
Strafe. Und wenn sie auch an sich keine Strafe darstellte, so
wirkte sie, sogar in der Form de levi, recht schwer durch die
Schande, mit der sie ein ganzes Geschlecht traf.

Die Verbannung

wurde häufig verhängt, wenn keine Gefängnisstrafe erfordert
schien, und dann vielfach in Verbindung mit andern Strafen.
Ihre Form ist sehr vielfältig, je nach dem Ermessen der Gerichte. Meist ist es ein Aufenthaltsverbot für gewisse Orte und
deren Umkreis mit so und soviel Meilen, in der Regel ergeht
das Verbot auch für Madrid oder vielmehr die jeweilige königliche
Residenz, den Gerichtsort, den eigenen Wohnort, dazu für vier
oder fünf Ortschaften, in denen der Schuldige während seines

ketzerischen Wandels bekannt war. Die Strafe war für das
Gericht bequem, sie war jedoch unvernünftig, weil in ihren Wirkungen unberechenbar, für den einen harmlos, für Kaufleute
und andere seßhafte Leute mit fester Kundschaft verderblich.
Doch daran kehrten sich die Gerichte nicht, und Toledo verhängte von 1575—1610 167 mal Verbannung. Die Dauer der
Strafe wurde stets verfügt. Sie erstreckte sich von einigen Monaten bis auf Lebensdauer, meist auf mehrere Jahre. Hier und
da war sie geteilt, für die erste Zeit unbedingt (preciso), später
voluntario, dem Ermessen des Gerichtes anheimgestellt, wohl
als Gewähr für Wohlverhalten.

Volle Landesverweisung war selten, wurde aber verfügt, wenn
sie nützlich erschien, so wie umgekehrt gelegentlich dem Verurteilten verboten wurde, das Reich zu verlassen, oder bei Moriscos
wegen deren Beziehungen zur Berberei, sich der Küste auf eine
bestimmte Entfernung zu nähern.

Ferner kam die Anweisung eines Zwangswohnsitzes vor, häufig
mit Vorschriften für eine Aufsicht und für periodische Meldungen
bei einem Inquisitionsvertreter, manchmal auch in Umwandlung
der Gefängnisstrafe. In einem Falle der letzteren Art bat 1657
eine 74jährige Frau um Erlösung oder doch um die Verlegung
des Wohnsitzes an Orte, wo sie hilfsbereite Bekannte hatte; das
Gesuch ging einfach zu den Akten. Das freie Ermessen der Inquisitoren gab sich auch darin kund, daß 1802 zwei in den Betrug einer Beate verwickelte Mönche nach den Philippinen
mußten. Schließlich gab es Meidegebote für bestimmte Plätze.

Daß der Bannbruch, der ja leicht vorkam, eine Strafverschär-
fung nach sich zog, ist schon erwähnt worden. 1665 forderte
der Supremo eine Personalbeschreibung der Gebannten; die
Hauptstadt, die sie meiden sollten, zog gerade die Heimatlosen
an, und da waren sie dann leicht abzufangen, wenn sie angezeigt waren.

Niederreißen der Häuser.

Nach Reichsrecht waren Häuser, in denen Ketzer Zusammenkünfte hatten, der Kirche verfallen. Alfons X. führte diese Bestimmung in Kastilien ein. Als im 13. Jahrhundert die regel-
rechte Ketzerverfolgung einsetzte, ging man dazu über, die
Häuser einzureißen und den Boden als verflucht und ungeeignet

für menschliche Wohnstätten zu erklären. Das wurde Kirchen-
recht und Inquisitorenbrauch in allen Ländern, auch in Aragon.
In den ersten Zeiten der spanischen Inquisition mögen viele
Häuser eingerissen worden sein, wodurch der Ertrag der Gütereinziehungen geschmälert wurde. Die Frage, ob die Häuser abzutragen seien, wurde deshalb der Krone überlassen. Ferdinand
entschied von Fall zu Fall. Als indes die Gütereinziehungen
der Inquisition zufielen, überwogen, siegten die materiellen Erwägungen ob. Einem Vorschlag des Gerichtes Valencia, ein
Haus, in welchem Juden ein Kruzifix geschändet hatten, als
Sühnekapelle herzurichten, wich 1539 der Supremo aus, und das
Haus stand noch vier oder fünf Jahre später.

Während der Protestantenverfolgung von 1559 war die Auffassung strenger. In Valladolid wurde das Haus der Leonor de
Vivero, wo die Zusammenkünfte stattgefunden hatten, abgetragen
und auf der Stätte eine Säule mit ausführlicher Inschrift errichtet. Ähnlich wurde um dieselbe Zeit mit zwei Häusern in
Sevilla verfahren.

Vorsichtig gebot 1565 der Supremo, nur solche Häuser einzureißen, die Eigentum der Verurteilten selbst waren, damit
keine Entschädigung dafür zu leisten sei. Bei vielleicht den
letzten, jedenfalls dem schlagendsten Beispiel des Verfahrens,
wurde diese Rücksicht außer acht gelassen. Auf dem großen
Madrider Auto von 1632, dem Philipp IV. beiwohnte, wurden
u. a. Miguel Rodriguez und seine Frau Isabel Núñez Alvárez
wegen Judentums verbrannt: nicht nur hatten in ihrer Wohnung
jüdische Zusammenkünfte stattgefunden, es war auch noch ein
Bild Christi gegeißelt, und nachdem es Blut vergossen und zu
ihnen gesprochen hatte, ins Feuer geworfen worden. Das Haus
mußte weg. Tags nach der Hinrichtung befahl die Inquisition,
es abzuschätzen und den Eigentümer zu entschädigen. Er wider-
setzte sich der Enteignung, bis ihm die Zahlung gesichert war.
Am folgenden Tage schon begab sich der Inquisitor in Begleitung des Admirals von Kastilien, des Herzogs von Medina de
la Torres und anderer Großer, zahlreicher Vertrauter und einer
Anzahl Handwerker, unter Vortritt einer Abteilung Hellebardiere
mit Banner und Trompeten vor das Haus, wo ein Sekretär den
Befehl des Gerichtes Toledo auf Einreißung des Gebäudes verlas, worauf die Trommeln gerührt wurden und die Arbeiter ans

Werk gingen, und zwar so eifrig, daß um 9 Uhr keine Spur
mehr vorhanden war, zumal das Volk begeistert mithalf. Indes
wurde der Platz nicht, wie das kanonische Recht vorschrieb, als
eine Stätte des Unrats belassen, sondern es wurde Geld gesammelt
und er diente für ein Kapuzinerkloster, das ob der großen Langmut, die der Herr bei der schmählichen Behandlung gezeigt hatte,
La Paciencia genannt wurde.

Geistliche Strafen.

Man möchte voraussetzen, daß ein Gericht, das über den
Glauben zu wachen hatte und die Rettung der Seelen als sein
Hauptziel angab, eher zu geistlichen Strafen als zu Leibesstrafen
und Geldbußen geneigt gewesen wäre. Die religiöse Verfolgung
indes war stets für die härtere Sühne, aus der Erwägung, daß
die Überredung der Seele am sichersten durch körperliche Qualen
geschehe. Daher die geringe Bedeutung der geistlichen Strafen
bei der Inquisition; wir brauchen uns mit ihnen nur zu beschäftigen, um dieses Verhältnis festzustellen.

Außer bei Kleinigkeiten, die keine wirkliche Sühne bedingen,
sind die gelegentlichen geistlichen stets Zusätze zu anderen
Strafen. Ein zu Gefängnis Verurteilter etwa muß ein ganzes
oder halbes Jahr Freitags fasten und dabei soundsovielmal das
Vaterunser und den englischen Gruß hersagen. Pilgerfahrten
nach Canterbury oder Compostella, wie die alte Inquisition sie
auflegte, sind der spanischen unbekannt; nur selten gebietet sie
einem ausgesöhnten Gefangenen, Samstags vor einem nahen
Heiligen eine Anzahl Gebete zu verrichten. Geistliche Übertreter
erhalten in der Klosterhaft zu vielem andern kirchliche Exerzitien.
Mit der Milde für sie stimmen andere Urteile nicht überein,
welche die Gerichte in ihrer Machtvollkommenheit erlassen.
1653 wird ein des Judentums überführtes 10jähriges Mädchen
verurteilt, einen Monat im Glauben unterrichtet zu werden, um
darauf ein Jahr lang täglich den Rosenkranz zu beten. Was
damals bedeutete: 17 Vaterunser, 16 Gloria Patri, 153 Ave Maria
und das Glaubensbekenntnis; ob das jugendliche Gemüt den
Glauben dadurch lieben lernte? In der Regel waren die geistlichen Bußen jedoch nicht so streng, und die letzte Stelle, die
sie in den Urteilen einnehmen, deutet darauf, daß man wenig

Gewicht auf sie legte, es sei denn in späterer Zeit. 1777 wurden
für zwei Verurteilte vor Antritt ihrer Strafe geistliche Exerzitien
mit Unterweisung im Glauben vorgeschrieben. Wenn indes jemand verurteilt wurde, als Büßer die Messe zu hören, war dies
eine Demütigung, eine Strafe und keine Buße, namentlich wenn
es öffentlich geschehen mußte.

Außergewöhnliche Strafen.

Es seien hier einige Beispiele angeführt, um darzutun, wie
die Gerichte manchmal suchten, die Sühne dem Verbrechen anzupassen. Zwar erhielt Valencia 1539 eine Zurechtweisung von
dem Supremo, weil es einen Priester in schimpflichem Aufzug
mit einem Zaum im Munde und einem Korb mit Stroh auf dem
Rücken vorgeführt hatte; ebenso 1568 ein Wanderinquisitor,
weil er in San Sebastian einige Kanzelredner verurteilt, Predigten
auf ihre Kosten drucken zu lassen. Seltsam war auch, daß einer
schwarzen Sklavin 1579 in Llerena mit Rücksicht auf ihren
Herrn die Geißelung erlassen, durch einen Eingriff in das Eigen-
tumsrecht diesem Herrn aber verboten wurde, sie ohne Erlaubnis
der Inquisitoren zu verkaufen; sowie daß 1607 in Valencia einer
moriskischen Hebamme, der maurische Bräuche und Beschnei-
dungen bei Kindtaufen nachgesagt aber nicht nachgewiesen
wurden, leichte Abschwörung auferlegt und die Ausübung ihres
Gewerbes untersagt wurde. Vernünftiger schon war es, einem
Gotteslästerer das Spielen zu verbieten, weil beim Spielen am
meisten geflucht wird. Eine Sühne und Abschreckung zugleich
lag darin, daß von 1635—1637 mehreren Judaisten, die ein
Kruzifix beschimpft hatten, die Verbrennung erlassen, der rechte
Arm jedoch während der Verlesung des Urteils auf dem Auto
an ein Kreuz genagelt wurde.[1] Weniger symbolisch war 1664
die Behandlung eines Büßenden in Mexiko, dem zwei Indianer
den Körper mit Honig bestrichen und dann mit Federn be-
deckten, worauf er in diesem Aufzug vier Stunden am Pranger
in der Sonne stehen mußte. Sogar die Einstellung in die Armee
wurde verfügt, wie einmal auf vier Jahre gegen einen Gottes-

---

[1] Arch. de Simancas, Inq. Leg. 552, fol. 17, 22. — Um diese Zeit waren
Autos nicht häufig, und Ende 1638 warteten die Verurteilten noch auf eins.

lästerer; bei den Soldaten hat er das Fluchen gewiß nicht ver-
lernt. Kurz, für solche Strafen gab es keine Grenzen und die
Gerichte machten weidlich Gebrauch von ihrer Freiheit in dieser
Hinsicht.

Dritter Abschnitt.
Die schwereren Strafen.

Die Geißelung war von jeher, als „Disziplin", ein viel-
gebräuchliches Zuchtmittel, namentlich bei den Mönchen, wo sie
wegen Übertretungen der Ordensregel und anderer Sünden der
Lossprechung voranging. Wenn in Rom der Pönitenziar zur Lösung des Bannes dem Beichtenden mit der Rute die Schulter berührt, ist auch dies eine Anspielung auf die ehemals unentbehrliche
Geißelung. Diese wurde in der alten Inquisition viel angewandt,
freilich mehr zur Erbauung, und von Priestern während der
Messe oder der Prozession verhängt. Daß sie auf die spanische
Inquisition überging, lag in der Natur der Sache, hier aber
wurde sie lediglich Sühne und Strafe. Es war aber nicht mehr
der Priester, der bei religiösen Handlungen ungezählte Hiebe erteilte: die Zahl war genau vorgeschrieben, und die Vollstreckung
geschah durch den starken Arm des Henkers. Zuerst erschienen
die Opfer, einen Strick um den Hals, auf dem Auto: soviel
Knoten der Strick aufwies, sovielmal gab es 100 Hiebe, und 100
war die Einheit und das mindeste. Tags darauf hatte der Pöbel
sein Schauspiel: auf Eseln beritten, den Strick um den Hals,
bis auf die Hüften entblößt, eine Mitra mit Angabe des Verbrechens und den Kopf im Pie de amigo steif gehalten, so
wurden sie durch die Straßen geführt; daneben ritten Vertraute
und schritt der Notar als Protokollführer, während der Henker
mit der Penca, einem Lederstreifen, auf das nackte Fleisch
einhieb, bis die Zahl voll war, und der städtische Ausrufer dazwischen rief, es geschehe im Namen der Inquisition wegen der
und der Verbrechen. Bezeichnend ist, daß 1680 dem Janhagel
von Madrid bei Strafe des Bannes verboten wurde, die Opfer
während des Aufzuges mit Steinen zu bewerfen.[1]

---

[1] Die römische Inquisition war milder. Nicht nur war die Stäupung
leichter und weniger häufig als in Spanien, sondern durch Dekret vom

1568 gebot der Supremo dem Gericht Barcelona, die öffentliche Stäupung bei den wegen Ketzerei Ausgesöhnten zu unterlassen, außer wenn ein anderes Verbrechen vorliege; andernfalls
widerspreche es dem Brauch. Dieser Brauch wurde aber wenig
eingehalten, denn es wäre leicht gewesen, ein jegliches Inquisitionsvergehen zur Ketzerei zu stempeln; die Geißelung wurde
gerade gegen Ketzer verfügt, die spät gestanden hatten, und
Judaisten wurden ihr stets unterworfen.

Auf einem Auto in Saragossa 1585 wurden von 79 Büßenden
22 zu dieser Strafe verurteilt, in Valencia 1607 von 74:24;
diese Zahlen überschreiten indes den Durchschnitt: Toledo hatte
von 1575—1610 im ganzen 133 Fälle. Dagegen kommen deren
auf die Autos im ganzen Lande 1721—1727, soweit die Aufzeichnungen reichen, 297 auf 962 Fälle. Was die Strafe bei
der Inquisition bedeutete, geht daraus hervor, daß der Protokollführer, der die Schläge zu zählen hatte, 1746 in Murcia mit
2500 Realen besoldet war. Die verrohende Wirkung auf den
Pöbel, besonders wenn Frauen seinen Blicken preisgegeben
waren, kann man sich leicht denken. 200 Hiebe waren die
Regel, 100 wurden gelegentlich verfügt. In jenen 297 Fällen
waren 200 in 290, 100 nur in 7 Fällen verhängt. Über 200 in
einem Male zu geben war wohl zu gefährlich, deshalb wurde die
Zahl nur selten überschritten. Waren doch die Opfer vielfach
durch die Gefangenschaft geschwächt. Einer Frau mußte nach
der Geißelung das Viaticum gereicht werden. Überhaupt gab
es keine Schonung für Alter und Geschlecht: 100 Hiebe für einen
schon gefolterten 13jährigen Morisco, für einen ebenfalls gefolterten
76jährigen Morisco, für einen 86jährigen Zauberer und Schatzgräber sowie für eine wegen eines Herzfehlers von der Folter
verschonte 60jährige. Im 18. Jahrhundert sah man allmählich
von der Geißelung ab, wenn ihre Folgen dem Patienten gefährlich werden konnten; dann verschonte man die Frauen, zuletzt
auch die Männer. Wohl wurde die Strafe noch, und zwar bis
nach 1814, zwar verhängt, aber durch den Großinquisitor erlassen.

---

23. Februar 1641 wurde sie umgewandelt, wenn der Verurteilte Schwestern,
Töchter oder Enkelinnen in achtbarer Stellung hatte. Auch Frauen, die
ihren Gatten und heiratsfähige Töchter hatten, wurde sie erspart. — Collectio Decretor s. Congreg. Sti Officii, S. 358; Ristretti cerca li Delitti piu
frequenti nel s. Officio. S. 53 (m s Penes me).

Bei den Geistlichen trat natürlich keine öffentliche Geißelung ein, sondern die Strafe wurde in einem Kloster im Kreise der Brüder vollzogen.

Vergüenza.

Darunter verstand man wörtlich die „Schmach", einen schimpflichen Aufzug ohne die Stäupung, doch in der oben angedeuteten Form. Diese Strafe wurde manchmal an Stelle der Geißelung verfügt, wenn das Opfer zu alt oder zu schwach für diese war. Wenig empfindlich für Schurken und Strolche, wirkte sie äußerst verletzend bei feineren Naturen. Darauf nahmen die Inquisitoren wenig Rücksicht, namentlich bei den Judaisten und Moriscos, die in ihrem peinlichen Ehrgefühl den Tod vorgezogen hätten, und bei jungen Frauenspersonen. Im ganzen aber war die Strafe noch menschlicher als der Pranger unserer Vorfahren, an dem der Ausgestellte den Wurfgeschossen des Pöbels preisgegeben war. Im übrigen wurde diese Art Strafe selten verhängt.

Mordaza.

Dieser schon bei dem Gefängniswesen erwähnte Knebel wurde manchmal bei der Geißelung oder Vergüenza angeordnet, wenn das Opfer Gotteslästerungen ausstoßen oder sonst Ärgernis erregen konnte, oder beim Auto, wenn man befürchtete, daß die Opfer am Scheiterhaufen durch ihre Reden die Zuschauer im Glauben wankend machen könnten. Auch diese Strafe, die 1559 in Sevilla 12 Protestanten und 1680 in Madrid ebenfalls 12 Opfer traf, war im übrigen selten.

Die Galeeren.

Der Ruderdienst als Strafe für geistige Vergehen erscheint noch widersinniger denn die Geißelung. Er bildet eine Neuerung bei der spanischen Inquisition. Ferdinand brauchte starke Arme für die Kriegsschiffe, die er zur Verteidigung seiner sizilischen Besitzungen unterhielt. Der Dienst galt indes als so hart, daß in Aragon kein Verbrecher wider seinen Willen dazu verurteilt werden durfte; erst nachdem 1592 die alten Fueros beschnitten worden waren, konnten die Richter die Strafe über Räuber verhängen. In Kastilien war die Umwandlung der von weltlichen Gerichten ausgesprochenen Todesstrafe in Galeerendienst schon

üblich, als Ferdinand sich an die durch keine Gesetze gebundene
Inquisition wandte, um aus deren überfüllten Gefängnissen
Ruderer für seine unterbemannten Schiffe zu erhalten. Sogar
damals schien dies ungeheuerlich, und der h. Stuhl mußte aushelfen: Alexander VI erließ 1503 an die Inquisitoren eine Breve,
worin er unter Hinweis auf Vorstellungen des Königspaares
wegen Rückfällen unter den Gefangenen und der daraus dem
Glauben drohenden Gefahr, sowie wegen der Vermehrung der
Gefängnisse die Ermächtigung erteilte, die kanonische Strafe des
immerwährenden Gefängnisses in Verschickung nach den Kolonien oder in Zwangsdienst auf den Galeeren oder sonstige Strafen
umzuwandeln, je nach Stand und Verbrechen der Verurteilten.

So reichlich wurde davon Gebrauch gemacht, daß ohne
Zweifel nicht nur die Ausgaben für die Gefangenen verringert,
sondern auch die Eroberung Neapels erleichtert wurde. Barcelona allein sandte am 25. Januar 1505 von seinen Gefangenen
19 auf die Galeeren. Man ging so weit, daß 1506 verfügt werden
mußte, Männer über 60 Jahre, Kleriker und Frauen seien nicht
auf die Galeeren zu schicken. Ferdinand muß in seinen letzten
Lebensjahren vor den Folgen der Anordnung zurückgeschreckt
sein, denn als 1513 der Inquisitor von Sizilien die lebenslänglich Verurteilten auf die Galeeren schicken wollte, beschied er
ihn dahin, der Bau von Gefängnissen koste zwar viel Geld,
allein die Galeerenstrafe sei so abschreckend, daß die Angeklagten aus Furcht vor ihr mit ihren Geständnissen zurückhalten
könnten; so möge sich der Inquisitor die Sache überlegen und
nach bestem Ermessen handeln. Der Verfolg ist nicht bekannt,
wir mögen indes annehmen, daß das Gericht Palermo seine
Gelder nicht für Gefängnisbauten ausgab.

Auch Karl V. schien von der Einrichtung nicht sehr eingenommen zu sein, und der Supremo schrieb 1527 vor, Büßende
anders als mit Galeeren zu treffen. Doch die finanziellen Erwägungen trieben zur Besetzung der Galeeren. Es traf sich,
daß manche der Verurteilten durch ihre Begabung sich nützlicher an Deck oder im Verwaltungsdienst denn am Riemen erwiesen und daher befördert wurden. Diese Erleichterung gönnte
ihnen der Verfolgungswahn nicht; die Verurteilung lautete daher
auf Ruderdienst ohne Sold, außer für Adlige, die in Herren-
stellungen oder mit der Waffe verwendet werden durften.

Wir wissen schon, daß die Inquisition ihre Dispensbefugnis
zu einem einträglichen Geschäft gerade durch die Erlösung vom
Galeerendienst zu gestalten wußte; sie ließ sich, wie ein Fall
von 1558 beweist, durch die Krone nicht gern hineinreden.
Philipp II. hätte den Andrés de Frias gern für den Rest seiner
Galeerenzeit freigehabt. Der Supremo wich aus: Andrés habe
in Rom den Prokurator der Inquisition meuchlings ermordet;
auch habe er weder seine Zeit soweit abgedient, noch am Riemen
gezogen, wenn er aber Reue zeige, werde man suchen, dem
König Gelegenheit zur Ausübung seiner Gnade zu geben. Im
übrigen war Philipp nichts weniger als geneigt, seine Ruderer
begnadigen zu lassen, denn er konnte deren nie genug erhalten;
die Schiffe waren nach dem Zeugnis des venezianischen Gesandten Antonio Tiepolo ungenügend besetzt, und bei der rauhen
Behandlung und der Not, die man die Besatzung leiden ließ,
konnte man nicht, wie in Venedig, freie Männer als Ruderer
anwerben. Merkwürdig war, daß auch die Ordensoberen die
Verweisung ihrer räudigen Schafe auf die Galeeren billiger fanden
als deren Unterhalt in den Klosterverließen. Allein die Armadas
brauchten Besatzungen, und der Supremo kam 1567 Philipp zu
Hilfe mit einem Erlaß, wonach eine Verurteilung zu Galeeren
nicht auf weniger als drei oder vier Jahre lauten sollte, weil
sonst die Leute dem König mehr kosteten als sie ihm dienten,
sowie durch eine „Anregung", wonach Gefängnis mit Sanbenito
durch die Galeeren ersetzt werden könne. Daraus zog ein
Schriftsteller die praktische Folgerung, daß, wenn das Geständnis eines Angeklagten nicht ausreichend scheine, er zu foltern
sei, und wenn er dann die Beweise noch nicht bekräftige, er
gewöhnlich auf die Galeeren geschickt werde, und zwar auf
nicht unter drei Jahre; mit anderen Worten, es konnte jemand
wegen Ketzereiverdachtes auf die Galeeren wandern!

Auch das genügte der Krone noch nicht, und der Supremo
ließ sich 1573 und 1591 zu der Anordnung bewegen, daß sogar
vollgeständige Conversos auf die Galeeren zu senden seien.
Selten ist ein so schreiender Mißbrauch mit der Religion getrieben worden. Dennoch rühmten sich in einem Bericht an
Philipp die Inquisitoren von Saragossa 1585 eines Autos, von
dem sie ihm 29 Galeerensklaven auf sechs Jahre geliefert hätten,
nebst 3 von einem früheren Auto. Und dies in Aragon, wo die

Galeerenstrafe auch nicht gegen die gemeinsten Verbrecher verhängt werden durfte.

Die Kapitäne waren nicht geneigt, die Ruderer herauszugeben, wenn die Inquisition sie zur Abbüßung des Restes ihrer Strafe im Gefängnis einforderte. Da sie über ihre Opfer wachte, entstanden häufig Reibungen, und der König mußte dann seinen Schiffs- und Geschwaderführern einschärfen, die ausgedienten Sträflinge zurückzugeben. Im 17. Jahrhundert hatte die Inquisition für diese Art Forderung eine besondere Formel mit Androhung von Kirchenbann und 500 Dukaten, sie gebot jedoch, diese Formel so selten wie möglich gegenüber solch großen Herren wie den Kapitänen anzuwenden und diesen lieber durch freundliches Zureden in den Häfen beizukommen.

Nicht selten waren die Verurteilten für den rauhen und entbehrungsreichen Dienst des Galeerensklaven gänzlich untauglich, und viele mögen aus dieser Ursache umgekommen sein. Dennoch gab die Inquisition eine Entlassung aus Gesundheitsrücksichten nur äußerst widerwillig zu. Die Denkweise des 18. Jahrhunderts indes gibt sich auch darin kund, daß sogar während der von 1721 an wieder aufflackernden Verfolgung angeordnet wurde, vor einer Verurteilung zu Galeeren den Angeklagten durch einen Arzt und Wundarzt untersuchen zu lassen; wenn sie ihn zu schwach fänden, sollte es bei unerläßlichem Gefängnis bewenden. In den Jahren 1721—1727 wurde auf 64 Autos 92 mal Galeeren und 7 mal Verschickung nach einem afrikanischen „Presidio" verhängt. Letzteres war seit dem 17. Jahrhundert bei Münzvergehen gegenüber Adligen üblich, während die Gemeinen auf die Galeeren mußten. Die Inquisition ging dann ebenso vor und sandte Adlige nach Oran, Ceuta, Gibraltar, Badajoz, Peñon und anderen königlichen Werften und Garnisonen, was dann im 18. Jahrhundert allmählich für alle Klassen galt. Mittlerweile war die Zwangsarbeit in den ungesunden Quecksilbergruben von Almaden aufgekommen. Die Galeerenstrafe finde ich zuletzt 1745, wogegen noch 1818 „Presidio" verfügt wurde; allerdings trat nach sechs Monaten Begnadigung ein.

Bei Frauen entsprach den Galeeren der ungelohnte Dienst in Krankenhäusern, Besserungs- und ähnlichen Anstalten, wo sie zwar vor der Revolution ohne Widerstand aufgenommen wurden, später aber unerwünscht waren.

Es gereicht der römischen Inquisition nicht zur Ehre, daß sie, dem Beispiel der spanischen folgend, die Galeeren in ihre Rüstkammer aufnahm; es war nach Carenas Zeugnis die häufigste und für eine ganze Reihe von Vergehen die meist übliche Strafe.

Aussöhnung.

Widerspruchsvoll genug war es, diejenigen, die als verirrte Kinder der liebevollen Mutter, der Kirche, wieder zugeführt wurden, „zur Aussöhnung zu verurteilen", wie der Supremo sich geläufig ausdrückte; nichts beleuchtet schärfer die Zersetzung des religiösen Geistes durch den Verfolgungswahn. Der Apostat oder Ketzer, der die Kirche verließ, nachdem er durch das Taufwasser darin aufgenommen worden war, konnte nur durch Abschwörung seiner Irrtümer und die Bitte um Aussöhnung wieder in sie eintreten. Davon konnte bei Conversos, die im geheimen zum mosaischen oder islamischen Gesetz hingen, sowie bei solchen Ketzern wie Protestanten keine Rede sein. Inwiefern andere Abirrungen eine formale Ketzerei bildeten, die Aussöhnung erforderte, oder einen leichten oder schweren Ketzereiverdacht eröffneten, hatten die Qualifikatoren zu beurteilen, was bei den Abstufungen des theologischen Irrtums nicht immer leicht war.

Solange es in der aufgeregten Frühzeit sich um Tausende von Selbstanklägern handelte, die sich unter dem Gnadenedikt meldeten, war die Aussöhnungszeremonie naturgemäß einfach: der Inquisitor verkündigte, daß der Büßende ein abtrünniger Ketzer gewesen sei, der die Riten und Bräuche der Juden befolgt und die vom Gesetz angedrohten Strafen verwirkt habe, jedoch nunmehr, wie er sage, bekehrt sei und zum Glauben zurückzukehren wünsche, mit reinem Herzen und ohne Falsch, und bereit sei, die ihm aufzulegende Buße anzunehmen und zu erfüllen, weshalb er losgesprochen werden müsse von dem Bann, dem er durch dieses Verbrechen verfallen sei, um mit der heiligen Mutter, der Kirche, ausgesöhnt zu werden, wenn er, wie er sage, zu dem heiligen Glauben ohne Arg und Trug bekehrt sei. Von weiteren Zeremonien wird nichts erwähnt, obschon wahrscheinlich Abschwörung folgte.

Als das Verfahren weniger übereilt und Zeit für Vorbereitungen gegeben war, wurde die Form eindrucksvoller gestaltet. Das Urteil verfügte, daß der Büßende ohne Gürtel und Mütze, im Büßerkleid von gelbem Zeug mit zwei roten, im Andreaskreuz gelegten Streifen, eine Kerze in der Hand, auf dem Auto erscheinen müsse; nach Verlesung des Urteils solle er die eingestandenen Irrtümer sowie alle sonstigen Irrtümer und Apostasien öffentlich abschwören, um dann, vom Bann freigesprochen, in die Kirche wieder aufgenommen zu werden; daran schloß sich die Aufzählung der Strafen. Nach dem Auto wurde in der geschilderten Form die Abschwörung de vehementi vollzogen, es folgte die förmliche Lossprechung, und am andern Tage wurde ihm seine Abschwörung vorgelesen mit der Warnung, daß er im Rückfall verbrannt würde.

Auf dem großen Auto zu Madrid 1632 werden die Auszusöhnenden vor den Großinquisitor gebracht, der die Feier leitete. Sie knieten vor ihm, während er ihnen das Glaubensbekenntnis mit einigen Zusätzen in Frageform vorlas, worauf sie Punkt für Punkt antworteten: „Ja, ich glaube." Dann las der Sekretär die Abschwörungsformel vor, die sie nachsagten. Darauf sprach der Großinquisitor das Exorzitium und die üblichen Gebete und die königliche Kapelle sang das „Miserere", währenddessen die Kapläne des h. Offiziums die Büßenden mit Ruten auf die Schultern hieben. Nachdem der Großinquisitor weitere Gebete hergesagt und die Sänger einen Gesang vorgetragen, wurde das Kreuz von seiner Trauerhülle befreit und der Großinquisitor schloß die Feier mit einem Hymnus.

An sich war daran nichts Furchtbares, der Schwerpunkt lag vielmehr in den unausbleiblichen Strafen und darin, daß gemäß den Canones dem Ketzer nur einmal verziehen werden konnte und er im Rückfall keine Gnade mehr zu erwarten hatte; wenn er auch das Himmelstor nicht verschlossen fand und wieder zu den Sakramenten zugelassen wurde, der Scheiterhaufen blieb ihm nicht geschenkt. Daß man sich indes sogar schon in der Frühzeit scheute, aus einem Rückfall die letzte Folgerung zu ziehen, beweist das uns bekannte Vorgehen in Mallorca (s. Bd. I S. 167); eine Frau wurde sogar dreimal ausgesöhnt.

Der Regel nach sollten Ausgesöhnte nicht zu Hieben und Galeeren verurteilt werden, auch nicht, wenn sie ihre Geständnisse widerrufen hatten; ich habe jedoch nicht gefunden, daß diese Regel befolgt worden sei; im Gegenteil, Fälle von Aussöhnung, mit diesen Strafen verbunden, waren in früherer und späterer Zeit häufig. Die mit der Aussöhnung grundsätzlich eintretende Gütereinziehung mit Gefängnis wurde manchmal erleichtert.

Es erscheint wie eine Travestie ernster religiöser Feierlichkeiten, daß die Bildnisse der Toten zur Aussöhnung vorgeführt wurden, allein da das Grab nicht vor der Inquisition schützte, war es die logische Folge des Systems für den Fall, wo ein verstorbener Ketzer seine Irrtümer widerrufen und die Aussöhnung mit der Kirche verlangt hatte, nämlich wenn während des Prozesses ein Gefangener, Schuld und Reue bekennend, mit den Sakramenten versehen starb. Der Prozeß ging dann weiter und das Ende war die Aussöhnung, deren Ungeheuerlichkeit der Inquisition nicht auffiel, sowie die Gütereinziehung, deretwegen sie verhängt wurde. Aus unerklärlichen Gründen wurde die Aussöhnung im Bilde an drei 1678 reuig gestorbenen Judaisten in Mallorca erst 1691 vorgenommen, und die Theologen scheinen sich nicht gefragt zu haben, welches der Seelenzustand dieser Verstorbenen in der Zwischenzeit gewesen sein mag. Übrigens war die Aussöhnung von Toten nicht, wie Llorente meint, eine Neuerung aus der Zeit Philipps III., sie findet sich schon 1499.

Das Vernunftalter scheint die einzige Grenze für die Aussöhnung gewesen zu sein. Kinder von 10 und 12 Jahren wurden davon betroffen, mit mehr oder weniger leichten Nebenstrafen.

Eine Erleichterung lag für die Ausgesöhnten darin, daß sie als Büßende der Gerechtsame der Inquisition unterworfen waren, gemäß dem Bewußtsein des Mittelalters, wonach der Gebüßte während der langen Jahre der Buße keine Waffen tragen durfte und daher unter den besonderen Schutz der Kirche gestellt war. In einem Falle sorgte Ferdinand, daß ein Ausgesöhnter des Schutzes teilhaftig wurde, den die Inquisitoren ihm nicht angedeihen ließen. Der Schutz ging indes so weit, daß 1654 in Granada Schwierigkeiten entstanden, weil die Ausgesöhnten das Inquisitionsprivileg anriefen, um die Umsatzsteuer nicht entrichten zu müssen. In solchen Fällen pflegte bekanntlich die Inquisition eifrig für ihre Gerichtsbefohlenen einzutreten.

Das immerwährende Gefängnis.

Lange vor Errichtung der alten Inquisition hatten Päpste und Kaiser zum Gesetz erhoben, daß der Ausgesöhnte den Rest seines Lebens im Gefängnis verbringen müsse. Für das spanische h. Offizium war dies selbstverständlich. Das System verursachte ihm wie dem älteren Glaubensgericht Geldschwierigkeiten, weil die Einnahmen aus den Gütereinziehungen und Bußen verschleudert wurden. Zwar erkannte die Krone ihre Verpflichtung zur Herrichtung und Unterhaltung der Gefängnisse an, allein es gab keine bestimmten Anordnungen. Tatsächlich wurde mangels an Strafanstalten die Überweisung der Ausgesöhnten an Festungen, Krankenhäuser und Klöster allgemein üblich, oder sie wurden in ihr eigenes Haus verwiesen, was infolge der Gütereinziehung bedeutete, daß sie bei Verwandten und Freunden Unterkunft finden konnten. Die Hausgefangenschaft war in der Satzung von 1488 förmlich vorgesehen, unter Hinweis auf den Mangel an Gefängnissen: wer ausging, machte sich straffällig; indes wurde die Sache nur als ein Behelf aufgefaßt, denn die Kämmerer sollten geräumige Stätten mit einzelnen Hütten und einer Kapelle herrichten lassen und den Gefangenen, unter Trennung der Geschlechter, Gelegenheit zum Erwerb lassen. Doch es war weniger kostspielig, sie auf die Galeeren zu senden.

Die Unterbringung der Gefangenen in öffentlichen Anstalten und Privathäusern bot naturgemäß Übelstände, gegen die sich wiederholt Vorschriften richteten. Um 1488 hieß es, die Aussöhnung solle mit Gütereinziehung und immerwährender Haft verbunden werden, wenn es sich um Ketzer handle, und die Haft solle streng sein, ohne Freiheit des Gesprächs, außer an den Tagen des Kirchgangs, ohne Verkehr mit Gatten und Kindern. Dies wurde kaum beobachtet, und so folgte 1506 das Gebot, den Gefangenen Sanbenitos anzulegen. Es dürfte danach der weiteren Vorschrift, ständige Gefängnisse herzurichten, in etwas Folge geleistet worden sein, denn es hieß, man solle die Insassen ihren Unterhalt verdienen oder sie durch ihre Angehörigen ernähren lassen, oder sie könnten sich Almosen erbetteln. Llerena und Cuenca hatten tatsächlich Räumlichkeiten für die Gefangenen, allein sie genügten nicht, und die Hausgefangenschaft mußte zum Teil verfügt werden, auch war die Zucht in den Anstalten sehr

locker. Nachdem nochmals erlaubt worden war, die Gefangenen
im Sanbenito betteln zu lassen, wurde 1514 überhaupt gestattet,
die Ausgesöhnten die Strafe zu Hause abbüßen zu lassen.

Menschenfreundliche Rücksichten spielten dabei nicht mit,
man wollte nur keine Verantwortung für den Unterhalt der durch
die Gütereinziehung brotlos gewordenen, nach den Canones auf
Lebenszeit gefangenen Opfer übernehmen. Diesen war das Leben
ohnehin durch mancherlei Unfähigkeiten und das verächtliche
Sanbenito erschwert. In einem ordentlichen Gefängnis hätten sie
keine Glaubensansteckung mehr im Volke verbreiten können,
doch man ließ die Ausgeplünderten betteln gehen oder verhungern,
und letzteres kam tatsächlich vor.

Immerhin gab es um 1524 einige Strafgefängnisse, deren regel-
mäßige Besichtigung angeordnet wurde. Barcelona war versorgt,
da es seit 1489 in der königlichen Pfalz untergebracht war; in
Valencia war ein Gefängnisbau einmal beabsichtigt,[1] 1554 jedoch
mußte das Gericht die immerwährende für eine Verurteilte in
Hausgefangenschaft umwandeln; ebenso mußte man 1553 in
Logroño verfahren. Hatte doch 1537 der Supremo es bestimmt
für unstatthaft erklärt, den Gefangenenunterhalt dem Fiskus aufzulegen: die Ausgesöhnten konnten zu Hause büßen, wenn sie
keine andern Mittel hatten.

Erst die Satzung von 1561 brachte einige Ordnung in diese
skandalösen Zustände. Der Ausgesöhnte wurde auf bestimmte
Zeit zu Gefängnis und Sanbenito verurteilt und sollte daneben
geistliche Strafen, wie Bittgänge in der Nachbarschaft, erhalten.
Um dies durchzuführen, sollten Häuser angekauft und Beamte
dazu bestellt werden, auf die Erfüllung der Bußen zu sehen.
Auch sollte der Vogt den Gefangenen Rohstoffe und Arbeits-
gelegenheit verschaffen. Das wirkte nur langsam, durch stetigen
Druck des Supremos, zum Teil durch das Drängen von Klöstern,
denen Gefangene aufgebürdet wurden. So erhielt Mexiko 1598
ein geräumiges Gefängnis, dreißig Jahre nach Einsetzung des
Gerichtes, und 1600 war Toledo und nach 1609 Valencia ver-

---

[1] Valencia hatte schon ein Art Gefängnis, eine üble Stätte, wie 1606
Br. Nicolas del Rio dem Supremo darlegte. Die Gefangenen waren sämtlich
Mauren, die dort im vollen Genuß ihrer Religion lebten; die Frauen verfielen
dort dem Laster und konnten nicht länger dort untergebracht werden. —
Boronat, Los Moriscos Españoles, II, 149.

sorgt; ob es jedoch alle Gerichte wurden, steht nicht fest, wenngleich überall als ein Beamter mehr der Vogt erscheint, während gleichzeitig das Strafgefängnis von nun an Cárcel de la penitencia oder de la misericordia heißt.

Es folgt nun nicht, daß auch die Zucht straffer wurde. Die erste Sorge war immer, die Gefangenen sich selbst durchschlagen zu lassen, daher waren die Strafanstalten, wenn vorhanden, nicht besetzt. Philipp IV. wollte 1641 alle entlassen. Als sich darauf der Supremo nach der Zahl der Gefangenen erkundigte, ergab sich, daß Valencia in seinem zweistöckigen Gebäude einen einzigen, einen Zauberer, hatte; es wurde dessen Entlassung durch Strafumwandlung verfügt. Nicht überall war das Gefängnis so leer, und Philipps Absicht schlug fehl. Besonders viele Gefangene hatte Granada, wo sie Hausierhandel trieben. Wie erwähnt, beschwerten sich die Krämer, weil die Gefangenen keine Umsatzsteuer entrichteten: arm seien diese aus dem geheimen Kerker gekommen und nun würden sie wohlhabend. Das Gericht gab der Klage dahin nach, daß die Gefangenen zwei Wochen lang ihre Waren öffentlich ausrufen, aber nicht hausieren dürften; dann sollten sie in Läden bleiben. Dawider wehrten sich die Gefangenen, die für sich und die Ihrigen zu sorgen hatten, und der Fiskal setzte 1655 einen langen Bericht an den Rat auf, worin er die Rechtslage kennzeichnete. Statt der kanonischen Absperrung sei es eine Gefangenschaft nur dem Namen nach. Die Leute gingen zu jeder Tageszeit ohne Begleitung aus, der selbstgewählten Beschäftigung nach, in Stadt und Vororten, fänden Unterhaltung bei ihren Freunden und verbrächten, wenn sie wollten, nur einen Teil der Nacht im Gefängnis, das für sie eine mietfreie Wohnung darstelle. Von einer Aufsicht über Erfüllung der Bußen könne dabei keine Rede sein. Der Fiskal wendet sich gegen die Behauptung der Gefangenen, sie hätten den geheimen Kerker körperlich gebrochen und ohne einen Heller verlassen, könnten kein Handwerk und müßten als Händler die Ihrigen zu ernähren suchen; die Leute, meinte er, könnten dem h. Offizium dankbar sein, daß sie überhaupt das Leben hätten, der Verlust ihrer Habe sei eine geringe Strafe für ihr Verbrechen, und ihre Kinder teilten nur die Strafe für die Ketzerei der Väter.

Indes wurde an der alten Regel festgehalten, daß Ausbrechen aus der Gefangenschaft Rückfälligkeit bedeutete. Das wahre Ver-

gehen lag aber im Ablegen des Sanbenitos. Man legte wohl wenig
Gewicht auf die Wiedereinbringung der Entflohenen, das Formular
für Steckbriefe galt nur für Untersuchungsgefangene. Als Beispiel für die Behandlung eines Verurteilten sei erwähnt, daß 1645
in Valladolid ein Mann in der Trunkenheit zu lange ausgeblieben
und dann aus Furcht vor Strafe entflohen war; in Irun, an
der französischen Grenze, wurde er erkannt und dann wieder
eingebracht; wegen der Flucht und des Ablegens des Sanbenitos
erhielt er 200 Hiebe und unnachläßliches Gefängnis.

Die Verurteilungen ergingen nach wie vor, allein auf die Vollstreckung legte man wenig Gewicht. 1718 waren in Barcelona
zwei Frauen, Mutter und Tochter, zu lebenslänglichem Gefängnis verurteilt worden, und einige andere Prozesse schwebten noch.
Das Gericht, obschon immer noch in der Burg untergebracht,
erklärte dem Supremo, es wisse nicht wohin mit den Frauen,
es habe kein Gefängnis und keinen Vogt, kein Haus, das als Gefängnis dienen könne, und keine Beamten, um die Leute zu beaufsichtigen. Ob es denn kein Gefängnis für Vertraute gebe, in
welchem ein Raum für die beiden Personen hergerichtet werden
könne, fragte der Supremo, und die Antwort lautete verneinend.
Darauf wurde die Ermietung eines Hauses angeordnet, und 1723
wurden vier Judaisten lebenslänglich verurteilt.

Um diese Zeit waren die Verurteilungen häufig: 1720 in Granada 27, und auf den 64 Autos für ganz Spanien von 1721 bis
1727: 740. Wie alle diese Gefangenen untergebracht wurden ist
fraglich, denn die Nachlässigkeit war im Zunehmen, so daß 1750
nur drei Gerichte einen Vogt hatten. Daraus folgt nicht, daß die
andern keine Gefängnisse gehabt hätten, wohl aber hatten sie
keine Gefangenen, die zu beaufsichtigen gewesen wären. 1794
wollte der Supremo einen Priester aus seiner gesundheitsgefähr-
lichen Klosterhaft im Gefängnis von Valencia unterbringen. Das
Gericht erwiderte, das Gefängnis bestehe aus Zellen und Verließen, der Aufenthalt darin erscheine dem Volk besonders schand-
bar; ob die Unterbringung nicht in einem vorstädtischen Kloster
möglich sei? Was nicht verhinderte, daß 1802 das Gericht klagte,
die Gehälter der Sekretäre seien 1795 nicht mit erhöht worden,
wohl aber das des Vogtes von 120 auf 220 Realen, obwohl er
nichts zu tun habe und im Genuß eines Hauses sei, ebensogut
wie das der Inquisitoren. Die Verurteilungen zu Gefängnis hörten

schon allmählich auf: 1738 gab es deren in Toledo noch 12, dann
keine bis 1756, und die nächste erst nach 38 Jahren. Unter der
Restauration mag die Strafe nicht mehr verhängt worden sein;
es wäre unvorsichtig, zu behaupten, sie sei es nicht worden, es
sind mir nur keine Fällen vorgekommen.

Wie mit der Strenge ging es mit der Dauer der Haft; auch
hier war die Geldfrage maßgebend. Der Brauch, die Gefangenen
freizugeben, bildete sich frühzeitig aus. Wenn, wie Bernáldez
berichtet, bis 1488 in Sevilla allein 5000 Menschen ausgesöhnt
und zu lebenslänglichem Gefängnis verurteilt wurden, wo hätte
man sie unterbringen können?

Man entließ sie nach vier oder fünf Jahren mit dem Sanbenito und schenkte ihnen auch dieses, weil die Schande zu allgemein gewesen wäre. Das Gericht von Barcelona war kaum eingesetzt, als es die Unterscheidung zwischen Gefängnis auf Lebenszeit und auf Frist mit der Formel absque oder cum misericordia fand, und die Verurteilungen auf Lebenszeit scheinen
die selteneren gewesen zu sein. 1516 wurde zwar das kanonische
Prinzip der Lebenslänglichkeit wieder eingeschärft, aber mit dem
Rechte des Strafnachlasses durch den Großinquisitor; die Neigung
zum Nachlaß war jedoch so unwiderstehlich, daß im 16. Jahrhundert, als Simancas schrieb, unter lebenslänglicher eine dreijährige Haft verstanden wurde, wenn der Sträfling reuig war;
mit „unnachläßlich" meinte man acht Jahre. Die Form wurde
manchmal dadurch gewahrt, daß „lebenslängliche" Haft auf sechs
Monate oder ein Jahr ausdrücklich begrenzt wurde. Demnach
war die Strafe nicht so schlimm, wie sie sich in den Akten aus-
nimmt. Wenn mehr als acht Jahre verhängt wurden, etwa zehn,
davon die Hälfte auf den Galeeren, so wurde dies deutlich verkündigt.

Aus Menschlichkeit, häufiger aber für Geld, wurden Strafnachlässe gewährt. So zahlte ein Mann 1550 die schwere Summe
von vier Dukaten für den Nachlaß von zwei Monaten, die seine
Frau noch in Toledo abzubüßen hatte. Über das Recht, Nachlässe zu gewähren, stritten sich die Gerichte lange Zeit mit dem
Supremo herum, bis zuletzt dem Großinquisitor die Entscheidung
verblieb. In zahlreichen Fällen wurde aus dem Geschäft kein
Geheimnis gemacht, allein es wurde auch wirkliche Gnade geübt.

Die Gesuche mehrten sich besonders, wenn ein festliches Ereignis bevorstand. Als Beispiel eines Gnadengesuches sei das einer Mutter von acht Kindern angeführt, die nach dreijähriger Untersuchung Februar 1667 zu zwei Jahren in Granada, während ihr Mann auf ebensolange in Cuenca verurteilt wurde. Im August bat sie um Umwandlung ihrer Strafe, mit Rücksicht auf ihre verlassenen Kinder. Der Supremo zog Erkundigungen beim Gericht Granada ein, das erst im Oktober mit dem Vorschlag auf Entlassung mit kirchlichen Bußen nach Ablauf des ersten Jahres antwortete. Die Frau wurde ungeduldig und wiederholte ihr Gesuch zu Weihnachten, indem sie auf ihre sieben Kinder hinwies — es war also eins gestorben. Die Entlassung dürfte im Februar erfolgt sein. In dem Briefwechsel ist keine Rede von Geldleistung. Einzelne Gesuche erregen wirklich Mitleid, so dasjenige eines mit allerlei Gebrechen behafteten 84jährigen, der bittet, ihn freizulassen, damit er Heilung suchen könne.

Kindheit über das zarteste Alter hinaus scheint nicht vor dem Gefängnis geschützt zu haben. „Lebenslänglich" wurde in Toledo ein 11jähriger Junge wegen Judentums, 1654 in Cuenca wegen desselben Vergehens ein 12- und ein 14jähriges Mädchen, 1701 in Toledo ein 16jähriger gar „unnachläßlich" verurteilt.

Das Sanbenito.

Mit Gefängnis war die Verurteilung zum Sanbenito, cum saco bendito, stets verbunden, und es heißt in den Akten kurzweg Cárcel y abito. Ein Lobredner der Inquisition führt das Büßerkleid auf den Sündenfall im Paradies und den Lendenschurz aus Tierfellen zurück. In Wirklichkeit knüpfte der Brauch an die alte kirchliche Gepflogenheit, Buße in Sack und Asche zu tun. Bei der mittelalterlichen Inquisition waren ihre Büßer von den andern dadurch unterschieden, daß ihr Kleid je ein Kreuz auf der Brust und auf dem Rücken aufwies; in Aragon war, wie Eymericus berichtet, das Kleid ähnlich dem Skapulier der geistlichen Orden.[1] Die Einrichtung des saco bendito

---

[1] Eymerici Director. P. III, n. 175. — Trotz des Alter des Brauches in Aragon berichteten 1530 die Inquisitoren von Saragossa dem Supremo, daß das Tragen der Sanbenitos durch die Ausgesöhnten dort niemals üblich gewesen sei, worauf der Bescheid lautete, es sei allgemein Inquisitionsübung und Aragon müßte sich dem anpassen. Arch. de Simancas, Inq. Lib. 76, Fol. 312.

ging, wie selbstverständlich, als Sanbenito auf die neue Inquisition über. 1486 wurden auf einem Auto in Toledo 200 Leute zum öffentlichen Tragen des Abito während eines Jahres verurteilt. Das waren Selbstankläger gewesen, bei den Verurteilten dagegen war die Strafe härter: Torquemada befahl 1490, daß sie auf Lebenszeit ein Sanbenitillo aus schwarzem oder grauem Tuch, 18 Zoll lang und 9 Zoll breit, von der Form eines Tabarts, um den Hals tragen sollten; ein rotes Kreuz vorn und hinten bedeckte fast die ganze Fläche. Dieses Abzeichen machte die Schande des Trägers deutlich erkennbar. Ximénez änderte 1514 die Tracht dahin, daß das Kreuz auf Brust und Rücken ein Andreaskreuz wurde. Nach der Satzung von 1561 war das Abito penitencial aus gelbem Leinen oder Tuch mit zwei roten Aspas, Streifen; in Aragon indes gab es zum Teil besondere Vorschriften für die Farbe, die grün war; dies galt wahrscheinlich für Valencia und Sizilien. Bei einigen Gerichten bekamen die Abschwörenden de vehementi ein Sanbenito de media aspa, mit einem einzigen Querstreifen. Die Opfer für den Scheiterhaufen erschienen auf dem Auto in einem schwarzen Sanbenito, auf dem Flammen, hier und da auch Teufel gemalt waren, welche die Ketzer in die Hölle stießen. Nach Llorente hatten die Abschwörenden de levi ein gelbes Sanbenito ohne Streifen, die Zamarra; ich habe dies indes nicht erwähnt gefunden. Der Unterschied zwischen dem Sanbenito de dos aspas und dem de media aspa war der, daß der Träger des erstern sich formaler Ketzerei schuldig gemacht hatte, für sich und seine Kinder den damit verbundenen Unfähigkeiten verfallen war und bei Rückfall den Scheiterhaufen besteigen mußte; wogegen das Sanbenito de media aspa nur auf dem Auto getragen und dann abgelegt wurde.

In der ersten Periode lautete die Verurteilung auf Lebenszeit, jedoch war dies ähnlich wie beim Gefängnis zu verstehen. War das Vergehen leicht, so wurde mit Abstufungen das Sanbenito bald nur während des Autos, bald bis zur Rückkehr in die Inquisition, bald 24 Stunden lang getragen. Schwerere Verurteilungen lauteten auf zwei Jahre. Einmal wurde es dem Bilde einer reuig Verstorbenen umgehängt. Im übrigen war die Dauer der Strafe ganz in das Ermessen des Gerichtes gestellt, aber wer das Sanbenito auch noch so kurze Zeit getragen hatte,

war auf immer gezeichnet. Es ist anzunehmen, daß es im Hause
abgelegt wurde; wenn der Verurteilte jedoch ohne es ausging,
verwirkte er schwere Strafe, und die Glaubensedikte machten
die Anzeige solcher Fälle zur Pflicht. Bei einem Aufstand gegen
die Inquisition in Palermo 1516 warfen die Verurteilten allesamt
das Sanbenito ab, und es ist wahrscheinlich nicht mehr gelungen,
es ihnen aufzuzwingen.

War die Strafe schon an sich grausam, so wurde sie in Spanien
noch durch die Gepflogenheit verschärft, die mit entsprechenden
Aufschriften versehenen Sanbenitos zum ewigen Andenken an
auffälliger Stelle in den Kirchen aufzuhängen. Der Ursprung
dieses Brauches hängt vielleicht mit der Feierlichkeit zusammen,
die in der Frühzeit üblich war: 1490 in Barcelona hielt der Inquisitor eine Ansprache an die Gebüßten, die vierzehn Tage
darauf zum Messehören in eine Kirche, dann in Prozession zu
demselben Zweck nach dem Monserrat geführt wurden, wo jeder
12 Denar für die Jungfrau Maria opferte; nachdem sie die Nacht
dort verbracht, legten sie das Bußkleid ab, das über dem Tor
aufgehängt wurde. Der Brauch muß sich allmählich entwickelt
haben. Nach den Vorschriften von 1561 war das Sanbenito
eines Verbrannten gleich nach dem Auto, das der andern nach
der Erlösung überhaupt anzubringen. Die Empörung der Ausgesöhnten in Sizilien entstand zum großen Teil wegen dieses
Brauches, den die Inquisition dort gegen Ende des 16. Jahrhunderts nicht wieder einzuführen vermocht hatte.

Es liegt eine schwere Gehässigkeit darin, daß den Nachkommen solcher Verurteilter aus der Frühzeit, deren Sanbenitos
nicht in den Kirchen hingen, diese Schmach nicht erspart wurde.
1532 wurden die Gerichte angewiesen, dies für alle Verbrannten
oder Ausgesöhnten, auch die Selbstankläger, auf Grund der Register nachzuholen, wo es unterlassen worden war. Einige Jahre
später allerdings wurde geboten, vom Aufhängen der Sanbenitos
von Selbstanklägern abzusehen, die einmal vorhandenen aber
hängen zu lassen, etwa entfernte wieder anzubringen. In der
Folge wurde vorgeschrieben, etwaige Lücken, die durch Unacht-
samkeit oder Entwendung entständen, stets auszufüllen und die
Sanbenitos überhaupt anzubringen, sobald sie fällig würden,
damit die Betroffenen keine Gelegenheit zu lästigen Klagen

hätten. Alte oder unleserliche Stücke wurden durch neue er-
setzt, in der Folge nahm man dafür einfaches Tuch, auf dem
Name, Geschlecht, Verbrechen und Strafe des Schuldigen mit
allen Einzelheiten verzeichnet war. Ursprünglich hingen die
Schandkleider in der Kathedrale der Stadt, wo das Gericht seinen
Sitz hatte, dann aber sorgte man dafür, daß sie dem engeren
Kreise der betroffenen Familien näher gebracht wurden, und
ließ sie manchmal in den Pfarrkirchen der Verurteilten aufhängen.
Einmal, als die Kathedrale von Toledo die Sanbenitos los sein
wollte, wurde dies abgelehnt mit dem Zusatz, wenn die Pfarreien
deren wollten, könnten sie Duplikate haben; später erfolgte die
Verteilung doch und brachte so viel Schande über die Familien,
daß die Betroffenen ihre Namen änderten und die alten Con-
versonamen der Stadt verschwanden.

Die Geschädigten suchten natürlich die Sanbenitos zu ent-
wenden. 1518 wurde deswegen in Saragossa den Dieben nachgestellt, die nun um so eifriger ans Werk gingen, als die Inquisitoren
rechtswidrig, nach den Akten, auch Sanbenitos für Selbstankläger
aus Gnadenfristen anbringen ließen, die nicht dazu verurteilt
waren. Letzteres entfesselte einen langen Streit in Frejenal im
Gerichtssprengel von Llerena. Der dortige Inquisitor erklärte
1556 dem Supremo, ohne die Selbstankläger blieben nur wenige,
da von 357 Ausgesöhnten von 1491 nur 3 nicht in diese Gattung
gehörten. Neben den Sanbenitos wurde ein Merkblatt auf Per-
gament angebracht. Dieses wurde beschädigt und unleserlich
gemacht, 1563 dann durch eine großgedruckte Papiertafel ersetzt, die obendrein gefirnißt wurde. Allein 1572 klagte ein
Vertrauter gegen die Schliche der Abkömmlinge der Conversos
und behauptete, die Küster hätten die Hand im Spiele; von
599 Sanbenitos seien nur mehr 10 oder 12 vorhanden und diese
wie auch die Tafel unleserlich. 1576 wurde das Material erneuert. Es handelte sich um 162 Verbrannte und 409 Ausgesöhnte aus den Jahren 1491—1495; von da bis 1511 gab es eine
Lücke, und nach 1511 kamen keine mehr vor.

Die Kirchen suchten sich manchmal des sonderbaren Schmuckes
zu entledigen oder verbargen ihn an Festtagen unter Gewinden.
Ein Pfarrei wandte sich 1561 an Pius IV. um die Erlaubnis,
die Sanbenitos entfernen zu dürfen, weil sie den künstlerischen
Anblick der Kirche schädigten und viel Ärgernis hervorriefen;

der Papst gewährte dies, erklärte jedoch die Zustimmung der Inquisition für notwendig, wodurch die Gnade wertlos wurde. Mehr Glück hatte die Kathedrale von Granada 1610: Erzbischof Pedro González de Mendoza erbat sich als ein Brautgeschenk für sie vom Großinquisitor Sandoval, der ihn geweiht hatte, die Erlaubnis zur Entfernung der Sanbenitos. Die Kunde, daß dies gewährt wurde, erregte laute Freude in Granada; die Sanbenitos der Moriscos kamen in die Kirche am Albaycin, die der Judaisten in die Pfarre der Inquisition. Im übrigen war geflissentliche Nachlässigkeit häufig, um den Verfall oder das Verschwinden der Sanbenitos zu bewirken. Der Supremo wachte darüber. Nach 1561 war den Visitatoren geboten, genau nachzuprüfen, ob die Sanbenitos vollzählig seien, und ähnliche Weisungen gab Philipp II. 1595 dem Großinquisitor Manrique de Lara, der die Inquisitoren wegen Begünstigung oder Nachlässigkeit in diesen Dingen bestrafen sollte; es wurde dabei hervorgehoben, daß die Handhabung des Sanbenitos die schwerste Ahndung sei, die dem h. Offizium gegen Ketzer und deren Nachkommen zu Gebote stehe. Tatsächlich war die Prüfung der Sanbenitos die Hauptaufgabe der Visitatoren, die mit vollen Listen ausgerüstet auf die Reise gingen. Immer wurde der Sache Aufmerksamkeit geschenkt, und wenn für eine Erneuerung kein Geld vorhanden war, fand sich solches. Bei einer Visitation in Tortosa 1577 wurden zwei ältere Einwohner als Zeugen herangezogen, um beim Vergleich der Listen mit den Sanbenitos behilflich zu sein.

Im 17. Jahrhundert erlahmte der Eifer der Gerichte. 1657 wurden sie angefeuert, vielleicht mit vorübergehendem Erfolg; 1691 aber verlangte der Supremo abermals Bericht, wie lange keine Sanbenitos mehr in den Kirchen aufgehängt worden seien, und gab die üblichen Weisungen. Wenn schon der Brauch in Verfall geraten war, aufgegeben wurde er nicht, denn 1750 ordnete der Supremo an, je ein Sanbenito für einen im Bilde Verbrannten in der Kathedrale und einer Pfarrkirche von Valencia aufhängen zu lassen. Als jedoch 1783 die Kathedrale aufgefrischt worden war und das Gericht dem Großinquisitor Beltran die Wiederanbringung der inzwischen aufbewahrten Sanbenitos als nicht empfehlenswert bezeichnete, war er damit einverstanden, falls das Kapitel sie nicht verlange; das Gericht sollte sich jeder Anregung enthalten. Es ist anzunehmen, daß die Sache damit zu Ende war.

Ein Dekret der Cortes vom 22. Februar 1813, dem Tage, wo die Inquisition abgeschafft wurde, beruft sich auf Art. 305 der Verfassung, wonach keine Strafe über den Täter hinweg gegen dessen Angehörige verhängt werden dürfe; die Mittel, um die Erinnerung an Inquisitionsstrafen zu erhalten, brächten Schande über die Familien und schädigten sogar den Ruf von Leuten, die nur den Namen mit den Verurteilten gemein hätten; es seien daher alle Bildnisse, Bilder und Inschriften, welche die Inquisitionsstrafen vermeldeten, in den Kirchen, Kreuzgängen, Klöstern und andern Stätten zu entfernen oder auszulöschen, dies innerhalb dreier Tage nach Ankunft des Dekrets. Nun waren die Verhältnisse in Spanien nicht derart, daß das Dekret in weitem Maße befolgt worden wäre, indes hatten die Franzosen da, wo sie hingekommen waren, wohl kaum noch Sanbenitos gelassen. Wie in Mallorca wird es auch anderswo zugegangen sein: die Verfassung wurde mit Begeisterung aufgenommen und die Sanbenitos heruntergeholt, aber sorgfältig beiseite gelegt, um während der Restauration wieder aufgehängt zu werden. Bei der Revolution von 1820 jedoch wurden sie heruntergerissen und die Inquisition drei Tage nach Ankunft des Dekrets dem Erdboden gleichgemacht.[1]

Unfähigkeiten.

Die schon im Zusammenhang mit den Inquisitionsfinanzen erwähnten Unfähigkeiten waren selbstverständliche Nebenstrafen für Ketzerei und gewissermaßen selbsttätig. Wer ausgesöhnt mit dem Leben davonkam, wurde ohne einen Heller in die Welt gestoßen, belastet mit Unfähigkeiten, die ihm den Erwerb seines Unterhaltes unmöglich machten. Und da man die Verbrannten

---

[1] Colecion de los Decretos de las Cortes generales etc. II, 219 (Madrid 1820). — Die Erwähnung von Cuadros und Pinturas bezieht sich auf einen nicht amtlich anerkannten Brauch, daß man aus Übereifer und Bosheit die Sanbenitos durch Bildnisse und Tafeln mit den Namen der Opfer ergänzte. Eine glühende Schilderung davon gibt der Marquis de Langle in „Voyage en Espagne", II, S. 78, London 1786. Dieses ziemlich bekannte Werk wurde 1788 auf Parlamentsbefehl verbrannt. Der Verfasser ist Jérôme-Charlemagne Fleuriau; das Werk erlebte sechs Auflagen von 1785—1803.

in dieser Weise nicht mehr treffen konnte, hielt man sich an die
Lebenden.

Diese grausame Gesetzgebung reicht auf das Reichsrecht
zurück, das die Kinder von Hochverrätern von den Ämtern und
von der Erbschaft von Gütern in der Seitenlinie ausschloß.
Friedrich II. dehnte dies 1232 durch den Erlaß von Ravenna auf
die Kinder und Enkel von Ketzern aus, Alexander IV. und
Honorius IV. übernahmen die Bestimmung in ihre Gesetze,
Bonifaz VIII. erleichterte sie indes, indem er die Enkelkinder in
der weiblichen Linie nicht treffen ließ. Da die Regelung kanonisch war, galt sie auch für die spanische Inquisition. Etwaige
Bedenken, daß Unschuldige getroffen würden, zerstreute Alfonso
de Castro mit dem Hinweis auf die Erbsünde.

Die Verhängung dieser Unfähigkeiten gegen ausgesöhnte Büßer
begann wahrscheinlich seit dem Konzil von Béziers 1246, das
vorschrieb, daß Büßer keine Ämter bekleiden, auch nicht den
Beruf eines Arztes oder Notars ausüben, keine Seide, Gold oder
Silber oder sonst eitle Dinge tragen dürften, kurzum, sie sollten
so auftreten, wie es denen geziemte, von denen man annehme,
daß sie ihr Leben in der Buße verbrächten. Dies war nicht
kanonisch, wurde aber anscheinend zur Überlieferung in der spanischen Inquisition.

Die Satzung von 1484 enthält nichts über die Unfähigkeiten
der Nachkommen, dagegen sollten die Inquisitoren gegen die
Büßer selbst verfügen, daß sie nach Ableistung ihrer Buße keine
öffentlichen Ämter oder Benefizien innehaben oder Prokuratoren,
Steuereinnehmer und -pächter, Spezereikrämer, Apotheker, Ärzte,
Wundärzte, Bader oder Makler sein dürften; damit waren ihnen
die Berufe verschlossen, denen sie sich gerade zuwandten. Das
Tragen von Gold, Silber, Korallen, Perlen oder Edelsteinen, von
Kleidern aus Seide, Kamlott und sonstigen feinen Stoffen, das
Reiten von Pferden und das Waffentragen, all dies war ihnen
auf Lebenszeit untersagt bei Strafe für Rückfälligkeit.

Es gab offenbar Zweifel mit Bezug auf die Nachkommen der
Verbrannten; 1486 verfügte Innozenz VIII., daß sie Pächter von
Kircheneinkünften sein durften. Aus der Beratung der Inquisi-
toren von 1488 ging eine Weisung hervor, wonach die Gerichte
in ihrem Sprengel darauf sehen sollten, daß mit Hilfe schwerer
Strafen die Unfähigkeit von Kindern und Enkeln für Ämter und

Würden durchgesetzt würde, die man als öffentlich ansehen könne; dabei wurde die Aufzählung der gesperrten Berufe auf Kaufleute, Notare, Schreiber, Advokaten, Steuerpächter und einige andere erweitert. Da sie nicht Büßer waren, galten die Kleiderverbote nicht für sie, dagegen durften sie kein Abzeichen einer geistlichen oder weltlichen Würde tragen. Das Weggelassene holte dann ein Erlaß Torquemadas 1494 nach, den, da er nicht ganz befolgt wurde, 1502 das Königspaar ergänzte, indem den Betroffenen Zeit gewährt wurde, sich mit den Bestimmungen vertraut zu machen. Ferdinand konnte die Härte selbst beurteilen, als er 1501 von Torquemada für ein Mitglied, dessen Mutter verurteilt war und der dadurch unfähig für Reiten und Waffentragen wurde, dessen Dienste er aber nicht missen wollte, schleunigst einen Dispens ausstellen ließ.

Während das Königspaar dem h. Offizium die Ausführung des Aufwandverbotes überließ, nahm es die der Unfähigkeitserlasse selbst in die Hand. 1502 wurden wenigstens ausgesöhnten Kindern unter 14 Jahren die Unfähigkeiten erlassen. Da letztere durch Ortsstatut verfügt wurden, hatten die weltlichen Beamten die Aufsicht; Nachlässigkeit war mit Güterverlust und Entlassung bedroht, dennoch ließ bei ihnen die Ausführung zu wünschen. Der Supremo dagegen sorgte für das Aufwandverbot, verstand sich indes 1509 dazu, daß hier, anstatt Rückfälligkeit anzunehmen, die Inquisitoren je nach dem Fall und dem Vermögen der Übertreter Geldstrafe verhingen. Dies ergab Beträge, welche die Begehrlichkeit der Höflinge reizten, und wir finden Fälle, wo Ferdinand ihnen, auch Inquisitionsbeamten, wie Calcena, die aus beiden Quellen gewonnenen Einnahmen ganz oder zum Teil überließ (1514—1515).

Karl V. gab schließlich die ganze Sache in die Hand der Inquisition als der einzigen Behörde, die sie wirksam durchführen konnte. Es mag dabei Widerstand bei den weltlichen Beamten gegeben haben, deren Befugnisse durch den Eingriff verletzt wurden, denn die Verfügung wurde 1543 wiederholt. Der Supremo mahnte in der Folge die Gerichte mehrfach zur Wachsamkeit gegen die Ausübung gesperrter Berufe und Verletzungen der Aufwandgesetze.

Die Auslegung der Verbote war streng. Die spitzfindige Frage, ob die Kinder eines in Abwesenheit Verurteilten unfähig

17*

würden, da die Ketzerei nur vermutet, aber nicht erwiesen sei, wurde zunächst verschieden beantwortet und dann bejaht. Das war der Fall bei dem Sohne des Antonio Pérez, dem eine Pfründe genommen wurde. So entschied die Rota, und der Fall wurde vorbildlich in der Weise, daß das Urteil gegen einen Abwesenden dieselben Unfähigkeiten verfügte, die bei einer Verbrennung in Person eintraten. Zweifel, die darüber entstanden, ob Handeltreiben allgemein verboten sei, überließ der Supremo der Entscheidung des Königs, dagegen entschied er selbst 1542, daß ein Ausgesöhnter keine Schule halten, nicht einmal die Kinder die Buchstaben lehren dürfe. Das Verbot des Pferdereitens war nach Simancas auf Maultiere auszudehnen, ja, wie er wünschte, auf das Fahren. Nicht einmal die kanonischen Vorschriften wurden immer eingehalten: 1559 wurden in Sevilla die Nachkommen in männlicher Linie des Juan Ponce de Leon, der wegen Protestantismus verbrannt wurde, bis ins vierte Geschlecht für unfähig erklärt.

Den Büßern und ihren Nachkommen war der Eintritt in den geistlichen Stand verwehrt. Betroffene, die Priester waren, durften nicht bepfründet werden oder bleiben. Die Übung war, daß die Visitatoren summarisch über Verstöße wider das Aufwandverbot, die Gerichte dagegen über Fälle entschieden, in denen Pfründen und öffentliche Ämter in Betracht kamen. Jene erklärten die Übertretungen von Unfähigkeitsvorschriften in ihren Glaubensedikten für anzeigepflichtig.

Wer der Inquisition verfallen, war für immer gezeichnet: er stand im Verdacht der Unfähigkeit, der Verdacht verdichtete sich nachgerade und traf auch die Nachkommen. Er hatte mithin ein Interesse daran, auszuweisen, daß ihm nichts anhafte. Der Ausweis war zuerst nicht leicht zu haben: ein Gesuch beim Supremo wurde nicht immer abgelehnt, aber nicht jedermann konnte dessen Eingreifen erlangen; und das allgemeine Vorurteil war stark und niemand wußte, was hinter den Mauern des h. Offiziums vorging. Wie oft war eine Laufbahn geknickt! Escobar berichtet in seinem Werke über Limpieza, daß in der Frühzeit die leichtesten Verstöße schwer bestraft worden seien, die furchtbare Wirkung für die Nachkommen aber noch nach 150 Jahren anhalte. Es war unmenschlich, daß ein leichtfertig, im Zorn oder Scherz hingeworfenes Wort den Täter selbst und seine Nachkommen auf unbegrenzte Zeit ins Unglück brachte. Die Denkschrift eines Supremomitgliedes von 1623 hebt hervor, daß die Zahl der Gegner der Inquisition sich infolge dieses Zustandes täglich mehre.

Die Heimsuchung hörte zwar nicht auf, die Gerichte ließen nicht locker, allein es wurde allmählich Brauch, in den leichten Urteilen auszusprechen, daß keine Unfähigkeit eintrete, und den Gebüßten eine Erklärung in diesem Sinne auszustellen. Das war auch notwendig, wenn der Betroffene nicht einmal in dem geheimen Kerker gesessen hatte, so argwöhnisch war die öffentliche Meinung. Die Bescheinigungen wurden nur auf Verlangen ausgestellt, allein wie nötig sie waren, zeigte sich 1818, als der Sohn eines 1798 wegen Absatzes verbotener Bücher ohne Unfähigkeiten verurteilten Buchhändlers um ein Duplikat der seinem Vater damals ausgestellten Bescheinigung bat, die verloren gegangen sei; ohne dies würde er nicht als Advokat zugelassen. Der Supremo ließ die Sache nachprüfen und erteilte die Bescheinigung.[1] Hieraus sowie aus der Denkschrift von 1623 kann man urteilen, wie die Abschwörung oder noch geringere Strafen wirkten, wenn nicht unmittelbar, so doch als Störung einer Laufbahn. Mit Rücksicht darauf erließ 1817 die Inquisition einem Professor aus Santiago die Abschwörung, nur damit er in seiner Laufbahn nicht geschädigt werde.

Wie das Vorurteil des Volkes die Strafe erschwerte, zeigte 1791 ein Fall in Valencia. Ein Liebespaar war durchgebrannt, weil die Eltern des Mädchens die Erlaubnis zur Heirat versagten. Die Sache kam vor die königliche Audiencia, wo der Vater des Mädchens geltend machte, daß die Urgroßmutter des jungen Mannes 1724 wegen Judaisierens in Barcelona zu Cárcel y abito verurteilt worden war, und das Gericht gab ihm recht, daß dies ein triftiger Ablehnungsgrund sei. Der Supremo ließ sich über die Sache berichten, die Inquisitoren sprachen auch ihre Sympathie für den unglücklichen Bräutigam aus, den keine Unfähigkeit treffe, allein die Inquisition fand sich nicht veranlaßt, die Ungerechtigkeit gutzumachen, die ihre ständige Erziehung des Volkes zum blinden Haß gegen Ketzerei verursacht hatte.

---

[1] [S. im Originalwerk, Bd. III, Anhang, den Wortlaut dieser Bescheinigung. — P. M.]

Die Strafe für Mißachtung der Verbote wurde in Geldstrafe
umgewandelt statt Gütereinziehung für die Amtsunfähigkeit, in
Geld- und geistliche Strafen statt der Behandlung wegen Rückfalls für die Aufwandverbote. Die Fälle sind in den Akten
nicht sehr zahlreich, wohl weil Befreiungen erkauft wurden.
Toledo hatte nur 91, alle vor 1586, bis auf 1 im Jahre 1600
und 1 im Jahre 1616. Das Strafmaß stand dem Gericht anheim.
In Toledo ging ein Bandweber, dessen Mutter verbrannt worden
war und der sich wegen verschiedener Übertretungen des Aufwandverbotes selbst anzeigte, mit Verweis und 2 Dukaten aus.
Dagegen wurde 1703 in Madrid ein Ausgesöhnter, der nur die
Kleiderverbote verletzt hatte, mit 50 Dukaten und zwei Jahren
Verbannung gestraft.

Geistliche Übeltäter.

In einem Lande mit einem so ausgeprägt theokratischen
Regiment war es unausbleiblich, daß Geistlichen gegenüber, die
sich verfehlt hatten, besondere Nachsicht geübt wurde. Die
Kirche suchte von jeher der Allgemeinheit die Kenntnis von
Schwächen zu verbergen, die der Achtung vor ihren Dienern
Abbruch tun konnten, das Ärgernis fürchtete sie mehr als die
Sünde. Die Inquisition, deren Gerechtsame Welt- und Ordens-
geistliche unterstanden, befolgte diesen allgemein kirchlichen
Brauch. Im allgemeinen wurden die Straftaten von Geistlichen
dem Volke geheimgehalten, außer bei formaler Ketzerei oder
bei Spendung der Sakramente durch Kleriker, die nur die niederen Weihen hatten. In der Regel wurden sie nicht in den
geheimen Kerker, sondern in ein geeignetes Kloster gebracht.
Waren sie verurteilt, so wurden sie zwar auf dem Auto vorgeführt, das Urteil wurde jedoch unter Ausschluß der Öffentlichkeit, höchstens vor geladenen Klerikern als Zeugen, im Gerichtssaal verkündigt, und sie brauchten dabei kein Sanbenito zu
tragen.

In schwereren Fällen lautete die Strafe auf Klosterhaft für
eine bestimmte Zeit. Dabei gab es mancherlei Abstufungen:
der Verurteilte konnte etwa ein halbes oder ein ganzes Jahr
Zellenhaft erhalten, er mußte der letzte im Chor und im Re-
fektorium sein, die geistlichen Handlungen wurden ihm ganz
oder zum Teil auf Zeit oder auf immer untersagt, ebenso das

aktive und passive Wahlrecht, und dazu kam vielleicht auch
noch beim Eintritt die Geißelung im Kreise der Brüder, einschließlich der Laienbrüder. Die Klosterhaft konnte sehr hart
sein; Llorente erzählt von einem Kapuziner, der zu fünf Jahren
verurteilt worden war: er kannte die Genossen und bat, in den
geheimen Kerker übergeführt zu werden, im Kloster würde er
es nicht lange aushalten; sein Gesuch wurde abgelehnt, und er
starb wirklich nach drei Jahren. So war es nicht immer, es
kam auf die Stimmung im Kloster an. Ein Mönch, der zwei
Jahre Zellenhaft ohne Verkehr hatte, wollte nach deren Verbüßung die Zelle nicht mehr verlassen und starb nach zwölf
Jahren darin, von den Brüdern hochverehrt.

Der wegen formaler Ketzerei verurteilte Kleriker mußte wie
jeder andere Schuldige auf dem Auto erscheinen. Die Fälle
waren häufig, solange die Conversos nicht aus dem geistlichen
Stande ausgemerzt waren. Der Strafvollstreckung ging die Ausstoßung aus dem Priesterstande voraus; sie war mündlich bei
Aussöhnungen und tatsächlich bei Auslieferungen an den weltlichen Arm. Die mündliche löschte zwar die Weihen, nicht aber
den priesterlichen Charakter aus und wurde in späteren Zeiten
im Gerichtssaal vorgenommen. Ursprünglich konnte ein einziger
Bischof die mündliche Degradierung vollziehen, während für die
förmliche zwei nötig waren. Gregor IX. erleichterte der Inquisition die Sache, indem er die förmliche Degradierung durch den
Diözesanbischof des Verurteilten in Gegenwart einiger Äbte und
gelehrter Männer vorzunehmen gestattete. Dann bestimmte 1551
das Tridentinum, daß ein Bischof die förmliche, sein Generalvikar die mündliche Ausstoßung vornehmen könne.

Die förmliche und öffentliche Degradierung war äußerst feierlich. Der Priester nahm mit der Ketzermitra und dem Sanbenito an der Prozession teil, dann wurde er auf der Bühne
mit dem priesterlichen Ornat bekleidet. So erging es 1720 dem
judaisierenden Mönch Pimiento in Sevilla; seit 1623 hatte keine
Degradierung stattgefunden. Das Auto fand in einer Kirche
statt. Von da wurde Pimiento auf ein Schafott geleitet, wo ein
Weihbischof die Handlung verrichtete. Die Zunge, die Hand-
fläche und die Finger wurden abgekratzt und mit Werg ge-
rieben, die Tonsur wurde durch Wegschneiden der Haare im
Umkreise weggenommen, dann wurden ihm die Weihen in rück-

wärtiger Ordnung abgesprochen. Darauf wurde er den Merzenariern übergeben, die ihm die Kutte abnahmen, er wurde mit der
Mitra und dem Sanbenito, auf denen Flammen gemalt waren,
bekleidet und dem Richter übergeben, um dann als Rückfälliger
den Scheiterhaufen zu besteigen.

Vierter Abschnitt.

Der Scheiterhaufen.

Die Verurteilung eines menschlichen Wesens zum Feuertode
als Strafe für religiöse Irrtümer erscheint unserm sittlichen
Empfinden so abscheulich und widerspricht so sehr der Lehre
Jesu, daß moderne Schriftsteller sich bemüht haben, die Kirche
von der Verantwortung für diesen Greuel zu entbinden. Auf den
ersten Blick scheint dies nicht unmöglich. Die Kirchendiener,
die geistlichen Gerichte, die Inquisition selbst erließen keine Bluturteile. Der Geistliche, der an einem solchen mitwirkte, verfiel
der „Irregularität"; er brauchte einen Dispens, bevor er sein Amt
wieder ausüben oder eine Anstellung erhalten konnte. Die Hinrichtung der Ketzer war eine rein weltliche Handlung, der Feuertod bei lebendigem Leibe ist nicht im kanonischen Recht und
den Dekretalen vorgesehen. Das älteste Beispiel einer Verbrennung ist das der Katharer von Orleans 1017 durch Robert den
Frommen von Frankreich, und die Aufnahme des Feuertodes als
Strafe in ein Gesetzbuch findet sich erst in den Erlassen Pedros II.
von Aragon auf dem Konzil zu Gerona 1197 gegen die Waldenser.
1231 nahm Friedrich II. sie in das Grundgesetz für Sizilien auf,
1238 verkündigte er sie in Cremona für das ganze Reich, und
1255 folgte Alfonso der Weise von Kastilien damit gegen die
Christen, die zum jüdischen oder mohammedanischen Glauben
übertraten. So fand die Strafe Eingang in das öffentliche Recht
der Christenheit, nicht so sehr auf Anregung der Herrscher als
aus der Anerkennung eines Brauches heraus, der sich aus der
spontanen Grausamkeit des Volksfanatismus entwickelt hatte.

Die Inquisition, durch deren Tätigkeit die Ketzer auf den
Scheiterhaufen gesandt wurden, verurteilte nicht selbst dazu,

sondern bezeichnete sie als Ketzer, bei denen keine Hoffnung
auf Besserung sei; sie schnitt sie von der Kirche ab, die nichts
mehr mit ihnen zu tun hatte, und übergab sie oder „lieferte sie
aus" (relaxieren) an den weltlichen Arm zur Bestrafung. Dabei
wurde angenommen, daß sie das Verbrechen und der weltliche
Richter den Verbrecher aburteilte, und indem sie so handelte,
beschwor sie den Richter, dessen Leben zu schonen und kein Blut
zu vergießen. Diesen Ausweg hatte Innozenz III. vor Errichtung
der Inquisition gefunden, um die Irregularität von den geistlichen Gerichten bei der Degradierung von Klerikern abzuwenden,
die Betrug begangen hatten, und den weltlichen Behörden zur
Urteilsvollstreckung übergeben wurden.[1]

Diese Abschiebung der Verantwortlichkeit entsprang durchaus
nicht der Erwägung, daß die weltlichen Gesetze über den Feuertod von Ketzern grausam oder ungerecht seien, denn die Kirche
erklärte dies für eine so fromme Handlung, daß sie jedem, der
Holz auf den Brandstapel legte, Ablaß verlieh. So übernahm
sie die Verantwortung und verteilte sie die Schätze der christlichen Gnade, um die Grausamkeit des Volkes anzufachen. Dieser

---

[1] Gloss. Hostiniensis in Cap. „ad abolendam" n. 14 (Eymerici Director
P. II). — Cap. 27, T. 40, Extra, Lib. V. — In folgenden Canones wird die
Haltung der Kirche bestimmt: „Ein Kleriker soll kein Todes- oder Ver-
stümmelungsurteil aussprechen, bei Strafe der Enthebung von Ehren und
Benefizien" (Cap. 5, T. 50, Extra, Lib. III [Alex. III]). „Kein Kleriker soll
ein Bluturteil aussprechen oder fällen, noch Gerichtsbarkeit über das Leben
ausüben, noch zugegen sein, wenn sie ausgeübt wird. Auch soll kein Kleriker
Briefe mit Bezug auf Bluturteile schreiben oder diktieren. Ferner soll kein
Subdiakon, Diakon oder Priester die ärztliche Kunst ausüben, wenn sie
Schneiden oder Brennen bedingt." Das., Cap. 9 (Concil. Lateran. IV). — Die
deutschen Fürstbischöfe, die hohe und niedere Gerichtsbarkeit besaßen, er-
teilten ihren Richtern nicht die Befugnis zur Verhängung von Bluturteilen,
sondern erwirkten für sie Aufträge vom Kaiser; andernfalls hätten sie Blut-
schuld auf sich genommen und ihr Amt verwirkt. Die weltlichen Fürsten
hatten keine derartigen Pflichten. Schwabenspiegel, Cap. CXI (Senckenberg,
Corp. Jur. German. II, 140). S. auch Schwäbisches Lehensrecht, Cap. XVII
(Das. II, 17, 18). — Ein Kleriker, der ein Bluturteil aussprach, wurde irregulär, und wenn er auch deshalb seine Pfründen nicht ipso facto verlor,
so waren sie ihm doch durch den Ordinarius abzuerkennen, oder er mußte
darauf verzichten. — Thesaurus De Poenis ecclesiasticis, s. v. „Judicis laici
munus", Cap. 2. Vgl. Ferraris, Prompta Bibliotheca, s. v. „Irregularitas",
Art. I, n. 11; Art. II.

Ablaß war auch in Spanien bekannt, wie sich aus den Verhandlungen von 1561 in Toledo gegen Jan von Antwerpen wegen Luthertums ergibt.[1] Als Luther erklärt hatte, die Ketzerverbrennung sei gegen den Sinn der Schrift, führte Leo X. dies neben dessen andern, in der Bulle Exsurge Domine verurteilten Ketzereien auf. Demnach hatte der weltliche Arm keine Wahl, wenn ihm ein Ketzer ausgeliefert wurde; seine Betätigung war nur eine Hilfeleistung, und wenn seine Vertreter der heuchlerischen Bitte um Gnade Folge gaben, setzten sie sich aus, als Begünstiger von Ketzern verfolgt und vom Amte enthoben zu werden. Die Kirche bekräftigte dies, indem sie in das kanonische Recht eine Bestimmung aufnahm, wonach die Fürsten und ihre Diener bei Strafe des Bannes gehalten waren, alle ihnen von den Inquisitoren übergebenen Ketzer geziemend und schleunig zu bestrafen, und der Bann wurde nach einem Jahr zur Ketzerei, die Inquisitoren sollten alsdann gegen sie vorgehen, waren aber angewiesen, dabei nur von der Ausführung der Gesetze, nicht von der Todesstrafe zu reden — dies zur Vermeidung der Irregularität.

In Spanien lagen die Verhältnisse wie sonstwo auch. Bei der Eilfertigkeit, mit der man in der Frühzeit vorging, scheint es gleichgültig gewesen zu sein, ob der weltliche Richter sein Urteil fällte oder nicht. Die Schilderung eines Autos von Toledo 1486 erwähnt die Verlesung des Urteils durch die Inquisitoren und die sofortige Abführung nach der Vega zur Hinrichtung, nicht aber das Eingreifen der weltlichen Gewalt. Wenn jedoch die Form der Verurteilung durch den Alkalden eingehalten wurde, wie 1484 in Córdova, so erging das Urteil einfach kraft desjenigen der Inquisition, nach welchem alles andere als die Verurteilung zur Verbrennung bei lebendigem Leibe überflüssig war, weshalb er dem Oberalguazil die Vollstreckung befahl. In den Inquisitionsurteilen aus dieser Zeit fehlt gewöhnlich die Beschwörung um Gnade, vielmehr heißt es in einem von 1485: „Als ein Glied des

---

[1] Formulary of the Papal Penitenciary, Rubr. XLII (Philadelphia 1892). — Arch. hist. nac., Inq. de Toledo, Leg. 110, n. 31, fol. 4. — Ein Kommentator aus dem 17. Jahrhundert behauptet, Kleriker, die diesen Ablaß zu verdienen suchten, würden irregulär, wenn das von ihnen beigebrachte Holz tatsächlich zur Verbrennung des Ketzers beitrüge. — Jac. a Graffiis Decis. aureae Casuum Conscientiae, P. II, Lib. II, Cap. 19, n. 3.

Teufels, als verflucht und exkommuniziert, soll sie zum Verbrennungsplatz geführt werden, auf daß durch die weltliche Gerechtigkeit dieser Stadt oder durch andere Laien Recht an ihr geschehen möge gemäß dem Brauche dieser Reiche."

So wenig richterlich war die Aufgabe der Beamten, daß ihnen die Mitteilung der Akten verweigert wurde. Als 1486 die Behörden von Brescia sie verlangt hatten, entschied Innozenz VIII., daß sie kein Recht dazu hätten und in den Bann zu tun seien, wenn sie länger als sechs Tage zögerten, denn die Ketzerei sei ein rein geistliches Verbrechen, was immer die örtlichen Gesetze bestimmen möchten. Dem entsprach eine Äußerung in dem 1494 zu Valencia gedruckten Repertorium de Pravitate Haereticorum, und den Grundsatz erkannten auch die Jesuiten an, daß die weltlichen Behörden über die Sache selbst nicht zu befinden hatten.[1]

Tatsächlich konnte man gegebenenfalls des weltlichen Armes ganz entraten. Da die Signoria von Venedig in der Vollstreckung der Inquisitionsurteile nicht immer dienstwillig war, hatte der Nunzius mitsamt seinen Beamten Gewalt zur Verurteilung zu Verstümmelungen und zum Tode, ungeachtet der dem entgegenstehenden Bestimmungen und ohne Verfall in die Irregularität. Solche Anordnungen erließen Paul III. und Julius III; sie waren geläufig.[2] Peña leitet daraus den allgemeinen Grundsatz ab, ohne sich auf besondere päpstliche Delegationen zu beziehen: die Mitwirkung des weltlichen Richters ist unwesentlich, und wenn es nicht zu erreichen ist, kann das Gericht den Ketzer zum Tode verurteilen; ist er aber zu erreichen, so hat er das Urteil zu voll-

---

[1] Torreblanca, Beamter der königlichen Kanzlei von Granada, schreibt in Epitome Delictorum, sive de Magia, Lib. III, Cap. XXIX, n. 15/17: „Et eo jure utimur quia potestates saeculares in tali casu sunt meri executores." S. auch Bd. I (des Originalwerkes) S. 618 in der Verkündigung bei der Ankunft eines Inquisitors die Bestimmungen, die den weltlichen Beamten zu verhängen gebieten „las debidas penas cada y cuando por el dicho venerable inquisidor sera declarado".

[2] Fontana, Documenta Vaticana, S. 137, 145 (Rom 1892). Die römische Inquisition erhob nicht den Anspruch, daß ihre Urteile nicht endgültig sein müßten; sie setzte voraus, daß sie zu Verstümmelung und Tod verurteilte, wobei sie beanspruchte, daß die Beteiligten vor der kanonischen Irregularität geschützt seien. — Collectio Decretor. S. Congreg. Sti Officii, S. 219 (Ms. Penes me).

strecken, wenn er den angedrohten Strafen für Begünstigung von Ketzern und Behinderung der Inquisition nicht verfallen will.[1]

Widerstand der weltlichen Beamten war in Spanien nicht zu befürchten, sie waren durch ihren Eid gebunden, jedes Urteil des Gerichtes zu vollstrecken. Den einzigen Fall, wo eine mögliche Zögerung erwähnt wird, finde ich in einem Befehl von 1525 nach Toledo, auf dem Auto, entgegen dem sonstigen Brauch, zuerst die „Auszuliefernden" vorzunehmen, damit die weltlichen Behörden sie gleich aburteilen könnten; täten sie dies nicht mit der nötigen Schnelligkeit, so habe das Gericht Mittel gegen sie an der Hand.

Wenn ein Auto vorbereitet wurde, erhielten die Behörden sogar im voraus eine Liste der zu ergehenden Verurteilungen, so daß sie ihre Urteile sowie den Scheiterhaufen mit den Pfählen und Erdrosselungsbändern vorbereiten konnten. Wegen Geldfragen kam es allerdings manchmal zu Auseinandersetzungen, so 1579, als die königlichen Alguazile von Saragossa Bezahlung für ihre Mühe und das Holz verlangten, was Philipp II. mit dem Zusatz zurückwies, wegen einer Anweisung zu dieser Zahlung würden die Inquisitoren der Irregularität verfallen, und die Hinrichtung geschehe auf Grund des weltlichen Urteils allein. Doch dies war ein Spiel mit Worten. Bei den Autos generales hatten die Behörden zugegen zu sein, um die Verurteilten in Empfang zu nehmen und „an ihnen die von dem kanonischen Gesetz des Königsreichs verhängten Strafen zu vollstrecken". In Autos particulares, in Kirchen, wo wegen der Entweihung kein Bluturteil ausgesprochen werden durfte, sollte der weltliche Richter an einer verabredeten Stelle warten, und es würde genügen, wenn ein Notar ihm schriftlich mitteilte: „N. ist durch Urteil des h. Offiziums als Ketzer erklärt worden"; zugleich sei der Verurteilte zu übergeben, und mit dieser Erklärung müsse sich der Richter begnügen, um ohne Verzug das Urteil zu vollstrecken, wolle er sich nicht den angedrohten Strafen aussetzen. Das förmliche Todesurteil sollten die Richter in der gewohnten Form fällen. So bestimmte der Supremo 1690.

---

[1] Pegnae Comment. in Eymerici Director. P. II. Angesichts der unwandelbaren Übung der Kirche während beinahe 600 Jahren gehört sich für einen Schriftsteller Kühnheit, wenn er 1902 behauptet, die bürgerliche Behörde und nicht die Inquisition sei für die Verbrennung von Ketzern verantwortlich. — Razon y Fe, T. IV., S. 358 (Madrid 1902).

Immer aber verlangte der „Estilo" der Inquisition die schaurige Komödie der Bitte um Gnade an den weltlichen Richter, „den wir bitten und höchst freundlich ersuchen, ihn wohlwollend und gnädig zu behandeln". Die Bitte um Gnade fehlte bei Toten und Abwesenden; hier trat, da kein Blut vergossen wurde, keine Irregularität ein. Auf die Vermeidung der letzteren kam es vor allem an. Das zeigte sich auch in dem Vorgehen der Inquisition wegen anderer als Glaubenssachen, für die der Großinquisitor und durch ihn die Gerichte keine Vollmachten hatten. 1514 war ein Assessor des Gerichtes Saragossa ermordet worden, und die beiden Täter waren überführt. Die Inquisitoren wagten nicht, sie dem weltlichen Arm auszuliefern. Leo X. half aus, indem er den Inquisitoren Vollmachten zur Verfolgung und Auslieferung an den weltlichen Arm für Verbrecher erteilte, die sich an Inquisitionsbeamten tätlich vergangen hatten; die Irregularität wurde ausgeschlossen, auch wenn ein Blut- oder Todesurteil die Folge sein sollte. Demgemäß wurden 1545 in Granada sieben Gefangene wegen Ermordung des Gefängnisvogtes und seiner Gehilfen erst gehenkt, dann verbrannt.

Nachdem 1567 Pius V. die Kardinäle von der römischen Inquisition von der Irregularität wegen Bluturteilen entbunden hatte, erging für die ganze Welt am 1. April 1569 die furchtbare Bulle Si de protegendis, welche die Auslieferung an den weltlichen Arm behufs Strafe für Hochverräter gegen alle aussprach, die einen Inquisitionsbeamten mißhandeln oder nur bedrohen oder die Akten der Inquisition vernichten oder fälschen würden. Die spanische Inquisition griff dies auf und ließ die Bulle alljährlich in kastilischer Sprache veröffentlichen. Es war keine Rede von Irregularität darin, allein es wurde stillschweigend angenommen, daß keine vorhanden sei, und die Bulle wurde häufig für diese These angeführt. Immerhin bedurfte man 1579 einer besonderen Ermächtigung, die Gregor XIII. auch erteilte, um die Irregularität bei einem Todesurteil gegen einen Mann abzuwenden, der sich für einen Beamten der Inquisition ausgegeben hatte, ein Fall, der nicht durch das weltliche Gesetz vorgesehen war.

Indes entstanden noch manchmal Verlegenheiten, die Verfügung Leos X. war mehr oder weniger vergessen, und die Bulle von 1579 deckte nicht alle Fälle. Darum gewährte 1605 und

1607 Paul V. der spanischen wie der römischen Inquisition Vollmachten im Sinne der 1567 von Pius V. verliehenen, und zwar
nicht nur für die Inquisitoren, sondern für alle ihre Beamten
ohne Gefahr der Irregularität in allen Dingen ihrer Zuständigkeit,
in Glaubens- wie in andern Sachen, an Urteilen auf Folterung,
Verstümmelung oder Tod mitzuwirken. Dennoch entstanden von
Zeit zu Zeit noch Zweifel bei ängstlichen Gemütern, wobei dann
der Papst angerufen wurde.

Bei der Ausrottung der Ketzerei ging die spanische Inquisition
nach härteren Regeln als ihre Vorgängerin vor. In den mittelalterlichen Gerichten war zuerst nur der beharrliche und unbußfertige Ketzer dem Scheiterhaufen geweiht; wer widerrief und
Reue bekannte, auch im letzten Augenblick, wurde zur Aussöhnung zugelassen. Als man jedoch die erzwungenen Bekenntnisse
als unaufrichtig bezweifelte, und Rückfall als Beweis der Unbußfertigkeit und Beharrlichkeit ausgelegt wurde, waren die Rückfälligen unerbittlich dem Tode geweiht, und dies galt auch für
solche, die wegen heftigen Verdachtes abgeschworen hatten. So
erging es dem Haupt der spiritualen Franziskaner in Katalonien,
Fray Bonato. Als er auf dem Scheiterhaufen stand und eine
Seite des Körpers schon briet, bekannte er Reue und wurde gerettet, einige Jahre darauf aber fiel er in seine Irrtümer zurück,
und 1335 wurde er lebendig verbrannt.

Unter den alten Vorschriften hätten die Verbrennungen in
Spanien während der ersten fünfzig Jahre niemals so zahlreich
sein können, wie sie gewesen sind. Wir wissen durch den Fall
des Juan Chinchilla (s. oben S. 77), daß sogar ein freiwilliges
Bekenntnis, gemäß dem Gnadenedikt abgelegt, nicht vor dem
Scheiterhaufen rettete, wenn durch äußere Umstände der Selbstankläger verhindert war, innerhalb der Frist sich zu melden.
Auch noch, als man begann, Vorschriften aufzustellen, 1484, war
das Leben des Angeklagten in die Hand der Richter gegeben,
denn die Reue mußte vor der endgültigen Urteilsfindung bekannt
werden, wenn die Gnade der Aussöhnung gewährt werden sollte;
aber auch dann konnten die Inquisitoren ihn „ausliefern“, wenn
ihnen die Reue erheuchelt und die Hoffnung auf Bekehrung
gering schien.

Die Frist für das Bekenntnis und die Bitte um Gnade wurde

durch die Vorschriften bis zur Urteilsverlesung auf dem Auto verlängert, durch die Satzung von 1561 aber nur widerwillig, weil in dem letzten Stadium eher Todesangst als wahre Reue die Triebfeder, daher in solchen Fällen nur selten Aussöhnung angezeigt sei. Dennoch wurde es Brauch, das Verfahren auf dem Auto zu unterbrechen und die Reue Bekennenden nach der Inquisition zurückzuführen, um, wenn sie über sich und andere hinreichend aussagten, sie mit angemessenen Strafen auszusöhnen. Das kam häufig vor, 1722 in Córdova mit 4 Personen auf einmal. 1722 wurde in Murcia so verfahren, als eine Frau erst während der Verlesung des Urteils Reue bekannte. Auch war bei öffentlichen Autos, auf die „Auslieferungen" folgen sollten, unter der Schaubühne ein Raum hergerichtet, in den der Reuige sofort abgeführt werden konnte, um sein Bekenntnis abzulegen; man wollte seine Stimmung gleich ausnutzen, bevor sie wieder umschlagen konnte. Die Aussöhnung war dann begleitet von Gütereinziehung, unnachläßlichem Gefängnis mit Sanbenito und gelegentlich 200 Hieben für die Verzögerung des Geständnisses.

Das Mißtrauen, das die Vorschriften von 1561 ausdrückten, war nicht unberechtigt. Die Geretteten hegten häufig ihren alten Glauben heimlich weiter. Gelegentlich fand sich auch einer, den seine Schwäche reute. Ein einfacher Tabakverkäufer, Diego López Duro, hatte auf dem Scheiterhaufen Reue bekannt und war ausgesöhnt und zu Gefängnis verurteilt worden. Eines Tages, im Jahre 1700, während der Messe, bekannte er dem Priester gegenüber laut seinen mosaischen Glauben; die Umstehenden hätten ihn beinahe umgebracht. Nun war er dem Tode geweiht, allein die Inquisitoren versuchten lange Zeit, seine Seele zu retten, bis er als Standhafter in Sevilla am 28. Oktober 1703 lebendig verbrannt wurde als einer der Märtyrer, deren Beharrlichkeit erklärt, warum das Judentum unausrottbar war.

Wer nach der Urteilsverlesung Reue bekannte, entging nicht dem Tode wie in der alten Inquisition, sondern wurde vor der Verbrennung erdrosselt, denn ein Christ durfte nicht bei lebendigem Leibe verbrannt werden. Das galt wenigstens schon 1484. Es war auch nach dem Herkommen der alten Inquisition nicht sicher, daß die „Auslieferung" unvermeidlich zur Hinrichtung führen müsse. Es finden sich in Ciudad Real bis 1523 mehrere Fälle von „Ausgelieferten", die verschiedene Strafen erhielten,

aus denen hervorgeht, daß sie nach der Übergabe an die Behörden widerriefen und so dem Tode entgingen. Es war eine
Zeitlang streitig, ob einer, der erst vor dem weltlichen Richter
bekannt hatte und von diesem an die Inquisition zurückgebracht
worden war, von der weiteren Auslieferung verschont bleiben
sollte. Ältere Doktoren, auch Simancas, neigten zur Milde, und
noch 1640 behauptete ein Inquisitor, die abermalige Auslieferung
sei in Spanien nicht üblich, allein dies ist ein Irrtum. Außer
den erwähnten habe ich keine späteren Beispiele dieser Art gefunden, die Neigung zur Strenge war zu stark. Die Satzung von
1561 erwähnt den Fall nicht, und Peña spricht sich ausdrücklich gegen die gnädigere Übung von früher aus. Es blieb dabei,
daß, wer vor dem Urteil Reue bekannte, erdrosselt wurde, und
die Angst vor dem qualvollen Feuertode bewirkte auf dem Wege
zum Brasero so viele Bekehrungen, daß Verbrennungen bei lebendigem Leibe verhältnismäßig selten wurden. Auf den ersten drei
Autos zu Barcelona 1488 und 1489 wurden alle, die im christlichen Glauben zu sterben erklärten, vor der Verbrennung erdrosselt, ebenso 13 von 14 der Protestanten von Valladolid 1559,[1]
und von 157 Sanbenitos von Verbrannten, die in der Pfarrkirche
von Logroño 1571 hingen, waren 101 von Ausgesöhnten und 56
von Verbrannten, und zwar bei letzteren 9 im Bilde und 47 in
Person, und von diesen waren nur 4 lebend verbrannt worden.
Die Schwäche der menschlichen Natur läßt nur in seltenen Fällen
die Blüte des wahren Martyriums gedeihen.

Es gab Verurteilte, die auf Grund der alten Vorschriften und
bei dem Schweigen der Satzung von 1561 Anspruch auf Aussöhnung auch nach der Urteilsverlesung erhoben. 1674 erklärte der
Supremo dies für nicht statthaft, und als die Frage weiter erörtert
wurde, entschied er 1699, rechtlich falle die Auslieferung mit der
Urteilsfällung zusammen, mithin habe die Inquisition nach letzterer keine Gewalt mehr über den Verurteilten; alles was noch
für ihn geschehen könne, sei die Aussöhnung mit der Kirche und
die Beichte. Der Leib war verloren, die Seele konnte noch ge-

---

[1] Bibl. nac., Mss., D, 153, fol. 95. Die Regel galt auch bei der römischen
Inquisition. Nach Del Bene war es strenges Gesetz, den verurteilten Ketzer
lebendig zu verbrennen, allein „unter Christen wird dies nicht befolgt, es sei
denn, daß er verstockt sei, in welchem Falle kein Grund vorliegt, ihn nicht
lebendig zu verbrennen". De Officio S. Inquisitionis, II, 113 (Romae 1606).

rettet werden. Danach konnte keine Rede mehr von Gnade sein.
Auf den 64 Autos von 1721—1727 wurden 77 in Person verbrannt, davon nur etwa 13 bei lebendigem Leibe. In Granada
wurden am 21. Januar 1722 11 verbrannt, alle nach Erdrosselung, da sie nach der Urteilsverkündigung noch Bekehrung bekannt hatten. Die Vorschrift der Erdrosselung Reuiger wurde
so genau eingehalten, daß einem, der 1722 in Córdova am Scheiterhaufen Reue kundgab und unter Tränen um den unmittelbaren
Flammentod als Strafe für seine Sünden bat, dies verweigert wurde.

Ein beklemmender Zweifel drängt sich auf, ob die Erdrosselung immer wirksam war. Man sagte den spanischen Henkern
nach, daß sie in der Handhabung der „Garrote" gewandt genug
seien, um die Todesqualen stundenlang währen zu lassen, wenn
sie nicht gehörig bestochen waren; eine Annahme, die bei der
allgemeinen Bestechlichkeit der Zeit nicht unwahrscheinlich ist.
Folgender Vorfall beruht vielleicht nur auf Ungeschicklichkeit.
Ein Verurteilter, der bemerkte, wie der Henker beim Erwürgen
zweier Frauen fehlgriff, sagte ihm: „Pedro, wenn du es nicht
besser mit mir machst, könntest du mich eher lebendig verbrennen."

Die Fälle, in denen die Verurteilten lieber in den Flammentod gingen, als den von ihnen für wahr erkannten Glauben zu
verleugnen, waren, wie erwähnt, nicht häufig, die Annalen der
Inquisition erwähnten jedoch Beispiele von unbekannten und vergessenen Moslim, Juden, Protestanten und Mystikern, die bewußt
in den qualvollen Tod gingen. Aus blinder Verderbtheit wollte
man darin nur eine teuflische Herzensverstocktheit erkennen; mit
leerem Wortschwall stellte man einen Unterschied zwischen diesen
und den wahren Märtyrern auf: Simancas erklärt, es sei nichts
Überraschendes daß Ketzer auf dem Scheiterhaufen Freude kund-
gäben, diese sei aber keine wahre Freude, sondern Wahnsinn,
nicht Geduld, sondern Stolz, denn der wirkliche Märtyrer sei be-
scheiden; es gebe deren, die durch gewisse Künste den Körper
so betäubten, daß er die Qualen nicht spüre, andere, die ihren
Geist betörten, damit sie dem Tod ohne Furcht entgegengingen;
die wahre Sanftmut und Gelassenheit, die erhabene Demut und
die demütige Erhabenheit sei jedoch nur den Märtyrern Christi
beschieden.

Trotzdem muß man der Inquisition es lassen, daß sie bis zum letzten Augenblick eifrig bemüht war, die Seelen der Hinzurichtenden zu retten; wenigstens nach dem wilden Sturm der ersten Jahre. Die Hinzurichtenden erfuhren rechtzeitig ihr Schicksal, damit sie von den geistlichen Beratern vorbereitet werden konnten. Noch ehe dies förmlich geordnet war, wiesen die Vorschriften von 1561 die Inquisitoren an, nichts zu versäumen, um Bekehrungen herbeizuführen; vierzehn Tage vor dem Auto sollten die zur Auslieferung bestimmten wiederholt im Gerichtsaal vorgeführt werden, um zu Bekenntnis und Widerruf gemahnt zu werden, und gelehrte Gottesmänner sollten dabei mitwirken. Auch vor der Consulta de fe waren fromme Inquisitoren eifrig auf das Bekehrungswerk bedacht. 1630 hatte einer einen französischen und einen englischen Protestanten vor sich, unwissende Leute, die vom Katholizismus nichts kannten, in ihrer Einfalt baten, in ihre Heimat zurückkehren zu dürfen, und dann vorschlugen, man möge vor ihnen disputieren, damit sie sich für das Beste entscheiden könnten. Sie wurden unterrichtet, ihr Prozeß wurde in die Länge gezogen, und bei der Vorlegung des Beweisinterlokuts waren sie gute Katholiken.

Nachdem die Verurteilten drei Tage vor der Hinrichtung davon benachrichtigt waren, wurde diese Frist gründlich ausgenutzt. Bei einem maurischen Sklaven, einem Renegaten, machten sich 1719 zwölf Qualifikatoren, je zwei aus verschiedenen Orden ausgewählt, von acht Vertrauten unterstützt, ans Werk, die Bekehrung gelang und der Verurteilte kam mit vier Jahren Gefängnis und Sanbenito davon. Daß die Inquisitoren nach der Auslieferung ihr Werk als vollendet betrachteten, zeigt folgender eigentümliche Fall. Am 5. Juli 1722 sollten in Sevilla 4 verstockte Juden, 2 Männer und 2 Frauen, lebendig verbrannt werden. Die Männer und die ältere der beiden Frauen wurden im letzten Augenblick schwankend, bekundeten Bekehrung und wurden erdrosselt. Die jüngere Frau, bekannt als La Almiranta, wünschte auch bekehrt zu werden und über andere Juden auszusagen und wurde in das königliche Gefängnis abgeführt. Die Inquisition erklärte, nichts mehr mit ihr zu tun zu haben. Darauf wurde sie, wieder beharrlich, am 7. dem Scheiterhaufen überantwortet; sie erklärte, da ihre Genossen als Katholiken gestorben, seien sie verflucht, sie habe nur nachgegeben, damit ihre Asche, die heilig sei, nicht mit der der anderen vermengt werde. Sie fand natürlich das gesuchte Martyrium.

In Ausnahmefällen wurden auch Verstockte gnädig erdrosselt. So 1691 in Valladolid 5 schöne Jüdinnen, die allgemeines Mitleid erregten; dies geschah, obschon nur 2 nach der Auslieferung Bekehrung bekundet hatten.

Von den Fällen von Verstocktheit kommen viele auf Untersuchungsgefangene, die auf dem Sterbelager nicht um die Tröstungen der Kirche baten oder keine Gelegenheit fanden, durch Bekehrung um Gnade zu bitten.

Der Negativo, der angesichts „vollgültiger" Beweise seine Ketzerei leugnete, war als Verstockter auszuliefern. Das entsprach der Inquisitionslogik, führte aber zu der Tragik, daß einer zu Tode gequält wurde zu Ehren des Glaubens, den er selbst bekannte. Das System gestattete nicht, jemand, der ein Ketzer sein konnte, fahren zu lassen, weil er unbeirrt auf seiner Rechtgläubigkeit bestand; dennoch mochte man keinen echten Gläubigen in dem erkennen, der im Bewußtsein seines Schicksals den Scheiterhaufen bestieg und sich weigerte, ein falsches Geständnis abzulegen. Drei Negativos wurden als solche 1593 in Granada verbrannt. Solche Opfer waren um so mehr für Märtyrer anzusehen, als ihnen die letzten Tröstungen des Glaubens verweigert wurden. Ein Jesuit, der letztere 1723 in Toledo einem Negativo dargeboten hatte, wurde deshalb schwer gerügt. Wieder in Toledo wurde 1755 Fernando de Castro als Leugner zu den Feuerqualen bestimmt. Weil es ein heißer Tag war, wurde die Hinrichtung auf den Nachmittag verschoben. Castro wurde inzwischen in seiner Zelle von Mönchen bearbeitet; vergebens bat er sie um die Sakramente, sie erklärten ihm, erst müsse er ein Geständnis ablegen, was er beharrlich ablehnte, da die Zeugen meineidig und das Urteil ungerecht sei. Ein Jesuit nahm sich seiner an und hörte seine Beichte, worauf der Richter auf eigene Verantwortung hin das Opfer erdrosseln ließ. Die Mönche fielen über den Jesuiten her, das Volk stimmte mit ein, weil ihm das Schauspiel einer Verbrennung bei lebendigem Leibe entgangen war. Der Fall wurde viel erörtert. Ein Priester schrieb eine Verteidigung für den Jesuiten, allein sie war schon überflüssig, denn der Supremo entschied, daß die Beichte eines

Negativos zu hören sei, mit oder ohne Lossprechung, je nach der Gemütsverfassung des Beichtenden, und nur durch einen der Theologen, die dem Opfer für seine letzten Tage beigegeben seien.

So kam es erst in späten Tagen dazu, daß dem sterbenden Opfer die Sakramente gewährt wurden, vermutlich, weil nach der Lehre das Blut der Märtyrer das wirksamste aller Sakramente war. Solche Fälle können nicht gewöhnlich gewesen sein, wohl aber andere, wo der zu Unrecht Überführte beim Anblick des Scheiterhaufens wankend wurde, und um nicht lebend verbrannt zu werden und die Sakramente noch zu erhalten, fälschlich bekannte, Ketzereien gehegt zu haben, die er in der Seele verabscheute.

Was den Diminuto angeht, dessen Geständnis die Beweise nicht voll deckte, so galt es als erheuchelt, er war unbußfertig und verdiente die Auslieferung. Danach wurde in der Hast der Frühzeit gehandelt. Namentlich war es eine Diminucion, wenn der Gefangene nicht alles aussagte, was er über andere wußte; er verfiel der Auslieferung nach der Folterung in caput alienum. Eine Diminucion war auch, wenn Judaisten und Moriscos die Befolgung von Bräuchen ihrer alten Religion gestanden, die Absicht aber leugneten: in der Hauptsache, der Absicht, war der Leugner alsdann ein Negativo. 1606 war ein Morisco in Toledo gefoltert worden, weil er maurische Zeremonien gelehrt und geleitet haben sollte. Er leugnete standhaft und wurde zur Vorführung im Auto und Abschwörung de levi verurteilt. Davon hatte er keine Kenntnis, als er um eine Audienz bat, in der er bekannte, daß er sieben oder acht Jahre lang maurische Riten geübt habe, ohne zu wissen, daß sie glaubenswidrig seien. Da er auf letzterem bestand, wurde er verbrannt. Auch der Widerruf eines Geständnisses wurde als Unbußfertigkeit und Verstocktheit ausgelegt.

Während des verzweifelten Kampfes der Kirche gegen die Reformation war für den Ketzermeister oder Häresiarchen, der nicht nur seine eigene Seele ins Verderben brachte, sondern auch andere ansteckte, keine Gnade zu erwarten: er mochte widerrufen und seinen Frieden mit Gott machen, nicht aber mit dessen Dienern. Haß und Furcht sprechen mit, wenn Simancas sagt, der Häresiarch, der Meister der Irrtümer, müsse ausgeliefert und dürfe unter keinen Umständen wieder in die Kirche aufgenommen werden, denn er sei wie ein Mörder, der viele erschlagen habe, ein abgefeimter Verbrecher, der täglich das Blut der Seelen vergieße. Er töte nicht mit dem Schwert, sondern mit dem Gift seiner Lehre, nicht den Leib, sondern die Seele, darum verdiene er die schwerste Strafe. Vor allem gebühre dem keine Verzeihung, der Luthers Ketzereien lehre.

Dennoch handelte die Inquisition auch gegenüber solchen nach ihren alten Grundsätzen und ihren Vollmachten, erbat sich jedoch für letztere eine Erweiterung, als sie das Auftreten von Protestanten in Spanien zu einer gefährlichen Sache aufgebauscht hatte. Nachdem Calvin 1553 in Genf Michel Servet wegen Verleugnung der Dreifaltigkeit hatte verbrennen lassen, brauchte Rom sich nicht übertreffen zu lassen, und Paul IV. verfügte 1555 durch die Bulle Cum quorundam: wer die Dreifaltigkeit, die Gottheit Christi, die Empfängnis vom h. Geist, den Erlösertod, oder die immerwährende Jungfernschaft Mariä leugne und seine Irrtümer nicht binnen drei Monaten bei den Inquisitoren bekenne und sie abschwöre, und wer in Zukunft solche Ketzereien hege, der sei als ein Rückfälliger zu behandeln und ohne weiteres dem weltlichen Arm auszuliefern.[1] Danach war Paul geneigt, dem Wunsche aus Spanien nachzugeben, und durch Breve vom 4. Januar 1559 ermächtigte er den Großinquisitor und den Supremo, alle Häresiarchen und anderen Ketzer, auch ohne Rückfälligkeit, selbst wenn sie abschwören wollten, auszuliefern, wofern mit Wahrscheinlichkeit anzunehmen sei, daß die Abschwörung nicht aufrichtig gemeint sei, sondern nur die Strafe

---

[1] Bullar. Rom. I 821. — Auf den von solchen Ketzern erhobenen Einwand der Unwissenheit hin erneuerte und bestätigte Klemens VIII. am 3. Februar 1603 auf ewige Zeiten die Bulle Pauls IV. — Bullar. III, 160. — Obwohl die spanische Inquisition diese Erlasse in ihren Akten aufbewahrte, scheint sie nicht danach gehandelt zu haben. 1568 hatte Valencia zwei Fälle von Ketzern, die unter anderen Irrtümern die Jungfernschaft Marias leugneten. Finer, ein Gascogner, Bernat de Vidosa, wurde ausgesöhnt mit lediglich Klosterhaft; der andere, Pedro Sobrino, ein neapolitanischer Fischer, wurde mit zehn Jahren Galeeren schwerer getroffen. — Arch. hist. nac., Inq. de Valencia, Leg. 31.

abwenden solle. Das entsprach zwar schon der Satzung von
1484, es wurden aber, wie wir sehen werden, zwei leitende Persönlichkeiten trotz Widerruf verbrannt, und ebenso erging es
um 1600 einem Alfakí, der seiner Frau maurische Lehren beigebracht hatte; sein Geständnis galt als unvollkommen. Indes
wurde diese Strenge nicht in allen Fällen eingehalten.

Der Rückfall, der die Hauptursache der Auslieferungen wurde,
nachdem die Inquisition im ersten Eifer sich erschöpft hatte,
schloß nach dem kanonischen Recht jede Gnade aus. Das bestätigte 1536 der Supremo, und Simancas erklärte noch schärfer,
in der ersten Sitzung solle der Inquisitor dem Angeschuldigten
eröffnen, wenn er sein Gewissen erleichtern wolle, würde der
Prozeß schnell und gnädig durchgeführt werden; wenn es sich
aber um einen Rückfall handle, dürfe nicht von Gnade die Rede
sein. Auch ein schleuniges und volles Bekenntnis half dem Rückfälligen nichts, das Gesetz war unerbittlich.

Erschwerend wirkte, daß der Begriff des Rückfalls dehnbar
war. Ein Ausgesöhnter, der zu altererbten Bräuchen zurückkehrte, galt als ein Rückfälliger. Nach einer Auslegung des
Supremos von 1500 genügte der Verkehr von Büßern mit nicht
ausgesöhnten Ketzern, und nach Simancas war die Übung die,
daß einer, der abgeschworen hatte und danach mit Ketzern
sprach, sie besuchte, ihnen Geschenke machte, Gunst erwies oder
mit ihnen verkehrte, nur infolge seiner Ketzerei so handeln
könne. Danach kann man sich die Angst vorstellen, in der
ein Ausgesöhnter lebte: es war geboten, bei den Ermittlungen,
die das Gericht bewirkte, acht zu geben, ob nichts Belastendes
gegen ihn herauskäme; wenn er dann nicht genügend belastet
erschien, konnte jeder Punkt, den sein früheres Geständnis nicht
einschloß, gegen ihn als falsch Bekehrten verwendet werden; zu
jeder Zeit konnte er durch den Prozeß eines Bekannten in Mitleidenschaft geraten, wenn sich ergab, daß er gut mit ihm stand.
Sicherheit konnte er nur erhoffen, indem er sich entschlossen
von seiner Familie und seiner Rasse absonderte.

Ebenso stand es um den, der nur de vehementi abgeschworen hatte: die Vorschriften von 1561 erklärten rundweg,
wenn er gestehe oder überführt werde, sei er auszuliefern, die
Inquisitoren dürften ihn nicht aussöhnen, obschon er nicht tat-

sächlich, sondern nur theoretisch rückfällig sei. Bei Selbst-
bekennern von Rückfall wurde die volle Strenge nicht eingehalten (s. oben S. 148). Die Moriscos genossen Ausnahme-
bestimmungen, deren Wesen und Ausführung noch zu behandeln
sein wird.

Es wäre nun ein leichtes gewesen, die Strenge des Gesetzes
gegen Rückfällige überhaupt zu mildern. Wir haben keine
Einzelheiten aus der älteren, wohl aber zeigen Angaben aus der
neueren Zeit, wie sehr die Rückfälle zu den Hinrichtungen bei-
trugen. Auf dem großen Auto von Madrid 1680 wurden 18 Judaisten in Person verbrannt, davon 10 wegen Rückfalles, 6 als
verstockt und 2 wegen Leugnens oder unvollkommenen Geständnisses. Mallorca hatte 1691: 38 Verbrennungen in Person und
7 im Bilde wegen Rückfalls; 3 starben in den Feuerqualen.
Granada, Córdova und Cuenca hatten 1723—1724 zusammen
25 Verbrennungen, alle bis auf eine von Rückfälligen, und nur
eine bei lebendigem Leibe; ohne den Rückfall wären alle als
reuig mit Aussöhnung davongekommen. Einer der Fälle aus
Cuenca verdient eine besondere Erwähnung, wäre es auch nur
wegen des psychologischen Interesses.

Br. Jose Diaz Pimiento war 1687 von altchristlichen Eltern
in Kuba geboren. Er trat in den geistlichen Stand, für den sie
ihn erzogen hatten, und sein Lebenswandel wurde ein Beispiel
der Zügellosigkeit, die im kolonialen Leben herrschte. Er segelte
an den Gestaden des Karibischen Meeres, wo er allerlei schlimme
Abenteuer hatte. In Mexiko fälschte er einen Taufschein, um
vor dem kanonischen Alter die Priesterweihe zu erhalten, in Cu-
raçao ließ er sich von den Juden beschneiden, um Geld von
ihnen zu erhalten, schließlich fiel er in Cartagena de las Indias
in die Hände der Inquisition, widerrief, wurde ausgesöhnt und
nach Spanien geschickt, um eine Klosterhaft abzubüßen. Er
entwich aus dem bischöflichen Gefängnis, wurde in Jerez ergriffen, kam ins Klosterverließ mit schweren Fesseln und ging vergebens einige unter Beobachtung gehaltene Neuchristen um ihre
Hilfe an; um ihr Mitleid zu erregen, schrieb er dem Inquisitions-
kommissar, er sei Jude. Wieder entkam er, wandte sich nach
Lissabon, und arbeitete dort für einen holländischen Schiffer,
der ihn nach Holland bringen sollte, von wo er nach Jamaika
wollte. Einer plötzlichen Regung folgend, stellte er sich der In-

quisition in Sevilla. Zuerst erklärte er, er sei Christ, dann sagte
er dem Vogt, er sei Jude, und davon wich er im Prozeß nicht
mehr ab; er verzichtete auf jede Verteidigung. Am 25. Juli
1720 sollte er hingerichtet werden. Während drei Tagen wurde
er von den Geistlichen bearbeitet, in allen Kirchen Sevillas
wurde für die Rettung seiner Seele gebetet. Am dritten Tage
erklärte er, die Gnade Gottes habe ihn gerührt, er sei Christ.
Ohne den Rückfall wäre er dadurch gerettet gewesen. Auf dem
Scheiterhaufen lehnte er die Erdrosselung ab und wollte lebendig
verbrannt werden, um darzutun, daß seine Bekehrung aufrichtig
sei: das konnte ihm nicht bewilligt werden. Das Feuer wurde
um 5 Uhr nachmittags angelegt, der Körper brannte bis Tagesanbruch, und es fiel auf, daß der sonst zu bemerkende Gestank
fehlte. Die Asche sollte verstreut werden, die Brüder der Cari-
dad erbaten sie sich für ein christliches Begräbnis, doch ohne
Erfolg: es ging nach dem Gesetz, die Asche wurde auf das Feld
verstreut; alles, wie berichtet wird, zur größeren Ehre des
heiligen katholischen Glaubens.

Trotz Canones, und obwohl selbst der Großinquisitor keine
Gnade für Rückfällige ergehen lassen konnte, kamen Fälle einer
zweiten Aussöhnung vor (s. oben S. 245); einer schon 1486 zugunsten eines Mitgliedes der Conversofamilie de Santa Maria; er
starb, dreimal gebüßt, nicht auf dem Scheiterhaufen, sondern
im Gefängnis. Zwischen 1491 und 1502 wurden in Barcelona
die Rückfälligen zum Teil wieder ausgesöhnt, zum Teil verbrannt,
ohne daß eine Erklärung für den Widerspruch vorläge. In
späterer Zeit war die mildere Behandlung der Rückfälle häufig
und sie wurde angewandt auch wenn das Beharren in der
Ketzerei mehr als der Form nach erwiesen war, nach der Schwere
der Strafen zu urteilen. So wurde 1654 in Toledo Gaspar de
los Reyes als rückfälliger Judaist zur Abschwörung de vehementi, sechs Jahren Galeeren und 1000 Dukaten verurteilt,
während seine Frau und seine Mutter neben der Abschwörung
mit Verbannung und je 600 Dukaten gestraft wurden. Ungewöhnlich war der Fall eines Mannes, der 1704 in Toledo verbrannt wurde, nachdem er die ihm angebotene Gnade abgelehnt
hatte. 1681 wurde bei einem 10jährigen Jungen von der Rückfälligkeit in Anbetracht seines Alters abgesehen.

Wenn man sich des Winkes für die Inquisitoren erinnert,

daß Geldstrafen manchmal einträglicher seien als Gütereinziehung, lassen die schweren Geldstrafen für begnadigte Rückfällige erwägen, ob nicht geldliche Rücksichten den Ausschlag gaben. Darauf verweist das Vorgehen in Mallorca 1691 mit den hohen Einnahmen; es hält schwer, dies nicht als Gnade mit Berechnung anzusehen.

Im weiteren Verlauf des 18. Jahrhunderts wurde die äußerste Strafe für Rückfall nur mehr gegen Verstockte und solche angewandt, die nicht gestehen oder keine Gnade wollten. In Valladolid wurde 1745 ein Ausgesöhnter von 1701, der seine Schuld beharrlich leugnete, verbrannt, während zwei von 1699 und 1706, die sie zugaben, mit Gefängnis und Sanbenito nach zehn Jahren Galeeren davonkamen — allerdings noch eine zweifelhafte Gnade, allein wenn das Urteil sich rechtfertigen ließ, so war das Vergehen gemäß den Canones fraglos der Auslieferung würdig.

Wenn Ketzerei nur aus der Straftat — Doppelehe, Gotteslästerung, Versuchung im Beichtstuhl usw. — gefolgert werden konnte, nicht unmittelbar vorlag, so war der Rückfall lediglich straferschwerend. Sogar das Sakramentespenden durch Laien, das die römische Inquisition als der Ketzerei gleichwertig behandelte, wurde in Spanien nur in der gewöhnlichen Weise, wenn auch strenge an sich, gesühnt, so bei einem ehemaligen Soldaten, der 1727 zuerst in Granada verurteilt wurde, 1731 in Córdova mit dem Verbot des Tragens geistlicher Kleider, 200 Hieben und zehn Jahren Galeeren.

In der zweiten Hälfte des 18. Jahrhunderts hörten die Verbrennungen allmählich auf. Llorente findet deren unter Karl III. (1759—1788) nur 4 erwähnt. Wahrscheinlich die letzte war die der „Beate von Cuenca", Isabel Maria Herraiz, einer Betrügerin, die ohne Bekenntnis und Widerruf im Gefängnis starb und 1802 im Bilde verbrannt wurde. Die Verbrennung von Lebenden suchte die Inquisition damals mit allen Mitteln zu verhindern. Der Pfarrer Sorano aus Esco in Aragon war ein offener Ketzer; seine kirchenfeindlichen Gedanken hatte er in einer Schrift niedergelegt, für die er gar die Zensur des Supremos nachsuchte. Alle Versuche, ihn zu Widerruf und Bekehrung zu bestimmen, waren vergeblich. Um ihn nicht zur Auslieferung verurteilen zu müssen, ordnete der Supremo die Untersuchung auf seinen Geisteszustand an, sein ganzer Bekanntenkreis wurde darüber befragt, und es fand sich ein Arzt, der aussagte, er habe ihn vor mehreren Jahren wegen einer schweren Krankheit behandelt, die sein Gehirn schädigen konnte, und seither habe er seine Ketzereien vorgebracht. Darauf wurden wieder Bekehrungsversuche unternommen, er blieb jedoch standhaft, und als er darüber erkrankte und man ihm sagte, daß sein Ende nahe, erklärte er, er befehle sich Gott an, lehnte allen geistlichen Beistand ab und starb 1805. Er wurde in ungeweihter Erde begraben und der Supremo gebot, die Akten zu schließen ohne weiteres Verfahren für die Verbrennung im Bilde. Zwanzig Jahre später zeigte die bischöfliche Inquisition sich weniger gnädig.

Fünfter Abschnitt.

Das Auto de fe.

Das Auto de fe, der Glaubensakt, war der Name, mit dem das spanische h. Offizium das Sermo der alten Inquisition schmückte. In seiner vollen Entwicklung war es eine achtunggebietende öffentliche Feierlichkeit, sorgfältig darauf berechnet, Furcht vor der geheimnisvollen Macht der Inquisition und einen heilsamen Abscheu vor der Ketzerei einzuflößen, äußerlich soweit wie möglich eine Darstellung des jüngsten Gerichtes. Es galt als ein frommes Werk. In der alten Inquisition begann die Handlung mit der Predigt eines der Inquisitoren — später wurde ein besonders beredter Mönch ausgesucht — der die hohe Bedeutung der Glaubenserhaltung und der Ausrottung von Ketzerei und Ketzern pries. Um viel Zuschauer herbeizuziehen, war ihnen ein Ablaß, gewöhnlich von vierzig Tagen, zugesichert.

Auf der Höhe ihrer Macht unterließ die Inquisition nichts, was die Autos publicos generales als eine Kundgebung ihrer Gewalt und Wirksamkeit eindrucksvoll gestalten konnte. In der Frühzeit war die Vorführung einfach, es gab mehr wirkliche Arbeit zu verrichten. Auf dem ersten Auto in Toledo, 1486, wurden die Opfer zu Fuß nach der Plaza geführt, die Hände kreuzweise auf der Brust gebunden, in Sanbenitos aus gelben

Leinen mit Namen und dem Vermerk herege condenado, verurteilter Ketzer, die Mitra auf dem Haupt. Auf der Plaza
wurden sie auf einer Bühne zusammengereiht, ihnen gegenüber
auf einer andern die Inquisitoren und ihre Beamten. Das Urteil
gegen jeden einzelnen wurde verlesen, und obwohl es der Opfer
viele waren, war die Feier, um 6 Uhr früh begonnen, gegen
Mittag zu Ende, worauf der Scheiterhaufen angezündet wurde.
Anscheinend beschränkte sich die Vorführung auf die für diesen
bestimmten Opfer. Die Autos fanden nicht nur an den Gerichts-
orten, sondern auch in kleineren Ortschaften statt; so ordnete
es Ferdinand 1498 an, um die Wirkung bei der gesamten Bevölkerung zu verbreiten. 1515 jedoch waren die Autos wohl
wieder auf die Gerichtsorte beschränkt, wo man sie besser aus-
gestalten konnte, und bald darauf wurde auch verfügt, alle
Büßer vorzuführen und die Abschwörung de levi nicht mehr
im stillen vorzunehmen. Es lag etwas Grausames darin, denn
die Vorführung auf dem Auto allein schon war eine schwere
Strafe. Bis dahin war es den Gerichten überlassen, den Zeitpunkt für ein Auto zu bestimmen, von 1537 an wollte der Supremo vorher unterrichtet sein, später bedurfte es seiner förmlichen Erlaubnis. 1585 wollte Cuenca mit 30 Verurteilten die
Handlung vornehmen, erhielt keine Antwort und mahnte nach
sechs Wochen, daß die Sache dränge, weil viele Gefangene krank
seien, eine Pestilenz in der Stadt wüte, zudem die Betroffenen
arm seien und der ohnehin leeren Gerichtskasse zur Last fielen.
Darauf kam die Erlaubnis.

In dem Maße, wie die öffentlichen Autos seltener wurden,
gewannen sie an Feierlichkeit. Die Inquisitoren nahmen Besitz
von dem größten Platz der Stadt und schlugen ihre beiden
Bühnen auf, eine für die Büßenden und deren geistliche Bei-
stände, die andere für die Inquisitoren und die geistlichen und
weltlichen Behörden, während die vornehmen Familien die Fenster
der umliegenden Häuser mieteten. Den Prälaten und Behörden
war die Beteiligung an der Prozession und dem Schauspiel geboten; da sie stolz darauf waren, bedurfte es des Zwanges nicht,
außer bei Rangzwisten, wo sie fernblieben, was ihnen eine Zurechtweisung, nach 1598 den Kirchenbann zuzog. Die Aufbauten
waren an großen Tagen gewaltig und kostspielig, und es entstand
die Streitfrage, wer die Ausgaben dafür tragen solle. Sie wurde

in Cuenca, Toledo und Madrid 1553 zuungunsten der Stadt entschieden. 1632 gab Philipp IV. Befehle für die Ausführung zum großen Madrider Auto durch seinen ersten Baumeister, und 1680 gab es einen verwickelten Bau, von dem Schilderungen vorhanden sind, und an dem die höchsten Beamten es sich zur Ehre anrechneten, mitzuwirken.

Es war wesentlich, daß beide Inquisitoren zugegen waren; einer allein durfte kein Auto abhalten. Damit viele Zuschauer erschienen, wurde ein Feiertag, meist ein Sonntag gewählt. Solange eine Stadt mit dem Interdikt belegt war, konnte kein Auto abgehalten werden, und es war den Inquisitoren vorgeschrieben, nachzugeben, um die Aufhebung zu erreichen. Ihnen stand die Polizeigewalt in der Stadt für den Tag des Autos zu. Das ging so weit, daß unter Philipp II. ihnen auch die Verfügung über die Fenster der Privathäuser zufiel. 1595 beschwerte sich das Obergericht von Granada, daß vornehme Leute die gemieteten Fenster für die Frau eines Inquisitionsnotars räumen mußten, erreichte aber nur, daß den Inquisitoren empfohlen wurde, auf die Häuser der Richter und Alkalden Rücksicht zu nehmen. In Sevilla wurde 1559 das Reiten und das Waffentragen in der Stadt von Mitternacht an bis nach Schluß der Feier verboten, bei Strafe von 10 Hieben für Gemeine und des Reitverbotes, dreißig Tagen Gefängnis und 50 000 Maravedí für Adlige.

Es gibt zahlreiche gedruckte und handschriftliche Schilderungen der großen Autos, deren Einzelheiten nach Zeit und Ort Abweichungen aufwiesen. Diesen Aufzeichnungen von Zuschauern ziehen wir als Führer eine Denkschrift aus dem 17. Jahrhundert vor, die zur Unterrichtung der Inquisitoren die Veranstaltung gemäß dem Brauch von Toledo beschreibt. Die Ausführlichkeit, mit der alles behandelt wird, zeigt neben dem Bestreben für eine großartige Feier dasjenige, die Unterordnung der weltlichen Gewalt zu bekunden. Daher auch die genaue Regelung des Vortritts, der immerwährend Anlaß zu Streitigkeiten gab. Die Franziskaner waren, über ihren Platz unzufrieden, 1632 aus der Prozession zu Madrid ausgetreten und wurden darob vom Supremo verfolgt. Unser Verfasser nimmt von vornherein an, daß in den Autoberichten für den Supremo solche Streitigkeiten und das vom Gericht dabei beobachtete Verhalten zu erwähnen sind.

War ein Auto beschlossen, so wurde es der Vorbereitungen wegen einen Monat im voraus angesetzt. Auf Ansage bei dem Corregidor und dem Kapiteldekan versammelten diese am andern Morgen 9 Uhr ihre Körperschaften und einige höhere Beamte mit Vertrauten, und kündigten dann ihnen, sowie dem Bischof, die bevorstehende Feier an. Zur gegebenen Zeit zogen berittene Vertraute und Notare mit Trommeln und Trompeten und dem Inquisitionsbanner durch die Straßen, und an bestimmten Plätzen wurde geschellt und der Stadtrufer verkündigte: „Allen Bewohnern dieser Stadt kund und zu wissen, daß das h. Offizium der Inquisition zum Ruhme und zur Ehre Gottes und der Erhebung unseres heiligen katholischen Glaubens ein öffentliches Auto . . . feiern wird."

Die Vorbeitungen folgten alsbald. Kommissare wurden für Errichtung und Ausschmückung der Bühnen bestellt, Wachs für die Vorabendprozession des Grünen Kreuzes bereitgestellt, Einladungen an die Bettelorden und die Pfarren zur Teilnahme an der Prozession und dem Auto erlassen, desgleichen bei Strafe für das Ausbleiben an die Vertrauten, Notare, Kommissare, Konsultoren und Qualifikatoren im ganzen Gerichtssprengel,[1] die Mönche bezeichnet, die den Todgeweihten in ihrer letzten Nacht beizustehen hatten, Mitren (Corozas), $^3/_4$ Elle hoch, mit Flammen für die Hinzurichtenden, in der gewöhnlichen Form für die übrigen Vorzuführenden hergerichtet,[2] dann Sanbenitos mit Flammen für die Todesopfer, mit zwei Streifen (Aspas) für die Auszusöhnenden und je einem vorn und hinten für die

---

[1] Auf dem Auto zu Logroño am 7. November 1610 gingen in der Prozession etwa 1000 Vertraute, Kommissare und Notare, bei dem von Barcelona am 21. Juni 1627 500—600 Vertraute und Alguazile.

[2] Auf den ersten Autos mit den zahlreichen Vollstreckungen gegen Abwesende und Tote verfiel man der Billigkeit halber auf den lächerlichen Gedanken der statuae duplicatae, der Janusfiguren mit einem Gesicht auf beiden Seiten. In Barcelona am 25. Januar 1488 wurden fünf Ehepaare in dieser Weise dargestellt, am folgenden 23. Mai taten 22 Puppen Dienst für 42 Flüchtlinge und am 9. Februar 1489 10 Puppen für 39 Abwesende. — Was die Corozas oder Mitren angeht, so hatte mit mehr Schicklichkeitssinn die römische Inquisition 1596 deren Verwendung als der bischöflichen Würde abträglich verboten.

de vehementi Abschwörenden, sowie Stricke für die Hinzurichtenden und die zu Stäupenden. Bildnisse zum Verbrennen
hatten halbe Körperlänge, um auf Stangen getragen zu werden;
ausgegrabene Gebeine kamen in schwarzen Särgen unter die
Bildnisse; letztere hatten Mitren auf, und auf den Sanbenitos
auf einer Seite Flammen, auf [der andern Name, Wohnort und
Verbrechen des Nachgerichteten. Grüne Kreuze, welche die
Totgeweihten, gelbe Wachskerzen, welche die Büßenden trugen,
sowie Weidenruten für die Aussöhnungsfeier wurden beschafft.
Bereit war ein mit rotem Samt und Goldfransen bezogener, mit
goldenem Schloß und Schlüssel versehener Kasten für die Urteile,
eine Liste der Opfer und Bildnisse für die zur Hinrichtung be-
fugten Behörden, die demnach ihre Urteile fertig halten konnten.
Zu alldem gehörte noch ein großes grünes Kreuz, das der Do-
minikanerprior in der Prozession, und ein weißes, das der Mayor-
domo der Cofradía in der Vorabendprozession trug, dann das
vom Fiskal zu tragende Banner aus karmesinrotem Damast mit
reicher Stickerei, auf der Vorderseite das königliche Wappen
mit einem grünen Kreuz auf der Krone, zur Rechten ein Schwert,
zur Linken ein Ölzweig, auf der Rückseite das Wappenschild
des h. Peter Martyr, die Stange vergoldet, ein Kreuz an der
Spitze, und von den Armen herabhängend Quasten von Gold
und Silber; ferner ausgesuchter Schmuck für die Maultiere der
Beamten und versilberte Stäbe für die als Festordner tätigen
Vertrauten. Während dies in der Inquisition besorgt wird, beschafft die Pfarrei Teppiche, Behänge und sonstigen Schmuck
für die Bühnen und stellt die Sänger für die Vorabendprozession
und die Aussöhnungsfeier. Der Prediger wird bestellt, gewöhnlich
ein Dominikaner, in Galicien ein Bischof, in Madrid der königliche Beichtvater. Am Vorabend wird der Altar auf dem Platz
geschmückt, Fackeln und Leuchter rund um die Stätte für das
grüne Kreuz aufgestellt. Die Inquisitoren verfügen über die
nach dem Platz gehenden Fenster, bestimmen, wo Schranken
anzubringen sind, untersagen den Wagenverkehr; die Stadt-
behörde gibt ihre Gewalt an sie ab und befolgt ihre Befehle.

In der höchst feierlichen Prozession des Grünen Kreuzes wird
das Banner inmitten einer Schar von Vertrauten und Edelleuten getragen; es folgt das weiße Kreuz mit den Orden, das Kreuz der
Pfarre mit der Geistlichkeit, das grüne Kreuz, von fackeltragen-

den Mönchen umgeben, die das „Miserere" singen. Das weiße
Kreuz wird am Scheiterhaufen aufgestellt und von einer Wache,
die in einigen Städten unter dem Namen Zarza besteht, der
die Gestellung des Holzes für den Brandstapel obliegt,[1] die Inquisition selbst während der Nacht von Soldaten bewacht, die
vor Tagesanbruch durch Trommelschlag wecken. Im Gebäude
wird alles nach der Reihe bereitgestellt, sogar etwaige Trag-
bahren für Gebeine oder für Verurteilte, die sich nicht bewegen
können. Um 9 Uhr abends sucht der dienstältere Inquisitor
die Zellen der Auszuliefernden auf, teilt ihnen ihr Los mit und
läßt bei jedem zwei Mönche zurück. Anordnungen für die Ent-
gegennahme von Bekenntnissen Verstockter und Leugnender
sind in der Inquisition wie am Scheiterhaufen getroffen.

Vor Tagesanbruch wird im Sitzungssaal und am grünen Kreuz
Messe gelesen. Wenn es Tag ist, erhalten alle Vorzuführenden,
sowie die den Auszuliefernden beigegebenen Mönche ein Frühstück.[2]
Die Zellen verlassen die Verurteilten erst kurz vor dem Aufbruch,
wo sie in Mitra und Sanbenito für die Prozession gereiht werden.

Diese eröffnet die Zarza, es folgt das Kreuz der Pfarre, ver-
hüllt, von einem Akolyten mit einer Schelle begleitet, der Trauer
läutet, darauf die Büßer, jeder für sich mit zwei Vertrauten:
zuerst die Betrüger, dann diejenigen, die sich als Inquisitionsbeamte ausgegeben haben, die Gotteslästerer, Bigamisten, Judaisten, Protestanten, die Puppen und Särge, dann die Auszuliefernden mit je zwei Mönchen. Berittene Beamte schließen
sich an, dann die Vertrauten paarweise, das Banner, zuletzt die
Inquisitoren. Es geht durch bestimmte, dichtgedrängte, durch
Geländer freigehaltene Straßen, nach dem Platze, wo die Schuldigen in derselben Ordnung gesetzt werden, die schwersten Verbrecher oben.

---

[1] Die Prozession der „Cruz verde" war nicht allgemein üblich. Sie wurde
in Valladolid, Toledo, Murcia und wahrscheinlich auch einigen andern Orten
abgehalten.

[2] Die Kosten dieser Mahlzeiten wurden geprüft. 1571 gebot der Supremo dem Gericht Logroño, nicht mehr als 12 Dukaten für das Frühstück
auszugeben. Ein Runderlaß vom 25. Januar 1574 erwähnt die hohen Ausgaben für Imbiß und Frühstück, die den Inquisitoren, Beamten, Beichtigern
und Büßenden gereicht wurden; in Zukunft sollten nur die beiden letzteren
Gruppen versorgt werden, Inquisitoren und Beamte könnten auf eigene
Kosten essen; über die Sache sei das Nötige im Autobericht zu vermerken.

Auf dem Podium erheben sich zwei Kanzeln, von denen die Urteile abwechselnd verlesen werden. Dazwischen befindet sich eine Erhöhung mit zwei Stufen, auf der die Verurteilten sitzend das Urteil anhören; ein Geländer ist um sie angebracht, für den Fall einer Ohnmacht, denn noch weiß außer den Auszuliefernden keiner sein genaues Schicksal. Unter den Sitzen des Gerichts ist ein schön ausgestatteter Erfrischungsraum, dem die Inquisitoren, Behörden und Geistlichen fortlaufend zusprechen; ein anderer dient für die Vertrauten und vornehmen Personen. In ersterem werden die Bekenntnisse entgegengenommen und wird entschieden, ob der Verurteilte in einem Wagen oder Sänfte nach der Inquisition oder auf die Bühne zurückgebracht wird. Stirbt auf dem Auto ein Auszuliefernder, so wird sein Urteil verlesen und der Leichnam ausgeliefert; stirbt ein Auszusöhnender, so wird er losgesprochen und von seiner Pfarre in geweihter Erde begraben; ist es ein nur Gebüßter, so wird er ad cautelam losgesprochen und ebenfalls kirchlich begraben.

Nach der Predigt besteigt ein Sekretär die Kanzel und verliest mit lauter Stimme den üblichen Eid, wodurch die Beamten und das Volk der Inquisition Gehorsam und die rege Verfolgung von Ketzern und Ketzerei geloben, wozu alle Amen sagen. Ist der König anwesend, so begibt sich der erste Inquisitor zu dessen Altan und nimmt ihm auf Kreuz und Evangelium den Eid ab, daß er den Glauben verteidigen, die Ketzer verfolgen und der Inquisition die nötige Gunst bezeugen werde.[1]

---

[1] Die Formel für den jungen Karl II. auf dem Madrider Auto von 1680 lautete: „Eure Majestät schwört und verspricht auf ihren Glauben und Königswort, daß Sie als wahrer und katholischer, von Gottes Hand eingesetzter König mit aller Gewalt den katholischen Glauben verteidigen wird, der unserer heiligen Mutter, der apostolischen Kirche von Rom, eignet und den sie glaubt, und diesen Glauben erhalten und mehren wird, sowie daß Sie die ihm zuwiderhandelnden Ketzer und die Ketzereien verfolgen und verfolgen lassen wird, ferner, daß Sie befehlen wird, dem h. Offizium der Inquisition und dessen Dienern die nötige Gunst und Förderung angedeihen zu lassen, damit die unsere christliche Religion störenden Ketzer ergriffen und gezüchtigt werden gemäß dem Recht und den heiligen Canones, ohne Unterlassung seitens Eurer Majestät noch Ausnahme zugunsten irgend einer Person, wessen Standes sie auch sei." Der Großinquisitor verlas die Formel, der König hörte sie an, eine Hand aufs Kreuz, die andere auf das Evangelium gelegt, und antwortete: „Also schwöre und verspreche ich auf meinen Glauben und mein Königswort." Solche Eide leisteten: der Infant Don Carlos zu Valla-

Darauf folgt die Verlesung der Urteile, zu der der Oberalguazil jeden Verurteilten einzeln vorführt. Die Handlung leidet keine Unterbrechung, und wenn sie bis zum Eintritt der Dunkelheit nicht zu Ende ist, sind Kerzen und Fackelträger bereit.[1] Gewöhnlich kommen die Auslieferungsurteile zuletzt, wenn jedoch das Auto bis in die Nacht dauert, werden sie früher verlesen, damit die Verbrennung am hellen Tage stattfinden kann. Nach der Verlesung werden die Puppen und Gebeine auf die eine, die lebenden Opfer auf die andere Seite gereiht. Nach der Auslieferung spricht der Richter das Todesurteil entweder auf der Bühne oder daneben an einem Tisch. Ist eine Kompagnie der Zarza zur Stelle, so tritt sie nach den Urteilen vor und gibt eine Salve ab; dann umringt sie die Opfer und geleitet sie zum Scheiterhaufen, zum Schutz gegen den Pöbel, der sie mißhandeln oder gar totschlagen möchte, wogegen es besondere Vorschriften der Inquisitoren gibt. Der Magistrat stellt den Todgeweihten Reitesel, wie er auch für den Holzstoß sorgt.

Die öffentliche Feier schließt mit den Abschwörungen und Aussöhnungen, worauf der Oberalguazil und Vertraute die Büßer nach der Inquisition zurückbringen; sie erhalten ein Abendessen und werden zu drei oder vier in eine Zelle gesperrt. Die Pfarrgeistlichen entschleiern ihr Kreuz und tragen es zurück, die Dominikaner, Psalmen singend und von den städtischen Beamten geleitet, tragen das grüne Kreuz nach der Inquisition. Am anderen Morgen erfahren die Ausgesöhnten ihre Strafe, und wie die übrigen Verurteilten schwören sie Geheimhaltung. Um 10 Uhr wird der Geißelungszug veranstaltet, an dem der Oberalguazil mit einem Notar und einer Anzahl Vertrauter, alle beritten, teilnehmen. Noch werden die Galeerensträflinge dem königlichen Gefängnis überwiesen, und damit endigt die furchtbare Feier, wie sie die Inquisition auf der Höhe ihrer Macht veranstaltete.

---

dolid am 21. Mai 1559, Philipp II. am 8. Oktober 1559, Philipp III. zu Toledo am 6. März 1600 und Philipp IV. in Madrid 1632.

[1] Auf dem großen Auto zu Logroño, 7. und 8. November 1610, wo 53 Verurteilte, davon 29 Hexen, vorkamen, waren die Urteile derart lang, daß der erste Tag allein den 11 Fällen von Relaxierten galt; am zweiten dauerte die Handlung vom Morgengrauen bis Dunkelheit; einige Urteile mußten gekürzt werden, und die Aussöhnungen geschahen schon nach Eintritt der letzteren.

Der Scheiterhaufen (Quemadero oder Brasero) war in
der Regel außerhalb der Stadt. Von der Inquisition war nur
ein Alguazil und ein Protokollführer bei der Verbrennung zugegen, weshalb die Akten selbst über den Vorgang nichts enthalten. Einige Einzelheiten lassen sich jedoch aus einer Erzählung des Madrider Autos von 1632 ermessen. Für 7 Opfer hatte
die Stadt außerhalb des Tores von Alcalá einen Scheiterhaufen
von 50 Fuß im Geviert errichten und die Pfähle mit Würge-
ringen versehen lassen. Das Volk geriet in Verwirrung, auch
das Feuer brannte nicht recht, denn erst um 11 Uhr abends
waren die Körper der Opfer in Asche verwandelt. Es war eine
alte Vorschrift, die Asche über die Felder zu verstreuen oder in
fließendes Wasser zu werfen, damit die Jünger der Häresiarchen
deren Reste nicht aufsammeln konnten, um sie zu verehren.
Dies zu verhindern war nicht leicht, denn eine völlige Verbrennung erforderte eine andauernde Hitze, die namentlich da
nicht erreicht wurde, wo Holz teuer war. Auf der Stätte des alten
Quemaderos von Madrid fanden sich denn auch 1868 bei der Anlage der Carranzastraße in der Ascheschicht viele Knochen, ein
Zeichen, daß man füglich die Reste der Verbrannten liegen ließ.

Das große Auto stellte nur einen kleinen Teil der Inquisitionstätigkeit dar. Die meisten Prozesse wurden in Autos particulares oder Autillos in Kirchen, im Gerichtssaal oder je
nach den Umständen anderswo erledigt. Auf 12 große Autos
mit 386 Verurteilten von 1575 bis 1610 in Toledo kamen 786
Fälle in Autos particulares. Die Vorführung auf dem
öffentlichen Auto war eine so furchtbare Strafe für das Opfer
und seine Familie, daß 1627 in Toledo ein reicher Portugiese,
freilich vergeblich, 12 000 Dukaten bot, um davon verschont zu
bleiben. Die meisten Fälle, bei denen die Inquisition sozusagen
nur Sittenrichter war, erforderten keine solche Strafe vor aller
Welt, und wir wissen auch, daß sie Geistliche nur im äußersten
Falle der öffentlichen Schmach preisgab.

War der Schauplatz eine Kirche, so konnte anwesend sein
wer Platz fand, die geistlichen und weltlichen Behörden waren
nicht geladen. Häufiger war es der Gerichtssaal, und in diesem
Falle wurde unterschieden, ob die Handlung öffentlich sein sollte
oder nicht; war ersteres verfügt, so wurde manchmal geläutet,

um Neugierige anzuziehen. Es konnte aber auch in den Ge-
mächern des Inquisitors sein. Bei Nonnen fand das Autillo
meist in ihrem Kloster statt.

Als im 17. Jahrhundert die Geldnot der Inquisition fortwährend stieg, scheute sie vor den stolzen, aber kostspieligen
großen Autos zurück. Barcelona hatte wohl keines von 1627
bis zum Aufstande von 1640, Valladolid keines von 1644 bis
1667. Als 1651 in Toledo eines veranstaltet wurde, hatte man
die Gefangenen längere Zeit dafür aufbewahrt, und es war auch
das letzte für dort; selbst in den Kirchen gab es keine Autillos
von 1656 bis 1677. Sevilla dagegen konnte 1631, 1643, 1648
und 1656 große Autos feiern, und zu einem weiteren von 1660
konnten andere Gerichte ihre Gefangenen herbeibringen, so daß
sich 7 Verbrennungen in Person und 27 im Bilde, und 52 Büßer
ergaben, doch war das auch hier das letzte Auto dieser Art.

Man hätte schon früher auf die öffentlichen Autos verzichtet,
wenn das Fällen von Bluturteilen in Kirchen nicht untersagt
gewesen wäre, was schon 1568 der Supremo betonte.[1] Als die
öffentlichen Autos zu kostspielig erschienen, zögerte man daher
vor Todesurteilen, und wenn eines unvermeidlich war, wurde
der Verurteilte eine unbequeme Persönlichkeit. Ein Judaist, der
1633 in Valladolid zur Auslieferung verurteilt worden war, mußte
zunächst dreißig Monate im Kerker warten, und da man ihn
los sein wollte, gebot der Supremo Folterung und neue Urteilsfindung, worauf 1637 eine Verurteilung zur Aussöhnung mit
schweren Nebenstrafen erging. Weniger schädlich für die Glau-
bensreinheit war das Verfahren, einen Verurteilten von einem
Gericht zum anderen zur Hinrichtung zu verweisen. Ein verstockter Morisco wurde aus Valencia vom Supremo 1635 nach
Valladolid verschrieben, wo ein Auto sein sollte; zwei Jahre
später berichtete Valladolid, daß es kein öffentliches Auto ver-
anstalten könne, und so mußte der Geplagte 1638 nach Saragossa wandern. Ob er dort einen raschen Tod gefunden hat,
läßt sich nicht feststellen, jedenfalls war es ein empörendes Verfahren, ein armes Opfer von einem Ende Spaniens zum anderen

---

[1] Arch. de Simancas, Inq., Libr. 937, fol. 123. — Ein Kommentator führt
hierzu Azpilcucta und Peña an, um zu beweisen, daß in Rom Autos mit
Relaxierungen in Kirchen abgehalten wurden, ebenso, auf Befehl des Supremos, eines 1611 in Cuenca mit 4. — Bibl. nac., Mss., V. 377, Cap. III, § 2.

zu senden, um ihn mit möglichst wenig Kosten hinrichten zu
können.

Hatte einmal ein Gericht ein großes Auto, so konnten andere
sich auf es entlasten. Zu dem Auto von Toledo von 1651 hatten
Cuenca, Córdova und Sevilla mit Bildnissen beigetragen. Santiago hielt 1655 eines, zu welchem Valladolid 1 Lebenden und
4 Bildnisse zum Verbrennen sandte; für 2 von letzteren waren
die Urteile von 1644 und 1648. Murcia hatte 1658 für 9 flüchtige Judaisten das Urteil bereit, verkündigte es erst Ende 1659
und sandte die Bildnisse nach Sevilla, wo die Verbrennung am
13. April 1660 stattfand. Für das große Auto von Madrid 1680,
das letzte in seiner Art, hatten sämtliche Gerichte ihre unbe-
quemen Opfer gesandt.

Einen Ausweg aus der Verlegenheit suchte man seit 1657
darin, daß Verbrennungen im Bilde in Kirchen stattfinden
durften. Toledo nahm deren sofort 8 in dieser Weise vor, die
übrigen Gerichte scheinen das Verfahren indes nicht beliebt zu
haben. Nach manchen Erwägungen wurden endlich 1689 die
Bedenken durch einen Runderlaß beseitigt. Bei der Abnahme
der Gütereinziehungen und den steigenden Kosten für öffentliche
Autos könne man die leider immer zahlreicheren Auszuliefernden
nicht auf diese warten lassen, zumal sie unterhalten werden
müßten und ihre Seelen während der langen Wartezeit, in der
Ungewißheit über ihr Schicksal, Schaden leiden könnten. Aus
alledem, und da Auslieferungsurteile auch vor und nach 1561
in Kirchen gefällt worden seien, unter Berufung auf die Verurteilung des Hieronymus von Prag im Dom zu Konstanz, gelangte der Rat zu dem Schluß, daß Auslieferungsurteile in den
Kirchen verkündigt werden dürften, vorausgesetzt, daß das Urteil
des weltlichen Richters draußen ergehe. Zu solchen Autos in
Kirchen sollten die weltlichen Behörden und Domkapitel nicht
geladen werden, auch sollte die Zeiteinteilung so sein, daß die Verbrennung der Vorschrift gemäß am hellen Tage stattfinden könne.[1]

Nun waren indes die Behörden gekränkt, weil sie nicht mehr
bei der Feier erscheinen sollten. Der Supremo schilderte 1690

---

[1] Arch. de Simancas, Lib. 42, fol. 239. Ob Absicht oder Fahrlässigkeit,
der Runderlaß gelangte erst am 14. Oktober 1499 nach Valencia, und zwar
in einem andern Briefe mit der Bemerkung, daß er damals nicht abgesandt
worden, jetzt aber zur Unterrichtung beigelegt sei.

dem König die Notlage und schlug vor, die weltlichen Beamten
vor der Kirche warten zu lassen, allein das war diesen nicht
genehm, und so fand sich der Ausweg, daß ein einziger Beamter
als Vertreter des weltlichen Armes zugegen sein sollte. Das
Gericht sollte ihn benachrichtigen, worauf er am Portal warten
sollte, um sich den Inquisitoren, dem Fiskal und dem Ordinarius
anzuschließen und einen Sitz neben ihnen einzunehmen und
nach Verkündigung der Auslieferungsurteile die Kirche zu verlassen und die Auszuliefernden an einem bestimmten Orte zu
erwarten, sein Urteil zu sprechen und die Hinrichtung zu vollstrecken.

So fand die große und furchtbare Feier ein Ende. Es kam
wenig darauf an, wieviel Lebende und Bildnisse auf den Scheiterhaufen gebracht wurden, die Handlung ging innerhalb der
Kirchenmauern vor sich, einfach und billig, so bei dem großen,
viele Menschenleben fordernden Auto von 1691 in Mallorca,
wenn auch immer noch mit großem Zeremoniell. Wir haben
von den Autos zu Sevilla von 1719 an einen ausführlichen Fest-
bericht mit den Namen aller teilnehmenden Beamten, ihren
Prunksesseln und diamantenbesetzten Dienstabzeichen, wobei
das eigentliche grausige Werk der Inquisition in den Hinter-
grund tritt. Aber die Hauptsache fehlte: die frühere Beteiligung
von nah und fern, wo die Leute im Freien nächtigten und die
Masse der Zuschauer mit Stolz in den Berichten erwähnt wurde.
Das kam in einem Bericht aus Sevilla an den Supremo in
klagenden Worten zum Ausdruck. Wo waren in der Tat die
Tausende von Vertrauten, die im Auto die Befriedigung ihrer
Eitelkeit fanden? Denn um der Autos willen hatte man die
Zahl der Vertrauten so hoch anwachsen lassen. Das Gericht
half sich mit Salidas, Prozessionen, an den fünf Hauptfest-
tagen des Jahres und beauftragte die Bruderschaft des h. Peter
Martyr, acht Vertraute zu bezeichnen, aus denen es vier für die
Salidas und für die gelegentlichen Autos zwei wählen würde,
deren Erscheinen bei Geldstrafe und Haft geboten war. Der
Fanatismus freilich war noch nicht erloschen. Llerena hatte
1752 6 Bildnisse zu verbrennen. Als Träger hatte man bis dahin
Leute aus dem Landstreicherasyl aufgeboten, diesmal aber waren
solche nicht zu haben. Da kam ein Inquisitor auf den Gedanken, daß es die heiligste Aufgabe sei, solche Puppen zu tragen,

und sein Vorschlag, als Träger bis zum Auto die Inquisitionsbeamten und von der Kirche zum Scheiterhaufen die vornehmsten Edelleute auftreten zu lassen, wurde tatsächlich ausgeführt,
und mit Trompetenschall und unter Geleit der ganzen Besatzung
ging es nach dem Brandstapel.

Es war jedoch ein letztes Aufleuchten, der alte Glanz war
dahin. In Toledo hatte man 1778 beim Auto in der Kirche
nur mehr einen Büßer, der zur Vergüenza verurteilt wurde, und
auf den neun Autillos, die bis zum Schluß des Jahrhunderts in
der Kirche, bald bei offenen, bald bei geschlossenen Türen stattfanden, gab es auch nur je einen Büßer, und Gegenstand der
Verurteilung waren fünfmal Propositionen, zweimal Versuchung
im Beichtstuhl, einmal Doppelehe und einmal Spendung der
Sakramente durch Laien. Darauf beschränkte sich nun die
Tätigkeit eines der gewaltigsten Gerichte, das einst die furchtbarsten Vorführungen veranstaltet hatte.

Eine Seite der Angelegenheit verdient noch zur Kennzeichnung des spanischen Fanatismus beleuchtet zu werden. Das
Auto galt als die Verschönerung eines Freudentages, es wurde
zu Ehren eines hohen Gastes veranstaltet, weil der Spanier darin
die höchste Kundgebung der Frömmigkeit, eine Ehrbezeugung
für Gott, einen Ruhm für das Land und eine Förderung der
Frömmigkeit bei allen Teilnehmern erblickte. Wahrscheinlich
wurden keine Autos zu Ehren Ferdinands und Isabellas veranstaltet, weil der geschäftige Eifer jener Zeit dafür keine Zeit
ließ und der burgundische Aufwand die kastilische Schlichtheit
noch nicht verdrängt hatte. Karl V. war schon 1528 in Valencia durch ein Auto mit 13 Auslieferungen in Person und 10
im Bilde geehrt worden, und 1560, als in Toledo die Cortes ver-
sammelt waren, um dem jungen Don Carlos den Treueid zu
leisten, angesichts der Vornehmsten des Landes und zur Feier
der Heirat Philipps II. mit Elisabeth von Valois, bot das Gericht ein Auto mit mehreren Auslieferungen. 1564, als Philipp
wegen der katalonischen Cortes in Barcelona weilte, wurde wieder
ein Auto zu seiner Ehre veranstaltet: 8 wurden ausgeliefert, und
viele zu den Galeeren verurteilt, meist Franzosen, die der Botschafter vergeblich zu beschützen gesucht hatte.

Der Regierungsantritt Philipps III. wurde 1600 zu Toledo

durch ein Auto gefeiert, dem er mit der Königin, dem Herzog von Lerma und dem ganzen Hof beiwohnte. 46 Verurteilte waren aus verschiedenen Landesteilen vereinigt worden; nur einer, der französische Hugenott Jacques Pinzon, wurde verbrannt, wahrscheinlich lebendig; Granada hatte sich mehrere Jahre bemüht, ihn von seiner Verstocktheit abzubringen; nun brauchte man ihn als Hauptnummer in Toledo, und so ließ denn der Supremo die letzten Förmlichkeiten übereilen. Das mehrerwähnte große Auto zu Madrid 1632 fand auf besonderen Wunsch Philipps IV. aus Anlaß des Kindbetts seiner Gemahlin Isabella von Bourbon statt, die mit ihm und ihrem Sohn Don Carlos zugegen war. Es gab 37 Büßer und 7 Auslieferungen in Person und 2 im Bilde. Sogar zur Zeit des katalonischen Aufstandes wurde der französische Statthalter Condé in Barcelona durch ein Auto mit einigen Auslieferungen geehrt. Das allerletzte öffentliche Auto, 1680 in Madrid, galt der Heirat Karls II. mit Marie Louise von Orléans und umfaßte 67 Büßer und 51 Auslieferungen, von letzteren 19 in Person. Es wurde eine besondere Kompagnie der Zarza von 250 Mann unter Francisco de Salcedo gebildet; jedes Mitglied erhielt ein Reisigbündel, und am königlichen Schloß nahm Salcedo ein besonders hierfür hergerichtetes und ließ es dem König zeigen, der es eigenhändig zu der Königin trug und mit dem Befehl zurückgab, es in seinem Namen als erstes auf den Scheiterhaufen zu werfen. Die religiöse Erziehung des jungen Herrschers war also nicht vernachlässigt worden. Es war eine ernsthafte Wendung zum Besseren, daß 1701 Philipp V. sich weigerte, bei einem großen Auto zu Ehren seiner Thronbesteigung zugegen zu sein; die Absicht, ihn aufzufordern, wurde daher aufgegeben.[1]

---

[1] Llorente, Hist. crít. Cap. XL, Art. 1, n. 3. — Vicente de la Fuente, Hist. eclesiástica de España, III, 378: „Es wurde zur Ehrung des Königs ein Auto de fe vorbereitet, denn die Autos erschienen als der notwendige Bestandteil aller königlichen Feste, wie die Stiergefechte und Feuerwerk. Philipp V. weigerte sich zum ersten Male, bei solchen zugegen zu sein; in der Folge jedoch wurde er bei einem bemerkt (1720)."

Achtes Buch

Das Feld der Inquisitionstätigkeit.

─────

Erster Abschnitt.

Die Juden.

Die Apostasie der zwangsbekehrten Juden war die nächste Ursache für die Errichtung der Inquisition, und ihnen widmete sie fast ausschließlich ihre Tätigkeit, bis eine ähnliche Behandlung der Mauren ihr in den Moriscos eine Volksklasse überwies, die noch größeren Anspruch auf ihre Sorge hatte. Indes war die Ausrottung der letzteren durch die Anfang des 17. Jahrhunderts bewirkte Vertreibung so vollständig, daß sie tatsächlich aus den Annalen der Glaubensgerichte verschwinden, wogegen die jüdischen Neuchristen blieben und länger als ein Jahrhundert ihnen den meisten Anlaß zu ihrer ernsteren Tätigkeit gaben.

Wir wissen, daß sowohl nach den Judenhetzen von 1391 wie nach der Austreibung von 1492 die Unterweisung der Zwangsbekehrten in der christlichen Religion durch die spanische Geistlichkeit allgemein vernachlässigt worden war. Als 1496 eine königliche Verordnung erging, welche die Conversos auf drei Jahre von der Pachtung der Staatseinnahmen ausschloß, wurde sie damit begründet, daß das Pächteramt ihnen keine Zeit ließe, um religiösen Unterricht zu genießen. 1499 ordnete der Supremo an, daß Conversos, die vor 1492 übergetreten waren, unter den Altchristen verstreut leben dürften; daß die später Bekehrten jedoch, von ihren Rabbinern getrennt, für sich in Städten wohnen und ihren Glauben durch eifrigen Besuch des Gottesdienstes stärken müßten. Erst 1500 wurde von den nach Spanien zurückkehrenden Juden die Beibringung von Taufscheinen für sich und ihre Kinder verlangt; es wurde ihnen die Einhaltung der Festtage und der Besuch von Messe und Predigt vorgeschrieben, und alle Kinder über sechs Jahre mußten in der Frist eines halben Jahres die

vier Gebete, die sieben Todsünden und das Glaubensbekenntnis
erlernen. Auch nach der Zwangsbekehrung der Mauren ergingen
mit Bezug auf beide Gruppen ähnliche Vorschriften, die unwirksam blieben. Für die Wirksamkeit der Vorschriften auf sie verließ man sich auf die Inquisition, die unaufhörlich, wenn auch
ungleichmäßig heftig, tätig blieb. War sie gerade rege, so kannte
sie keine Rücksichten, wie ein Rundschreiben des Gerichtes
Llerena an alle Inquisitoren Spaniens und Portugals von 1540
dartut.

Das Gericht hatte 21 Personen verhaftet; drei Flüchtlinge und
zwei Tote wurden mit verfolgt. Das Verfahren gegen die Flüchtigen beruhte auf einem einfachen Verdacht, wahrscheinlich weil
sie auf dem Wege nach Portugal waren. Das Gericht wollte in
den Registern auf der ganzen Halbinsel nach Beweisen forschen
lassen, um sein Vorgehen zu begründen. Nun brauchte man
keineswegs einen schweren Verdacht, um eine Verurteilung herbeizuführen, die Übung eines rein materiellen jüdischen und die
Unterlassung eines christlichen Brauches genügte. Ein Fall kennzeichnet das Vorgehen ganz besonders.

Elvira del Campo, die 1567 in Toledo abgeurteilt wurde, war
von Conversoabkunft. Sie heiratete Alonso de Moya, einen
Schreiber aus Madridejos, anscheinend aus altchristlicher Familie.
Laut Zeugnissen von früheren Dienern oder nächsten Nachbarn
ging sie zur Messe und Beichte und benahm sich äußerlich wie
eine gute Christin, war auch gut und mildtätig, wollte aber kein
Schweinefleisch essen, und wenn sie solches für die Familie kochte,
faßte sie es nur mit einem Tuch an, um es nicht zu berühren,
weil es ihr Kratzen in der Gurgel verursache und ihre Hand nach
einer unmittelbaren Berührung danach rieche. Es wurde auch
vorgebracht, daß sie an Samstagen frische Körperwäsche anlegte
und nicht arbeitete, doch dies wurde als unerheblich abgetan und
die Anklage beschränkte sich auf die Abneigung gegen Schweinefleisch. Die Hauptzeugen waren zwei Gehilfen ihres Mannes,
Pedro de Liano und Alonso Collados, Hausgenossen, und deren
Aussagen enthielten viel Einzelheiten aus Schnüffeleien in der
Küche und den Schränken und über alle Vorgänge im Haushalt.
Liano sagte aus, er und Collados hätten sich einmal darüber unterhalten, daß eine Hammelkeule eine Nacht hindurch im Wasser
geweicht worden sei, wobei Collados den Gedanken geäußert

habe, ob das wohl mit einer jüdischen Zeremonie zusammenhänge, in welchem Falle er sie gerne bei der Inquisition anzeigen würde, da er nicht gut mit ihr stehe. Dennoch sagte Collados am Schluß seines Verhörs vor Gericht, er wolle ihr wohl, weil sie ihn gut behandelt habe, er habe sie auch für eine gute Christin gehalten, die zur Messe gehe, keine üble Nachrede führe, sehr zurückhaltend sei, ihr Haus selten verlasse und nur mit wenigen rede.

Elvira wurde im Juli verhaftet, und ihr Prozeß wurde, da sie schwanger ging, zuerst rasch geführt, dann wegen ihrer Niederkunft (31. August) drei Monate unterbrochen. Sie gab zu, daß sie kein Schweinefleisch esse, aber auf ärztlichen Rat, wegen eines Übels, das ihr Mann ihr mitgeteilt habe und das sie zu verbergen wünsche. Auf die übrigen Anschuldigungen wurde kein Gewicht gelegt. Ihre Rechtgläubigkeit betonte sie nachdrücklich. Von den zwölf Belastungszeugen ermittelte sie sechs, er gelang ihr jedoch nicht, sie wegen Feindschaft ablehnen zu lassen, mit Ausnahme von Collados und einem andern, die auch die gefährlichsten waren. Von dreizehn Leumundzeugen, Geistlichen und Nachbarn, gaben zwölf an, daß sie sie als eine gute Christin kännten, die ihren religiösen Pflichten und den kirchlichen Vorschriften nachlebe und keinen Grund zu Verdacht biete; einer erklärte, nichts zu wissen. Es blieb also nichts übrig, als sie auf die Folter zu spannen (s. oben S. 173), was zweimal geschah, mit dem Ergebnis, daß sie bekannte, als sie elf Jahre alt war, habe ihre Mutter ihr gesagt, kein Schweinefleisch zu essen und den Sabbat zu halten, was, wie sie gewußt habe, gegen das christliche Gesetz verstoße. Da sie ihre Mutter jedoch in demselben Alter verlor, dürfen wir wohl die Richtigkeit des Geständnisses bezweifeln. Am andern Tag bestätigte sie es in der Weise, daß das Vermeiden von Schweinefleisch, das Wechseln des Hemdes und das Halten des Sabbats dem mosaischen Gesetz gemäß geschehen sei, wie ihre Mutter sie es gelehrt habe; das habe sie niemand gegenüber erwähnt, weil ihr Vater sie getötet hätte und sie ihren Gatten gefürchtet habe.

Daraufhin fand sich in der Consulta de fe tatsächlich ein Fanatiker, der für „Relaxation" stimmte, die übrigen Mitglieder waren für Aussöhnung mit allen Unfähigkeiten und Güterverlust, sowie drei Jahren Gefängnis und Sanbenito. Das wurde ihr am 13. Juni 1568 in einem Auto de fe verkündigt, indes wurde nach

Ablauf von sechs Monaten das Gefängnis in geistige Strafen umgewandelt und sie durfte gehen, wohin sie wollte. So hatte sie
nicht nur die Qualen des Prozesses durchgemacht, sie war auch
an den Bettelstab gebracht, und ihre Verwandten und Nachkommen hatten ein unauslöschliches Kainszeichen. Was aus dem
im Gefängnis gebornen Kinde geworden, ist nicht bekannt; wahrscheinlich wollte es dessen Glück, daß es bald starb. Mögen die
Einzelheiten des Prozesses an sich unbedeutend sein, sie lassen
erkennen, womit sich die Gerichte in ganz Spanien beschäftigten,
und man muß sich danach fragen, ob die Inquisitoren im Ernste
glaubten, was sie in dem öffentlichen Urteil aussprachen: daß
sie sich bemüht hätten, Elvira von ihren Irrtümern und ihrer
Apostasie zu erlösen und ihre Seele zu retten. Die Geringfügig-
keit der Tatsachen, von denen das Leben des Angeklagten ab-
hängen konnte, wird dadurch hervorgehoben, daß man so viel
Gewicht darauf legte, daß sie kein Schweinefleisch genoß, keine
Butter aufs Brot strich, zweierlei Kochtöpfe benutzte, und wann
sie das Hemd wechselte oder ihr Brot buk.[1]

Allgemach mußte die Beharrlichkeit im Judentum aufhören,
wenn die Conversos so durch das Ausschnüffeln einerseits und
die Strenge der Gerichte anderseits in die Enge getrieben wurden.
So nahmen die Prozesse von einem Menschenalter zum andern
ab. Hatte Valencia im ersten Viertel des 16. Jahrhunderts noch
30—40 Fälle im Jahr, kamen dann noch die Mauren als neue
Zwangsbekehrte hinzu, um dann von 1540 an auf drei Jahre,
während deren es gar keine Prozesse gab, sowie nochmals 1546
außerhalb der Inquisitionsgerichtsbarkeit gestellt zu werden, so
ergeben die folgenden sechzehn Jahre bis 1562 im ganzen nur
48 Ketzerprozesse, und von 1550 bis 1560 nur zwei gegen
Judaisten. Toledo, zu dem Madrid gehörte, hatte von 1575 bis
1590 nur 23 Fälle. 1565 war von 74 Büßern, die in einem Auto
de fe in Sevilla vorgeführt wurden, kein einziger Judaist, und
1585 bei einem Auto in Cuenca auch keiner, aber 21 Moriscos.
Schon 1558, als der Supremo der Inquisition je eine Pfründe von
jeder kirchlichen Körperschaft zuweisen ließ, räumte er ein,
daß seit mehreren Jahren die Judaisten selten geworden, wenn

---

[1] Arch. hist. nac., Inq. de Toledo, Leg. 128. Über diese nichtigen Beweise, die eine Verfolgung wegen Judentums rechtfertigten, s. oben S. 144.

schon neuerdings einige in Murcia entdeckt worden seien; tatsächlich berichtete kurz darauf der venezianische Gesandte Tiepolo von der Verhaftung einer größeren Zahl Juden in Murcia.

Mit der Abnahme in der Zahl scheint auch eine Neigung für größere Milde eingetreten zu sein, in dem Gedanken, daß das Judentum wohl bald verschwinden würde. Pius V. gestattete auf Wunsch Philipps II. auf drei Jahre dem Großinquisitor Espinosa 1567, die judaisierenden Neuchristen von Murcia und Alcaraz öffentlich oder geheim loszusprechen, mit einer heilsamen und milden Buße, aber ohne Geldstrafe; Kleriker allerdings sollten unfähig für Weihen und Pfründen bleiben. Es wird berichtet, daß der Bischof João Soares von Coimbra auf einer Pilgerfahrt nach Jerusalem auf Cypern bei spanischen und portugiesischen Juden Erkundigungen einzog, die er dem Gericht Coimbra übermittelte und die, nach Llerena weitergegeben, zur Entdeckung zahlreicher Juden in Estremadura führte. Auch für sie erwirkte Philipp II. 1573 eine Erleichterung wie für die von Murcia, aber nur auf ein Jahr. Noch gnädiger wurden 1597 die von Ecija behandelt, indem sie nicht nur losgesprochen werden konnten, sondern auch die Gefangenen entlassen wurden und keinem von ihnen ein Makel anhängen durfte. Diesmal war die Frist vier Jahre.[1] Es gibt vielleicht noch andere Beispiele dieser Art. 1595 konnte der Bischof von Segorbe in einer wichtigen Denkschrift ausführen, die seit 1492 in Spanien gebliebenen Juden seien nun-

---

[1] Bulario de la Orden de Santiago, Lib. IV, fol. 130. — Galicien scheint in dieser Hinsicht eine Ausnahme gebildet zu haben, wahrscheinlich wegen der späten Gründung des Gerichtes. Die Juden waren dort sehr zahlreich, wohlhabend und verdächtig, und es hatte sich noch keine Zeit gefunden, ihre Bekehrung oder Vernichtung zu betreiben. Wegen seiner Strenge erntete das Gericht den Ruf als des grausamsten von ganz Spanien, und trotz der Unerbittlichkeit der portugiesischen Inquisition suchten viele galicischen Conversos Zuflucht in Portugal. Gegen Ende des 16. Jahrhunderts erwarb sich der Inquisitor Pedro Pérez Gamarra einen schmachvollen Ruf wegen seiner rastlosen Tätigkeit, und der Erzbischof und das Kapitel protestierten öffentlich gegen die Handlungen des Gerichtes. Dieses erwarb dank seiner Geldgier reiche Konfiskationen, darunter die Güter des Méndez von Valdeorras, über 40 000 Dukaten im Wert, des Antonio de Saravia, die auf 233 707 Realen und die des Manuel Pereira, die auf 363 444 Realen angegeben werden. — Benito F. Alonso, „Los Judíos en Orense", S. 8, 26, 28/30, 32 (Orense 1904).

mehr gute Christen, ausgenommen hier und da einer, und ihr
Gesetz sei in Vergessenheit geraten.

Der gute Prälat schränkte sein Lob auf die Nachkommen
derer ein, die hundert Jahre vorher getauft worden waren, auf
die drei Generationen, welche die rauhe Hand der Inquisition
bearbeitet hatte. Es war ihm gewiß nicht entgangen, daß ein
weiterer Faktor in die religiöse Frage eingetreten war, der der Inquisition auf fast 150 Jahre ein neues Feld anwies, nämlich die
Erwerbung Portugals durch Philipp II. im Jahre 1580. War die
Verbindung auch nur dynastisch und behielten die beiden Reiche
ihre gesonderte Ordnung, so führte doch die Erleichterung des
Verkehrs zu einer starken Einwanderung von Neuchristen aus
den ärmeren in das wohlhabendere der beiden Länder. Im Gegensatz zu ihren spanischen Brüdern waren sie der Strenge der Inquisition nicht ausgesetzt gewesen, und die meisten waren daher
heimliche Juden. Die Inquisition hatte nun, nach der Unterdrückung des kurz aufflackernden Protestantismus und der Vertreibung der Moriscos, eine neue Ursache zu regerer Tätigkeit,
und die Rolle der Einwanderer in dem spanischen Judentum erfordert eine kurze Übersicht der seltsamen Geschichte der portugiesischen Inquisition in ihrer Frühzeit, sowie über die Beziehungen der Neuchristen zum h. Stuhl, wobei ein Seitenlicht
auf die Streitigkeiten Ferdinands und Karls V. mit der Kurie
fällt.[1]

Die unter Johann II. eingewanderten Juden mußten schweres
Geld zahlen (s. Bd. I, S. 83, 85), wurden jedoch von seinem
Nachfolger Manoel nach dessen Regierungsantritt 1495 freundlich behandelt. Als er indes Isabella, die Tochter des spanischen Königspaares, heimführte, mußte er sich der Bedingung
fügen, alle von der spanischen Inquisition verurteilten Flüchtlinge zu verjagen. So erließ er denn, von seinem Beichtvater,

---

[1] Hierüber gibt es ausführliches urkundliches Material in den zwölf
Bänden des „Corpo Diplomatico Portuguez" (Lissabon 1862—1902). Dieses
Material zum Teil hat in geschickter Weise Herculano für sein klassisches
Werk „Da Origem e Estabelecimento da Inquisição em Portugal" (Lissabon
1854) benutzt. Einige Lücken darin hat A. Ronchini in seinem „Giovanni III di Portogallo, il Cardinal Silva e l'Inquisizione" (Modena 1879)
ausgefüllt.

dem Br. Jorje Vogado, angetrieben, ein allgemeines Austreibungsedikt, von dem nur die Kinder unter 14 Jahren ausgenommen
waren, die ihren Eltern entrissen wurden: eine Maßregel, die
die traurige, furchtbare Folge hatte, daß manche Juden ihre
Kinder lieber totschlugen, als sie den Christen zu überlassen.
Durch verschiedene Einwirkungen wurde die Abreise der Verbannten bis nach Ablauf der ihnen gesetzten Frist verzögert,
so daß sie schließlich vor dem Verfall in die Sklaverei standen
und so zur Annahme der Taufe gezwungen wurden. Um ihre
Lage zu mildern, verfügte Manoel 1497, daß sie während zwanzig Jahren nicht wegen ihres Glaubens verfolgt werden sollten
und daß in der Folge die Tatsachen, auf die eine Anzeige
wegen Judentums begründet werden sollte, innerhalb zwanzig
Tagen, nachdem sie sich ereignet, vorgebracht sein mußten; daß
das Verfahren dem der weltlichen Gerichte entsprechen müsse
und die eingezogenen Güter an die Erben heimfielen. Außerdem versprach der König, niemals Gesetze für die Conversos als
besondere Rasse zu erlassen.

Doch schon im April 1499 ergingen diesem Versprechen zu-
wider Edikte, die ihnen untersagten, ohne Erlaubnis des Königs
das Reich zu verlassen, und den anderen Bewohnern, Land oder
Wechsel von ihnen zu kaufen. Die Abneigung des Volkes wuchs
und führte zu der grausigen Judenschlacht von Lissabon 1506,
worauf ein Rückschlag eintrat, die Edikte widerrufen und den
Neuchristen Freizügigkeit, volle bürgerliche Gleichheit und der
Genuß des gemeinen Rechtes gewährt wurde. 1512 wurde die
Befreiung von der Glaubensverfolgung bis 1534 ausgedehnt.
Unterdes ersuchte Manoel 1515 Leo X. um Einführung der Inquisition; als jedoch die Sache sich in die Länge zog, kam er
nicht mehr darauf zurück. Bis zu Manoels Tod, 1521, genossen
die Neuchristen Duldung und wurden wohlhabend, verschwäger-
ten sich mit den vornehmsten Häusern und traten vielfach in
den geistlichen Stand. Äußerlich ließ ihr Christentum nichts zu
wünschen, und Portugal wurde naturgemäß die Zufluchtstätte
für die spanischen Conversos; ein Einwanderungsverbot gegen
diese von 1503 wurde wahrscheinlich nicht streng gehandhabt.

Der nächste König, Johann III., ein Jüngling von 20 Jahren,
war fanatisch und beschränkt, für die erste Zeit aber behielten
die Räte Manoels noch Einfluß, dessen gnädige Edikte wurden

auch erneuert. Der Druck von geistlicher Seite und das Vor-
urteil der Massen machte sich jedoch fühlbar, die Pfarrer sammelten Zeugnisse gegen die Glaubensstärke der Neuchristen.
Nach Johanns Heirat (1525) mit Katharina, der Schwester
Karls V., der einzigen portugiesischen Königin, die Sitz im
Staatsrat erhielt, änderten sich die Dinge, das gegebene Versprechen galt nicht mehr, und 1531 wurde Rom um die Errichtung einer Inquisition nach spanischem Muster und mit dem
Frade (Bruder) Diogo da Silva als Großinquisitor angegangen.
Nach einigem Zögern erging das päpstliche Breve für diesen am
17. Dezember. Damit die Neuchristen nicht gleich auswanderten,
wurde es bis Juni 1532 geheim gehalten, im Juni wurden dann
die Edikte von 1499 auf drei Jahre wieder in Kraft gesetzt.
Die Neuchristen hatten Wind bekommen und gaben reichlich
Geld in Lissabon wie in Rom aus, um das Unheil abzuwenden,
und einer der ihrigen, der hochbegabte Duarte da Paz, begab
sich, unter dem Schutz einer königlichen Sendung, ins Ausland,
nach Rom, wo er zehn Jahre lang die Interessen seiner Rasse-
genossen vertrat. Den im September 1532 in besonderer Sendung erschienenen Nunzius Marco della Rovere, Bischof von
Sinigaglia, hatten sie bald erkauft, ja wahrscheinlich auch Diogo
da Silva, der sich weigerte, sein Amt anzutreten, während
Duarte da Paz in Rom nicht untätig blieb, so daß Klemens VII.
am 17. Oktober 1532 das Breve vom Dezember zeitweilig außer
Kraft setzte und Silva wie auch allen Bischöfen jedes inquisitorische Vorgehen gegen Neuchristen untersagte.

Die Kurie wußte die Angst der reichen Conversos zu Geld
zu machen. Portugal war ein verhältnismäßig schwaches Reich,
und Johann kein Ferdinand oder Karl V., und da er auf der
Inquisition bestand, konnte Rom ein Geschäft machen, indem
es sich bald nach der einen, bald nach der anderen Seite
wandte, den Conversos Schutz gewährte und sie dann wieder
preisgab. Das war kein Geheimnis, und Johann warf es Klemens VII. beinahe offen vor, worauf die mit der Angelegenheit
betrauten Kardinäle erklärten, die Inquisitoren seien Teufels-
diener und das Inquisitionsverfahren eine Rechtsverweigerung.

Johann hatte recht, denn durch Breve vom 7. April 1533
erließ Klemens Vergebung für alle früheren Vergehen, mit
Fähigkeit für Staats- und Kirchendienst, und gestattete, daß

alle, die wegen Ketzerei angeschuldigt wurden, sich vor dem Nunzius rechtfertigen durften; der aber machte sich die Gelegenheit zunutze: soll er doch bei seiner Abreise (1536) an 30 000 Kronen aus dem Lande mitgenommen haben. Johann suchte dieses Breve wirkungslos zu machen, Klemens verlieh ihm zweimal Nachdruck, setzte es dann im Dezember 1533 wieder außer Kraft und nun wurde es Gegenstand reger Unterhandlungen, während deren Kardinal Pucci oder Santiquatro, der „Protektor" Portugals, anregte, Änderungen daran vorzunehmen und in Gestalt von Geldstrafen 20 000 oder 30 000 Kronen aus den Conversos zu pressen, um sie mit dem Papst zu teilen. Als der Botschafter Meneses diesen Vorschlag nach Lissabon übermittelte, legte er dar, daß in Rom ohne Geld nichts zu erreichen sei, daß es nur auf Geld ankomme, der Papst aber unzufrieden sei, weil er von Johann nichts erhalte. Klemens nahte sich seinem Ende und befahl dem Nunzius, mit dem Bann gegen alle vorzugehen, die sich dem Gnadenbreve widersetzen würden; Verfolgung wegen vergangener Ketzereien wurde untersagt. Es geschah dies, laut Santiquatros Mitteilungen an Paul III., weil der Beichtvater des Papstes ihm klar gemacht, da er Geld von den Neuchristen erhalten habe, müsse er sie auch beschützen.

Klemens starb am 25. September 1534. Paul III. ließ die Angelegenheit prüfen, setzte aber vorläufig das Gnadenbreve außer Kraft, nur befahl er den Abbruch aller Verfolgungen, denn mittlerweile hatte sich, dem Erlaß zum Trotz, eine bischöfliche Inquisition eifrig ans Werk gemacht. Das Ergebnis der Prüfung durch eine Kommission war der Vorschlag, das Gnadenbreve aufrecht zu halten und eine beschränkte Inquisition mit Berufungsmöglichkeit nach Rom einzusetzen. Das wollte Johann nicht, und die Unterhandlungen schliefen ein, worauf della Rovere am 24. April 1535 mit den Neuchristen ein Abkommen abschloß, wodurch sie sich verpflichteten, Paul III. 30 000 Dukaten zu zahlen, wenn er die Inquisition verbieten und die Glaubensverfolgung mit Verfahren nach ! gewöhnlichem Strafrecht den Bischöfen überlassen wollte; kleinere Summen wurden außerdem für nebensächliche Zugeständnisse ausgesetzt. Die Kurie suchte das Geld ehrlich zu verdienen. Als Johann einen Vorschlag in diesem Sinne ablehnte, setzte Paul das Gnaden-

breve am 3. November durch eine Bulle feierlich in Kraft und
hob jegliche Folgen der bisherigen Prozesse auf: Gefangenschaft,
Verbannung, Güterverlust, Unfähigkeiten; die schwebenden Verfahren waren abzubrechen und neue durften wegen vergangener
Fehler nicht eingeleitet werden; alles durch Banndrohungen bekräftigt.

Rom mochte nun glauben, seine Leistung bei dem Handel
erfüllt zu haben, die Conversos dachten jedoch anders und
wollten den ausbedungenen Betrag nicht voll bezahlen; della
Rovere konnte nur 5000 Dukaten nach Rom senden — wenigstens behauptete er das. Es war Sparsamkeit zur unrechten
Zeit. Karl V. war in Rom, erstrahlend im Ruhm seines tune-
sischen Sieges, und wirkte für seinen Schwager. Das Ergebnis
war ein Breve vom 23. Mai 1536, das eine Inquisition nach
spanischem Vorbild errichtete, jedoch auf drei Jahre mit weltlicher Prozedur und auf zehn Jahre, mit Übergang der Konfiskationen an die natürlichen Erben der Verurteilten. Diogo da
Silva wurde zum Großinquisitor bestellt, und der König durfte
ihm einen Gehilfen geben. Am 5. Oktober wurde Diogo feierlich ins Amt eingeführt und am 22. das Breve verkündigt.

Die Neuchristen mögen nun eine Lehre aus dem Vergangenen
gezogen haben, denn am 9. Januar 1537 wurde Girolamo Recanati Capodiferro Nunzius in Portugal mit Befugnissen eines Be-
rufungsrichters und der Evozierung (Ansichziehung) von Prozessen nach deren Einleitung. Ein weiteres Breve vom 7. Februar
ermächtigte ihn sogar, die Inquisition außer Kraft zu setzen.
Er sollte auch gegen das Auswanderungsverbot wirken und alle
in den Bann tun, welche die in Rom eine Berufung Betreibenden
an der Ausreise verhindern wollten. Das Geschäft mit den Berufungen, wo Lossprechungen und Erlösungen zu festen Sätzen
abgegeben wurden, mochte Rom sich nicht entgehen lassen,
während die Gerichte diesem Handel alle möglichen Hindernisse
in den Weg zu legen suchten. Für den Augenblick aber lag den
Conversos wenig an der Berufung in Rom, da Capodiferro selbst
das Geschäft so rege betrieb, daß Johann 1539 über ihn schrieb,
dank ihm genössen die Judaisten Straflosigkeit. Er verlangte
seine Abberufung und, um ihn zu knicken, ernannte er seinen
27 jährigen Bruder Heinrich (den nachmaligen König) zum zweiten
Inquisitor, worauf dieser seinen erzbischöflichen Sitz von Braga

mit Diogo da Silvas Großinquisitorschaft vertauschte, die er bis zu seinem Tode, 1580, behielt. Vorläufig nutzte die Ernennung des Prinzen wenig, denn Capodiferro behandelte ihn von oben herab und Paul bestätigte ihn nicht, weil er das kanonische Alter nicht hatte.

Insofern aber gab Paul dem König nach, als er Capodiferros Abberufung für den 1. November 1539 zusagte. Da auch die drei Jahre abliefen, für die die weltliche Prozedur zugebilligt war, hörte er auf die Neuchristen, und in der Bulle Pastoris aeterni vom 12. Oktober nahm er eine Anzahl Änderungen am Inquisitionsprozeß vor; namentlich von Wichtigkeit war, daß die Namen der Zeugen nur verheimlicht werden sollten, wenn für diese ernste Gefahr vorhanden war. Für Berufungen nach Rom war ausgiebig gesorgt. Durch Verräterei eines Boten der Neuchristen gelangte die Bulle erst am 1. Dezember nach Lissabon. Capodiferro verzögerte seine Abreise bis zum 15. Dezember und versäumte die Verkündigung der Bulle, und zwar, wie der Botschafter in Rom, Mascarenhas, angab, weil die Conversos ihm den dafür verlangten ungeheuren Preis nicht zahlten. Derselbe Botschafter berichtet, daß der Papst darum gewußt habe, und das ist auch wahrscheinlich, denn Capodiferro wurde in Gunst aufgenommen. Er und della Rovere wurden mit den portugiesischen Inquisitionsgeschäften betraut und Capodiferro wurde später Kardinal. Seine Nunziatur brachte ihm nicht soviel ein, wie er gedacht hatte, denn er verlor auf See 15 000 Cruzados und rettete nur ebensoviel. Bei seiner Ankunft in Portugal hatte er von den Neuchristen von vornherein 2000 Cruzados verlangt und bezog von ihnen während seines Aufenthaltes 1800 Cruzados jährlich, ohne den Ertrag des Gnadenhandels. Daran war nichts Außergewöhnliches: Julius III. erklärte 1554 in einem Anfall von Ärger dem portugiesischen Vertreter offen, die Nunzien erhielten ihre Sendungen, um sich zu bereichern, als Lohn für frühere Dienste.

Nach der Rückkehr Capodiferros schliefen die Unterhandlungen zwei Jahre. Johann hatte nichts dagegen, da die weltliche Prozedur nicht mehr galt und die Bulle Pastoris aeterni nicht verkündigt war. Somit konnte die portugiesische Inquisition der spanischen es nachtun. Das erste Auto wurde am 20. September 1540 mit 23 „Büßern" abgehalten ohne Ver-

brennung; weitere folgten.[1] Erst im Dezember 1541 berichtete
der Botschafter Christovão de Souza aus Rom, daß die Neuchristen dort am Werke seien, um einen neuen Nunzius zu erhalten und der Papst einen senden wolle, weil so viele Leute
verbrannt worden seien und Tausende in den Gefängnissen
lägen; die Neuchristen wollten dem Papst 8000 oder 10 000 Cruzados und dem Nunzius monatlich 250 zahlen. In einer folgenden Audienz erzählte der Papst, der Nunzius verlange ein Gehalt von 100 Cruzados monatlich, wozu die Neuchristen noch
150 legen könnten, so daß er der Versuchung der Bestechung
entrückt sei; worauf der Botschafter bemerkte, auf diese Weise
würde er vom Richter zum Advokaten. Später verlas Souza
dem Papst eine so heftige Beschwerde des Königs, daß Paul im
Raume auf und ab ging, sich bekreuzte und sagte, es sei des
Teufels Werk. Souza legte Gewicht auf die Vergehen der früheren
Nunzien und erklärte sogar, die Inquisition könnte aufgehoben
werden, wenn nur das Land von dem Übel eines Nunzius verschont bliebe.

Jetzt trat eine Katastrophe ein, die jede Erörterung abschnitt.
Miguel da Silva, Bischof von Viseu und Minister Johanns, ein
Mann von feiner Bildung, war unter Leo X. Botschafter in Rom
gewesen und hatte dort Freundschaft mit den nachmaligen Päp-

---

[1] „Historia dos principaes Actos e Procedimentos da Inquisição de Portugal", S. 256 (Lissabon 1845). In dieses Jahr 1540 fällt der eigentümliche
Vorfall mit dem falschen Nunzius Juan Pérez de Saavedra, einem ge-
schickten Fälscher und Betrüger, der sich mit gefälschten päpstlichen Breven
einführte, in Lissabon drei Monate lang in großem Staat lebte, dann drei
weitere Monate im Lande herumreiste und nach Art der Nunzien bedeutende
Geldbeträge einsammelte. Die spanische Inquisition kam ihm auf die Spur;
er wurde an die Grenze gelockt, am 23. Januar 1541 auf portugiesischem
Boden ergriffen und nach Madrid gebracht. Seine kecken Betrüge büßte er
mit 19 Jahren Galeeren. Er nahm für sich das Verdienst in Anspruch, die
Inquisition in Portugal eingeführt zu haben, und dieser weitere Betrug ver-
fing bis fast in unsere Zeiten. — Llorente, Hist. crít. XVI, III n. 1—21;
Páramo, S. 227—39; Illescas, Hist. Pontifical, Lib. VI, cap. IV; Antonio
de Souza: Aphorismi Inquisit. und De Origine Inquisit. § 6; Feyjoo, Theatro
crítico, T. VI, Disc. III; Hernández, Verdadera Origen de la Inquisicion de
Portugal (Madrid 1789). — Salazar de Mendoza (Chronica de el Cardenal
Don Juan de Tavera, S. 119—121) gibt Saavedras Gewinn mit 300 000 Dukaten an und erwähnt, daß Paul III. ihm die Galeeren durch ein besonderes
Breve nachließ.

sten Klemens VII. und Paul III. geschlossen. Er war bei Hof
in Ungnade gefallen, sollte verhaftet werden und floh nach
Italien. Johann suchte ihn durch schmeichelnde Briefe wieder
heimzulocken, dang aber, wie Silva behauptete, Mörder gegen
ihn. Paul konnte den König nicht tiefer verletzen als durch die
Ankündigung vom 2. Dezember 1541, daß er Silva zum Kardinal
erhoben habe. Johanns Wut kannte keine Grenzen. Er sperrte
dem neuen Kardinal sofort alle Ämter und Temporalien, sogar
seine Bürgerrechte sprach er ihm ab, und am 24. Januar 1542
sandte er dem Botschafter den Befehl, Rom unverzüglich zu verlassen. Dort glaubte man schon, Portugal würde dem Papst die
Obedienz aufsagen.

Nun fiel für die Neuchristen die in Rom erkaufte Unterstützung weg, und Heinrich konnte ungestört sein Inquisitoramt
ausüben. Er gründete sechs Gerichte: in Lissabon, Evora, Coimbra, Lamego, Oporto und Thomar; die drei ersteren blieben
in der Folge beständig, die drei anderen wurden überflüssig.
Seinerseits bestand Paul III. darauf, einen Nunzius zu senden
und ernannte dazu Luigi Lippomano, Koadjutor von Bergamo.
Aus einem aufgefangenen Briefe des Agenten der Neuchristen,
Diogo Fernandez, vom 18. Mai geht hervor, daß der Nunzius
mit Schmerzen erwartet wurde. In Rom, schreibt Fernandez,
schrien alle nach Geld. Für je 140 Cruzados habe er die ein-
liegende Verzeihung für Pero de Noronha und Maria Thomaz
gekauft. Man möge ihm gleich eine neue Anweisung senden;
er habe dem Nunzius sofort 1000 Cruzados zahlen müssen, anstatt, wie vereinbart, erst nach dessen Abreise, und deshalb sich
gegen persönliche Bürgschaft das Geld verschafft. In einer Nach-
schrift vom 20. erwähnt er die Möglichkeit eines allgemeinen
Pardons durch den Papst, dem mehr an einem Geschäft im
ganzen denn an einzelnen Gnadenbriefen gelegen sei. Es scheint,
daß der König die Inhaber solcher Briefe verbannte, worauf sie
in Rom neue erwarben, die den König ersuchten, ihnen freies
Geleit und die Erlaubnis zum Verkauf ihres beweglichen und
unbeweglichen Gutes zu gewähren.

Johann schrieb trotz der Abmahnung Karls V. an Lippomano, er möge nicht kommen. Der Nunzius befand sich denn-
noch im August in Aragon, wo der portugiesische Schatzmeister
ihm entgegenkam, um ihn aufzuhalten. Dieser war über die

Geldgeschäfte des Nunzius völlig unterrichtet — der ganz unschuldig tat — ebenso darüber, daß Kardinal da Silva 250
Kronen monatlich als Fürsprecher der Juden erhalten sollte.
Trotzdem ließ der Schatzmeister sich bewegen, günstig über
Lippomano zu berichten, der nach Valladolid weiter reiste.
Johann ließ sich nicht erweichen und schrieb an ihn, er möge
vor der Weiterreise Befehle des Papstes abwarten, und an diesen,
es dürfe kein Nunzius gesandt werden, um in die Inquisition
einzugreifen. Der König fügte hinzu, er handle nicht aus Geldgier, da es keine Konfiskationen gebe; tatsächlich kostete ihn,
wie wir aus anderer Quelle erfahren, die Inquisition 11 000 bis
12 000 Dukaten jährlich.

Lippomano hatte den Schatzmeister versichert, daß er sich
nicht in die Inquisition mischen wolle, sondern nur sehen müsse,
ob die Inquisitoren rechtmäßig handelten, andernfalls der Papst
in seinem Gewissen verpflichtet sei, Maßregeln zu treffen. Seine
geheimen Weisungen aber lauteten anders: er sollte bei aller
äußeren Höflichkeit nicht vor energischen Handlungen zurück-
schrecken, denn Portugal sei arm und dem Ruin nahe, der
König verarmt, von Schulden nach innen und außen bedrückt,
vom Volke gehaßt, in der Hand der Mönche und mit dem
Kaiser und Frankreich in unfreundlichen Beziehungen. Der Infant Heinrich könne Großinquisitor bleiben, müsse aber einen
Altersdispens und Verzeihung für das Vergangene nachsuchen
und die bisherigen Prozesse gutheißen oder für nichtig erklären.
Was die Inquisition angeht, so wäre es ein frommes Werk, sie
abzuschaffen und die Gerichtsbarkeit den Bischöfen zu übertragen. Der Nunzius hatte Vollmacht dazu, wie auch zu ihrer
Außerkraftsetzung, und sollte das durchblicken lassen. Mittlerweile könne er gegen Geld Gnadenbriefe ausstellen, auch für geringe Summen, die ein Erkleckliches ausmachen würden, da es sich
um 50 000 Leute handle. Die von Capodiferro unterdrückte Bulle
sei zu veröffentlichen, ohne den König zu befragen; sie brauche
nicht an den Kirchentoren angeschlagen zu werden, sondern
könne in Abschriften verbreitet und bei Prozessen vorgezeigt
werden, und Heinrich sei zu unterrichten, daß das ganze Verfahren ihr entsprechen müsse; wenn er nicht damit einverstanden
sei, möge er sich an den Papst wenden. Zum Schluß wurde
Lippomano gemahnt, gegen alle Versuchungen standhaft zu

bleiben und stets zu bedenken, daß er befugt sei, die ganze Einrichtung aufzuheben. Wie man auch über Johanns Fanatismus denken mag, es ist erklärlich, daß er einen Gesandten nicht einlassen wollte, der ihm zum Trotz kam und seine Lieblingspläne durchkreuzte.

Unterdes waren die Neuchristen in der Angst; sie sandten ihrem Vertreter in Rom 2000 Cruzados und bemerkten, nur der Nunzius sei ihre Rettung, denn es sei nutzlos, Gnadenbriefe zu kaufen, wenn niemand da sei, um ihnen Geltung zu verschaffen. Sie hatten Ursache zur Verzweiflung, denn in Lissabon erschienen auf einem Auto am 14. Oktober 1542 etwa 100 Verurteilte, von denen 20 zur Hinrichtung ausgeliefert wurden; an den König schrieb der Inquisitor de Mello, die Kerker seien überfüllt mit Untersuchungsgefangenen. Von Herculano haben wir eine Schilderung voll empörender Einzelheiten über die Greueltaten der Inquisition, ganz ähnlich denen von Llerena und Jaen in Spanien.

Obwohl über Lippomanos Weisungen nicht unterrichtet, verwehrte Johann ihm die Zulassung bis zum Eintreffen der päpstlichen Antwort. Sie blieb lange aus, und Lippomano beklagte sich über die Mißachtung gegen den h. Stuhl, die darin liege, daß er von Wirtshaus zu Wirtshaus wandern müsse. An der Grenze, die er versperrt fand, mußte er monatelang ärgerlich warten. Dem Überbringer der königlichen Botschaft erklärte mittlerweile der Papst, Lippomano habe lediglich den Auftrag, dem König die bevorstehende Einberufung des Konzils nach Trient anzuzeigen; ein entsprechendes Breve ging, zur Genugtuung der portugiesischen Agenten, Anfang November auch nach Lissabon, wo es erst nach mehreren Monaten ankam. Johann schrieb, er hoffe, daß die Handlungen des Papstes mit seinen Worten übereinstimmten. Lippomano, der sich seiner Gewalt entäußert sah und keinen Gewinn erblickte, bat um seine Rückberufung, erhielt sie aber erst Ende 1544; seinen neuen Weisungen gemäß unternahm er nichts zugunsten der Neuchristen.

Pauls Nachgiebigkeit mag durch eine Anfang 1543 eingeleitete Unterhandlung ihre Erklärung finden. Durch Vermittlung des Kardinals von Burgos war Johann auf drei Jahre eine Inquisition nach kastilischem Vorbild angeboten worden, wenn die Konfiskationen zur Hälfte dem h. Stuhl zuflössen. Dieses kalt-

blütige Angebot, die Neuchristen auszuliefern, zeigt, wie geschäftsmäßig der ihnen zeitweilig gewährte Schutz aufgefaßt
wurde. Johann behandelte die Sache in demselben Sinne, wollte
aber der Kurie nur ein Viertel bewilligen. Der Handel zerschlug
sich. In Rom befürchtete man, Johann könnte dem Beispiel
Heinrichs VIII. folgen, und suchte ihn durch das Angebot
eines Kardinalshutes für den Infanten Heinrich zu beschwichtigen. Darauf erwiderte er erst mürrisch, als er den Hut verlangt, habe man ihn da Silva gegeben, jetzt habe er nicht darum
gebeten und könne ihn daher auch nicht annehmen. Schließlich nahm er an, und im Dezember 1545 war Heinrich Kardinal.
Überdies hatte im Oktober 1543 die Inquisition eine besondere
Gunst erhalten, indem ihren Beamten durch immerwährendes
Breve der Genuß ihrer Pfründen in absentia gewährt wurde,
was in Spanien nur von fünf zu fünf Jahren galt; freilich hatte
die Gunst mit 250 Cruzados nebst Sporteln für 70 Cruzados erkauft werden müssen.

Der Inquisition kam noch von anderer Seite Hilfe. Durch
den erkauften Kardinal von Paris wurde der portugiesische Botschafter Balthazar de Faria in die Lage gesetzt, die Gnadenbriefe für die Neuchristen einzusehen. Davon machte er Gebrauch, um jeden einzelnen anzufechten, und der Papst geriet
so zwischen zwei Feuer und mußte seine Entscheidungen wiederholt umstoßen. Auch wurde Heinrich unterrichtet über das was
vorging und konnte so die Gnadenbriefe zum voraus vereiteln.
Er hatte Weisung, alles, wovon Faria keine Kenntnis hatte, als
erschlichen anzusehen und darüber an den Papst zu appellieren,
und gleichzeitig Faria zu benachrichtigen, denn so arbeiteten
die kastilischen Inquisitoren. Es war ein Kleinkrieg, der die
Zeit zwischen den Hauptschlägen ausfüllte.

Ein solcher stand bevor. Paul III. beschloß, einen neuen
Nuntius auszusenden, um dem König die Temporalien da Silvas
zu entreißen und die Strenge der Inquisition zu mildern. Dazu
wählte er Giovanni Ricci da Montepulciano, den er zugleich zum
Erzbischof von Siponto beförderte. Faria suchte die Abreise
Riccis hinzuziehen, bis der König von sich hatte hören lassen,
aber Ricci brach am 17. Juli 1544 auf. In Valladolid wartete
auf ihn, da er langsam reiste, Christovão de Castro mit einem
Schreiben des Königs, das ihm den Einlaß in Portugal ver-

wehrte. Er versicherte aber Castro, daß er wegen Silvas oder der Inquisition keine Weisungen habe, die den König verletzen könnten, der ihm daher am 28. November in vorsichtigen Ausdrücken schrieb, unter dieser Voraussetzung werde er zugelassen. Allein bevor der Bote mit diesem Briefe abging, hatte der noch immer als Nunzius handelnde Lippomano ein päpstliches Breve vom 22. September erhalten und an den Kirchentüren angeschlagen, wodurch allen Inquisitoren und bischöflichen Richtern verboten wurde, Urteile gegen Neuchristen zu vollstrecken oder irgend welche Prozesse zu beendigen, bis Ricci nach seiner Ankunft das Gebaren der Inquisition untersucht und auf seinen Bericht hin der Papst seinen Willen kundgetan habe. Damit war die Sache entschieden: Castro erhielt Abschrift von dem Breve, um der spanischen Regierung gegenüber die unbedingte Abweisung Riccis zu rechtfertigen, während vom Papst Erklärungen gefordert wurden. Unterdes wurde das Breve beachtet, denn vom Juni 1544 bis zum Jahre 1548 gab es keine Autos mehr.

Wenn man den zehnjährigen Verlauf der Angelegenheit erwägt, so lag in alledem eine unentschuldbare Verschlimmerung, unverständlich ohne die Kenntnis von den geheimen Umtrieben der Conversos in Rom; es bleibt nur anzunehmen, daß man Johann klarmachen wollte, für das Vergnügen, seine Untertanen zu verfolgen, habe er ausgiebig zu zahlen. Er gab seinem Ärger in Erlassen an Faria Luft und sandte am 13. Januar 1545 Simão da Veiga mit Weisungen nach Rom, um die Einsetzung der Inquisition zur Befriedigung der königlichen Beschwerden, die Zurücknahme des letzten Breves und die Einschränkung der Sendung Riccis auf das für dessen Vorgänger geltende Maß zu verlangen; von Kardinal Silva durfte keine Rede sein. Ein weitschweifiges Schreiben an den Papst, das offen genug, aber angesichts von dessen Doppelzüngigkeit maßvoll gehalten, war zur Verlesung im Konsistorium bestimmt.

Dieses Schreiben blieb sechs Monate ohne Antwort, unterdes ein anderer Versuch mit Johanns Leichtgläubigkeit unternommen wurde. Kardinal Sforza, einer der Enkel des Papstes, schrieb in dessen Namen, wenn der Nunzius zugelassen, würde alles, was der König für die Inquisition verlange, gewährt. Mit begreiflichem Mißtrauen verlangte Johann, daß Paul selbst dies Faria bestätigen sollte, dann würde Ricci angenommen. Das

schrieb der König am 22. Juni 1545, als er noch nicht wissen
konnte, daß am 16. der Papst diesen Wunsch durch ein Breve
erwidert hatte, worin er mit überschwenglichem Wohlwollen Johanns Gereiztheit verzieh, dessen Angaben über die Schlechtigkeit der Neuchristen und die Milde der Inquisition jedoch er
die ihm fortwährend zugehenden Klagen über ihre Grausamkeit
und Ungerechtigkeit, sowie die vielen Verbrennungen Unschuldiger gegenüberstellte. Das falle in seine Zuständigkeit, und er
müsse die sich widersprechenden Behauptungen prüfen lassen.
Auch sei das Unrecht am Kardinal Silva noch gutzumachen.
Bezeichnend war die Drohung des Papstes, wenn keine Abhilfe
einträte, könne er die Verantwortung vor Gott wegen der Vernachlässigung einer so wichtigen Sache nicht übernehmen.

Die Winkelzüge der Kurie sind schwer zu verfolgen. Sforza
hatte am 12. Juni geschrieben, es sei alles bewilligt, was der
König verlange, wenn nur der Nunzius zugelassen würde. Johann erhielt dieses Schreiben im August, und darauf bekam
Ricci Einlaß unter denselben Bedingungen wie Lippomano. Als
nun Ricci im September eintraf, überbrachte er das Drohbreve
vom 16. Juni. Johann war wie vor den Kopf geschlagen.

Der Papst suchte nach einem Ausgleich. Er erbot sich, das
Breve vom 22. September 1544 aufzuheben und nach dem Bericht des Nunzius alles dem König zu überlassen, wollte jedoch
Sforzas Versprechungen nicht gutheißen. Darauf kam keine
Antwort. Das Breve wurde nun aufgehoben und Ricci erhielt
Vollmacht, Prozesse, die mit Mißbräuchen der Inquisition be-
haftet waren, nachzuprüfen, allein Johann gestattete dies nur
für vier oder fünf Fälle, über die der Inquisitor befragt werden
konnte. In einem der Fälle war ein 70jähriger verbrannt
worden; seine Bekehrung war gewaltsam gewesen, er hatte mehr
eingestanden, als ihm nachgewiesen wurde, und dann um Gnade
gebeten. Da dies keine Rückfälligkeit bedeutete, stellte Ricci
den Inquisitor, João de Mello, zu Rede; dieser erwiderte, die
Reue sei erheuchelt gewesen, der Angeklagte habe dreimal verschieden ausgesagt. Ricci verlangte für Rom eine Abschrift der
Akten, sie wurde ihm versprochen, kam aber nicht. Sein Bericht fiel demnach gegen die Inquisition aus, und der Papst,
der die Sache so deutete, daß diese nur auf zehn Jahre errichtet
worden sei, erklärte die Frist für abgelaufen, geruhte aber aus

Achtung vor dem König, sie um ein Jahr zu verlängern; unterdes müsse die Frage der Neuchristen endgültig geordnet werden — wie angeregt wurde, durch eine allgemeine Begnadigung oder durch Landesverweisung.

Wir dürfen annehmen, daß über alledem das Gold der Neuchristen in Rom und Lissabon spielte. Johann empfand ohne Zweifel, daß der Wendepunkt gekommen sei und er seine Untertanen überbieten müsse. Er war nicht karg gewesen, wenn seine Botschafter ihm Freigebigkeit gegen die Kardinäle als dringlich empfohlen hatten. Kardinal Farnese, der Lieblingsenkel Pauls III., das einflußreichste Mitglied des Kardinalskollegiums, bezog von Johann eine Jahrespension von 3200 Cruzados, die auf die Einkünfte der Bistümer Braga und Coimbra sichergestellt war. 1545 hatte Farnese in einem kritischen Augenblick sich die Rückstände, nebst zwei Jahresraten als Vorschuß in einem Bausch von 13 000 Cruzados bezahlen lassen. Aus solchen Dingen machte man weiter kein Geheimnis: nach dem Tode des Kardinals Santiquatro, des „Protektors" Portugals, schlug Johann vor, Paul dem III. selbst die einträgliche Nachfolge in dieser Stellung zu überlassen; bei der Gewährung gewisser Bestimmungen, die der König mit Bezug auf die Bischöfe nachsuche, würden dem Papst dadurch reiche „Propinas" zufallen. Hierfür und für die Zahlungen an Farnese sandte er Wechsel für 32 000 Cruzados. Julius III. war ebenso käuflich wie sein Vorgänger. Johann, der 1551 einen Wink erhalten hatte, daß ein Geschenk erwünscht sei, sandte ihm einen prächtigen Diamanten von 100 000 Cruzados Wert, der dem Papst sehr gefiel, und, wie er erklärte, in seiner Familie erblich sein sollte. Als jedoch im folgenden Jahre die Andeutung kam, daß ein weiteres Geschenk erwünscht sei, winkte Johann ab, bis Kardinal Heinrich zum immerwährenden Legaten ernannt sei. Julius verstand, die Ernennung kam 1553, und 1554 sandte Johann eine Brosche.[1]

---

[1] Nach Johanns Tod sandte die Regentschaft 1562 Pius dem IV. in Anerkennung einer erwiesenen Gunst einige Ringe, was er hochmütig dahin beantwortete, er wünsche keine solchen Geschenke; allein er hatte sie vorher abschätzen lassen und erfahren, daß sie von geringem Wert seien. Im päpstlichen Palast war man ärgerlich darüber und Alvaro de Castro, der darüber berichtete, legte Nachdruck darauf, daß man den Papst bei guter Stimmung halten sollte. Corpo Diplomatico X, 19, 20, 21.

Gegen solche Freigebigkeiten konnten die Untertanen nicht
aufkommen. Johann verfiel auf den trefflichen Gedanken, 1546
vorzuschlagen, gegen eine unbehinderte Inquisition dem Kardinal
Farnese die Einkünfte des Bistums Viseu zu gewähren; zwei
Fliegen mit einem Schlage: Rache an Silva und Verlust des
päpstlichen Schutzes für den unglücklichen Prälaten. Das blin-
kende Angebot siegte über Pauls Bedenken wegen seiner Verantwortlichkeit gegen Gott und über seine Freundschaft für Silva.
Wohl selten hat der h. Stuhl, sonst im Nepotismus und in der
Habgier nicht scheu, ein schamloseres Geschäft gemacht, indem
er diejenigen preisgab, die er sich zu schützen verpflichtet hatte.
Immerhin wollte Paul den Neuchristen gegenüber den Schein
wahren und ersuchte für sie um Schutz für Vergangenes und
eine Frist für die Auswanderungslustigen. Es entspann sich eine
lange Unterhandlung, in der Johann soviel wie möglich zu erringen suchte, und die dadurch verwickelt wurde, daß der Papst
die rückständigen Einnahmen des Sitzes von Viseu angeblich
für die Peterskirche verlangte. Ignatius von Loyola hatte die
Hand im Spiele, desgleichen ein Inquisitor und der fanatische
Bischof von Oporto, Limpo, der zu seinem Ärger erfahren hatte,
daß den Neuchristen im geheimen freies Geleit und friedliche
Niederlassung in Italien gewährt worden sei, wo sie wegen der
Religion nicht gestört werden sollten. Da würden die bei der
Geburt Getauften, meinte der Bischof, beschnitten werden und
unter den Augen des Papstes die Synagogen füllen; Zweck der
Sache sei, gewandte und geschäftstüchtige Leute nach Italien zu
ziehen, — was nicht so leicht zu widerlegen war.[1]

---

[1] Corpo Diplomatico, VI, 95, 101, 105/25, 139, 141, 144, 170/5, 176/7, 180,
183, 186, 198/208; Ronchini, S. 37/8; Stewart Rose, St. Ignatius Loyola and
the early Jesuits, S. 406 (New York 1891); Gothein, Ignatius von Loyola und
die Gegenformation, S. 611 (Halle 1895). — Es wurde offen behauptet, daß
Julius III. die Übung fortsetzte und für 1000 Cruzados jährlich 70 Häuptern
von jüdischen Familien, die in Portugal getauft worden waren, die Erlaubnis
erteilte, in Ancona zu judaisieren; davon machten 200 mit ihren Frauen und
Kindern Gebrauch, Corpo Dipl. VII, 378. — Die Tatsachen, die dieser merk-
würdigen Episode zugrunde liegen, sind folgende: Paul III. hatte fremden
Kaufleuten in Ancona, darunter Türken und Juden, Geleitbriefe ausgestellt.
Darauf erließ er am 21. Februar 1547 ein ausführliches Breve, das besonders
die Neuchristen aus Portugal begünstigte: er gewährte ihnen, daß sie wegen
aller Anschuldigungen von Ketzerei und Apostasie nur dem Papst persönlich

Im Frühjahr 1547 ergingen dann die nötigen Breven. Eines
gewährte allgemeine Verzeihung für vergangene Fehltritte; sämtliche Gefangenen waren freizulassen, ihre Güter ihnen zurückzugeben, die Unfähigkeiten aufzuheben, Rückfälle nicht als solche
zu bestrafen. Eines an Kardinal Heinrich kündigt die Bewilligung
der Inquisition an und verleiht ihm Vollmachten für das Verfahren. Ein anderes zeigt Johann die Überbringung der Bulle
durch den Cavaliere Giovanni Ugolino an und ersucht ihn, darüber zu wachen, daß die Inquisitoren Maß hielten. Ugolino soll
für Farnese Besitz von den Einkünften in Viseu und den anderen
Pfründen Silvas ergreifen und die rückständigen Einnahmen für
die Peterskirche einziehen. Farnese wird zum lebenslänglichen
Administrator des Stuhles Viseu ernannt. Endlich werden alle
Befreiungen aufgehoben, welche die Neuchristen im Laufe der
Jahre für teures Geld gegen die Inquisition erhalten hatten. Die

---

unterworfen seien, und allen Richtern und Inquisitoren wurde untersagt, sie
zu verfolgen. Da sie ihre Lage nicht für sicher erachteten, erhandelten sie
von den Ortsbehörden, daß sie fünf Jahre lang unbehelligt bleiben und jeder
von ihnen, der verfolgt würde, Erlaubnis zur freien Abreise erhalten sollte.
1552 legten sie Julius III. diese Abmachung zur Bestätigung vor und erhielten ein Breve vom 6. Dezember, das den Richtern und Inquisitoren
untersagte, sie zu belästigen. Paul IV. indes wiederrief dies am 30. April 1556
und gebot, sie zu verfolgen, auch wenn sie in der Folter leugneten, getauft
zu sein, da offenkundig sei, daß seit achtzig Jahren kein Hebräer in Portugal leben dürfe, es sei denn als Christ. Dies geschah auf Betreiben des
Kardinals Caraffa und der andern päpstlichen Nepoten, die daraufhin sich
der Personen und der Güter der Juden bemächtigten, die für 50 000 Dukaten
einen Vergleich vereinbarten, aber außerstande waren, das Geld in der gesetzten Zeit aufzubringen, worauf Caraffa die Güter behielt, die auf 300 000 Dukaten geschätzt wurden. Ein Zeitgenosse berichtet, 'daß über 80 von ihnen
verbrannt oder auf die Galeeren gesandt wurden. — Coll. Decret. S. Congr.
S[ti] Officii, v[o] „Judaizantes" (Ms. Penes me); Decret. S. Congr. S[ti] Officii,
S. 327, 334/6 (Bibl. del R. Archivio di Stato in Roma, Fondo Camerale,
Congr. del S. Officio, Vol. 3); Bibl. nationale de France, fonds italien, 430,
fol. 109. — Während der ersten Hälfte des 17. Jahrhunderts bemühten sich
die Päpste ernstlich, Venedig zur Ausschließung der portugiesischen Flüchtlinge zu zwingen, zu deren Gunsten anhaltend die Erlasse Pauls III. und
Julius' IV. geltend gemacht wurden. Die Inquisitoren in allen italienischen
Städten wurden angetrieben, regsam gegen sie vorzugehen, sie scheinen jedoch von den Ortsbehörden begünstigt worden zu sein. Die von Pisa und
Leghorn waren besonders liberal. Collect. Decret. loc. cit. — Albizzi, Riposta
all' Historia della S. Inquisizione del R. P. Paolo Servita, S. 194/212.

Bulle selbst, Meditatio cordis, ist vom 16. Juli und gewährt
Portugal eine freie und unbehinderte Inquisition. In dem Wunsche
nach einer strengen Bestrafung des abscheulichen Verbrechens
der Ketzerei, heißt es darin, hebe der Papst alle früheren Beschränkungen ihrer Gewalt auf und gewähre ihr alle jemals den
Inquisitoren verliehenen Vollmachten. Um die Einziehung der
Befreiungsbriefe wirksam zu machen, ziehe der Papst alle vor
andern Richtern als dem Kardinal Heinrich schwebenden Fälle
an sich, um sie Heinrich und dessen Vertretern mit voller Gewalt zu übertragen. Paul war nicht ohne Gewissensbisse, denn
am 15. November schrieb er nochmals an Johann, den Inquisitoren Maß und Liebe statt richterlicher Strenge zu empfehlen, da
die Neophiten noch schwach im Glauben seien.

Auch die Weisungen Ugolinos lauteten in diesem Sinne und
erinnerten an das Gnadenbreve vom Frühjahr: Neuchristen, die
abzuschwören hätten, sollten dies vor einem Notar und nicht im
Auto tun, und während eines Jahres sollten keine Verbrennungen
stattfinden; Verhaftungen sollten nur wegen öffentlicher und ärger-
niserregender Vergehen vorgenommen werden, um wie gemein-
rechtliche Straftaten abgeurteilt zu werden, und wenn das Auswanderungsverbot nicht aufgehoben werden könne, sollte es ein
Jahr lang unausgeführt bleiben — so lange also wollte Paul
seinen Verrat an den Ärmsten geheimhalten lassen. Vom Kardinal Farnese freilich hatte Ugolino andere, geradezu zynische
Weisungen: um Johanns Mißtrauen zu besänftigen, sollte er von
den Temporalien Silvas nicht Besitz ergreifen, solange über die
Inquisition unterhandelt würde, da die portugiesischen Vertreter
Faria und Limpo versicherten, daß Johann keine Schwierigkeiten
machen würde; unter dieser Bedingung habe der Papst die In-
quisition bewilligt, im Vertrauen, daß beide Angelegenheiten zusammen geordnet würden. Johann sollte zu dem allgemeinen
Gnadenerlaß und besonderen Gnaden anstatt der Erlaubnis zur
Auswanderung überredet werden, weil der Papst alsdann auf
Klagen der Neuchristen erwidern könne, daß das genüge. Dem
Papst sei daran gelegen, daß die Inquisition ein Jahr lang sich der
Strenge enthalte und das weltliche Verfahren befolge; doch das
sei von geringerer Bedeutung und würde nur den Conversos
wichtig erscheinen. Es solle ihnen auch gesagt werden, wie in
früheren Fällen hätte der Papst für den Pardon 20 000 Cruzados

von ihnen nehmen können, allein er habe ihn ganz umsonst gegeben. Übrigens wurde Ricci wie Ugolino empfohlen, nichts aus den Neuchristen herauszupressen.

Johann faßte die Sache anders auf. Er schrieb an Faria, er habe die Bedingungen für die Inquisition angenommen, weil weitere Beschwerden nur noch Schlimmeres ergeben hätten, und es sei sein Wille, daß die Inquisition gemäß der Bulle handle. Diejenigen, die begnadigt seien, würden, wenn sie im Lauf des Jahres Ketzerei begingen, sofort verhaftet und verfolgt, aber erst nach Ablauf des Jahres verurteilt oder „ausgeliefert". Ein Jahr lang sollten die Inquisitoren auch milde vorgehen, von einer Behandlung der Ketzerei wie andere Verbrechen aber könne keine Rede sein, da der Papst selbst in der Bulle ein anderes vorschreibe. Was das Verbot der Auswanderung angehe, so sei es nicht nach dem Dienst Gottes, das Gesetz abzuschaffen, wie der Papst wünsche, und die Abschwörungen sollten nicht auf einer Bühne, sondern öffentlich an den Kirchentoren stattfinden. So wurde mit rauher Hand die Maske weggerissen, die Paul III. angelegt hatte, um die Treulosigkeit gegen die Neuchristen zu verbergen.

Ugolinos Reise verzögerte sich, und es währte bis März 1548, bis die Abmachung über Silvas Temporalien unterzeichnet war, da Johann sich gegen die Ablieferung der Einkünfte von Viseu, deren Rückstände er nicht herausgeben wollte, noch einige Zeit sträubte. Der Pardon wurde am 10. Juni veröffentlicht, die Kerker geöffnet, und die Abschwörungen erfolgten, wie berichtet wird, meist im geheimen.[1] Und so war nach einem siebzehn-

---

[1] Man empfindet eine gewisse Genugtuung darüber, daß Kardinal Farnese nur wenig Vorteil aus dem unseligen Geschäft zog. Der Tod seines Großvaters, Nov. 1549, brachte ihn um seinen Einfluß, und 1550 hatte Johann die Unverfrorenheit, ihn zum Verzicht auf den Stuhl von Viseu aufzufordern. Farnese machte Schwierigkeiten, 1552 wurde indes Gonsalvo Pinheiro an seine Stelle gesetzt. Bald darauf, Sept. 1552, nahm er Zuflucht in seiner Legation Avignon, teils wegen seiner Sicherheit, teils aus materieller Bedrängnis. Corpo Dipl. VI, 422/3; VII, 151, 165, 174, 184. — Johanns Zorn gegen Silva war nicht zu besänftigen. Beim Regierungsantritt Julius' III. wies er seinen Botschafter an, diesem zu eröffnen, daß jede Ehrung oder Gnadenbeweis für Silva als eine Beleidigung empfunden werden würde. Damals war Silva in Not geraten, und der Botschafter unterließ es aus Mitleid, die Bestellung auszurichten, worauf Johann seine Weisung mit größerem

jährigen Streit die Inquisition über Portugal gekommen. In der bunten Vielseitigkeit des Zwistes läßt sich beim h. Stuhl kein höherer Beweggrund erkennen, als der schmutzige Trieb, aus dem menschlichen Elend ein Geschäft mit der Schlüsselgewalt zu machen, die für den Meistbietenden zu haben war.

Die Neuchristen suchten zu retten, was zu retten war. Sie verlangten die Anwendung des kanonischen Rechtes, so daß im allgemeinen die Namen der Zeugen bekanntgegeben würden. Demgemäß bestimmte Paul III. durch Breve vom 8. Januar 1549: die Ausnahme, die mit Bezug auf einflußreiche Angeklagte galt, damit keine Rache an den Zeugen geübt werden könnte, sei so aufzufassen, daß es sich um Adlige mit Gerichtsbarkeit, weltliche Richter oder Palastbeamte handle. Wohl durch den Widerstand Johanns verzögerte sich die Verkündigung. Er sandte am 3. August 1550 Julius dem III. eine Abschrift des Breves mit der Bitte um Aufhebung, da es die gänzliche Vernichtung der Inquisition bedeute. Es entspann sich eine langwierige Verhandlung, während der die auch eingreifenden Neuchristen in Rom zeitweilig obsiegten. Das Ende ist das Interessanteste. Paul IV., der am 23. Mai 1555 Papst wurde, war als Kardinal gegen das Breve gewesen und ließ sich nun durch den portugiesischen Botschafter und den Großinquisitor, den Kardinal von Alessandria, den nachmaligen Pius V., bestimmen, es umzustoßen. In der Dataria, wo das neue Breve ausgefertigt werden sollte, geriet es in die Hände eines neuchristlichen kastilischen Prälaten, der es nicht herausgab und dem portugiesischen Botschafter standhielt. Der Papst, der nach der Sache sehen wollte, hatte zuerst wegen seines Streites mit Philipp II., dann mit Kardinal Morone andre Sorgen. Darüber wurde er, mit 84 Jahren, hinfällig, sagte aber der Inquisition seine Unterschrift zu. Als er nach seinem Siegelring griff, um das Schriftstück zu vollziehen, überflog er es nochmals, war dann mit der Einleitung nicht einverstanden, weil der Widerruf einen Tadel bedeuten mußte, und legte es beiseite. Das war ungefähr seine letzte Handlung, und drei

Nachdruck wiederholte. Trotzdem schrieb ungefähr drei Jahre später Julius an Johann um Vergebung für Silva, der alt und hinfällig sei. Johann ließ dieses Schreiben acht Monate unbeantwortet und schrieb dann im März 1554 geflissentlich ausweichend. Silva starb im Juni 1556. Corpo Dipl., VI, 389; VII, 25, 244, 330.

Wochen erging kein Breve, bis er am 18. August 1559 die Augen
zutat. Die Wahl seines Nachfolgers zog sich bis zum 26. Dezember hin. Als der Botschafter Pirez de Tavora seinen Glück-
wunschbesuch bei Pius IV. machte, brachte er gleich die Rede
auf das Breve, das bald nach der Krönung des Papstes, wohl
als dessen erstes, erging. Pirez schrieb zweimal ernstlich an
Kardinal Heinrich, er möge seine Macht mit Maß anwenden,
denn nach dem neuen Breve würde es ein leichtes, die Neuchristen zu verbrennen.

Alle weiteren Bemühungen der letzteren waren vergeblich:
der Nunzius Prospero di Santa Croce erschien in Lissabon, Kardinal Heinrich wurde Legat a latere in allen Glaubenssachen,
womit die Berufungen an den h. Stuhl und dessen Eingreifen
abgeschnitten waren. Von nun an war die Verheimlichung der
Namen der Zeugen in Portugal ebenso Brauch wie in Spanien.
Aus dem Kampfe um diese Frage ersehen wir, wie sehr die Bekanntgebung der Zeugen den Verurteilungen im Wege stand.
So erklärt sich wohl auch, daß solange die Bekanntgebung vorgeschrieben, die Inquisition wenig tätig war. Nach den Listen
der Autos, soweit noch zugänglich, fand die erste Hinrichtung
in Lissabon erst 1559, in Coimbra 1567 statt. Die Akten mögen
für diese Städte unvollständig sein, für Evora dagegen sind sie
besser erhalten, denn dort werden Autos für 1551, 1552, 1555
und 1560 verzeichnet. Von da ab werden sie häufiger und auch
heftiger, bis zur Eroberung Portugals durch Philipp II. jedoch
werden bei den drei Gerichten nur 34 Autos mit 169 Hinrichtungen in Person, 51 im Bilde und 1998 sonstige Verurteilungen
verzeichnet[1]. Das geringe Verhältnis der Hinrichtungen im Bilde,

---

[1] Historia dos principaes actos, etc. S. 256/9, 292/5, 312/3. Die Zahlen
für die einzelnen Gerichte sind folgende:

	In Person verbrannt	Im Bilde verbrannt	Gebüßt
Lissabon	37	2	270
Evora.	87	12	1023
Coimbra	45	37	705
Zusammen:	169	51	1998.

Die interessante Zusammenstellung, aus der ich diese Zahlen ausgezogen
habe, ist wahrscheinlich nach einer gemäß den Berichten von Diogo Barbosa
Machado um 1767 vorgenommenen Berechnung bewirkt, von der sich Abschriften in der öffentlichen Bibliothek zu Coimbra befinden, S. Prof. R. G.

im Vergleich zu der Frühzeit in Spanien, scheint darauf hinzu-
deuten, daß es sich nur um Flüchtlinge aus dem Gefängnis oder
solche handelt, die während des Prozesses starben, und daß, da
es keine Gütereinziehung gab, den portugiesischen Inquisitoren
wenig an der Verfolgung Verstorbener oder den Ermittlungen
über Ausgewanderte lag.

Die Frage der Gütereinziehung nämlich hatte Paul III. dem
König offen gelassen, der in seinen Geldnöten zweckmäßig fand,
zehnjährige Freibriefe ausstellen zu lassen. So hielt es nach
Johanns Tod auch die Regentschaft, dagegen mögen die Neuchristen um 1568 nicht genug bezahlt haben, denn Pius V. machte
geltend, daß die Zeit für die Befreiungen abgelaufen sei und
daß König Sebastian die Erneuerung des Privilegs nicht nachgesucht habe, weil es dazu angetan sei, die Ketzerei zu fördern;
vielmehr habe er den Papst Pius gebeten, nicht auf Berufungen
zu hören. Pius war dazu bereit, die Neuchristen setzten die
Erneuerung aber noch einmal durch, dann gewährte Sebastian
nach zehn Jahren das Privileg nochmals, um Gelder für seinen
unglücklichen Zug nach Afrika zu erhalten. Als er nun ver-
schollen und Kardinal Heinrich König war, wollte dieser von
dem Privileg als einem Zugeständnis an die Apostasie nichts
wissen, und Gregor XIII. erließ ein entsprechendes Breve 1579,
und von der Angliederung Portugals an Spanien im folgenden
Jahre an war von einer Befreiung von der Gütereinziehung keine
Rede mehr.

Es ist einigermaßen auffällig, daß Johann III. seine über-
seeischen Besitzungen mit den Segnungen der Inquisition verschonte. Die Neuchristen hatten die dortigen Geschäftsgelegen-
heiten wahrgenommen und sich in Goa und dessen Nebenländern
niedergelassen. Das Maß Freiheit, das sie dort genossen, machte
sie wohl unvorsichtig, so daß Franziskus Xavier 1545 Johann
um die Errichtung eines Inquisitionsgerichtes bat. Darauf erfolgte keine Antwort. Nach Johanns Tode 1557 wandte die Regentschaft für den dreijährigen Sebastian, erst unter der Königin-

---

H. Gottheil in Jewish Quarterly Review, Okt. 1901, S. 90/1. Diese Listen
sind wahrscheinlich mangelhaft in bezug auf die ersten Jahre. Ein Zeitgenosse, der 1554 schrieb, behauptet, seit Jahren seien jährlich 30—40 verbrannt und 200 gebüßt worden. Bibl. nat. de France, fonds italien 430,
fol. 109.

witwe Katharina, dann von 1562 an unter Kardinal Heinrich,
der Angelegenheit mehr Aufmerksamkeit zu, und letzterer sandte
schon 1560 Aleixo Diaz Falcão aus, der in Goa ein in den Annalen als das unerbittlichste bekannte Glaubensgericht gründete.[1]
Davon erfuhr in Rom über Ägypten der Botschafter Pirez und
teilte der Regentschaft seine Befürchtungen mit, der Eifer für
die Religion könnte Gott mißfallen und manche nach Basra und
Kairo vertreiben, wo sie dem Feinde im Krieg und im Geschäft
beistehen würden.[2] Und so kam es, mehr noch als Pirez dachte,
und der Regsamkeit des Gerichtes war zum großen Teil der
Niedergang der einst blühenden Besitzung Portugals in Indien
zuzuschreiben. Nachdem die Neuchristen zugrunde gerichtet
waren, wandte es sich den eingeborenen Christen zu, die die
Missionsarbeit der Jesuiten so reichlich lohnten; denn Portugal
war nicht so weise wie Spanien, wenigstens die eingeborenen Conversos von der Inquisition auszunehmen. Diesen Leuten war es
unmöglich, ganz auf die abergläubischen Bräuche ihrer Vorfahren
zu verzichten, und jeder noch so geringfügige Rückfall in diese
Bräuche wurde mit derselben Strenge gesühnt, als handle es
sich um Conversos auf der Halbinsel. Selbst Philipp II. erkannte
das Unsinnige an diesem Verfahren und ließ 1559 die Inquisitoren durch Klemens VIII. ermächtigen, die Strafen bei Rückfälligkeit bis zum dritten Male umzuwandeln; dies galt auf fünf
Jahre.

Merkwürdigerweise erhielt Brasilien kein Gericht, abschon die
dortigen Neuchristen ein unruhiges Element bildeten und bereit
waren, den Holländern in ihrem Streben nach einem Stützpunkt
beizustehen.[3] Die Inquisition hatte dort einen Kommissar, der
jedoch nur befugt war, Erhebungen anzustellen und Angeschul-

---

[1] Sousa, Aphor. Inq., De Origine § 6. Die „Relation de l'Inquisition de
Goa“ von Dr. A. Dellon (Paris 1688) enthält einen Bericht über die dortigen
Leiden. Sie ist ins Portugiesische übersetzt, mit zahlreichen Bemerkungen
und Aktenstücken (von Miguel Vicente d'Abreu, Nova-Goa, 1866).

[2] Corpo Dipl. XII, 77. Ein ähnliches Breve erließ Urban VIII. am
22. April 1625 (Das., S. 246), da es sich jedoch auf kein früheres Akten-
stück bezieht, ist zu vermuten, daß es sich um gelegentliche und nicht fort-
laufende Übertragungen der Gewalt handelt.

[3] Über diese vergessenen Streitigkeiten siehe einige ausführliche Arbeiten
des Rev. George Edmundson in der „English Historical Review“ von 1899
und 1900.

digte nach Lissabon zur Aburteilung zu senden.[1] Es verdient
hervorgehoben zu werden, daß Portugal sich in dem Vertrag
von 1810 mit England verpflichtete, niemals die Inquisition in
seinen amerikanischen Besitzungen zu errichten.

Im allgemeinen kann man sagen, daß die portugiesische Inquisition nach der kastilischen zugeschnitten war. Eine Reihe
von Erlassen Sebastians und Heinrichs, welche die späteren Könige bestätigten, gewährten den Beamten und Vertrauten die
Privilegien, Befreiungen und die Unverletzlichkeit, die in dem
Nachbarreiche galten. Auch entstanden die gleichen Streitigkeiten
und Konflikte, und die Ausbreitung der bevorrechteten Klasse
war vielleicht noch größer. 1699 versuchte Pedro II. ein 1693
erlassenes Dekret zur Ausführung zu bringen, das die Zahl der
Vertrauten für die größeren Städte auf 604, für die kleineren
Orte auf je einen oder zwei beschränkte. Der Hauptunter-
schied gegenüber Spanien war die Einsetzung von Deputados,
deren der Großinquisitor wenigstens vier ernannte, als Gehilfen
der drei Inquisitoren eines jeden Gerichtes. Sie mußten die Befähigung zum Inquisitoramt besitzen und wurden in beliebiger
Weise verwendet; sie traten in der Consulta de fe als Berater
auf, jedoch nicht wie in Spanien mit nur beratender, sondern
mit beschließender Stimme. Ein Urteil wurde rechtskräftig, wenn
es mit fünf Stimmen nebst der des Ordinariums ergangen war.
Es gab keine Berufung von einem Endurteil, weil es dem Betroffenen erst im Auto verkündigt wurde, wohl aber gegen Zwi-
schenurteile und einstweilige Verfügungen. Früher als in Spanien
übte der Supremo eine genaue Aufsicht über alle Handlungen
der Gerichte aus. Ein Regimento, Prozeßordnung des Großinquisitors de Castro, das 1640 gedruckt wurde, war so eingehend,
daß dem freien Ermessen der Inquisitoren wenig überlassen blieb;
Die Vorschriften waren systematisch in ein Gesetzbuch zusammen-
gefaßt und stachen dadurch von den schwerfälligen und oft

---

[1] Auf dem Lissaboner Auto vom 14. März 1723 erschienen nur wenige Judaisten, alles Landesansässige. Auf dem vom 10. Okt. 1723 waren die Judaisten zahlreich, zum großen Teil aus Brasilien. Offenbar war inzwischen
von dort eine Flotte angekommen. Königl. Bibl. Berlin, Qt. 9548. — 1618
jedoch hören wir von einem aus Portugal nach Brasilien gesandten Inquisitor, dessen Tätigkeit alsbald zahlreiche Neuchristen veranlaßte, sich auf spa-
nisches Gebiet zu flüchten.

widerspruchvollen Cartas acordadas (Runderlassen) ab, welche
die Rumpelkammern der spanischen Gerichte anfüllten.

Obwohl in erster Linie auf die Bekämpfung des Judentums
gerichtet, zeigte die portugiesische Inquisition frühzeitig ihre
Befähigung zur Unterdrückung der geistigen und wirtschaftlichen
Tätigkeit. Unter den Gelehrten, die André de Gouvéa 1547 auf
Wunsch Johanns III. aus dem Auslande herangezogen hatte,
um eine literarische Fakultät an der Universität Coimbra zu errichten, befand sich der Schotte George Buchanan als Professor
des Griechischen. Gouvéa starb binnen Jahresfrist, und die Ausländer wurden vertrieben und durch die allmächtig werdenden
Jesuiten ersetzt. Das Verfahren war sehr einfach. Buchanan
und zwei andre wurden durch die Inquisition verfolgt und in
den Kerker geworfen. Der Schotte hatte auf Wunsch seines
Königs Jakob V. ein Gedicht gegen die Franziskaner verfaßt;
er sollte respektwidrig über die Mönche gesprochen, während
der Fastenzeit Fleisch gegessen und sich geäußert haben, die
Lehre des h. Augustin von der Eucharistie stimme mit den in
Rom verurteilten Meinungen überein; allgemein wurde ihm Mangel
an Treue gegen den h. Stuhl vorgeworfen. Nach achtzehn Monaten Haft wurde er zur Einsperrung in ein Kloster behufs
Unterrichtung durch die Mönche verurteilt, die er als gutmütig,
aber völlig unwissend schildert. Nach seiner Entlassung bot
ihm Johann an, ihn zu behalten, aber er benutzte die erste Gelegenheit, um nach England zu entkommen.[1]

Noch schwerer zeigte sich der Druck gegen geistige Regungen
in dem Falle des Damião de Goes, des gelehrtesten Portugiesen
des 16. Jahrhunderts. Mit 22 Jahren war er als Sekretär der

----

[1] „Georgii Buchanani Vita ab ipso scripta.“ — Lopez de Mendoça, „Damião
de Goes e a Inquisição de Portugal“, S. 21 (Lissabon 1859). Das Gedicht
über die Franziskaner entstand auf Ersuchen Jakobs V. von Schottland. Es
bewirkte, daß Buchanan das Land verlassen mußte; bevor er sich nach Portugal wagte, entschuldigte er sich wegen des Gedichtes bei König Johann.
Ein kurzer Auszug zeigt den Geist, in welchem es verfaßt ist:

> Et nunc posteritas, vera pietate relicta,
> Degenerum quaestum sordesque secuta, caducas
> Cogit opes, ficta et sub religione pudendes
> Occultat mores et, fama innixa parentum,
> Seducit stolidum pietatis imagine vulgus.

portugiesischen Faktorei nach den Niederlanden gekommen. Dort
erst wurde 1528 sein Wissensdurst geweckt, er lernte Latein,
studierte dann in Padua und war bald bei den Gelehrten ganz
Europas bekannt. 1545 folgte er einem Rufe Johanns nach Portugal, wo er mit dem Jesuitenprovinzial Simon Rodríguez in eine
Nebenbuhlerschaft geriet, worauf dieser ihn bei der Inquisition
anzeigte wegen ketzerischer Äußerungen, die er ihm gegenüber
neun Jahre vorher in Padua getan, deren genauen Inhaltes er
sich nicht mehr erinnere, die aber lutherischer Art gewesen sein
müßten. Die Sache erhielt keine Folgen, trotz den Bemühungen
Rodríguez', bis 1571, 26 Jahre später, der schon 70jährige und
seit zwanzig Jahren gelähmte Goes in ein Verließ geworfen wurde.
Er hatte sich literarische Feindschaften zugezogen. Es war
nichts Neues gegen ihn vorzubringen, er selbst gab aber zu, daß
er in den Niederlanden den Wert des Ablasses gering angeschlagen und das allgemeine Bekenntnis der Sünden für genügend
erachtet habe; diese Irrtümer habe er aufgegeben und stets orthodox gedacht, auf Veranlassung des Kardinals Sadoleto habe er
an Melanchthon geschrieben, in der Hoffnung, ihn der Kirche
wiederzugewinnen, und einem portugiesischen Mönch habe er ein
Einführungsschreiben an Luther gegeben, damit er die ketzerische
Lehre kennen lerne, um sie besser widerlegen zu können. Auf
dieses Bekenntnis allein stützte sich 1572 das Urteil, das erklärte,
im Alter von 21 Jahren sei er ein lutherischer Ketzer gewesen,
in Anbetracht dieses jugendlichen Alters, und da er nach dem
Studium des Lateinischen seine Irrtümer aufgegeben habe, werde
er gnädig zu Aussöhnung, Vermögensverlust und lebenslänglichem Gefängnis verurteilt. Die Abschwörung sollte, wegen seines
Rufes im Auslande, geheim sein. Das Kloster Batalha wurde
ihm als Gefängnis angewiesen, sein Vermögen tatsächlich eingezogen. Die „Lebenslänglichkeit" muß wie in den spanischen
Gefängnissen nur zeitweilig gewesen sein, denn es wird berichtet,
Goes sei in seinem Hause entweder an einem Schlaganfall oder
von einem von seinem Gesinde ermordet gestorben: wann, ist
nicht bekannt. Vierzig Jahre orthodoxer Denkart konnten also
eine Abweichung in den Jugendjahren von einem oder zwei
Punkten des Glaubens nicht gutmachen, und man kann sich
daher die Wirksamkeit des h. Offiziums in der Zurückstauung
des geistigen Lebens in Portugal leicht vorstellen.

Als Kardinal Heinrich im August 1578 seinem Großneffen Sebastian auf den Thron folgte, behielt er das Großinquisitoramt noch fünfzehn Monate bei. Wegen seines Alters hatte er sich indes schon im Februar den Bischof Manoel von Coimbra zum Koadjutor mit dem Recht der Nachfolge geben lassen, Manoel aber verschwand mit seinem König in der Katastrophe von Ksar el Kebir (Alcázar) in Marokko, und Heinrich erwirkte vom Papst die Bestallung des Jorje de Almeida, Erzbischofs von Lissabon (Dez. 1579). Am 31. Januar 1580 starb auch Heinrich, allgemein gehaßt, und nur deshalb bedauert, weil er in dem Kampf um die Thronfolge und bei der Erschöpfung des Landes durch Hunger und Pestilenz nun den Weg für die Eroberung durch Philipp II. freimachte. Die Inquisition wurde jetzt nicht, wie letzterer gewünscht hätte, mit der spanischen verschmolzen und ihr unterstellt, sondern blieb für sich, wenn auch die Ernennung des Großinquisitors der spanischen Krone zufiel, die das Amt 1586 nach Almeidas Tod auf den Kardinal-Erzherzog Albrecht von Österreich (nachmaligen Gemahl von Philipps Tochter Isabella und Statthalter mit ihr in den Niederlanden), Statthalter von Portugal, übergehen ließ, unter dem die Inquisition sehr regsam wurde.[1] Von 1581—1600 hielten die drei Gerichte 50 Autos. Von fünf fehlen die Berichte, die 45 übrigen ergeben 162 Hinrichtungen in Person, 59 im Bilde und 2979 sonstige Strafen.[2] Da die Verurteilungen meist Vermögensverlust nach sich gezogen

---

[1] Corpo Dipl. XII, 23. Da Kardinal Albrecht erst 25 Jahre alt war, bedurfte es in seinem Fall einer besonderen Ausnahme von der Regel des Mindestalters. Noch bemerkenswerter ist die Tatsache, daß seine Bestallung ihm Gerichtsbarkeit über Bischöfe verlieh. Nachdem Albrecht Portugal verlassen hatte, enthielt die Urkunde für seinen Nachfolger, Bischof Antonio von Elvas (Juli 1596), keine solche Bestimmung; sie erweiterte indes seine Zuständigkeit von der einfachen Ketzerei bis zur Zauberei, Wahrsagerei und Druckzensur.

[2] Die entsprechenden Zahlen für die einzelnen Gerichte stellen sich wie folgt:

	In Person verbrannt	Im Bilde verbrannt	Gebüßt
Lissabon	29	6	559
Evora	98	16	1384
Coimbra	35	37	1036
Zusammen:	162	59	2979

haben müssen, läßt sich die Wirkung der schweren Verfolgung auf die kleine Bevölkerung ausdenken.

Doch wie groß die Einnahmen aus den Einziehungen der Güter reicher Neuchristen auch von Anfang an gewesen sein mögen, sie genügten nicht zur Deckung der Ausgaben, weil die Krone mit dem Loskauf dazwischen kam. Letzteren Brauch rechtfertigte zur Beruhigung seines Gewissens Sebastian gegenüber Gregor XIII., indem er ihm vorstellte, daß das Einkommen der Inquisition 5000 Cruzados nicht übersteige und nicht ausreiche. Der Papst räumte ihr darauf die Einkünfte der nächsterledigten Pfründen in den Kathedralen von Lissabon, Evora und Coimbra, sowie von je einer halben Pfründe in den übrigen Domkapiteln ein. Dagegen müssen sich die Kapitel lebhaft gewehrt haben, denn die Abmachung blieb wirkungslos, bis Philipp II. dem Papst vorstellte, daß die Inquisition bei 14 000 Cruzados Ausgaben und 10 000 Einnahmen nicht bestehen könne, trotz den nunmehr vor sich gehenden Gütereinziehungen, worauf Gregor 1583 der Inquisition je die Hälfte einer Pfründe in Lissabon, Evora und Coimbra und je ein Drittel an den übrigen Stellen anwies. Unter Philipp wird diese Schenkung nicht wesenlos gewesen sein.

Es ist leicht begreiflich, daß unter der neuen Ordnung von den nicht assimilierten Elementen viele sich nach Spanien wandten, denn Portugal war unter spanischer Herrschaft übel daran, wie der Venezianer Francesco Vendramini 1595 berichtet: Das früher so reiche und blühende Lissabon war fast menschenleer; seine Flotte betrug einst 700 Segel, der Feind, in erster Linie England, hatte 500 weggenommen, es blieben nur 200. Das alles mißfalle dem König nicht, der die Portugiesen als unwillige Untertanen nicht emporkommen lassen wolle. Die geschäftlichen Aussichten waren demnach besser in Spanien, und diejenigen, die sich dahin wandten, mochten darauf rechnen, daß ihr Vorleben dort nicht bekannt sei. So gab es eine starke Einwanderung, deren Wirkung sich alsbald bei der Inquisition äußerte. Die ziemlich selten gewordenen Verurteilungen wegen Judentums mehrten sich, und wo die Herkunft der Opfer erwähnt wird, ist es merkwürdig oft Portugal. Toledo hatte 1593: 7 Portugiesen als Angeklagte; da nur ein Zeuge gegen sie auftrat und sie in der Folter

nichts bekannten, wurde ihre Sache suspendiert. Im folgenden
Jahr hielt dasselbe Gericht ein Auto, auf dem 5 Portugiesen
in Person erschienen und die Bildnisse von 9 andern verbrannt
wurden, die flüchtig oder tot waren. 1595 wurden auf einem
Auto in Sevilla 98 Judaisten gestraft und 4 im Bilde verbrannt,
und bald darauf wurden in Quintanar del Rey (Cuenca) 30 entdeckt, von denen die Verstockten verbrannt und die übrigen
ausgesöhnt worden.

Die portugiesischen Neuchristen in beiden Ländern leiteten
1602 mit Philipp III. Unterhandlungen wegen eines allgemeinen
Pardons oder gar der Einstellung des Verfahrens auf Grund eines
päpstlichen Breves ein. Dagegen wandten sich die Erzbischöfe
von Lissabon, Braga und Evora und eilten nach Valladolid an
das Hoflager; auch in Spanien nahm man Anstoß an dem Vorschlag. Trotzdem setzte der geldbedürftige Monarch alle Bedenken beiseite, als ihm 1 860 000 Dukaten, sowie dem Herzog
von Lerma 50 000 Cruzados und zwei Mitgliedern und dem
Sekretär des portugiesischen Supremos 40 000, 30 000 und 30 000
Cruzados geboten wurden. Das Breve erging am 23. August 1604,
indes wäre das Geschäft beinahe gescheitert, weil die Neuchristen
acht Jahre verlangten, um das Geld aufzubringen; eine Drohung,
das Breve einzubehalten, genügte, um die Leistung herbeizuführen.[1]
Der portugiesische Großinquisitor, der Erzbischof von Lissabon
und der päpstliche Collector wurden ermächtigt, zu zweien in
Person oder durch ihre Vertreter von portugiesischen Neuchristen,
gleichviel wo diese wohnten, Abschwörungen entgegenzunehmen
und ihnen lediglich geistliche Strafen aufzulegen. Dies galt auch
für schwebende Prozesse bis zur Urteilsfindung ausschließlich,

---

[1] Cabrera, Relaciones, S. 135, 141, 152, 227, 229. Hist. dos principaes
Actos, S. 261. — Bei dem Reichtum der Neuchristen war eine solche Zahlung
eine Leichtigkeit. In der Denkschrift mit dem Gesuch gaben sie ihr Ver-
mögen selbst auf 80 Millionen Dukaten an, und als Juan Nuñez Correa eine
Umlage unter ihnen vornahm, geschah es auf der Grundlage von 75 Millionen.
„Verdades Cathólicas contra Ficciones Judaicas" § 9 (Mss. der Bodleian
Library, Arch. Seld. A, Subt. 17. — Diese Denkschrift verfaßte 1652 Luys
de Melo, Dekan des Kapitels von Braga, als Flüchtling am spanischen Hofe.
Er war wahrscheinlich in die Verschwörung gegen das Haus Braganza verwickelt, deretwegen der Erzbischof von Braga, Sebastian de Noronha, 1641
hingerichtet wurde. Es ist eine heftige Schrift gegen die Neuchristen, sie
wirft aber viel Licht auf den Gegenstand.

nur nicht, wenn das Urteil schon verkündigt war. Die noch
nicht vom Fiskus abgewickelten Konfiskationen waren zurückzuerstatten. Den Portugiesen in Europa wurde eine einjährige,
denen über See eine zweijährige Frist gewährt, um sich die Vorteile der Verfügung zu sichern, und ihre Aussöhnung durfte
später nicht als Grund für Rückfälligkeit angesehen werden. Den
Inquisitoren wurde untersagt, einzugreifen.

Das Breve traf um den 1. Oktober am Hofe in Valladolid
ein, wurde aber erst am 16. Januar 1605 in Lissabon verkündigt;
mittlerweile wurde jedoch kraft königlicher Verfügung die Verkündigung und Vollstreckung von Urteilen untersagt, und dies
kam den portugiesischen Angeklagten in beiden Ländern zugute.
Ein eigentümlicher Zwischenfall ereignete sich in Sevilla. Dort
hatte das Gericht für den 7. November ein großes Auto angesagt und eine besonders geräumige Bühne dafür errichten lassen;
abends vorher hatte die Prozession des Grünen Kreuzes stattgefunden, der 500 Vertraute folgten, und von weither war das
Volk herbeigeströmt, so daß die Stadt die Gäste nicht alle fassen
konnte. Schon hatten die Beichtiger die dem Tode Geweihten
in den Zellen aufgesucht, und nach all den Vorbereitungen wollte
sich der jüngere Inquisitor gegen 11 Uhr zu Bett begeben, als
ein reitender Bote erschien, der zu den Inquisitoren gelassen
werden wollte, wo sie auch immer ständen und gingen, und sei
es in der Consulta de fe oder auf der Autobühne. Der Bote
war am 3. um Mitternacht von Valladolid weggeritten und hatte
die ungeheure Entfernung in 72 Stunden zurückgelegt, unterwegs
hatte er sich die geschlossenen Stadttore öffnen lassen, und jetzt
übergab er den königlichen Befehl zur Abbestellung des Autos. Zuerst wollten einige diesen Befehl ohne Gegenzeichnung des Supremos
nicht gelten lassen, allein diese Forderung war noch nicht anerkannt, und so wurden, zum maßlosen Erstaunen des Volkes,
die nötigen Anordnungen zur Abstellung des Autos getroffen.
Man erging sich in allerlei Vermutungen, sprach von dem eben
abgeschlossenen Vertrag mit England, kraft dessen keine Briten
wegen Ketzerei belästigt werden dürften, von dem Einfluß der
Planeten, von hochgestellten Verurteilten, die durch den Einfluß
ihrer Freunde gerettet worden seien, am meisten jedoch führte
man die Sache auf die portugiesischen Neuchristen zurück, von
denen es hieß, sie hätten 800000 Dukaten geboten, um das

Schicksal abzuwenden, und wollte dafür eine Bestätigung in der
Tatsache finden, daß der nächtliche Reiter in Sevilla zuerst am
Hause eines reichen portugiesischen Kaufmannes gehalten hatte,
der ihm 50 Dukaten für die frohe Botschaft gab.[1]

Kraft des allgemeinen Pardons wurden in Portugal am 16. Januar
1605 410 Gefangene freigelassen, und es kann kein Zweifel sein,
daß in Spanien die meisten portugiesischen Juden während der
gesetzten Frist von einem Jahre eine wirksame Verzeihung erhielten, obschon die Inquisition ihnen Knüppel in den Weg legte.
Manchmal mußten sie den Pardon vor Gericht geltend machen
und kamen dann frei, indes wurden in demselben Jahre sechs
Portugiesen verurteilt, ohne daß der Pardon erwähnt wurde.
Immerhin war die Inquisition gebunden, und sie befleißigte sich,
neue Verfehlungen an den Portugiesen zu entdecken; in diesem
Sinne erließ der Supremo Weisungen. Wie dem auch sei, einige
Jahre muß die Verfolgung nachgelassen haben. Das Strafgefängnis von Sevilla war 1611 leer, denn, so bemerkte ein Schriftsteller, die Judaisten waren begnadigt, die Moriscos vertrieben
und die Protestanten unterdrückt.

Doch die Wirkung des Pardons konnte nur vorübergehend
sein; es hatte sich namentlich gezeigt, wie zahlreich und wohlhabend die neue Klasse von Verdächtigen war, die nun an Stelle
der Mauren den Stoff für Autos und den Anreiz für Gütereinziehung und Strafen abgab. Von alten spanischen Conversos
hören wir noch kaum: fast alle Judaisten sind Portugiesen, und
alle Portugiesen gelten als Judaisten — Verdächtige, die nur geduldet werden. Nur weil es Portugiesen waren, lieferte der
Corregidor von Salamanca 1625 mehrere Leute der Inquisition
aus, nachdem er mit ihnen über der Verhaftung eines geistlichen
Mörders aneinander geraten war; sie wurden nach Coimbra zur
Aburteilung gesandt. Und als 1633 die soziale Stellung der Neuchristen erleichtert werden sollte, wehrte sich der Lizenziat Juan
Adan de la Parra dagegen, weil die Portugiesen zu verstockt

---

[1] 25 Jahre später, in einer Denkschrift gegen die Gewährung eines ähnlichen Pardons, heißt es, das Mißfallen Gottes habe nicht auf sich warten
lassen, denn an demselben Tage, wo das Auto aufgeschoben wurde, ging
die Silberflotte unter Don Luis de Córdova unter, wodurch Spanien einen
unersetzlichen Schaden erlitt. Mss. von E. N. Adler (Revue des Etudes
Juives, No. 99, S. 56).

seien und es schwer halte, sie von den Kastiliern zu unterscheiden.

Es wurde versucht, die Einwanderung aus Portugal und den Durchzug nach Frankreich und Holland zu verhindern, wo die Flüchtlinge den Landesfeinden von großem Nutzen sein konnten. 1567, während der Minderjährigkeit Sebastians, wurden in Portugal die alten Gesetze gegen die Auswanderung wieder in Kraft gesetzt, Sebastian hob sie wieder auf, Philipp II. verkündigte sie abermals 1587, sie blieben auch dem Namen nach in Kraft, waren aber schwer auszuführen. Für 200 000 Dukaten gewährte Philipp III. 1601 unwiderrufliche Freizügigkeit nach den Kolonien beider Kronen, nebst Freiheit des Güterverkaufs, hob dies jedoch mit gewohnter Treubrüchigkeit 1610 wieder auf, und der Supremo stellte 1611 und 1612 dem Vizekönig von Goa eine königliche Verfügung auf Ausweisung aller Leute von jüdischem Blute zu; der Beamte gehorchte nicht, weil aller Handel in ihren Händen sei und ihr Wegzug die Kolonien zugrunde richten würde.

Ein Erlaß Philipps III. von 1619 lenkte die Aufmerksamkeit des Supremos auf den zahlreichen Durchzug von Portugiesen mit Kind und Kegel, Hab und Gut, nach Frankreich. Wer keine Erlaubnis aus Portugal vorzeigen könne, müsse angehalten, seine Güter gesperrt werden; daraufhin traf der Rat Vorkehrungen an den Grenzplätzen und Seehäfen. Verschärfte Beschränkungen mögen auch in Portugal ergangen sein, wenigstens liegt aus der Zeit, wenn auch ohne Ort und Datum, eine Beschwerde der Neuchristen vor. In beredten Worten wird darin ausgeführt, die vornehmsten Geschlechter in Portugal und den Kolonien seien Ehen mit den Ihrigen eingegangen, und sie hätten aus ihrem Vermögen viel für gute und fromme Werke beigesteuert. Freier Verkehr mit Spanien sei völlig harmlos, da die Inquisition überall sei, und der Nutzen eines solchen Verkehrs ergebe sich daraus, daß die Steuerpacht für die Grenzstädte von 13 auf 36 Millionen Maravedí gestiegen sei, und erst jetzt regelmäßig durch die Zölle einkämen. Zwischen beiden Ländern herrsche ein reger Güteraustausch. Der Einwand, daß die Portugiesen sich aus Spanien nach verbotenen Ländern wenden könnten, halte nicht stand, weil es denen, die das wollten, viel leichter und bequemer sei, sich in einem der vielen portugiesischen Häfen ein-

zuschiffen, den man in zweistündiger Reise erreichen könne.
Auch hätten die Neuchristen durch ihre Tätigkeit den Reichtum
des Reichs und der Kolonien gemehrt, besonders in Brasilien,
wo sie Land besitzen dürften und fast alle Zuckerpflanzungen
ihnen gehörten und stetig erweitert würden. Durch das Gesetz
von den Ämtern und Würden ausgeschlossen, seien sie auf den
Erwerb angewiesen. Vielleicht hat diese Vorstellung gewirkt,
jedenfalls wurde die Freizügigkeit hergestellt, um später nochmals aufgehoben zu werden.

Wie die Neuchristen aus Portugal weg, so wollte Portugal sie
selbst los sein, durch Vernichtung oder auf andere Weise.
Der fanatischen Stimmung gegen sie gab Vicente da Costa Mattos
1621 Ausdruck, indem er die ältesten Legenden über ihre
Schlechtigkeit zusammenkehrte und als unwidersprochen hinstellte. Als Feinde der Menschheit, wie Zigeuner, wandelten sie
durch die Lande und lebten vom Schweiß anderer. Des Handels,
des Bodens und des königlichen Gutes hätten sie sich nur durch
ihre Rührigkeit und Gewissenlosigkeit bemächtigt. Sie lebten
lediglich zum Verderb der Welt; einst habe Gott ihre Verfolger
gestraft, jetzt strafe er ihre Gönner, und die Strafe sei der
Niedergang der spanischen Reiche. Götzendienst und Sodomie
trügen sie überall hin, die Christen suchten sie zu ihrem verruchten Glauben überzuführen. Luther habe damit begonnen,
daß er judaisierte; alle Ketzer seien entweder Juden oder Abkömmlinge von Judaisten, wie man in England, Deutschland
und sonstwo sehe, wo sie gediehen. Calvin habe sich selbst den
Judenvater genannt, wie auch andere Leugner der Dreifaltigkeit,
und Bucer habe in seinem Testament erklärt, Christus sei nicht
der verheißene Erlöser. Ihre Verstocktheit sei durch die Zahl
des täglichen Verbrennungen und die noch größere Zahl derer,
erwiesen, die mit Bußen davonkämen.[1] Dieser Ausbruch von Haß
und Unwissenheit fand Anklang; die Schrift erhielt 1633 eine
neue Auflage, 1629 übersetzte ein Mönch sie ins Kastilische,
und die Übersetzung erschien nochmals 1680.

Einem so unauslöschlichen Haß tat selbst die Inquisition nicht
genug. Hundert Neuchristen auf einmal wurden 1623 in dem

---

[1] Breve Discurso contra a heretica perfidia do Judaismo, fol. 67, 172.
Lisboa 1623.

portugiesischen Flecken Montemor o Novo verhaftet.[1] Die Autos waren häufig noch umfangreicher als in dem zeitgenössischen Kastilien. So umfaßte in Coimbra eins von 1626: 247 Büßer und Hingerichtete, eins von 1629: 218, und eins von 1631: 247. Die Statistik für die Zeit von 1620—40 ist unvollständig, es fehlen die Angaben über zehn Autos, trotzdem werden aufgezählt: 230 Hinrichtungen in Person, 169 im Bilde und 4995 Gebüßte.[2] Dazu kommen noch mehrere hundert Gefangene, die nach den Pardons von 1627 und 1630 entlassen wurden; diese Pardons waren zweifellos erkauft. Es gab 1622 auch ein Gnadenedikt, aber da die Bedingungen zu lästig waren, wurde kaum Gebrauch davon gemacht. Die Neuchristen wollten auch von den Gnadenedikten nichts wissen, weil durch die Anzeigen ihrer viele in den Kerker kamen. Es liegt wohl Übertreibung, aber auch nur Übertreibung in der Behauptung des Luys de Melo, durch ihre Tätigkeit habe die Inquisition die Städte Coimbra, Oporto, Braga, Lamego, Braganza, Evora, Beja, einen Teil Lissabons und die Flecken Santarem, Tomar, Trancoso, Avero, Guimaraes, Vinais, Villaflor, Fundan, Montemor o Velho und o Novo usw. entvölkert. Die Kerker der drei Gerichte waren überfüllt, und jedes Gericht hielt fast jährlich ein Auto; eins in Coimbra dauerte zwei Tage, und es kamen dabei hohe und niedere Geistliche, Ordenspersonen beiderlei Geschlechts, Professoren, Mitglieder der Militärorden und ein Franziskaner vor, der als verstockt lebendig verbrannt wurde.[3]

---

[1] 1628 weilten fünf Flüchtlinge von Montemor in Huelva, wo sie ihren Unterhalt verdienten.

[2] Die entsprechenden Zahlen für die einzelnen Gerichte sind folgende:

	In Person verbrannt	Im Bilde verbrannt	Gebüßt
Lissabon	75	51	1231
Evora	73	56	1891
Coimbra	82	54	1873
Zusammen:	230	161	4995

Die Pardons von 1627 und 1630 wurden merklich durch die Entlassung sämtlicher Gefangener in den drei Inquisitionen. (Hist dos principaes actos, S. 265, 299, 301, 319.) Um diese Pardons wurde bitter gekämpft. S. die von E. N. Adler in der „Revue des Etudes Juives" (Nr. 97, 99, 100 und 101) veröffentlichten Aktenstücke.

[3] Luys de Melo, Verdades usw. § 4. Diese Angabe wird durch eine Denkschrift der Neuchristen bestätigt, die sich beschwerten, daß es kaum

Trotz alledem klagten die portugiesischen Inquisitoren über die Unfruchtbarkeit ihres Werkes und die Zunahme des Judentums, dem sie die Übel zuschrieben, von denen das Land heimgesucht wurde, und der Supremo verlangte 1619 in einer Eingabe an Philipp III. drastische Maßregeln: Ausweisung der mit Vermögensverlust bestraften, die dann außerstande wären, dem Feinde draußen Hilfe zu leisten. Der König wurde gebeten, eine genaue Visitation in Madrid vornehmen zu lassen, wo viele Verdächtige leben müßten. Ein Mitglied ging so weit, die Verbannung aller zu verlangen, die wegen heftigen Verdachtes abschwören mußten, worauf Philipp III. frostig erwiderte, solche Gebannte könnten ihre Habe mitnehmen, und es wäre daher eine zweifelhafte Maßregel, die der Rat nochmals erwägen möge; wenn ihm eine Liste der in Kastilien lebenden Portugiesen mit Angabe der Verdachtgründe überreicht würde, könne er Nachforschungen anstellen lassen. Die Liste wurde eingereicht, aber die Nachforschungen unterblieben.[1]

Im folgenden Jahre wurden die Vorschläge für ein schärferes Vorgehen erneuert. Indem die Berichte über die Autos in Portugal übermittelt wurden, wo unter zahlreichen Opfern sechs Domherren von Coimbra, mehrere Mönche und Juristen waren, wurde hervorgehoben, daß auch sechs weitere, inzwischen Verhaftete, sowie jene Domherren und Neuchristen vom Papst ernannt seien, weshalb der König ihn veranlassen möge, Leute dieser Rasse von den Benefizien auszuschließen; daß überhaupt keiner mehr in den geistlichen Stand aufgenommen werden oder weltliche Ämter erhalten sollte; — die dafür geltenden Bestimmungen waren also nicht beobachtet worden.

Kaum war Philipp IV. auf dem Throne, 1622, als der Bischof Mascarenhas von Faro ihn auf die politische Gefahr aufmerksam machte, die von den Neuchristen drohe; sie seien geheime Juden, die durch ihren Reichtum und Einfluß schädlich werden könnten, und ihr Geld im geheimen in holländischen Geschäften und Gesellschaften anlegten, daher auch nicht anstehen würden,

---

einen Ort gebe, der nicht entvölkert sei; eine einzige Verhaftung genüge, um die der gesamten Einwohnerschaft herbeizuführen. Adlers Akten, Revue des Etudes Juives, Nr. 97.

[1] [Die Denkschrift des port. Supremos (im spanischen Wortlaut) vom 17. Januar 1619, ist im Originalwerk, Bd. III, abgedruckt. P. M.]

mit den Rebellen Verschwörungen anzuzetteln, zumal die Inquisition sie hart verfolge und sie keinen andern Ausweg hätten.
Nebenbei war dies eine abermalige Anerkennung für Israel, von
dem nach einer hundertjährigen Verfolgung nur wenige Vertreter
mehr übrigblieben.

Auf Befehl Philipps versammelten sich 1628 die portugiesischen
Bischöfe in Tomar, um unter Zuziehung maßgebender Persönlichkeiten des Landes über die Judenfrage zu beraten. Nach längeren
Verhandlungen legten sie ihm ihr Gutachten vor, das er punkt-
weise erwiderte. Sie entschieden sich für die Ausweisung aller
Neuchristen, oder wenn das nicht anginge, der Vollblutjuden,
mit Gütereinziehung; ausgenommen könnten diejenigen werden,
die ihr Christentum beweisen könnten; von den Halb- oder
Viertelblütigen sollten alle verbannt werden, die ausgesöhnt oder
zur Abschwörung de vehementi verurteilt waren oder noch würden,
es sei denn, daß die Inquisitoren von deren Reue und Bekehrung
überzeugt seien. Philipp stimmte insofern zu, als den Voll-
blütigen gegenüber noch abgewartet werden sollte, die Ausgesöhnten oder de vehementi Verdächtigen aber weg müßten. Die
Bischöfe schlugen vor, um das Land zu erlösen, alle, die es
wünschten, während eines Jahres auf Nimmerwiederkehr ausziehen
zu lassen, nachdem sie ihre Habe verkauft hätten, doch dürften
sie keine Juwelen oder Edelmetalle mitnehmen. Der Bescheid
des Königs lautete, sie dürften ja jetzt schon ausziehen, allein
in Zukunft müßte ihnen untersagt sein, zurückzukehren, weil
dadurch Übel angerichtet worden sei. Der nächste Vorschlag
der Bischöfe war bezeichnend genug: in Anbetracht der Verbreitung der jüdischen Ansteckung durch Mischehen, die dem
Glanz des Adels schadeten, sollte die Mitgift bei einer solchen
Ehe 2000 Cruzados nicht übersteigen und der Gatte zu Ehren
und Würden unfähig werden. Ersteres gab der König zu, mit
Bezug auf letzteres erklärte er, die bestehenden Gesetze über
den Adel würden ausgeführt werden. Zur Wehr gegen die stetige
Profanierung der Sakramente sollte der Papst angegangen werden,
die Zulassung von Neuchristen selbst bis zum zehnten Grade
zu den Weihen zu verbieten. Das sagte der König zu, ersuchte
aber die Bischöfe, einstweilen keine Personen mit Rassedispensen
zu bestallen. Auch versprach er, die Gesetze über die Ausschließung von staatlichen Ämtern anwenden zu lassen. Als

jedoch die Bischöfe auch noch ein Verbot des Handeltreibens oder doch der Verwendung im Steuerwesen anregten, verwies ihnen Philipp, daß das sie nichts angehe.[1]

Das waren die Anschauungen christlicher Prälaten. Selbst mit den Teilzugeständnissen des Königs bedeuteten diese Maßregeln für die Neuchristen die tatsächliche Ausrottung, und das Ganze erscheint als eins der schlimmsten Beispiele, wie weit der Fanatismus gehen kann. Nun, die Befehle Philipps wurden, wie Luys de Melo berichtet, nicht ausgeführt, was bei der Art der Verwaltung nicht wunder nimmt. Die Sache hatte für die Neuchristen nur die eine Folge, daß sie Philipp 80 000 Dukaten für das Recht zahlten, Portugal verlassen zu dürfen. Darauf zogen etwa 5000 Familien nach Kastilien, nebst zahllosen einzelnen, so daß man überall in Spanien portugiesische Juden traf. Dort fühlten sie sich sicher, weil die kastilischen Gerichte den Ersuchen der portugiesischen keine Folge gaben.[2] Versuche der Neuchristen für eine Änderung der Prozeßordnung wies Philipp glatt zurück; er teilte sogar dem portugiesischen Großinquisitor de Castro die Namen derer mit, die sich darum bemüht hatten, und setzte sie damit der Rache des h. Offiziums aus.

Dann wurde 1632 die Frage des Überganges nach Frankreich wieder aufgerollt. Der Kommissar in Pamplona berichtete von dem Durchzug ganzer Scharen, vielfach reicher portugiesischer Familien, die in Sänften und Kutschen reisten; nach den letzten Weisungen durften sie nicht belästigt werden. Darauf wurden die Befehle von 1619 wieder in Kraft gesetzt.[3] Damit nicht genug;

---

[1] Verdades usw. § 6. Die Vorschläge der Bischöfe, namentlich die Austreibung der Neuchristen, waren Gegenstand längerer Beratungen und Denkschriften. S. Adlers Akten, wie oben, Nr. 97, 100, 101, 115, 102, S. 251.

[2] Dass. § 7. Es liegt wohl ein Irrtum wegen der Zahlung für die Auswanderungserlaubnis vor. Die Neuchristen legen in einer Denkschrift dar, daß sie 240 000 Dukaten Staatsschuldverschreibungen übernahmen, um sie zu erwirken; sie beschweren sich bitter über die Hindernisse, die ihnen in den Weg gelegt wurden, wenn sie das Land verlassen wollten. S. Adlers Akten, wie oben, Nr. 97 und 100.

[3] Verdades usw. § 7. Es ist auffällig, daß es um diese Zeit kein Auslieferungsabkommen zwischen den beiden unter einer Krone stehenden Inquisitionen gab. Wir kennen die 1544 abgeschlossene Concordia (S. Bd. I. S. 158, Note); sie blieb wenigstens bis 1580 in Geltung. Später geriet sie außer Übung, so daß 1637 der Supremo bei den Gerichten umfragte, wie sie es damit hielten; anscheinend war dies die Einleitung für das 1638 abge-

nachdem der Admiral von Kastilien 1636 St. Jean de Luz genommen hatte und Aussicht für die Eroberung von Guyenne bestand, traf die Inquisition schon Vorkehrungen, um sich alle dorthin übergesiedelten Neuchristen ausliefern zu lassen, von denen sie von vornherein annahm, daß sie Apostaten sein müßten. Es ist möglich, daß während der kurzen Zeit, wo die Spanier die Oberhand in Südwestfrankreich hatten, eine Anzahl Opfer auf diese Weise ergriffen wurde.

In der Hauptsache wandten die Flüchtlinge sich jedoch nach Holland, wo sie freie Duldung genossen, ihr Fortkommen fanden und gegen ihre Bedrücker wirken konnten. Das war auch die Hauptsache, die Auswanderung zu unterbinden. Nach Luys de Melo waren über 2000 Familien nach Holland gezogen, wo sie sich das Recht erkauft hätten, Synagogen zu errichten, und solche öffentlich als Judaisten aufträten, die in Portugal zum Sanbenito verurteilt gewesen seien. Viele, die in letzterem Lande arm gewesen, seien in Holland zu Reichtum gelangt und zahlten den aufständischen Staaten Steuern, sowie Beiträge für Heer und Flotte, beteiligten sich an der Ostindischen Kompagnie und und zögen dadurch den Handel von Spanien weg, auch trieben sie unter angenommenem Namen und mit holländischen Schiffen Schleichhandel; kurz, ihre Geschäftstüchtigkeit trage zur Verarmung Spaniens und zur Bereicherung seiner Feinde bei. Ein unbewußtes Geständnis des Einflusses der Unduldsamkeit auf den nationalen Niedergang!

Die Feindschaft gegen das Land, das sie verjagt hatte, gab sich noch auf andre Weise kund. 1634 berichtete Kapitän de Ares Fonseca dem Supremo, die Flüchtlinge in Holland leisteten Spaniens Feinden Beistand, indem sie mit den in Spanien als Kaufleuten lebenden Spionen Briefe wechselten. Die holländische Westindische Kompagnie stehe unter jüdischem Einfluß und ziehe ihren Hauptgewinn aus dem Seeraub in den Kolonien, besonders an der brasilischen Küste, wo die Neuchristen zahlreich seien und mit dem Feinde in Verbindung ständen.

---

schlossene Übereinkommen. Der Aufstand von 1640 brachte es natürlich außer Kraft, nach Anerkennung der Unabhängigkeit Portugals jedoch wurde es 1669 wieder in Geltung gesetzt, wiewohl vor jeder Auslieferung Anfrage beim Supremo geboten war. Alle gewünschten Mitteilungen waren bereitwillig zu gewähren, besonders über Limpieza.

Zwei Juden aus Bahía, Nuño Alvarez Franco und Manuel Fernandez Drago, hätten den Plan für die Einnahme dieses Platzes
durch die Holländer, 1625, ausgedacht und durchgeführt. Franco
lebe in Lissabon als Spion für Holland, und sein Bruder Jakob,
der sich für einen Vlamen aus Antwerpen ausgebe, vermittle die
Nachrichten. Drago sei noch in Bahía, Rabbi und Lehrer der
Juden und überdies Spion, und im Jahre vorher habe er die
Holländer benachrichtigt, dorthin zurückzukehren. Die Einnahme
von Pernambuco sei das Werk der Amsterdamer Juden, namentlich des Antonio Vaez Henríquez, bekannt als Cohen, der drüben
gelebt, die Sache eingefädelt und die Expedition begleitet habe;
jetzt lebe er in Sevilla, angeblich als Kaufmann, in Wirklichkeit
als Spion. Im Jahre vorher sei er nach Amsterdam gereist mit
einem Vorschlag für die Einnahme Havanas, wo er in Manuel
de Torres einen Geschäftsfreund habe. Grade werde eine Flotte
von achtzehn Segel zum Entsatz Pernambucos ausgerüstet; sie
werde dem Juden David Peixoto unterstellt, der vorhabe, in
Buarcos anzulegen, um die Inquisition von Coimbra in Brand
zu stecken und ihre Gefangenen zu befreien. Es sei auch ein
Amsterdamer Jude, Francisco de Campos, gewesen, der die Insel
Fernando de Noronha genommen habe. In San Sebastian lebe
ein Jude, Abraham Ger, der sich Juan Gilles nenne, in hollän-
dischem Solde; er schade Spanien sehr viel und habe einen
Mann in seinem Dienst, der fortwährend hin und her reite.

Man braucht das alles nicht wörtlich als wahr zu nehmen, ein
tatsächlicher Untergrund war jedoch vorhanden. 1640 berichteten
die Gerichte von Lima und Cartagena de las Indias, sie hätten
bei Autos de fe entdeckt, daß viele judaisierende Portugiesen
mit den Synagogen in Holland und in der Levante Verbindungen
unterhielten und den Generalstaaten wie dem Türken durch
Nachrichten und Geld behilflich seien. Um dies nachzuprüfen,
wurden alle Briefe an Portugiesen in Spanien geöffnet, und tatsächlich eine Geheimschrift für den Verkehr mit den holländischen
Synagogen entdeckt, sowie daß $1\frac{1}{2}$ Millionen in Spanien gesammelt worden waren. Die Sache wurde dem Großinquisitor
und zwei Inquisitoren überwiesen, mit welchem Ergebnis, ist
nicht bekannt. Indes dürften wir annehmen, daß die Gerüchte,
die den Neuchristen Portugals einen Anteil an der Erhebung
von 1640 zuschrieben, nicht ganz unbegründet waren.

Ihnen kam in erster Linie nach der Herstellung von Portugals Unabhängigkeit der Wechsel der Dynastie zugute. Die drei Gerichte waren um diese Zeit nur wenig tätig.[1] Zwar suchte Johann IV. die Inquisition zu gewinnen, indem er ihr 1643 bei einem Streit mit den Jesuiten zur Seite stand, auch wohnte er mit seinem Hause mehreren Autos bei, auf denen Hinrichtungen stattfanden, indes mag dies mehr aus Politik denn aus Neigung geschehen sein, da er von Hause aus freier gerichtet war. Er soll sogar die Gewährung der Gewissensfreiheit und der Niederlassung für Juden erwogen, sich aber an dem hartnäckigen Widerstand des Großinquisitors Francisco de Castro gestoßen haben, doch mag dies eine Übertreibung der Spanier über seine Bemühungen zur Milderung des Inquisitionsverfahrens gewesen sein, wofür er indes die päpstliche Bestätigung nicht zu erhalten vermochte. Der Einfluß Spaniens in Italien verhinderte die Anerkennung des Hauses Braganza durch den päpstlichen Stuhl, bis 1668 Spanien auf die unmögliche Wiedereroberung verzichtete, und die mittlerweile bis auf einen Bischof in partibus ausgestorbene Hierarchie in Portugal wieder errichtet werden konnte.

Bei der Unmöglichkeit, mit Rom zu verhandeln, mußte Johann einen Umweg finden, um die von ihm als wirtschaftlich schädlich erkannten Gütereinziehungen und Sperren abzuschaffen. Durch Dekret von 1649 erklärte er, daß er nicht in das h. Offizium eingreifen wolle, das nach wie vor Gütereinziehung aussprechen möge; daß er jedoch den Verurteilten aus freien Stücken das verfallene Gut als Geschenk überweise, über das sie nach Belieben verfügen könnten, freilich nur zugunsten guter Katholiken. Die Beschlagnahme mit Sperre hob er gänzlich auf. Es war dies kein reines Geschenk, sondern ein bindender Vertrag, wonach die Kaufleute eine Gesellschaft für den kolonialen Handel gründen und auf ihre Kosten 36 Kriegsschiffe zum Geleit der Kauffahrer stellen sollten; das Geschäft wäre unmöglich gewesen, solange das Kapital der Gesellschaft durch Beschlagnahme und

---

[1] Die Tätigkeit der Gerichte ließ von 1640—51 nach:

	In Person verbrannt	Im Bilde verbrannt	Gebüßt
Lissabon	37	14	341
Evora	5	9	632
Coimbra	8	36	143
Zusammen:	50	59	1116

Sperren zum Nachteil der Anteilhaber bedroht sein konnte. Der Großinquisitor erhielt Befehl, dieses Dekret in den Geheimakten aufzuheben und für dessen Ausführung zu sorgen, und der König verpflichtete sich, es niemals aufzuheben. Später rühmte sich die Inquisition, alle, die dazu geraten hatten, in den Bann getan zu haben, und 1650 erhielt sie eine Belobigung von Innozenz X. Trotzdem kam die Companhia da Bolsa zustande, und ihr war die Wiedergewinnung Pernambucos zu verdanken. Es waren gute Aussichten für die Auffrischung des portugiesischen Handels vorhanden, als jedoch nach Johanns Tode 1656 seine Witwe Lucía de Guzman die Regentschaft für Alfonso VI. erhielt, bekam die Inquisition nicht nur die Gütereinziehung wieder, sondern verlangte auch die Rückstände seit 1649. Um 1680 hatte sie, wie P. Vieira berichtete, etwa 25 Millionen Cruzados eingezogen, wovon kaum eine halbe Million dem königlichen Schatz zugeführt wurde.[1]

Nach dem Tode Castros 1653 blieb bei dem Abbruch der Beziehungen mit Rom das Amt des Großinquisitors unbesetzt, dessen Befugnisse der Rat ausübte, bis 1672 Pedro de Lencastre, Erzbischof von Sidon i. p., es erhielt. Der Mangel eines Leiters scheint die Tätigkeit der Inquisition nicht gelähmt zu haben, im Gegenteil, denn die Statistik von 1651—73 ergibt 184 Verbrennungen in Person, 59 im Bilde und 4793 sonstige Verurteilungen,[2] und man wundert sich, wie nach einer hundertjährigen Verfolgung in dem kleinen Lande noch so viel zu tun war. Die Gerichte hielten ungefähr je ein Auto im Jahr, manchmal dauerte es zwei Tage, eines in Coimbra, Februar 1677, sogar drei Tage mit 9 Verbrennungen in Person und 264 Büßenden. Ob Krieg oder Friede

---

[1] Bibl. nat. de France, fonds latin, 12930, fol. 11. Demgemäß muß P. Antonio Vieira S. J. im Kirchenbann gewesen sein, denn in der öffentlichen Bibliothek zu Evora befindet sich eine Handschrift „Razoes que o Padre Antonio Vieira representou a D. João 4 a favor dos christãos novos para se lhes perdoar a confisção dos bens sendo sentenceados no Santo Officio." Prof. Gottheil in „Jewish Quarterly Review", Okt. 1901, S. 89.

[2] Die Zahlen für die Jahre 1651—73 sind folgende:

	In Person verbrannt	Im Bilde verbrannt	Gebüßt
Lissabon	68	18	868
Evora	54	41	2201
Coimbra	62	—	1724
Zusammen:	184	59	4793

war, machte nichts aus; in Evora wurde 1663 eines abgehalten,
während Don Juan von Österreich mit einer feindlichen spanischen
Armee die Stadt besetzt hielt.

Das Geheimnis für die immerwährende Zuführung neuer Opfer
liegt darin, daß es keine Grenze für die Blutmischung gab; wer
sie auch noch so entfernt aufwies, galt als Neuchrist und innerlich Jude. Bei der großen Zahl der Mischehen war ein beträcht-
licher Teil der Bevölkerung mitbetroffen, und für die Ausländer
galten die Portugiesen allgemein als Juden. So war das Feld
der Inquisition unbegrenzt, und jeder, den sie verurteilte, wurde
eine neue Quelle der Ansteckung. Nach dem Tode Johanns IV.
ging es von neuem los, und die bedrängten Elemente versuchten
wieder eine Erleichterung zu erkaufen. Ein Neuchrist, namens
Duarte, der gebüßt worden war, bot im Auftrage der andern
die Gestellung von Truppen und Geld für die Landesverteidigung
gegen einen allgemeinen Pardon und die Vorschrift der Bekanntgabe der Zeugennamen, sowie das Recht, eine Synagoge zu errichten, wo die offenen Juden ihre Gebete verrichten konnten.
Alexander VII., der selbst eine Synagoge in Rom duldete, trat
1663 heftig dagegen auf und forderte die Inquisition zum Widerstande auf. Die Sache zerschlug sich. Dann kam eine gefährliche Krise für die Neuchristen. In Orivellas wurde 1671 eine
Monstranz mit geweihter Hostie gestohlen. Solche Vorfälle regten
die römische Inquisition nicht sonderlich auf, ganz Portugal geriet jedoch in Bestürzung. Der Regent Pedro und der Hof legten
Trauer an, ein Edikt verbot allen Leuten, mehrere Tage lang
die Häuser zu verlassen, damit jeder sich über die Vorgänge in
der Nacht des Verbrechens Rechenschaft ablegen könne. Trotz
allem wurde der Dieb nicht entdeckt. Natürlich schob man den
Neuchristen den Diebstahl zu, und es erging ein allgemeines Ver-
bannungsdekret gegen sie; dawider wehrte sich die Inquisition,
wahrscheinlich, weil ihre Tätigkeit dann zunichte geworden wäre.
Bevor es jedoch ausgeführt werden konnte, wurde der Dieb, ein
junger Mann, in der Nähe von Coimbra verhaftet und die Monstranz mit der Hostie bei ihm gefunden. Die peinlichsten Erkundigungen konnten keine Spur jüdischer Abstammung bei ihm
ergeben. Er wurde verbrannt, und die Neuchristen waren gerettet und konnten eine Zeitlang aufatmen.

Um diese Zeit nahm Antonio Vieira, „der Apostel von Brasilien", in dem Jesuitenorden eine besonders geachtete Stellung ein. Er hatte Mitleid für die Neuchristen empfunden und Johann IV. nicht nur zur Abschaffung der Gütereinziehung, sondern auch zur Aufhebung der Ungleichheit von Alt- und Neuchristen geraten. Er hatte Feinde, und die Inquisition unternahm es, ihn zu bestrafen; seine Schriften zugunsten der Bedrängten wurden als voreilig, Ärgernis erregend und irrtümlich, nach Ketzerei riechend und zum Verderb der Unwissenden geeignet verurteilt. Nach dreijähriger Haft wurde er 1667 im Sitzungssaale zu Coimbra gebüßt. Seine Empfindung für die Opfer des h. Offiziums war durch seine Wahrnehmungen in der Haft nur noch gestärkt worden, wo er beobachten konnte, daß häufig fünf Leute in eine Zelle von 9 zu 11 Fuß zusammengepfercht wurden, während nur durch eine kleine Öffnung in der Decke Licht eintrat, die Gefäße nur einmal wöchentlich geleert wurden und den Ärmsten jede geistliche Tröstung versagt wurde.[1] Einmal in Sicherheit in Rom, erhob er seine Stimme zum Besten der Bedrückten. In zahlreichen Schriften legte er dar, daß das h. Offizium in Portugal nur dazu diene, um die Leute um Vermögen, Ehre und Leben zu bringen, aber unfähig, zwischen Schuld und Unschuld zu unterscheiden, heilig nur dem Namen nach, in seinen Handlungen grausam und ungerecht, unwürdig denkender Menschen, wiewohl es stets auf seine überlegene Frömmigkeit poche.[2]

---

[1] Auf dem Lissaboner Auto vom Mai 1682 wurden die Freisprüche für 8 Opfer verlesen, die für unschuldig erklärt wurden, nachdem sie im Gefängnis gestorben waren. (Bodleian Library, Arch. Seld. A, Subt. 16.) Auf einem in Coimbra 4. Febr. 1685 wurden die Bildnisse von 15 verbrannt, die im Kerker gestorben waren. (Hist. dos principaes actos, S. 327.)

[2] Ich sehe keinen Grund, um zu bezweifeln, daß die „Noticias reconditas y posthumas del Procedimiento de las Inquisiciones ĺde España y Portugal con sus presos. En Villafranca 1722" eine von Vieira für Innozenz XI. ausgearbeitete ausführliche Darlegung bildet. Sie erschien abermals unter dem Titel „Relação exactissima . . . . do Procedimento das Inquisiçois de Portugal. Presentada a o Papa Ignocencio XI. pello P. Antonio Vieira, Da Companhia de Jesus. En Veneza con Licença do Santo Officio MDCCL." Es ist nicht bitterer als seine andern einschlägigen Schriften; der etwas aufgebauschte Stil ist bei einem so volkstümlichen Prediger natürlich. Der Verfasser der „Authentic Memoirs concerning the Portuguese Inquisition" (London 1761 und 1769) gibt auf S. 47 eine Übersetzung einer Stelle dieses Werkes mit der Angabe, daß sie nach einer wohlbeglaubigten Hs. in Portugal an-

Die Gesellschaft Jesu, welche die einem ihrer hervorragenden
Mitglieder angetane Schmach empfinden mußte, war in Portugal
noch mächtig und machte ihren Einfluß geltend. Die Neuchristen
schöpften Hoffnung und verbanden sich 1673, um Erlösung zu
suchen. Sie verlangten eine Umgestaltung des Verfahrens gemäß
dem der römischen Inquisition und, damit das neue System
richtig eingeleitet werde, einen allgemeinen Pardon für alle, deren
Prozeß schwebte.[1] Wie müssen sie gelitten haben, da sie für
so geringe Zugeständnisse sich erboten, binnen Jahresfrist in
Indien 4000 Mann Truppen zu stellen und weiter jährlich 1200,
in Kriegszeiten 1500 nachzusenden, außerdem jährlich 20000 Cruzados zu zahlen, nebst anderen Leistungen, darunter sehr wesentliche, von denen man für gut fand, nichts verlauten zu lassen!
Die Inquisition wehrte sich heftig. Sie konnte keine Worte
finden, scharf genug, um die Schlechtigkeit der Neuchristen zu
kennzeichnen, und erklärte, eher als eine Milderung sei eine Erschwerung der Gesetze erfordert. Diese zu ändern habe der
Regent keine Gewalt, und es wurde ihm mit einer Aufwiegelung
des Volkes und einer Anrufung des Papstes gedroht. Portugal
dürfe kein Judäa werden. Auf der andern Seite traten manche
Geistliche für die Änderung ein, ohne Zweifel dank dem Einfluß
der Jesuiten; der Erzbischof von Lissabon, dreißig Theologen,
die Professoren von Coimbra, sogar sieben Inquisitionsdiener
waren darunter. So gab der Regent seine Zustimmung, und die
Sache ging nach Rom zur Entscheidung durch den Papst.

Dort brachten 1674 die Parteien ihre Gründe für und wider
bei der für die Angelegenheit eingesetzten Kardinalskommission
vor. Die Fürsprecher der Neuchristen erhoben wuchtige An-

---

gefertigt sei. Er fügt hinzu, es gebe mehrere Abschriften von Vieiras Hand,
sowie von der eines Inquisitionssekretärs, der nach Venedig floh. Die Vene-
diger Ausgabe enthält auch zwei kleinere Schriften Vieiras, einen „Discurso
Demonstrativo", an einen Freund gerichtet, und einen „Discurso Segundo"
an den Regenten Dom Pedro. Ihr Inhalt spricht für ihre Echtheit und
letzterer ist in De Backers Liste (Bibliothèque des Ecrivains de la Compagnie
de Jésus, V, 761/2) aufgenommen; eine Anzahl solcher Hs. befindet sich
in der öffentlichen Bibliothek zu Evora. Prof. Gottheil in „Jewish Quarterly
Review", Okt. 1901, S. 89.

[1] Bibl. nat. de France, fonds italien, 1241, fol. 44. Diese amtlichen Papiere über die Erörterung in Rom brachte der Kardinal d'Estrées, um die
Zeit Botschafter bei der Kurie, nach Paris.

klagen gegen die Inquisition, ohne Zweifel mit Übertreibungen, allein sie gaben einen Einblick in die Mißbräuche. Die meisten Opfer, hieß es, seien eifrige und aufrichtige Christen, die man entweder verbrannt habe, weil sie ihr angebliches Judentum nicht bekennen wollten, oder die falsch gestanden hätten, um mit Aussöhnung davonzukommen. Als Beispiel wurde ein Fall aus Evora noch von 1673 angeführt. Zwei Nonnen waren als Negativas (leugnend) verbrannt worden. Eine hatte vierzig Jahre lang ein makelloses Leben im Kloster geführt und darin alle Ämter nacheinander bekleidet; die Priester, denen sie vor dem Auto gebeichtet, waren betroffen durch die von ihr bekundete Frömmigkeit; als die Prozession gebildet wurde, erkannte sie unter den Büßenden ihre Schwester und ihre Nichten, die ihr eigenes Leben gerettet, indem sie sie anzeigten. Sie verzieh ihnen und hatte ein musterhaftes Ende, indem sie Christus mit dem letzten Atemzug anrief, als sie erdrosselt wurde. Zahlreiche Beichtiger bekundeten, daß die meisten, denen sie vor den Autos die Beichte abnahmen, wirkliche Christen waren, was auch die Universität Evora und P. Manoel Diaz S. J., Beichtvater des Kronprinzen, und viele andere hohe Geistliche bestätigten.[1]

Die falschen Zeugnissse aus Gewinn- oder Rachsucht waren gang und gäbe. Es gab förmliche Verbände von Falschschwörern, die von Erpressungen an Neuchristen lebten, und wenn sie von ihnen nichts erhielten, sie anzeigten, so daß die Ärmsten in ewiger Angst lebten und sich zeitweilige Ruhe erkaufen mußten. Der Betrug wurde zu einer Kunst ausgebildet. Der Ankläger gab einen falschen Namen und eine falsche Wohnung an, so daß der Angeschuldigte ihn nicht ermitteln und bloßstellen konnte. Hie und da, wenn ein ergänzendes Zeugnis nötig war, trat ein Zeuge unter verändertem Namen und in Verkleidung auf und brachte es bei.

Als ein bezeichnendes Beispiel des willkürlichen Amtsmißbrauchs wurde ein Fall aus Evora von 1643 erwähnt. Nach

---

[1] Bibl. nat. de France, fonds italien, fol. 12, 22, 24, 30, 33. Vieira versichert in einem Schreiben an den Regenten Pedro, von hundert verbrannten Negativos sei nicht einer schuldig, und so müsse es notwendig bleiben, solange das Verfahren nicht geändert sei. „Discurso Segundo", S. 136/7.

dem stehenden Brauch war ein Zögling des Jesuitenkollegs zum
Marktaufseher bestellt worden. Der Diener eines Inquisitors
wollte für den Wiederverkauf einen Posten Honig kaufen, als
der Schüler dies verhinderte, da der Honig für das Kolleg er-
worben sei; dem Diener wollte er davon ablassen, soviel wie für
den Hausgebrauch seines Herrn nötig sei. Dafür wurde er in
Haft gesetzt, abgeurteilt, zur Abschwörung gezwungen und als
unsicher im Glauben gebüßt. Als das Urteil in Gegenwart einer
Anzahl Geistlicher verlesen wurde, meldete der Theologieprofes-
sor, ein angesehener Jesuit, Berufung an den h. Stuhl an, worauf
einer der Inquisitoren erwiderte, daß es von dem heiligen Gerichte Berufung nur an die h. Dreifaltigkeit gebe, und der unglückliche Jesuit wurde in den Kerker geworfen und hart behandelt. Die Jesuiten waren solches nicht gewohnt, die Sache
kam vor Urban VIII., der die beiden Inquisitoren vor sich lud.
Allein in den Wirren über dem Krieg mit Spanien verlief die
Angelegenheit im Sande.

Die Angaben über die Gütereinziehung erklären die Beharrlichkeit der Inquisition, um ihre Stellung zu wahren. Die Krone,
welche die Inquisition unterhielt, hatte Anspruch auf die Gelder,
erhielt aber nur wenig. Die beschlagnahmten Güter waren während des Prozesses in der Hand der Gerichte, welche die Fälle
fünf, zehn oder zwölf Jahre zum größten Jammer für die Angeklagten hinschleppten; unterdes war niemand für die Verwaltung verantwortlich, es gab keine Rechnungsablage, und von
den gewaltigen Erträgen erhielt die Krone nur hie und da eine
Kleinigkeit. Der Großinquisitor jedoch durfte die Inquisitoren
beschenken, und sie erhielten hohe Summen, 6000, 8000 und sogar 10000 Kronen auf einmal. Der Handel war gelähmt, denn
wenn ein Kaufmann, der mit dem Ausland Geschäfte trieb, verhaftet und seine Habe gesperrt wurde, konnten seine Gläubiger
und Verlader ihr Geld oder ihre Güter nicht erhalten, und da
dieses Schicksal jedermann drohte, mußte der Handel leiden.
Kurzum, wenn wir auch die Behauptung nicht wörtlich zu
nehmen brauchen, daß die Inquisition Portugal unwiederbring-
lich zugrunde gerichtet habe, so kann man sie doch als einen
der wesentlichen Faktoren für den Verfall dieses Landes ansehen.

Der Kampf in Rom war hartnäckig, allein allmählich gewannen die Neuchristen Boden, und am 3. Oktober 1674, als

Einleitung, erließ Klemens X. ein Breve, worin er ihre Klagen anführte, um alle schwebenden Fälle an sich zu ziehen und der römischen Inquisition zu überweisen und jedes weitere Vorgehen in Portugal allen Beamten vom Großinquisitor ab bei Strafe des Amtsverlustes und anderer Sühnen untersagte. Coimbra faßte dies als einen allgemeinen Pardon auf und entließ am 18. November seine sämtlichen Untersuchungsgefangenen, während die übrigen Gerichte die ihrigen anscheinend nicht freigaben. Wohl deshalb wies 1676 Innozenz XI. den Nunzius an, den Inquisitoren die Durchführung der Prozesse zu erlauben, jedoch ohne Verurteilungen zur Auslieferung an den weltlichen Arm, Vermögensverlust oder lebenslänglichen Galeeren. Wenn das bezweckt war, so war es erfolglos. Die Inquisition schmollte und hielt von 1674 bis 1682 kein Auto ab, sondern nahm nur je eine Person in drei Sitzungen des Lissaboner Gerichtes zur Buße vor.

Die Agenten der Inquisition in Rom bestritten die Angaben über willkürliche Ungerechtigkeit im Verfahren und den Zwang gegen gute Christen, sich als Juden zu bekennen, um nicht als Negativos hingerichtet zu werden. Angesichts des Widerspruches der Behauptungen sollten die Akten über einige Fälle dieser Art eingesehen werden, deren Vorlegung in Rom Innozenz gebot, die der Großinquisitor Verissimo de Lencastre, Erzbischof von Braga, jedoch verweigerte, weil dadurch das Geheimnis des Verfahrens gebrochen würde. Energischer als sein Vorgänger gegenüber dem spanischen Großinquisitor Arce y Reynoso befahl Innozenz nach wiederholten Weigerungen Lencastres, im Dezember 1678, binnen zehn Tagen nach Aufforderung dem Nunzius vier oder fünf von den erledigten Fällen zu übergeben, bei Strafe der selbsttätigen Suspendierung für den Großinquisitor und dessen Untergebenen; wenn sie danach weiter tätig wären, dürfe der Großinquisitor keine Kirche betreten, die anderen fielen in den Bann, den nur der h. Stuhl lösen konnte, und während der Suspendierung nähmen die bischöflichen Ordinarien ihre Gerichtsbarkeit mit voller Gewalt wieder auf. Es mußte tatsächlich zur Suspendierung kommen, und der Nunzius erhielt schon Weisung, gerichtlich gegen sie vorzugehen. Nun bequemten sie sich dazu, die Akten von zwei Prozessen durch den portugiesischen Botschafter einzusenden, was als ungenügend erachtet wurde, und die Suspendierung blieb bestehen bis 1681, wo erkannt wurde, daß die Ordinarien am Handeln behindert seien, zum Schaden der Gefangenen infolge der Verschleppung. Die Wiedereinsetzung war jedoch durch zahlreiche Änderungen des Verfahrens bedingt, deren Beobachtung durch Androhung der vorerwähnten Strafen eingeschärft wurde. Eine Änderung mit Bezug auf die Negativos freilich wurde den Neuchristen abgelehnt, weil dadurch das System erschüttert worden wäre. Im übrigen betrafen die neuen Vorschriften nur Nebensächliches und bieten nur Interesse als ein Beweis für das Vorkommen ungerechter Handlungen, gegen die sie sich richteten; auch wurde eine bessere Behandlung der Gefangenen befohlen.

Ob diese Vorschriften eingehalten und die Strenge des Verfahrens gemildert wurde, ob die Inquisition aus diesem Kampf mit dem Papsttum gedemütigt und geschwächt hervorging, oder ob kein Menschenmaterial für Autos mehr vorhanden war, läßt sich jetzt nicht mehr bestimmen. Jedenfalls hat nach Wiederaufnahme ihrer Tätigkeit im Jahre 1681 die Zahl ihrer Opfer beträchtlich abgenommen. Die nächsten Autos, begleitet von Prozessionen und Kundgebungen der Freude, fanden in den ersten Monaten des Jahres 1682 statt, in den neunzehn Jahren bis 1700 kamen indes nur mehr 59 Verbrennungen in Person, 61 im Bilde und 1351 sonstige Strafen vor — grausig genug an sich, aber ermutigend im Vergleich zu früher.[1]

Aus dieser Skizze der portugiesischen Inquisition können wir ermessen, in welchem Maße sie der spanischen Opfer sandte, während die einheimischen Abkömmlinge von Juden zum Christentum übergeführt worden waren. Nicht das geringste Übel daran war, daß das Vorurteil, das ohnedem verschwunden wäre, nun neu geschürt und zum Rassenhaß ebenso wie zum Glaubenshaß wurde. Das Gift, das sich in dem Werke des Costa Mattos zeigt, wurde womöglich noch übertroffen durch die Centinela

---

[1] Die Zahlen sind folgende:

	In Person verbrannt	Im Bilde verbrannt	Gebüßt
Lissabon.	12	12	422
Evora.	8	18	366
Coimbra	39	31	563
Zusammen: 59		61	1351

contra Judíos des P. Francisco de Torrejoncillos, die noch
1673 erschien und 1728 und 1731 neu aufgelegt wurde. Da
werden im Volkston die unglaublichsten und ältesten Schmähun-
gen aus dem Fortalicium fidei als turmsichere Wahrheiten
aufgetragen und neue Fabeln hinzugedichtet. Die Taufe ändere
das Wesen und den Glauben des Juden nicht, er bleibe der unerbittliche Feind des Christen. Um dieselbe Zeit widerlegte ein
Inquisitor einen Vorschlag zur Mäßigung des Inquisitionsverf-
fahrens durch eine umfangreiche Denkschrift voll Bitterkeit
gegen die Juden. Er schildert sie als teuflisch von Art und
noch schlimmer jetzt als zu der Zeit, wo sie Christus töteten.
Das Übel sitze ihnen im Blute und zwinge sie zu Haß und Wut
gegen Christus, die h. Jungfrau und alle Bekenner des christlichen Glaubens. Wenn Gebildete so redeten, kein Wunder, daß
das Volk glaubte, die Juden seien geschwänzt, gäben einen besonderen Geruch von sich und töteten bei der Ausübung der
ärztlichen Kunst einen christlichen Patienten auf fünf.[1] Der
Name Jude selbst galt als eine Beleidigung, ein Inquisitionsvergehen, denn nachdem der Hofprediger P. Boil einen seiner
Ordensbrüder von den Merzenariern als Juden beschimpft hatte,
ließ die Inquisition von Toledo ihn kommen und hielt ihn sechs
Monate ein, um ihn dann mit zwei Jahren Verweisung vom
Hofe und Verbot der Predigt zu treffen.

Einem Versuch der Neuchristen, ihre Unfähigkeit abzu-
schütteln, begegnete 1632 der schon erwähnte Inquisitor Juan
Adan de la Parra, ein Dichter und gelehrter Mann, mit einer anstandshalber lateinisch verfaßten Schrift, die sich vom volkstümlichen Wahn fernhielt und politische Gründe geltend machte.
Er schrieb den Juden den Niedergang von Bevölkerung, Landwirtschaft, Schiffahrt und Handwerk zu, und verwies auf ihre
Abneigung gegen Handarbeit und ihren Hang zum Wucher.
Portugal sei durch dieselbe hinterlistige Rasse den Überfällen
vom Auslande ausgesetzt worden; in Ost- und Westindien hätten
die Juden durch ihren Reichtum und Luxus die Gemüter der
Eingeborenen verdorben, der heroischen Periode der Koloni-

---

[1] Feyjoo, Theatro T. VII, Discurso V, § VI. — Man glaubte lange Zeit,
zur Strafe für die Ermordung des Thomas Becket seien die Engländer geschwänzt.

sierung ein Ende bereitet. Die Gier nach orientalischem Luxus, welche die Neuchristen geschickt anfeuerten, habe die alte spanische Urwüchsigkeit vernichtet, das Streben nach Überfluß habe die Pflege des Notwendigen verdrängt, daher die Vernachlässigung der Landwirtschaft. Wir finden das unbewußte Zeugnis für die Überlegenheit der jüdischen Rasse in der Erklärung wieder, wenn man den Neuchristen Gleichheit gewähre, würden die Altchristen an die Wand gedrückt.

Die Furcht vor der Gewährung der Gleichberechtigung war nicht unbegründet. Olivares hatte wegen der Erschöpfung der Staatsfinanzen 1634 Unterhandlungen mit den afrikanischen und levantinischen Juden eingeleitet und einzelnen königliche Freibriefe für den Verkehr mit Spanien erwirkt. Diese Unterhandlungen wurden 1641 wieder aufgenommen, und es erschienen Vertreter, die geraume Zeit verweilten, während der Minister die Beschwerden des Supremos damit beschwichtigte, daß die Leute im Dienste des Königs anwesend seien. Es sollte den Juden gestattet werden, in einem besonderen Vorstadtviertel Madrids ähnlich zu wohnen wie in Rom, und eine Synagoge zu unterhalten. Olivares hatte schon Mitglieder des königlichen Rates und einige Theologen für den Plan gewonnen, doch die Inquisition war unerbittlich und der Nunzius, Kardinal Monti, erklärte dem König in öffentlicher Audienz, daß der Minister entlassen werden müsse, wenn die Ernte des Herrn durch das Unkraut gefährdet werden sollte. Hie und da griff Olivares auch in die Inquisitionsdinge ein und befreite eine Anzahl Gefangener, deren Akten er verbrannte. Der Großinquisitor Sotomayor wagte nicht, dem mächtigen Günstling die Akten zu verweigern und legte sie am Fuße eines Kruzifixes nieder. Der Minister soll sich mit dem Gedanken an die völlige Abschaffung der Inquisition getragen haben, wofür aber Philipp IV. niemals zu haben gewesen wäre. Es mag etwas Wahres daran sein, daß sein Streit mit dem h. Offizium zu seinem Sturz beigetragen hat. Mit diesem Ereignis hörten alle Unterhandlungen auf, und 1643 wies der Supremo das Gericht Valencia an, keinen Juden landen zu lassen. Eine gewisse Erregung verursachte 1645 das Erscheinen von zweien, Salomon und Bale Zaportas, in Valencia; sie hatten einen königlichen Freibrief von 1634 und einen des Statthalters Marques de Viana aus Oran. Sie wurden angehalten,

während ihretwegen mit Madrid korrespondiert wurde, was dann
ihre Ausweisung ergab. Es ist kein Grund zu der Annahme
vorhanden, daß diese Waghalsigen andere als persönliche Ge-
schäftszwecke gehabt hätten.

Eine der leitenden Vorwände für die Errichtung und den
Fortbestand der Inquisition war der Eifer der heimlichen Juden
im Proselytenmachen und die daraus drohende Gefahr für die
Reinheit der Religion — eine Ursache, die zwar dem Zweck
diente, aber für die Festigkeit des spanischen Glaubens ein
schlechtes Zeugnis gab. Bestimmte Fälle als Beweis ließen sich
nicht anführen, da das Judentum an die Rasse ebenso wie an das
Dogma gebunden ist und die Juden, in Spanien vor allem, keine
Bekehrungsversuche an Christen machten, da sie ohnehin nur
durch Verheimlichung ihres Glaubens leben konnten und alles
aufs Spiel setzten, wenn sie sich um die Apostasie der Christen
bemühten. Etwaige Übertritte zum Judentum waren durchaus
spontan und dienten zur Mehrung des Abscheus vor dieser Religion und zur Vergegenwärtigung der Gefahr, die in der Anwesenheit solcher lag, die ihrem alten Glauben anzuhängen verdächtig waren. Von dem Bruder Diogo da Assumpção, der 1603
in Lissabon verbrannt wurde, weil er zum mosaischen Gesetz
übergetreten war, heißt es, die Standhaftigkeit der Bekenner des
letzteren im Martyrertum habe ihn zu dem verhängnisvollen
Schritt bewogen. Großes Aufsehen erregte 1639 in ganz Spanien
der Fall des Mönches Lope de Vera, des Sohnes eines Edel-
mannes von rein christlicher Rasse. Der Fall bestätigte nur,
daß die Sicherheit des Glaubens in der Unwissenheit der Massen
lag und erklärt die Voraussicht des Großinquisitors Valdés, der
eine spanische Übersetzung der „Jüdischen Altertümer" des Fla-
vius Josephus auf den Index setzte.

Lope de Vera hatte als 19jähriger Student in Salamanca sich
gründlich ins Hebräische und Arabische vertieft und strebte
nach einem Lehrstuhl in ersterer Sprache. Über diesen Studien
hatte er sich als Jude gefühlt und einen Mitstudenten zum Übertritt verleiten wollen. Dieser zeigte ihn an, es fand sich noch
ein zweiter Zeuge, und nach einigem Zögern erfolgte im Juni
1639 die Verhaftung. Vera gab die Anschuldigung zu, sogar
mehr, leugnete aber die Absicht und behauptete, er habe sich
nur auf die Widerlegung vorbereiten wollen, im übrigen indes

die christliche Religion genau eingehalten. In der Folge schwankte er und widersprach sich, und die Sache zog sich hin. Im April und Mai 1641 widerrief er sein Geständnis, am 29. Mai erklärte er sich für einen Juden und Anhänger des von Gott geoffenbarten jüdischen Glaubens, für dessen Verteidigung er sein Leben einsetzen wolle. Bis dahin habe er die Lehre der Kirche geglaubt, nun aber bekenne er sich zum gottgegebenen Gesetz Israels, die Religion Roms und alle anderen seien falsch, er habe nie jüdische Bräuche gepflegt, wolle es aber in Zukunft tun. Niemand habe ihn der Wahrheit zugeführt als Gott und seine Gnade. Gelehrte Männer sollten ihn von seinen Irrtümern abbringen, erklärten jedoch, seine Verstocktheit sei furchtbar, und wegen seiner Kenntnis im Hebräischen könne er sehr gefährlich werden. Er wollte keinen Verteidiger und sagte, er sei bereit, für seinen Glauben zu sterben. Mit einem Glassplitter nahm er in seiner Zelle die Beschneidung an sich vor. Man legte viel Gewicht darauf, ihn wieder zu gewinnen, es wurde ihm angeboten, er solle die hebräischen Texte angeben, auf die er sich stütze, damit man ihn widerlegen könne. Er erhielt eine Bibel und Schreibzeug, lehnte jedoch die Gänsefeder ab, weil das mosaische Gesetz mit einer solchen zu schreiben verbiete und erhielt, wie es heißt, eine Bronzefeder. Allen Versuchen gegenüber blieb er unerschütterlich. Als er in den Sitzungen jede Aussage verweigerte, erhielt er 50 Hiebe, die er standhaft erduldete. Schließlich wollte man von ihm die Bestätigung seines Geständnisses, er hielt sich die Ohren mit den Fingern zu und sollte nun gefoltert werden, allein der Supremo befahl, davon abzusehen und ihn abzuurteilen. Dies geschah, trotzdem wurden noch Bekehrungsversuche unternommen, bis er endlich am 25. Juni 1644 in Valladolid den gewünschten Feuertod bei lebendigem Leibe fand. Seine Beharrlichkeit machte einen großen Eindruck auf die Juden. Einige Jahre später berief sich in Valladolid ein junger Mann, Juan Pereira, auf sein Beispiel und erklärte, er habe ihn nach dem Tode gesehen, wie er auf einem Maultier ritt, noch glänzend von dem Schweiß, von dem er auf dem Scheiterhaufen troff.

Der Fall mußte den Juden unbequem werden, da er die Furcht vor der Glaubensansteckung neu beleben und der Inquisition frische Anregungen geben konnte. Des bedurfte es freilich nicht, denn sie war stets wachsam und hatte wenig Bedenken, wenn sie den Verdächtigen nachstellte. 1641 wollte das Gericht von Galicien wissen, daß in Valladolid ein Judaist namens Antonio López lebe. Ein Träger dieses Namens war bald gefunden und verhaftet. Es ergab sich, daß er an dem Orte, wo er sich bloßgestellt haben sollte, nie gewesen war, allein darum wurde er doch nicht freigelassen. Es wurde weiter geforscht, ein anderer Antonio López wurde aufgebracht, der sich als guten Christen bekannte, auch bei der Territion. Beide wurden ohne Freispruch entlassen, nachdem der erste vier Jahre, der zweite sechs Monate im Kerker gewesen war. Ein anderes Opfer einer Verwechslung kam nach einjähriger Haft davon.

Wenn es sich um Portugiesen handelte, genügte der leiseste Verdacht. Valladolid verfolgte auf Anordnung des Supremos 1621 eine Frau, weil sie Samstags reine Wäsche anlegte. In der ersten Sitzung erklärte die Angeschuldigte auf die Anfrage, ob sie die Ursache ihrer Verhaftung kenne, es sei die, daß sie Freitags und Samstags frische Wäsche anziehe; das tue sie aber täglich, aus Reinlichkeit, namentlich, wenn sie ein Kind stille, und sie habe nicht gewußt, daß darin etwas Verwerfliches liege. Sie war zwar aus Portugal, aber von kastilischen Eltern. Es fand sich sonst nichts gegen sie, und nach beinahe fünf Monaten wurde sie endlich unter Aufhebung der Gütersperre freigesprochen.

Man kann sich denken, wie unter solchen Umständen die armen Portugiesen nur zu leicht in das engmaschige Netz der Inquisition gerieten, deren Wachsamkeit durch häufige Entdeckungen von kleinen Judengemeinschaften immer neu belebt wurde, weil dies zur Ermittlung zahlreicher anderer führte. 1635—38 beschäftigte sich Llerena mit einer Gruppe Portugiesen aus Badajoz. Die Leute hatten 150 andere bloßgestellt. 1641 zeigte aus dem königlichen Gefängnis zu Valladolid heraus Juan del Cerro, der dadurch seine Freiheit zu erlangen hoffte, eine Anzahl Personen an, die jeden Freitag im Hause des Armeezahlmeisters an der portugiesischen Grenze zu jüdischen Übungen und zur Profanierung von Bildern Christi und der h. Jungfrau zusammenkämen; die Bilder würden dann in der Karwoche verbrannt. Es kam zu zahlreichen Verhaftungen, und die Prozesse zogen sich bis 1651 hin; die Folter arbeitete, Eltern und Kinder

und Geschwister zeigten einander an, da jedoch keiner beharrlich leugnete oder unbußfertig blieb, wurde auch keiner verbrannt. Schließlich wurde die Profanierungsgeschichte als eine
Erfindung des Angebers erkannt und zehn von den Angeklagten
mit Suspendierung entlassen, darunter die angeblichen Häupter
der Kongregation. Indes erreichte das Gericht eine Anzahl Verurteilungen und nahm Geldstrafen für 3700 Dukaten ein. Juan
del Cerro wurde nicht wegen falschen Zeugnissen verfolgt, sondern 1651 dem königlichen Gericht zurückgegeben. Auch Toledo
hatte viel zu tun, denn ein Auto brachte in demselben Jahre
32 Verbrennungen von Judaisten in Person und 30 im Bilde;
es waren fast alle Portugiesen, denn kastilische Judaisten waren
verhältnismäßig selten. Auf dem großen Auto von Sevilla 1660
waren von 81 Judaisten fast alle Portugiesen; 47 wurden ausgesöhnt und 7 in Person und 27 im Bilde verbrannt.

Die große Zahl der Verbrennungen im Bilde läßt auf solche
schließen, die durch Büßende bloßgestellt waren und der Verhaftung eine Zeitlang durch die Flucht entgingen. Es half wenig,
früh oder spät wurden trotz Wohnungs- und Namenswechsel
die Flüchtigen aufgegriffen. Zehn Jahre lebte in Beas (Jaen)
ganz still, schlecht und recht, eine Kolonie von 20—30 Portugiesen. Infolge einer unvorsichtigen Handlung oder durch die
Wachsamkeit von Nachbarn nahm das Gericht Cuenca ihrer
13 fest, deren Aussagen weitere 9 Verhaftungen herbeiführen
sollten, denen die Bedrohten indes 1656 durch Flucht zuvor-
gekommen waren, freilich unter Zurücklassung ihrer Habe.
Von 5 wurden die Spuren bis Málaga verfolgt, von 4 bis Pietra-
buena. Diese 9 wurden 1660 in Sevilla im Bilde verbrannt.
Nach Portugal waren bei Nacht und Nebel über die Berge
5 gelangt — eine Familie. Sie schlugen sich kümmerlich durch,
meldeten sich aber beim Gericht Coimbra, das sie gnädig ohne
Geldbuße entließ und ihnen befahl, ihren Wohnsitz nicht zu
verlassen. Das Glück war ihnen nicht hold. Da fiel es dem
Manne ein, 1671 nach Spanien zurückzukehren. Kaum dort angelangt, ließ er seine Frau, seine Kinder und seinen Schwiegervater
nach Sevilla nachkommen. Alle lebten unter fremdem Namen.
Der Schwiegervater starb bald. Dann siedelten sie nach Daimiel
über, wo 1677, siebzehn Jahre nach der Verbrennung im Bilde,
das Ehepaar aufgegriffen wurde, um nach $2^{1}/_{2}$ Jahren zu unnach-

läßlichem Gefängnis nebst Sanbenito verurteilt zu werden. Die
Frau war nach all dem Elend körperlich und geistig zusammen-
gebrochen, mußte aber ins Gefängnis zur Bekräftigung des
Glaubens, der ewige Liebe verheißt. Da in Toledo noch 1657
zwei von den bis Málaga Verfolgten abgeurteilt wurden, sind
von der Gruppe wohl nur die entronnen, die in Portugal blieben.

Noch trauriger war das Los einer Frau, die 1608, mit 22 Jahren,
zum erstenmal in den Kerker kam, dann fünfmal von verschiedenen Gerichten verfolgt wurde und über all den Prozessen
achtzehn Jahre in der Haft verbrachte; während des letzten
Prozesses, von 1655—70 in Toledo, wurde sie dreimal gefoltert
und entging dann, 84 Jahre alt, ihren Peinigern durch den Tod;
ihre Gebeine wurden verbrannt.

Kleine Portugiesenkolonien wie die von Beas fanden sich
immer. Eine wurde 1679 in Pastrana aufgedeckt, nachdem ein
Angeklagter in Toledo 29 Namen angegeben hatte; alle erschienen
auf einem Auto particular. Eine 60jährige war als kleines Kind
von Lissabon nach Pastrana gebracht worden und hatte dort
die ganze Zeit gelebt. Zwei Männer, Balthasar López Cardoso
und sein Vetter Felix López, aus einer Portugiesengruppe aus
Berin (Orense), die 1676—78 in Santiago abgeurteilt worden
waren, wurden auf dem großen Auto in Madrid 1580 als beharrliche Juden verbrannt; die Gruppe war über 20 Köpfe stark
und alle lebten längst in Berin; ein 32jähriger erklärte, er sei
dort geboren.[1]

Wenn diese Leute jahrzehntelang unbemerkt bleiben wollten,
mußten sie sich den äußersten Zwang auflegen. Einer der von
Pastrana erzählte in seinem Geständnis, wie die Frauen und
Mädchen sich am Sabbat an das Spinnrad setzten, und wenn
ein Nachbar eintrat, taten als ob sie spönnen; wie an Fasttagen
die Magd mit einem Auftrag entfernt wurde, worauf man das
Essen aus dem Kochtopf holte und Löffel und Schüsseln mit
Fett beschmierte, um dann zu einer jüdischen Nachbarin zu
gehen und der Magd, wenn sie dorthin zum Essen rufen kam,

---

[1] Proceso contra Angela Núñez Marques (Ms. „penes me"). Angelas Bruder,
Dr. Gerónimo Núñez Marques, wurde auf dem Madrider Auto von 1680 aus-
gesöhnt und dabei bezeichnet als „Médico de familia de Su Magestad".
Angela war Nr. 17 auf diesem Auto. (Olmo, Relacion, S. 209. 211.)

zu sagen, man habe schon gegessen; die zweite Familie kam
ebenso zu der ersten. Selbst im engsten Familienkreise galt die
höchste Vorsicht. Die Kinder durften nichts vom Judentum
wissen, bis sie alt genug waren, daß man sich auf sie verlassen
konnte. Oder man erzog sie katholisch und überließ dann die
Bekehrung durch andere dem Zufall, wie sich aus dem Madrider
Prozeß der Familie Núñez Marques ergab. Ein Mitglied, Pedro,
war in Portugal durch eine Frau übergeführt worden. Als er
1653 ins elterliche Haus zurückkam, zögerte er lange, bevor er
seiner Mutter davon erzählte; sie bestärkte ihn in dem ange-
stammten Glauben und sagte ihm, sein Vater und sie seien Juden.
Es waren der Kinder acht, er hielt sie alle für Juden, allein
näheres wußte er nicht, denn jedes ging seinem Erwerb nach und
man sprach nicht über Religion. Nur wußte er etwas mehr von
drei Schwestern, und eine, Angela, äußerte, sie hätten sich untereinander als Portugiesen gekannt, und das habe genügt, weitere
Eröffnungen seien überflüssig gewesen.

Nach außen hin wurden alle katholischen Vorschriften pünktlich
eingehalten. Verstreut, geheimtuend, in steter Furcht, ohne Belehrung, mußten die Leute dahin kommen, daß sie die jüdischen
Bräuche verfallen ließen. Von Beschneidung war natürlich keine
Rede, sie war ein zu gefährliches Kennzeichen; und wer hätte
sie vorgenommen? Höchstens konnte ein glaubenseifriger Jüngling
nach Frankreich oder Italien reisen, um sich ihr zu unterziehen.
In den Prozessen ist keine Rede mehr von der Enthaltung von
Schweinefleisch, von Entfetten des Fleisches oder Aufbahrung
der Toten. Wohl versuchte man hie oder da, am Tage Esther
zu fasten, wenn er bekannt war, vielleicht auch sonst an beliebigen Tagen zur geistigen Erbauung; oder man wusch sich die
Hände vor dem Essen und dankte dem Gott Israels für das Mahl;
man zündete die Lampen am Freitag abend an, d. h. begnügte
sich mit einer, die man ausbrennen ließ. Der Sabbat wurde
durch Enthaltung von der Arbeit gefeiert, aber auch dies wurde
nicht immer beobachtet und das Wechseln der Körperwäsche
wird selten erwähnt. Angela Núñez Marques sagte aus, daß sie
durch Anna de Niebes und Maria de Murcia im Gesetz Moses
und dessen Zeremonien unterrichtet worden sei, dahin, daß der
Sabbat durch Ruhe zu feiern sei mit 24 stündiger Enthaltung
von Speise und Trank, daß sie jedoch in den zwanzig Jahren

ihres Aufenthaltes in Pastrana nur fünfzehnmal den Sabbat gefeiert habe aus Angst vor ihrem Gatten und den Dienstboten.
Eine andere der auf dem Madrider Auto von 1680 vorgeführten
Frauen hatte einige Jahre vorher auf dem Krankenbett gelobt,
am Sabbat zu ruhen und am Freitag die Lampen anzuzünden,
und zwar weil sie ihre Krankheit als Strafe für die Nichtbe-
achtung des mosaischen Gesetzes ansah. Kurzum, das Judentum scheint auf die Einhaltung des Sabbats mit gelegentlichem
Fasten zusammengeschrumpft zu sein, mit der Hoffnung auf
Rettung durch das „Gesetz" und durch Verleugnung Christi und
seiner Lehre.

Bei solchen Bewandtnissen war eine Entdeckung schwer, zum
großen Ärger der Inquisitoren in beiden Ländern. 1640 warf in
Granada ein Prediger den Neuchristen ohne weiteres vor, in
dieser Weise den Glauben zu verraten. Und auf dem großen
Auto zu Lissabon am 6. September 1705 donnerte der Erzbischof
von Cranganor wider die 66 vor ihm versammelten Büßer: „Elende
Überreste des Judentums! Unselige Bruchstücke der Synagoge!
Letzte Überbleibsel Judäas! Ein Ärgernis für die Katholiken
und ein Gegenstand der tiefsten Verachtung für die Juden
selbst! . . . Denn ihr seid den Juden ein Gegenstand der Verachtung, weil ihr so unwissend seid, daß ihr sogar die Gesetze
nicht einzuhalten vermöget, unter denen ihr lebet!" Ein echt
christlicher Willkomm für reuige Sünder, der indes der Ehre
der Verbreitung durch den Druck für wert gehalten wurde.[1]
Allein das in den Augen der Inquisitoren so verwerfliche Doppel-
spiel bot an sich eine Gewähr für die Erreichung des zwei Jahrhunderte lang erstrebten Zieles. Der Hammer erwies sich allmählich stärker als der Amboß; solange hatte die bewunderns-
werte Beharrlichkeit des Judentums standgehalten, schließlich
aber mußten in Portugal seine Träger in der christlichen Gemeinschaft aufgehen wie in Spanien auch.

Vorläufig hatte die Inquisition noch zu tun, dank eben den

---

[1] „Exortacion al Herege", fol. 6 (Bodleian Library, Arch. Seld. 130; „Sermam
do Auto da fé em 6 de Setembro do anno de 1705", S. 5 (Lisboa). Diese
Predigt hat Moses Mocatta zugleich mit einer Erwiderung darauf von Carlos
Vero übersetzt (London 1845).

Judaisten. So kamen bei den öffentlichen Autos von Córdova 1655—1700 auf 399 Personen und Figuren deren 324, in Toledo von 1651—1700 auf 855 Prozesse schwerer und leichter Art deren 556. Gegen Ende des 17. Jahrhunderts ließ die Verfolgung nach, sei es mit der Wachsamkeit, sei es weil die Rührigkeit der Gerichte zum Ziel geführt hatte. Immerhin waren 1569 in Valladolid von 85 schwebenden Fällen 78 die von Judaisten. Im übrigen beschränkte sich diese Tätigkeit auf Kastilien, da Aragon keine besondere Anziehung für die Portugiesen besaß. In Valencia war in 16 Fällen, die 1694 schwebten, kein einziger Judaist betroffen. Es mag erwähnt werden, daß in dem Vertrag von 1668, zwischen Spanien und Portugal, der die Unabhängigkeit des letzteren bestätigte, für die beiderseitigen Untertanen in beiden Ländern dieselben Freiheiten ausbedungen wurden wie die 1630 und 1667 den britischen Untertanen gewährten. Dadurch waren sie gegen Belästigungen wegen Gewissenssachen geschützt, solange kein Anlaß zu Ärgernis gegeben wurde; wie aus obigem hervorgeht, scheint es nicht, daß die Inquisition in dem einen oder andern Lande sich daran gekehrt hätte, sowie auch nicht, daß eine der Regierungen sich deswegen beschwert hätte.

Mittlerweile scheinen die Gesetze gegen die Auswanderung außer Anwendung gekommen zu sein. Als jedoch 1666 der falsche Messias, Zabathia Tzevi, in Palästina auftrat und eine Schar irregeleiteter Juden um sich sammelte, wurde der Supremo besorgt und gebot den Gerichten in den Hafenplätzen, etwa zureisende Portugiesen und deren Habe unter einem Vorwand aufzuhalten und ihm zu berichten. Ungefähr vier Monate darauf sandte Barcelona Zeugnisse über vier solcherweise angehaltene Portugiesen; der Rat befahl, sie freizulassen und in Zukunft keine anzuhalten, wenn sich nicht ergebe, daß sie flüchtig seien oder einem verdächtigen Ziele zustrebten. Ein Maultiertreiber, der in Toledo als Judaist gestraft wurde, erhielt als Zugabe 200 Hiebe, weil er Judaisten aus dem Lande geschafft hatte. 1672 erließ der Supremo nochmals Weisungen, um den Durchzug von Portugal nach Frankreich zu sperren, und ordnete eine eingehende Untersuchung bei allen Reisenden an.

Valladares, von 1669—95 Großinquisitor, faßte die Frage der Auswanderung unzufriedener Apostaten anders auf. 1681 ließ

er durch jemand vom Hofe dem König eine anonyme Denkschrift zustecken, worin unter dem Hinweis auf die Verstocktheit der Juden vorgeschlagen wurde, alle von der Inquisition
Gebüßten des Landes zu verweisen, oder, wenn das nicht anginge,
ihnen auf der Stirne das Wappen der Inquisition einzubrennen.
Dies wurde damit begründet, daß trotz Strafen und Bußen die
Juden so böse blieben wie zuvor, und manches Übel hervorriefen, so
wegen der Verwendung jüdischer Ammen in adligen Häusern,
wo sie die Kinder durch ihre Milch verdürben, die Beschäftigung
von Kindern durch Conversos, die sie irreleiteten, das Sakrileg
bei der Spendung der Sakramente an die Conversos usw. Der
Verfasser des Schriftstückes war wohl Valladares selbst, denn
er machte den Vorschlag zu dem seinigen und unterstützte ihn
mit der ganzen Macht der Inquisition, indem er die Strafen des
Himmels auf den Vermittler herabrief, falls er dem König das
Stück vorenthalte. Karl II. sandte es dem Supremo zum Bericht, und dabei verblieb es. Der Vorgang kennzeichnet das
Verhalten eines Verfolgers, der die letzten Konsequenzen seiner
Handlungen nicht auf sich nehmen will.

An einem Punkte des spanischen Reiches waren es nicht
Portugiesen, sondern einheimische Conversos, die ihren geheimen
Glauben weiter pflegten, und während des 17. Jahrhunderts der
Inquisition ihre Opfer stellten. Es war in Mallorca. Die Mehrzahl der Juden war nach den Metzeleien von 1391, bei denen
der Statthalter Francisco Sagariga über dem Bemühen zu ihrem
Schutz verwundet worden war, auf den Balearen geblieben, einzelne nach der Berberei abgewandert. Die Angst vor dem Tod
bewog die Zurückbleibenden zum Übertritt, der auch durch das
— anscheinend nicht eingehaltene — Versprechen der Behörden
gefördert wurde, ihnen 20000 Libras für die Begleichung ihrer
Schulden zu geben. Sie lebten in Palma in der „Call", der
Judengasse, weiter, und bildeten eine Gemeinschaft auch noch
nach Aufhebung der Aljama, 1410. Der Übertritt war, wie zu
erwarten, nur Schein, und obwohl sie 1492 als Namenchristen
nicht unter den Austreibungserlaß fielen, wurden nach den Gnadenedikten von 1488—89 ihrer 568 ausgesöhnt, davon einzelne aus
besonderer Gnade zweimal, während von 1489, dem Beginn der
Gerichtstätigkeit an, bis 1535 164 durch Urteile ausgesöhnt

und 99 in Person und 450 im Bilde verbrannt wurden, wohl
alle Judaisten, ausgenommen 5 i. J. 1535 verbrannte Moriscos.
Danach schlief die Verfolgung ein. Von 1552—67 hatte das Gericht nur 2, dann bis Ende des Jahrhunderts im ganzen 30 Aussöhnungen und eine Verbrennung, und darauf verstrich von 1579
an ein volles Jahrhundert ohne Aussöhnung eines Judaisten, abgesehen von einem aus Madrid, der 1675 verbrannt wurde. Das
Gericht war zu sehr beschäftigt mit seinen Streitigkeiten mit
den geistlichen und weltlichen Behörden. So mochten die Bewohner der Judengasse sich für sicher halten, zumal die Geistlichen sehr abfällig von der Inquisition sprachen wie von einer
geheimen Ketzerei und einer Räuberhöhle, und die Conversos
sich wohl auch ein freies Wort erlaubten. Da wurden sie plötzlich
aus ihrer Sicherheit aufgerüttelt.

Ein Inquisitor hatte 1677 oder 1678 eine Zusammenkunft in
einem Garten außerhalb der Stadt beobachtet und bezeichnete
sie als eine Synagoge. Es war offenbar eine Unvorsichtigkeit
begangen worden. Geheime Ermittlungen bewirkten, daß der
Kerker bald überfüllt war. In vier Autos wurden 1679 219 ausgesöhnt. Sie wollten kein Martyrium, gestanden und baten um
Gnade, so daß es keine Hinrichtungen geben konnte. Auch war
eine Verfolgung gegen Tote überflüssig, wohl weil die gesamte
Gemeinschaft der Neuchristen betroffen und ihre Habe gesperrt
war. Der Erlös aus den Gütereinziehungen war ungeheuer,
denn es waren viel reiche Leute darunter, Kauf- und Bankherren.
Er wird auf 1 496 276 Pesos angegeben, wohl unter der Wirklichkeit; wie der König um seinen Anteil an der Beute kam, haben
wir schon geschildert. (S. Bd. I, S. 209). Die Inquisition baute
sich einen Palast, den schönsten in ganz Spanien; er wurde
1822 abgetragen, und auf dem Grundstück wurde ein öffentlicher
Platz angelegt.

Das Gericht zwang alle Neuchristen, in der Judengasse zu
wohnen; an hohen Festtagen mußten sie zusammen die Messe
hören, geführt von einem Inquisitionsdiener und bewacht von einem
Alguazil. Verarmt, ehrlos, unter steter Aufsicht, fanden sie ihr
Los unerträglich. Ein Teil richtete es ein, daß sie auf ein eng-
lisches Schiff flohen, das im Hafen zur Abfahrt bereitlag. Das
Fahrgeld war bezahlt, sie hatten sich eingeschifft. Stürmisches
Wetter verhinderte das Auslaufen, und alle wurden, da sie keine

Erlaubnis zur Auswanderung hatten, ergriffen und mit ihren Angehörigen in den Kerker geworfen. Das Verfahren gegen sie dauerte drei Jahre, und das Ergebnis waren vier Autos, 1691. Für die im Jahre 1679 Ausgesöhnten gab es keine Rettung, sie wurden als Rückfällige verbrannt. Ein ungeheuerer Scheiterhaufen mit 25 Pfählen wurde am Strande errichtet, weit vor der Stadt, damit die Bewohner nicht durch den Gestank belästigt wurden. 37 wurden in Person, davon drei als Verstockte bei lebendigem Leibe verbrannt, dazu 8 im Bilde, davon 4 Flüchtlinge und 4 Tote; von letzteren waren 3 im Kerker gestorben; 15 wurden in Person und 3 im Bilde ausgesöhnt. Endlich wurden 64, obschon zu den Ausgesöhnten von 1679 gehörend, mit Abschwörung de levi und Geldstrafen getroffen, die zusammen 6400 Libras einbrachten. Das muß gewirkt haben, denn auf zwei Autos von 1722 und 1727, zu der Zeit, wo anderswo die Verfolgung den Höhepunkt wieder erreicht hatte, erschienen keine Judaisten mehr.[1]

Mit dem Beginn des 18. Jahrhunderts schien der Sieg über das Judentum vollständig zu sein. Der Erbfolgekrieg, der die Inquisition naturgemäß störte, genügt nicht, um die geringe Zahl der Judaisten zu erklären. In Katalonien, das sich Philipp dem V. zuletzt unterwarf, und wo die Inquisition erst 1715 wieder hergestellt wurde, hatte bis 1718 das Gericht Barcelona nur 25 Fälle, darunter 3 aus Sevilla geflohene Jüdinnen, Mutter und Töchter. Córdova hatte von 1700—20, soweit aus den unvollständigen Akten ersichtlich, nur 5 Fälle, und in Toledo kamen deren während derselben 21 Jahre 23 auf 88 Prozesse.

Dann kam noch ein Aufflackern, möglicherweise infolge der Entdeckung einer regelrechten Synagoge in Madrid, in der von 1707 an etwa 20 Familien zum Gottesdienst sich versammelten. Schon hatten sie 1714 einen Rabbi gewählt, und dessen Bestätigung

---

[1] In Portugal herrschte eine regere Tätigkeit. Die Liste der Autos ergibt für die Jahre 1701—20:

	In Person verbrannt	Im Bilde verbrannt	Gebüßt
Lissabon	26	14	961
Evora	—	2	458
Coimbra	11	10	707
Zusammen:	37	26	2126

in Leghorn (Livorno) nachgesucht. Sie fühlten sich allzu sicher, denn es heißt, sie hätten die christlichen Festtage bei Tanz und Gitarrespiel verbracht. 5 wurden am 7. April 1720 verbrannt. Die Gerichte traten nun allgemein wieder in Tätigkeit und konnten es um so eher, als die Judaisten sich wenig Zwang aufgelegt hatten. Von zweien wird berichtet, daß sie ihre Heirat „gemäß dem Gesetz Moses" vollzogen hätten, der eine mit der Tochter seiner Frau, der andere mit seiner rechten Base.

Mehrere Jahre wütete die Verfolgung wie ehedem. In einer Zusammenstellung über 64, von 1721—27 abgehaltenen Autos wurden im ganzen 868 Fälle behandelt, davon 820 wegen Judentums, und die Gerichte waren nichts weniger als gnädig. 75 wurden in Person, 74 im Bilde hingerichtet, daneben waren die sonstigen Strafen recht zahlreich.[1] Die Verteilung der Verurteilten über das Landesgebiet ist nicht ohne Interesse. Die aragonischen Lande zeigen wenig Spuren vom Judentum. Valencia hatte nur 20 Fälle, Barcelona 5, Saragossa 1, Mallorca 0, 26 im ganzen. In Kastilien hielt Logroño in diesen Jahren kein Auto; Santiago weist nur 4 Fälle auf, Granada dagegen 229, Sevilla 167, Córdova 78. Die Jahre 1722/3 bezeichnen den Höhepunkt, nach 1727 ging es rasch abwärts und stoßweise.[2] Córdova hatte Autos 1728, 1730 und 1731 mit zusammen 26 Fällen von Judentum; dann eine Lücke bis 1745, wo nur 2 vorkamen. Toledo hatte nach 1726 keinen Fall bis 1738, wo 14 betroffen wurden; von da ab bis 1794, wo die Statistik aufhört, kommt nur noch ein Fall 1756 vor. 1732 wurden in Madrid mehrere Juden verbrannt, die beschuldigt waren, in der Calle de las Infantas ein Bild Christi gepeitscht und verbrannt zu haben. In Valladolid wurde 1745 ein Judaist verbrannt, 4 ausgesöhnt, in Sevilla jedoch waren die Opfer Moslim, aber kein Jude. Llerena verbrannte 1752

---

[1] Königl. Bibl. Berlin Qt 9458. Die Strafen summieren sich wie folgt:

Verbrennungen in Person	75	Stäupung	191
„ im Bilde	74	Galeeren	49
Aussöhnungen	595	Verbannung	73
Gütereinziehung	782	Abschwörung de levi	24
Gefängnis und Sanbenito	597	„ de vehementi	23

[2] Die Fälle verteilen sich wie folgt: 1721: 57; 1722: 252; 1723: 224; 1724: 157; 1725: 89; 1726: 24; 1727: 17. Es ist wahrscheinlich, daß letzteres Jahr in dieser Sammlung nicht vollständig ist.

6 im Bilde, sowie die Leiche einer Frau; es waren augenscheinlich Fälle von Judentum.[1]

Diese verstreuten Einzelheiten machen keinen Anspruch auf Vollständigkeit, beweisen aber zur Genüge, wie weit nach 300 Jahren das Judentum ausgerottet war. So zwar, daß von über 5000 Fällen, die von 1780—1820 von den sämtlichen Gerichten

---

[1] Die portugiesische Inquisition blieb rege. Für die Jahre 1721 bis 1794, die letzten, über die Angaben vorhanden sind, ergaben sich:

	In Person verbrannt	Im Bilde verbrannt	Gebüßt
Lissabon	131	17	1543
Evora	8	3	735
Coimbra	—	—	1210
Zusammen: 139		20	3488

Hierbei ist die besondere Härte des Lissaboner Gerichtes bemerkenswert, das von 1732—42 nicht weniger als 66 Personen verbrennen ließ; die letzte Verbrennung war die des unglücklichen P. Malagrida 1761, indes hatte Evora noch 1760 fünf Personen verbrannt. Soweit sich feststellen läßt, hat die portugiesische Inquisition bis 1794: 1175 Menschen in Person verbrennen lassen, nebst 633 im Bilde, und 29590 gebüßt. Das Verhältnis der Neuchristen hierbei festzustellen ist nicht möglich, nur war es gegen Ende stark vermindert, und wie in Spanien erstreckte sich die Zuständigkeit auf abergläubische Zauberei, Gotteslästerung, Doppelehe usw. Unter dem Ministerium des Marquis de Pombal nahm am 8. April 1768 König José der Inquisition die Bücherzensur weg, und Edikte vom 2. Mai 1768, 16. Juni 1773 und Dez. 1774 hoben alle Unterscheidungen zwischen Alt- und Neuchristen auf. Durch Verfügung vom 10. Febr. 1774 wurde die Inquisition von Goa abgeschafft, der Tod Dom Josés 1777 und der Regierungsantritt Marias I. führten jedoch den Sturz Pombals herbei, und sie wurde 1779 wieder errichtet, um 1812 endgültig abgeschafft zu werden. In Portugal brachte die Revolution von 1820 die Abschaffung. 1774 war ein neues „Regimento" unter dem Großinquisitior Kardinal da Cunha ergangen; in der Einleitung wird den Jesuiten vorgeworfen, sie hätten das Verfahren verdorben und all die Übel herbeigeführt, mit denen es das Land heimgesucht habe. Die neue Ordnung beseitigte manche Mißbräuche der alten, und König José wiederholte in dem Bestätigungserlaß die Anschuldigungen gegen die Jesuiten, die für eine grausame und blutdürstige, mit den Grundsätzen der Vernunft und der Religion unvereinbare Korruption verantwortlich gemacht wurden, welche die Inquisition zum Gegenstande des Abscheus für Europa gemacht und innerhalb der Monarchie eine unabhängige und autokratische Körperschaft von Geistlichen gebildet hätten. Englische Lesarten des alten (1640) und des neuen „Regimento" gibt Costa Pereira Furtado de Mendonça in „Narrative of his Persecutions" (London 1811). Er lag drei Jahre, von 1802 bis 1805, im Gefängnis des Lissaboner Gerichtes, und wofern sein Bericht zuverlässig ist, waren die Reformen Pombals wirkungslos geworden.

behandelt wurden, nur 15 ihm galten, nämlich 10 von Ausländern, welche die Gesetze gegen das Betreten des spanischen Bodens verletzt hatten, und 16 von Einheimischen, von denen 4 wegen Verdachtes oder Propositionen verfolgt wurden. Der letzte Akt in der blutigen Tragödie, welche die Glaubenseinheit durch so viel blutige Leiden besiegelt hat, war 1818 die Verfolgung des Manuel Santiago Vivar in Córdova als Judaisten.[1]

Mehr als die Aufspürung einheimischer Juden beschäftigte das h. Offizium während der letzten Zeit die Ausschließung von ausländischen. Wenngleich das Gesetz Ferdinands und Isabellas von 1599 wider die Zulassung der Juden nicht immer in seiner vollen Grausamkeit angewandt wurde: solange man so unerbittlich das Judentum im Lande ausrottete, durften die Bestimmungen nicht aus dem Gesetzbuch verschwinden. Bei Anordnung der Visitas de navios wurde auf das Eindringen von Juden auf dem Seewege Bedacht genommen wie auf das von Lutheranern oder Büchern; ein Jude, der an Bord eines Schiffes gefunden wurde, mußte ein Verhör bestehen; gab er zu, getauft zu sein, so war er zu ergreifen, seine Habe wegzunehmen; war er nicht getauft und versuchte er nicht an Land zu gehen, so durfte er auf seinem Schiff weiter reisen. Indes kam der kaufmännische Trieb der Juden, dank der Käuflichkeit der Beamten, bis zu einem beschränkten Maße über diese Vorschriften hinweg. In dem Prozeß des Enrique Pereira aus Lucca, der über dem Handeln in Beas betroffen wurde, und 1656 in Murcia vor das Gericht kam, wurde festgestellt, daß die Portugiesen aus Spanien mit denen in Italien in Verbindung standen, und erstere nach Nizza und anderen Plätzen reisten, um ihren Kultus frei ausüben zu können, während die aus Italien nach Spanien kamen, trotz den Spähern der Inquisition. Freibriefe, wie die von Olivares ausgestellten, mußten die Inquisitoren gelten lassen, wenn auch widerwillig. Unheil widerfuhr hingegen 1679 dem Samuel de Jacob, der in den Kerker geworfen wurde trotz Einlaßbrief. Wir erfahren auch, daß die Zugelassenen nicht wegen Ketzerei

---

[1] 1783 wies der Großinquisitor Beltran die Gerichte an, niemand wegen Judentums zu verhaften, ohne ihm vorher die Akten vorzulegen; zugleich verlangte er Bericht über sämtliche schwebende Prozessen wegen Judentums; Valencia erwiderte, daß es keinen habe.

verfolgt werden durften, wenn sie aber bei Gotteslästerung oder
Verhöhnung des Glaubens betroffen wurden, mit Geldstrafen,
Hieben oder Galeeren gestraft werden konnten, je nach dem
verursachten Ärgernis; Versuche des Proselytenmachens dagegen
wurden mit dem Leben bestraft. Der Supremo befahl 1689,
ungeachtet königlicher Ermächtigung, einen englischen Juden
nicht landen zu lassen.

So ängstlich wurde Spanien vor jeder Verunreinigung durch
Juden behütet, daß bei der Abtretung Gibraltars an England durch
den Utrechter Frieden 1713 ausbedungen wurde, daß kein Jude
oder Maure dort wohnen dürfe; und da England dies nicht beachtete, führte Spanien Beschwerde. Es ist indes nicht anzunehmen, daß viele Juden sich in das Land hineingewagt haben,
denn das war nicht geheuer. Abraham Rodríguez, der unter
angenommenem Namen von Frankreich nach Portugal reiste,
wurde aufgegriffen, und sein Prozeß in Valladolid dauerte $2^1/_2$ Jahre;
das Ergebnis ist nicht bekannt.

Als das 18. Jahrhundert eine allgemeine Abspannung brachte,
fehlte es doch nicht an abschreckenden Vorsichtsmaßregeln.
Ein Jude aus Jerusalem, der 1756 einen Löwen zum Verkauf
nach Valencia brachte, wurde Tag und Nacht während seines
Aufenthaltes an Land und an Bord von einem Vertrauten begleitet und beobachtet und mußte sich nach dem Verkauf wieder
einschiffen. Ähnlich wurde 1759 mit einem Juden verfahren,
der aus Gibraltar Waren absetzen kam; seine Bücher und Papiere
wurden eingehend auf verbotene Schriften durchgesucht. Derartige Fälle sind 1761 und 1762 verzeichnet, die ebenso behandelt
wurden. Dann erging 1795 ein königlicher Befehl an den Supremo,
einen im Auftrage des Beys von Marokko reisenden jüdischen
Untertan desselben acht bis zehn Tage in Valencia weilen zu
lassen; er blieb unbehelligt. Darauf beschränkten sich indes die
Beispiele, die eine Durchforschung der Akten von Valencia von
1645—1800 ergibt; ein Beweis, wie selten sich Juden der Gefahr
eines Erscheinens in Spanien aussetzten. Wer sich einschlich,
wagte die Entdeckung. 1786 war unter falschem Namen und
Verheimlichung seines Glaubens Jacobo Pereira in Cádiz gelandet;
er wurde entdeckt, verhaftet, und in Sevilla begann alsbald sein
Prozeß. Zwar gestattete 1786 eine königliche Verfügung den
Eintritt von Juden, die einen Ausweis des Königs hatten,

doch ein solcher wurde selten gewährt und nur bei besonderen
Anlässen. Einen Vorschlag des Finanzministers Pedro de Varela,
zur Belebung des Handels Juden die Errichtung von Faktoreien
in mehreren Häfen des Südens zu erlauben, lehnte 1797 der
Ministerrat als gesetzwidrig ab, und 1802 schärfte der Supremo
den Gerichten die Verbote mit allem Nachdruck im alten Stile
ein. Nachdem in den Wirren der Napoleonischen Zeit viele
Juden eingedrungen waren, tat Ferdinand VII. ein gleiches 1816,
indem er auf die Befehle von 1802 verwies, allein die Ausführung
ließ zu wünschen. 1819 bereiteten in einigen Städten des Südens
der Inquisition zahlreiche Juden Verlegenheit, indem sie sich
zur Taufe meldeten. Es waren Bettler, wohl auch flüchtige
Verbrecher, indes mochten auch einzelne ernsthaft ihr Heil suchen,
und das Gericht Sevilla bat um Weisungen; diese ergingen durch
Runderlaß an sämtliche Gerichte und lauteten auf Einhaltung
der Vorschriften von 1786 und 1802; um dieselbe Zeit wurde
eine Umfrage über die Durchsuchung der Schiffe nach Juden
gehalten. Sie ergab, daß die Ausübung verschieden war, auch wohl
allgemein nachlässig, jedoch wurde noch am 31. August 1819 die
geltende Gesetzgebung durch das Justizministerium in Erinnerung
gebracht; ein Jude, der zugelassen wurde, mußte sich beim
Inquisitor melden.

Wenige Monate danach kam das Ende der Inquisition, allein
die Vorurteile, die sie gezeitigt hatte, erlaubten die Aufhebung
der unduldsamen Gesetze sobald noch nicht. Sie bestanden noch
1848, wenn auch nur mehr auf dem Papier, und die Juden verkehrten in Spanien unbelästigt. Als aber 1854 die deutschen
Juden den Rabbi von Magdeburg, Dr. Philippson, nach Madrid
sandten, um von den verfassungsgebenden Cortes die freie Zulassung ihrer Glaubensgenossen zu erlangen, war seine Überredungskunst vergeblich. Erst fünfzehn Jahre später, nach der
Revolution und dem Sturz Isabellas, verlieh die Verfassung allen
Bewohnern des Reiches Glaubensfreiheit, und das Grundgesetz
von 1876 bestätigte sie, freilich ohne die Erlaubnis für andere
als Katholiken zu öffentlichen Kultushandlungen.[1] Ein erfreulicher

---

[1] [Diese Einschränkung ist 1910 unter dem Ministerium Canalejas mittels
eines Erlasses zur Auslegung der Verfassung beseitigt worden. — P. M.]

Umschwung offenbarte sich 1883, als auf Betreiben eines in
Deutschland gebildeten Ausschusses jüdische Flüchtlinge aus
Rußland nach Spanien gebracht und dort sehr freudig aufge-
nommen wurden; es verschlägt nichts, daß der Versuch an sich
fehlgeschlagen ist. Allein die vererbte Abneigung gegen die
Juden kam auch damals noch zum Ausdruck, indem ein frommer
Franziskaner erklärte, ihre Zulassung sei Sünde und sittlicher
und politischer Verrat, weil die Leute die ganze spanische
Nation aufzehren würden.[1]

Zweiter Abschnitt.

Die Moriscos.[2]

Die Mudéjares, die Mauren, die während des langen Vorganges
der Reconquista unter Bürgerschaften für freie Ausübung ihrer
Religion und Bräuche in christlichem Lande blieben, erwiesen
sich durch ihre Rührigkeit und Gewandtheit in jedem Gewerbe
als ein nützlicher Volksteil. Daß 1368 Karl der Böse von Navarra den Mudéjares von Tudela einen halben Steuernachlaß auf
drei Jahre gewährte zur Belohnung für Kriegshilfe, die insbesondere in Festungsbauten und Pionierarbeit bestand, beweist,
daß die Eroberer nicht nur für gewöhnliche Handfertigkeit, sondern auch für die höheren Leistungen der angewandten Wissenschaft auf sie angewiesen waren. Im allgemeinen blieben sie treu
in Krieg und Frieden und mischten sich nicht in die Kämpfe
der Christen untereinander oder mit ihren Glaubensgenossen.

Gegen die Juden richtete sich die steigende Unduldsamkeit
des 15. Jahrhunderts, und bei den Metzeleien scheint sich keine

------

[1] P. Angel Tineo Heredia, „Los Judíos en España", S. 44, 48. Madrid 1884.

[2] Die lange Leidensgeschichte der Moriscos läßt sich im Rahmen eines
einzigen Abschnittes nur andeuten. Ich muß daher dem Leser, der nähere
Einzelheiten wünscht, auf mein Werk „Moriscos of Spain, their Conversion
and Expulsion" (Philadelphia 1901) verweisen. Seit dessen Erscheinen hat
P. Pascual Boronat y Barrachina zwei Oktavbände „Los Moriscos españoles
y su Expulsion" veröffentlicht (Valencia 1901); er hat mit großem Fleiß viel
ursprüngliches Material darin verarbeitet, dessen ich mich reichlich bedient
habe.

Feindschaft gegen die Mudéjares geäußert zu haben. Einem Vorschlag Alfonsos de Borja, Erzbischofs von Valencia, nachmals Papst Calixtus III., auf Austreibung der letzteren, gab nach einigem Schwanken Juan II. von Aragon keine Folge.[1] Und während Isabella 1480 für Kastilien und Ferdinand 1486 für Aragon die Austreibung der Juden befahlen, welche die Taufe ablehnten, achteten beide die Kapitulationen und ließen die Mudéjares unbehelligt. Die herkömmliche Politik der Duldung zeigte sich bei der Eroberung Granadas in den freigebigen Bedingungen für die umliegenden Städte und Bezirke und wurde am Ende durch die Kapitulation der Stadt selbst am 25. November 1491 feierlich bekräftigt: die Herrscher sagten für sich und ihre Nachfolger zu, daß alle Mauren, die der Abmachung beiträten, als Vasallen und Untertanen des königlichen Schutzes teilhaftig würden und zu achten und ehren seien. Ihre Religion, Eigentum, Gewerbefreiheit, Gesetze und Bräuche wurden ihnen gewährleistet; sogar christliche Renegaten, die unter ihnen lebten, durften nicht belästigt werden, und christliche Frauen von Mauren durften ihre Religion frei wählen. Während eines Zeitraumes von drei Jahren sollten diejenigen, die nach der Berberei zurückkehren wollten, auf Kosten der Krone dorthin befördert werden, ebenso durften Flüchtlinge aus Afrika zurückwandern. Als nach der Ausführung dieser Vereinbarung die Mauren mit einem natürlichen Mißtrauen weitere Bürgschaften verlangten, beschworen die Herrscher eine feierliche Erklärung, daß sie alle frei auf ihrem Besitz arbeiten und in den Reichen umherziehen, im Genuß der Moscheen und Religionsübung wie bisher bleiben, die nach der Berberei Auswandernden ihre Güter verkaufen dürften. Das war die weise Politik, welche die unterworfene Bevölkerung dem Gemeinwesen anzugliedern trachtete, ihre Gleichheit mit den andern Untertanen anerkannte, und der Zeit die Verschmelzung im religiösen Glauben und nationalen Leben überließ.

Zahlreiche Mauren, darunter die meisten Vornehmen, machten von dem Rechte der Auswanderung Gebrauch. Vor Ablauf des Jahres 1492 waren die Abencerragen abgezogen, und in den Alpujarras blieben kaum noch einige Feldarbeiter und Beamte. Noch 1498 dauerte die Auswanderung, die Ferdinand zu fördern

---

[1] Fray Jayme Bleda, „Corónica de los Moros", S. 877 (Valencia 1617).

neigte. Würden doch nach dem Abzug der unbeugsameren Elemente, die ihre Niederlage nicht vergessen konnten, nur die
Mudéjares zurückbleiben, die sich in die veränderten Umstände
zu fügen bereit waren und in jeder Hinsicht als ein wünschens-
werter Volksteil galten. Ferdinand und Isabella hießen die
Mauren willkommen, die Manoel von Portugal 1497 vertrieb,
weil sie die Taufe ablehnten.[1] Die Zeit, wo man die Erzwingung
der Glaubenseinheit als eine politische Notwendigkeit ansah, die
eine grausame Intoleranz und eine unweise Staatskunst rechtfertigte, war noch nicht gekommen. Wohl aber galt diese Einheit als politisch vorteilhaft, zugleich erschien die Bekehrung
der eroberten Seelen als ein frommes Werk. Kardinal Mendoza
und andre Prälaten drangen in die Herrscher, es sei eine Dankes-
schuld gegen Gott, den neuen Untertanen die Zwangswahl von Taufe
oder Verbannung zu stellen. Sie hörten nicht darauf, sei es aus
Achtung vor dem unlängst gegebenen Wort, sei es aus Furcht
vor einem neuen Kriege. Hatte doch das Bekehrungswerk unterdes mit guten Aussichten begonnen. Der fromme Erzbischof
von Granada, Hernando de Talavera, hatte es aufgenommen.
Er gab seine Einkünfte dafür her und predigte die Religion mehr
durch sein Beispiel und seine Wohltätigkeit, denn durch Belehrung
mit Worten. Alle, die sich an ihn wandten, fanden sie bei ihm,
und seine Gehilfen hielt er zum Erlernen des Arabischen an,
das er sich selbst aneignete. Die Übertritte waren zahlreich,
und sein Vorgehen versprach der Kirche die Massen zu gewinnen.

Es ging jedoch den Eilfertigen zu langsam. Ferdinand und
Isabella riefen 1499 Ximénez nach Granada, um Talavera beizustehen. Ximénez handelte mit dem ihm eigenen Ungestüm.
Er gewann die leitenden Mauren durch Geschenke, besprach sich
mit den Alfakís und ließ den Leuten predigen. In wenigen
Wochen waren 3000 getauft, die Moschee am Albaycin zur Er-
löserkirche geweiht. Die stenggläubigen Moslim suchten der
Bewegung durch Überredung Einhalt zu tun; Ximénez ließ sie
in Ketten legen, und von den Alfakís forderte er die Bücher ein,
die er verbrennen ließ; es waren deren 5000, darunter Stücke
von unschätzbarem Wert. Die Lage wurde gespannt: die Mauren

---

[1] Die Erlasse abgedruckt in des Verfassers „Moriscos", Anhang, S. 403.

riefen die ihnen gegebenen Zusagen an, Ximénez dagegen wurde immer heftiger. Es kam zu einem Bruch, als er die Zusagen zugunsten der Renegaten dadurch brach, daß er ihre Kinder für taufpflichtig erklärte; wenn nicht getauft, müßten sie es sein, daher gehörten sie vor die Inquisition. Entsprechende Vollmachten ließ er sich von dem Großinquisitor Deza geben. Daraufhin wurde die Tochter eines Renegaten auf offenem Platze ergriffen. Als sie schrie, man wollte sie gewaltsam taufen, sammelte sich eine Volksmenge, es kam zu Tätlichkeiten, ein Alguazil erhielt einen tödlichen Steinwurf, seinen Begleiter brachte eine Maurin unter ihrem Bett in Sicherheit. Man griff zu den Waffen, Christen standen gegen Mauren, und Ximénez wurde in seinem Hause belagert. Seine Wache von 200 Mann hielt bis zum Morgen stand, wo der Generalkapitän Tendilla von der Alhambra herab Entsatz brachte. Zehn Tage lang unterhandelten Tendilla, Ximénez und Talavera mit den Mauren, die erklärten, aus Königstreue hätten sie sich erhoben zur Verteidigung des Königswortes. Darauf betrat Talavera mit einem Kaplan und einigen Dienern den Platz Bib el Bonut. Die Mauren umringten ihn und küßten den Saum seines Gewandes. Dann kam Tendilla und ersuchte sie, die Waffen niederzulegen, wobei er zugab, daß sie nicht als Empörer, sondern als Verteidiger der Kapitulationen aufgetreten waren, die künftig genau beachtet werden sollten. Nunmehr trat Ruhe ein; die Angreifer, die den Alguazil getötet hatten, wurden ausgeliefert und vier von ihnen gehenkt; die Mauren legten die Waffen ab und nahmen ihre Arbeit wieder auf. Einer solch gutmütigen Bevölkerung gegenüber hätte man auf die Dauer durch milde und ehrliche Behandlung alles erreicht, allein Ximénez blieb unbeugsam. Er erhielt bittere Vorwürfe vom Hofe, der in Sevilla weilte, wurde dorthin befohlen und gab nun seine Lesart: die Mauren hätten als Empörer Leben und Eigentum verwirkt, und Gnade könne ihnen nur werden, wenn sie zwischen Taufe und Auswanderung wählten. Nur zu bereitwillig wurden seine Gründe anerkannt, Tendillas Versprechungen beiseite geschoben, und die Mauren sollten lernen, was Christenwort wert sei. Die Religion, die ihnen aufgezwungen wurde, mußte ihnen als ein Beweis ihrer Knechtschaft verhaßt sein. Der verkehrte Schritt wurde getan auf der Bahn, die zu unheilbaren Wirren, zur Schwächung Spaniens und schließlich zur Austreibung

führte. Ein lobredender Biograph Ximénez' gibt zu, daß er in
seiner gebieterischen Art mehr aus Wut denn aus Klugheit zu
handeln pflegte, wie die Bekehrung Granadas und der Versuch
zur Eroberung Afrikas beweise.

Mit Vollmachten nach Granada zurückgekehrt, verkündigte
er die Zwangswahl von Taufe oder Strafe, und ein königlicher
Richter, der ihm beigegeben war, ließ die Rädelsführer hinrichten
oder einsperren. Tausende retteten sich eilig in der Taufe. Eine
Unterweisung in dem neuen Glauben wurde weder gegeben noch
vermißt. Talavera wollte die christlichen Bücher ins Arabische
übersetzen lassen, Ximénez erklärte, das hieße Perlen vor die
Säue werfen, denn der Pöbel verachte das, was er verstehe und
bewundere das Geheimnisvolle und Unergründliche. An innerer
Bekehrung lag ihm nichts, sobald nur die äußere Gleichmäßigkeit
gesichert war. Die Zahl der in Granada und Umgebung dem
Glauben zugetriebenen Bewohner wurde auf 50000—70000 geschätzt. Die aufgezwungene Religion mußte ihnen gründlich
verhaßt sein.

Äußerlich war alles ruhig, die Erbitterung war jedoch erkennt-
lich, und Ferdinand, der nach Granada kam, warf Ximénez sein
Ungetüm vor, das zur Folge hatte, daß er seine Pläne in bezug
auf Neapel wegen der hier drohenden Gefahr zurückstellen mußte.
Zwar wanderten viele aus, in den Alpujarras jedoch hetzten
Flüchtlinge das Bergvolk zum Aufstande. Um diesen zu vereiteln,
schrieb Ferdinand am 27. Januar 1500 an die leitenden Mauren,
alle Nachrichten über eine gewaltsame Bekehrung seien falsch,
und gab sein Wort, daß niemand zwangsweise getauft werden
solle. Den Getauften gewährte er einen Pardon für die Handlungen, die vor der Taufe lagen und verzichtete auf alle Gütereinziehung. Mittlerweile hatte er so viel Truppen gesammelt,
als ob das Land neu erobert werden müsse, und mit diesen
schlug er die nacheinander ausbrechenden örtlichen Erhebungen
nieder; nach den Soldaten erschienen dann in den Bergen Mönche,
welche die Übergetretenen in der Religion unterrichteten. Metzeleien und Taufen gingen nebeneinander, bis die Alpujarras befriedet waren und die Armee im Januar 1501 entlassen werden
konnte.

Dann brachen Aufstände in den westlichen Bezirken von
Ronda und der Sierra Bermeja aus, wo die Bergvölker sich aus

Angst vor der Zwangsbekehrung empörten. Eine neue Armee erlitt eine schwere Niederlage bei Caladui. Danach trat ein Stillstand ein, während dessen die Aufständischen wegen ihrer Auswanderung unterhandelten. Ferdinand war hart: 10 Doblas mußte ihm ein jeder für die Überfahrt entrichten, und wer das nicht konnte, mußte bleiben und ins Taufbecken. Die Getauften aus dem Tieflande, die sich zu den Bergbewohnern geschlagen hatten, durften an ihre Wohnstätten zurück, mußten aber ihre Waffen abgeben und Gütereinziehung erdulden. Viele Mauren entkamen nach Afrika, noch viel mehr blieben zurück als Feinde ihres aufgezwungenen Glaubens. Als Christen durften sie nicht auswandern und waren sie einer Gerechtsame unterworfen, der sie nicht entgehen konnten.

Es wäre nun angezeigt gewesen, die Neuchristen als gleichberechtigte und zufriedene Untertanen mit der übrigen Bevölkerung zu vereinigen. Es geschah nichts Derartiges, ein Fehler zeitigte den andern. Infolge der Mißachtung der Verträge und des gewaltsamen Bekehrungsverfahrens waren sie verdächtig. Ein Edikt vom 1. September 1501 verbot ihnen den Besitz von Waffen unter schweren Strafen, bis zum Tode; das war nicht nur eine Demütigung, sondern auch eine Schädigung zu einer Zeit, wo Notwehr unvermeidlich war. Eine andere Unterscheidung freilich bestand darin, daß die Neuchristen auf vierzig Jahre der Inquisition nicht unterworfen sein sollten, damit sie mit ihrem neuen Glauben allmählich vertraut würden.[1] Solche Versprechungen aber wurden nur gegeben, um nicht gehalten zu werden. So waren, keine zehn Jahre nach der Eroberung, die Mauren von Granada, ungeachtet aller feierlichen Bürgschaften, zum Christentum gezwungen worden. Ein solcher Anfang mußte zu einem tragischen Ende führen.

Zur Entschuldigung für diese Zwangswerbung mag man anführen, daß sie nicht vorbedacht war, und in dem Getöse einer Auseinandersetzung zwischen feindlichen Rassen und Religionen vor sich ging, sowie, daß wer die Bekehrung verschmähte, aus-

---

[1] Wann und unter welchen Bedingungen diese Befreiung den Moriscos von Granada gewährt wurde, war mir zu ermitteln nicht möglich; es wird indes in der Folge wiederholt in Aktenstücken darauf als eine allbekannte Tatsache angespielt.

wandern durfte. Ein solcher Milderungsgrund gilt nicht für den
nächsten Zug, der den kastilischen Mudéjares galt. Sie konnten
sich auf Jahrhunderte alte Freibriefe für ihren Glauben verlassen,
und eine Störung, die sie zu innern Feinden machen mußte, kann
nur als Wahnsinn bezeichnet werden. Und dennoch kam es
dazu, weil Isabella auf den Rat ihres geistlichen Gefolges, insbesondere Ximénez' hörte. Die äußerliche Anpassung, die ihm
in Granada genügt hatte, war noch leichter bei den unter Christen
verstreuten Mudéjares zu erreichen, von denen auch keine Flucht
in die Berge zu Empörern zu befürchten war; ein Übriges konnte
man von der Inquisition erwarten. Gott sollte nicht länger
durch den Kultus der Ungläubigen in Spanien beleidigt werden,
das Land sollte in der Glaubenseinheit Heil finden — so ungefähr kann man sich Isabellas Denkweise bei ihrem unseligen
Entschluß vorstellen. Ferdinands praktischer Sinn dagegen zeigt
sich darin, daß er sich von den Großen Aragons unschwer überreden ließ, von ähnlichen Maßnahmen für dort abzusehen.

Zuerst wurde Überredung, in Verbindung mit Drohungen, angewandt. Die Beamten erhielten Befehl, die Mudéjares zur
Annahme des Christentums zu veranlassen. Als der Corregidor
von Córdova geltend machte, daß das nicht ohne Anwendung
von Gewalt ginge, geboten ihm die Herrscher im September 1501,
dies zu vermeiden und die Leute zu überzeugen, daß es sich um
ihr und des Reiches Wohl handle, daß aber keine Ungläubigen
mehr im Lande geduldet würden. Das war vier Jahre nach der
Aufnahme der portugiesischen Mauren in Kastilien!

Da der Versuch wohl zu nichts führte, griff man zu stärkeren
Mitteln. Eine Verordnung vom 12. Februar 1502, die in ver-
schlagener Weise den Anschein weckte, als ob die Bekehrungen
freiwillig sein sollten, ging davon aus, daß es ein Ärgernis wäre,
nach der Bekehrung Granadas Ungläubige im Lande zu dulden;
daß man Gott durch die Vertreibung seiner Feinde und den
Schutz der Neuchristen vor Ansteckung Dank bezeigen müsse.
Darum wurde allen Mauren geboten, bis Ende April die Reiche
Leon und Kastilien zu verlassen, und zwar unter Zurücklassung
der Knaben unter 14, der Mädchen unter 12 Jahren. Die Verbannten durften ihre Habe, aber kein Gold und Silber und
einige andere Dinge forttragen. Es verlautete nichts von der
Wahl der Bekehrung, die Auswanderung war jedoch derart er-

schwert, daß die Absicht klar wurde, so nützliche Untertanen
nicht zu verlieren. Bei Todesstrafe und Güterverlust war die
Einschiffung in andern als den Biscayischen Häfen, sodann der
Übertritt nach Navarra und Aragon verboten, ebenso wegen des
Krieges mit den Mauren und Türken die Übersiedlung nach
deren Gebieten; nur nach Ägypten und andern Ländern durften
sie sich wenden. Sie durften niemals zurückkehren; ein Maure,
der sich in kastilischen Landen betreffen ließ, verwirkte Gut und
Leben, und wer nach dem April einem Obdach gab, sein Vermögen. Eine Ausnahme wurde zugunsten der Besitzer maurischer
Sklaven gemacht; diese durften sie behalten, die Sklaven mußten
jedoch immerwährend Fesseln tragen.

Wie wenig freiwillig die Bekehrung gemeint war, ergibt sich
daraus, daß glaubensstarke Moslim, welche die Gefahren der
Auswanderung auf sich nahmen, daran gehindert und zur Taufe
gezwungen wurden.[1] Während der kurzen Frist gab es einige
Anläufe zu Predigt und Unterricht, und gegen Ende wurden
die Mudéjares massenweise getauft. Aus Avila wurde dem Königspaar berichtet, die ganze Aljama, 2000 Seelen, würde bekehrt
und keiner würde abziehen. In Badajoz, heißt es, gewann der
Bischof, Alonso de Manrique, der künftige Großinquisitor, die
Leute durch Güte, und bei der Taufe nahmen alle seinen Namen
Manrique an. So war in den kastilischen Landen die Glaubenseinheit wenigstens äußerlich hergestellt, doch ohne die wünschens-
werte Verschmelzung der Volksteile, und unter der Bezeichnung
Moriscos bildeten die Neuchristen eine besondere Klasse.

Mit der Erzwingung eines äußerlichen Christentums war man
erst am Anfang der vom Staat übernommenen Aufgabe. Der
schwierigere Teil der letzteren war die Ausbildung zu wahren
Christen, wenn der Vorteil der nationalen Verschmelzung wesens-
verschiedener Rassen erzielt werden sollte, wodurch allein die
Anwendung der Gewaltmaßregeln gerechtfertigt werden konnte.
Die Glaubenseinheit, welche die Staats- und Kirchenmänner anstrebten, war innerlich gemeint, sie bedeutete die Einheit einer
Nation mit gleichmäßigen Zielen für dieses und jenes Leben.

---

[1] Galíndez de Carvajal (Colecion de Documentos XVIII, 301/4). Zurita
führt Carvajal an, bestreitet dies jedoch; daß die Bekehrung nicht freiwillig
war, gibt er trotzdem zu.

In dem Völkergemisch der Halbinsel war dieses Streben manche Opfer wert, und wenn es nicht erfüllt werden konnte, bedeutete die erzwungene Taufe einer starken Minderheit eine Verschärfung des Zwiespaltes und ewigen Hader.

Indes konnte die Erfüllung dieses Strebens durch Gewalt mittels der Inquisition den Abscheu vor der Religion, die sich als die der Liebe und Güte ausgab, nur noch vermehren, da diese Religion nur ein Vorwand für Druck und Grausamkeit war. Das andere Mittel, die langsame und geduldige Bekämpfung der Vorurteile und die Gewinnung widerwillig Übergetretener durch Milde und Überredung, die Unterweisung, daß die Wahrheiten des Christentums kein leerer theologischer Schall waren, sondern lebendige Wirklichkeit, das war die Art Talaveras. Zum Unglück für Spanien entschlossen sich die Machthaber für die andere, diejenige Ximénez'. Hastig und unstet gingen sie dabei vor, folgerichtig nur insoweit, als sie sich ins Unrecht setzten, indem sie nicht einmal zu ihrer Rechtfertigung einen Versuch mit der leichteren Zwangsmethode unternahmen. Zeitweilige und unwirksame Anläufe führten zu einem elenden Fehlschlag, während die durch die Verfolgung erzeugte stetige Gereiztheit periodische Ausbrüche zeitigte. Fünf Jahre waren seit den Zwangstaufen verstrichen, denen nach kirchlicher Vorschrift eine gründliche Einsicht in die Glaubensmysterien hätte vorangehen müssen, als 1507 Ximénez die Leitung der Inquisition erhielt. Eine seiner ersten Handlungen war ein Rundschreiben an alle Bistümer über das religiöse Verhalten der Neuchristen und ihrer Kinder, den Besuch der Messe, die Unterweisung in den Grundzügen des Glaubens und die Vermeidung jüdischer und islamischer Riten. Diese Weisungen, die wohl wenig fruchteten, ergänzte 1510 Ferdinand durch andere an die Prälaten, und nachdem das Konzil von Sevilla 1512 auf die große Zahl der Unterrichtsbedürftigen aufmerksam gemacht hatte, wurden die Prälaten angewiesen, gelehrte Männer auszusenden, um namentlich die Lebensweise der Neuchristen und ihre im Anklang an ihren alten Glauben begangenen Sünden zu erkunden. Die Pfarrgeistlichen sollten Listen der Bekehrten, insbesondere der von der Inquisition Ausgesöhnten führen, und letztere behufs Erfüllung ihrer Buße zum Besuch der Messe an Sonn- und Festtagen anhalten. Aus dem Mißerfolg späterer

Maßregeln dieser Art können wir schließen, daß diese Befehle wenig Beachtung bei denen fanden, die Geld und Mühe für deren Befolgung hätten aufwenden müssen.

1510 hatte Ferdinand dem Papst von der Lage Mitteilung gemacht, und ihm vorgestellt, daß seit 1492 zahlreiche Juden und Mauren zwar bekehrt, aber schlecht unterrichtet worden seien, weshalb man sie nicht mit der vollen Strenge der Canones treffen sollte; er bat daher um die Ermächtigung zu einem Glaubensedikt, das Aussöhnung ohne Güterverlust und öffentliche Abschwörung gewähren, so daß der Rückfall nicht die äußerste Strafe bedingen würde. Die an die Gnadenedikte geknüpften Bedingungen waren derart, daß sie ihre Wirksamkeit beeinträchtigten, und das Ersuchen ist nur insofern von Bedeutung, als es Ferdinands Wunsch dartut, den Eifer der Inquisitoren gegen die Mauren zu mäßigen. Doch bereute er seinen Schritt auf dem Totenbett, indem er durch sein Testament Karl V. aufforderte, Inquisitoren zu bestellen, die eifrig auf die Zerstörung der Sekte Mohammeds bedacht seien. Das war überflüssig, denn nach Vertreibung der Juden mußten sie sich ohnehin den Moriscos zuwenden, und ihr Tun bedurfte eher eines Dämpfers als eines Spornes. So kam es auch, daß Karl V. 1518 und 1521 für gewisse Bezirke Gnadenedikte veranlaßte, welche die Moriscos vor Güterverlust und Sanbenito, nicht aber vor Rückfälligkeit retteten, ihnen auch die Angeberei von Mitschuldigen nicht erließen. Das auf diese Weise, wenn auch tatsächlich nur in geringem Maße, aus Rücksichten der Politik und der Billigkeit gegenüber den Zwangsbekehrten gemilderte kanonische Gesetz blieb in seinem vollen Umfang bestehen, und da seinem ganzen Apparat nichts gegenüberstand, was die neue Religion anziehend statt abstoßend gemacht hätte, mußten von Zeit zu Zeit solche Hilfsmittel angewandt werden. Darin war man nun sehr unbeständig und verschärfte so nur das Übel. Kardinal Hadrian gebot 1521, keine Verhaftungen ohne zwingenden Beweis der Ketzerei vorzunehmen, und dann noch den Supremo zu befragen. Erzbischof Manrique mußte 1524 diese Weisungen entschiedener wiederholen: Die Moriscos sollten nicht aus geringen Ursachen verhaftet werden, und wenn sie es dennoch seien, freigelassen werden und ihr gesperrtes Gut zurückerhalten. Allein trotz den bestehenden Vorschriften würden Ver-

haftungen leichtfertig und auf die Aussage eines einzigen Zeugen
vorgenommen. Da es unwissende Leute seien, die ihre Unschuld nicht leicht beweisen könnten, erregten solche Verhaftungen Ärgernis und hätten sie um Erleichterungen gebeten.
Deshalb sollten Verhaftungen nur wegen klarliegender Ketzerei
vorgenommen und in zweifelhaften Fällen der Supremo befragt
werden. Alle, die wegen anderer Dinge als Ketzerei verfolgt
würden, sollten rasch, und, soweit mit dem Gewissen vereinbar,
milde abgeurteilt werden.

Wie wenig das fruchtete, bewiesen die Prozesse wegen Befolgung uralter Bräuche des täglichen Lebens. Nicht nur wegen
Beschneidung, Fastens im Ramadhan, des Guadoks oder Bades
mit gewissen Riten, des Taors oder Bades vor der Seila, oder
des Gebetes zu den Tageszeiten mit dem Gesicht gen Osten,
also erkennbar religiöser Zeremonien, gab es Verfolgungen, sondern auch wegen mancher anderer, an sich unschuldiger Dinge,
die einen Ketzereiverdacht eröffneten, und Verdacht war ja an
sich Verbrechen. Bei geschickter Handhabung einschließlich der
Folter konnte die Verhaftung wegen solcher Bräuche zu weiteren
Bekenntnissen führen, und man ließ sich die Gelegenheit nicht
entgehen. Enthaltung von Schweinefleisch und Wein war ein
ausreichender Verfolgungsgrund, wir hören von Fällen von Ein-
schmieren der Fingernägel mit Henna, von der Weigerung, Fleisch
von gefallenen Tieren zu essen, vom Schlachten des Geflügels
durch Halsabschneiden, von Sambras und Leilas, Gesängen und
Tänzen bei Freudenfesten und Hochzeiten; sogar die Pflege der
Reinlichkeit galt ernstlich als Zeichen der Apostasie.

Im Verfolg dieses Verfahrens wurden die maurischen Bräuche
zur Anleitung der Inquisitoren sorgfältig aufgezählt, sodann in
den Glaubensedikten als anzeigepflichtig kurz erwähnt. So entstand ein ewiges Ausspüren der Moriscos, denen eine leicht
hingeworfene Äußerung als ein Hinneigen zur Ketzerei gedeutet
wurde, und ein Strafverfahren verursachte. Freilich ergab eine
wesenlose Anzeige oft ein volles Geständnis, aber die Lage der
Moriscos wurde dadurch natürlich nicht weniger unerträglich.
Bischof Pérez von Segorbe zählte 1595 unter fünfzehn Ursachen,
die der Bekehrung der Moriscos entgegenständen, auch die Furcht
vor der Inquisition und ihrer Strafen auf, die ihnen das Christentum gehässig erscheinen ließen. Immerhin wurde die äußerliche

Gleichförmigkeit erzielt, wenigstens in Kastilien, wo die Moriscos allmählich sich mit den Altchristen verschmolzen; sie hatten ihre Sprache und Tracht längst aufgegeben, erfüllten alle religiösen Pflichten und galten allgemein als Christen, wie immer sie innerlich auch denken mochten.

Ab und zu wurden jedoch kleine Gemeinschaften von Apostaten entdeckt. 1538 stieß in Daimiel ein Inquisitor von Toledo auf eine solche. Die Leute waren seit 1502 getauft, niemand hatte sie beachtet und sie waren wohl deshalb etwas sorglos geworden. Nachdem der Inquisitor von einer Frau erfahren hatte, daß sie kein Schweinefleisch äßen und keinen Wein tränken, weil, wie sie sagten, ihnen das nicht schmecke, wurden so viele Verhaftungen vorgenommen, daß neun Frauen eine Zelle teilen mußten und der Gerichtssaal selbst als Gefängnis diente. Noch 1597 beschäftigte sich das Gericht Toledo mit Ketzern aus Daimiel. Einige Jahre später zeigte ein Mädchen aus Almagro ihre eigenen Verwandten an und brachte ihren Vater 1606 als unbußfertigen Leugner auf den Scheiterhaufen, ihre Mutter nach der Aussöhnung ins Gefängnis; 25 Personen litten wegen ihrer, 4 davon wurden verbrannt. Toledo hatte von 1575 bis 1610 190 Fälle von Moriscos, 174 von Judaisten und 47 von Protestanten. Den alten Mudéjares von Kastilien stand jedoch noch Schlimmeres bevor.

Das Problem in Granada war schwieriger und erforderte eine politische Klugheit, der Philipp II. geradezu Hohn sprach. Fast die ganze Einwohnerschaft war maurisch, das Land ist gebirgig und bietet viele Schlupfwinkel. Die angebliche Bekehrung von 1501 hatte den alten Glauben nicht erschüttert, die arbeitsamen, ehrlichen und mildtätigen Menschen waren innerlich Moslim: sie gingen zur Messe, um keine Strafe zahlen zu müssen; sie brachten ihre Kinder zur Taufe, um das Chrisma nachher wegzuwaschen und die Knaben zu beschneiden; sie beichteten zur österlichen Zeit, nur um den Beichtzettel zu erhalten; sie lernten die Kirchengebete, nur um zur Ehe zugelassen zu werden, und befleißigten sich dann, sie zu vergessen. Den vierzigjährigen Schutz gegen die Inquisition besaßen sie; was sie jedoch von ihr sahen, die Geldgier der Richter und die freche Anmaßung der geistlichen und weltlichen Beamten, war nichts weniger als einnehmend.

Als 1526 Karl V. in Granada erschien, baten ihn drei Nachkommen der maurischen Könige um Schutz der Moriscos gegen die schlechte Behandlung durch die Priester, die Richter, Alguazile und anderen Beamten. Der Kaiser ließ die Beschwerden durch eine Kommission untersuchen, und diese wußte die Sache so zu wenden, daß die Moriscos in die Verteidigung zurückgedrängt wurden. Der Bericht konnte die Mißbräuche nicht ableugnen, hob aber hervor, daß unter den Moriscos kaum sieben wahre Christen zu finden seien. Aus einer vom Großinquisitor Manrique geleiteten Junta ging das Edikt von 1526 hervor. Es erlöste die Moriscos keineswegs vom Druck, sondern beschäftigte sich mit ihrer Apostasie, nicht um Heilmittel dagegen anzugeben, sondern um Strafmittel einzuführen. Die Inquisition wurde, entgegen den Versprechungen, von Jaen nach Granada verlegt. Für Vergangenes wurde eine Amnestie erlassen, ein Gnadenedikt erging für freiwillige Geständnisse, danach aber sollten die Gesetze streng angewandt werden, wenn auch für die nächsten Jahre der Güterverlust durch Geldstrafen ersetzt und den Verurteilten Zeit gelassen wurde, diese aufzubringen.

Dazu kam eine ganze Reihe plackerischer Vorschriften: Verbot der arabischen Sprache, der maurischen Tracht und Bäder; Heranziehung christlicher Hebammen bei Geburten; Entwaffnung, dazu strenge Aufsicht über die Waffenscheine; Offenhalten der Haustüren an Festtagen, Freitagen, Samstagen und bei Hochzeiten, damit keine maurischen Bräuche befolgt würden; Errichtung von kastilischen Schulen in Granada, Guadix und Almería; Unterdrückung der maurischen Namen und Verbot für die Moriscos, Gacis oder ungetaufte Mauren als Freie oder Sklaven zu halten. Darauf entstand eine tiefe Erregung, die Moriscos versammelten sich und boten 80 000 Dukaten für die Zurücknahme des Edikts, mochten auch wohl die Ratgeber Karls gewonnen haben, denn vor seiner Abreise gewährte er einen Aufschub auf unbestimmte Zeit und gestattete das Tragen von Schwertern und Degen in den Städten und Speeren auf dem flachen Lande. Eine besondere Abgabe, die Farda, für die Erlaubnis zum Tragen maurischer Kleider und des Gebrauchs des Arabischen stammt wohl auch aus dieser Zeit; 1563 brachte sie 20 000 Dukaten jährlich ein.

Zunächst muß die Inquisition die Moriscos noch wenig be-

lästigt haben, da auf ihrem ersten allgemeinen Auto von 1529
von 89 Verurteilten 78 Judaisten und nur 3 Mohammedaner erschienen. Dennoch entstanden Unruhen, so daß 1532 der Generalkapitän Mondéjar riet, sie zu suspendieren, da sie doch keine
Schuld an den Moriscos finden könne. Leider nahm sie daraus
Anlaß zu einer regeren Tätigkeit, und die Moriscos boten Karl
und Philipp wiederholt hohe Summen an, um von ihr befreit zu
werden. Karl hätte in seinen Geldnöten gerne darauf gehört,
aber die Inquisition wußte es zu hintertreiben; Philipp lehnte
von vornherein ab.

Immer schlimmer wurde das Schicksal der Moriscos, und die
Lage in Granada äußerst gespannt. Die Inquisition war reger
denn je, die Mißbräuche der Geistlichen und Beamten wucherten
ungehindert, es hatte sich eine Übung herausgebildet, die sie
im Namen des Königs um gekaufte und geerbte Grundstücke
brachte, kurz, sie waren schutz- und rechtlos. 1563 wurde eine
alte Verordnung über das Waffentragen gegen sie gekehrt. 1565
wurde die königliche Gerichtsbarkeit auf die adeligen Güter ausgedehnt, wo manche maurische Verbrecher ein Asyl gefunden
hatten. In ihrer Gier nach Sporteln stöberten die Notare und
Richter in alten Akten nach und nahmen so viele Verhaftungen
vor, daß kaum ein Morisco sich noch sicher fühlte. Viele flohen
in die Berge, wo sie zu den Monfies oder Geächteten stießen,
und verübten allerlei Frevel; die Maßregeln, die man dagegen
ergriff, vermehrten nur noch die Unordnung.

Hier wäre Festigkeit, gepaart mit Versöhnlichkeit, am Platze
gewesen. Statt dessen geschah alles, was die Lage unerträglich
gestalten mußte. Erzbischof Guerrero von Granada hatte sich
1563 auf der Reise von Trient in Rom aufgehalten und dem
Papst über das Scheinchristentum seiner Diözesanen geklagt.
Pius IV. gab ihm ein Schreiben an Philipp mit, das diesen zum
Handeln drängte. Guerrero versammelte ein Provinzialkonzil,
das der Bedrückung der Moriscos durch die Geistlichkeit zu
steuern suchte, allein sein eigenes Kapitel legte Berufung gegen
die Beschlüsse dieses Konzils in Rom ein, und der Versuch miß-
lang. Mehr Erfolg hatte Guerrero, als er die Bischöfe veranlaßte, mit ihm bei Philipp für Maßregeln einzutreten, welche
die Moriscos daran hindern sollten, ihre Apostasie zu verbergen.

Guerreros Denkschrift ging an eine von Diego de Espinosa, Präsidenten von Kastilien und bald darauf Großinquisitor, geleitete Junta, die sich dafür aussprach, die Moriscos, die kraft der Taufe als Christen gälten, in Wirklichkeit dazu zu machen, und zu diesem Ende die Vorschriften von 1526 wieder in Kraft zu setzen. Der Theologe Dr. Otadui, den Philipp persönlich zu Rate zog, legte ihm dar, das Sprichwort: ,,Je mehr Mauren, um so mehr Gewinn" müsse in Verbindung mit dem älteren Satz: ,,Je weniger Feinde, um so besser", dahin umgeändert werden: ,,Je mehr tote Mauren, um so weniger Feinde", und dieser Rat gefiel dem Monarchen höchlich.

Nun wurden, 1566, die ärgsten Vorschriften von 1526 wieder in Kraft gesetzt, und zu ihrer Ausführung wurde Pedro de Deza, Mitglied des Supremos, zum Präsidenten der Kanzlei von Granada ernannt und dorthin gesandt mit der Weisung, keinen Einwendungen Gehör zu leihen. Dem Generalkapitän Mondéjar, der bei Hofe weilte, wurde alles verheimlicht, bis Espinosa ihn auf seinen Posten verwies, um bei der Verkündigung der Pragmatica zugegen zu sein. Er war ein Enkel Tendillas, sein Amt war seit der Eroberung in der Familie erblich, er selbst bekleidete es seit dreißig Jahren und war mit den Verhältnissen vertraut. Er warnte vor einem Aufstande, den er nicht unterdrücken könne, da es ihm an Truppen und Kriegsmaterial fehle. Alles umsonst, Espinosa hieß ihn reisen, obwohl der Kriegsrat sich auf seine Seite stellte; alles was er erreichte, war, daß ihm 300 Mann für die Bewachung der Küste mitgegeben wurden, die er seinen Weisungen gemäß häufig bereisen und während gewisser Monate bewohnen sollte.

Deza traf Ende Mai in Granada ein und versammelte sofort seinen Gerichtshof. Die Pragmatica wurde gedruckt und sollte am 1. Januar 1567 verkündigt werden, also, um die Erbitterung zu vermehren, am Jahrestage der Übergabe Granadas. Ihre Bestimmungen waren an sich aufreizend genug: Binnen drei Jahren mußte der Gebrauch des Arabischen in Schrift und Rede aufhören; nach einem Jahre durften keine maurischen Gewänder von Seide, nach zwei Jahren keine mehr von Wolle getragen werden; die Haustüren mußten Freitags nachmittags, an Festtagen und bei Hochzeiten offen stehen; Sambras und Leilas, obschon nicht gegen die Religion, waren an Freitagen und Festtagen verboten, desgleichen das Färben der Fingernägel und der Gebrauch maurischer Namen; alle öffentlichen und privaten Bade-einrichtungen waren niederzureißen. Neue durften keine mehr entstehen.[1] Von einer Unterweisung in der Religion kein Wort.

Das Edikt wurde verkündigt, und die Erregung war unbe-schreiblich. Sofort wurden die Badeanstalten abgetragen, bei den Bädern des Königs angefangen. Die Aljamas des kleinen Königreichs traten mit den Spitzen des Albaycins, des maurischen Viertels, in Verbindung, und man einigte sich dahin, wenn keine Erlösung eintrete, zu den Waffen zu greifen. Sogar Deza sah die Gefahr ein und empfahl dem Hof Maßregeln gegen einen Auf-stand. Zunächst milderte er die Ausführung des Gesetzes und ließ niemand gemäß dessen Bestimmungen bestrafen. Eine Klage der Moriscos gab Philipp an Espinosa weiter, der durch An-rufung des königlichen Gewissens den Sieg behielt, auch nachdem im Staatsrat der Herzog von Alba und der Komtur von Alcán-tara einen Aufschub empfohlen hatten, um jedes Jahr nur eine der Vorschriften in Kraft zu setzen. Allein die Geistlichen Espi-noza und Deza galten mehr als die Feldherren und Staatsmänner, denen bedeutet wurde, es sei eine religiöse Frage, mit der sie nichts zu tun hätten.

Am 1. Januar 1568 erging der Befehl auf Ablegen der seidenen maurischen Gewänder; zugleich wurden die Geistlichen angewiesen, die Moriscokinder von 3—15 Jahren in die Schulen zu tun, um ihnen Kastilisch und Christenlehre beizubringen. Dies steigerte die Erregung. Eine Abordnung beschwerte sich bei Deza, der ihr erwiderte, die Kinder würden ihnen nicht weggenommen, aber der König sei entschlossen, ihre Seelen zu retten und die Pragmática ausführen zu lassen.

Die Erhebung war verzweifelt, aber nicht ganz aussichtslos. Die Moriscos schätzten, daß sie 100 000 Streiter aufbringen könnten, elend bewaffnet zwar, aber mutige Leute, an Entbehrungen ge-

---

[1] Dieses Badeverbot, auch für Christen, ist ein eigentümliches Zeugnis für die Kultur der Zeit. Es war eine Entartung eingetreten seit dem 1176 von Alfonso II. von Aragon gewährten Fuero von Teruel, das vorschrieb, daß die öffentlichen Bäder von den Männern Dienstags, Donnerstags und Sams-tags, von den Frauen Montags und Mittwochs und von den Juden und Mauren Freitags benutzt werden sollten. Sonntags waren die Bäder ge-schlossen und es wurde kein Wasser geheizt.

wöhnt. Sie hofften auf Unterstützung von der Berberei, deren Herrscher sich die Gelegenheit zu einem Hauptstreich gegen den Erbfeind nicht entgehen lassen würden, und wohl auch von ihren Brüdern von Valencia, die das spanische Joch schwer empfanden. Auch konnte ihnen nicht entgangen sein, daß die gewaltige spanische Monarchie in Wirklichkeit erschöpft war, denn in demselben Jahre berichtete der Venezianer Tiepolo, daß die Südküste einem Handstreich der Berber ausgesetzt sei und das Land wieder das Schicksal von früher erleben könnte.[1] Karl V. und Philipp hatten dem Lande alles Blut abgezapft. Es fehlte Philipp wie an Soldaten so an Geld, und alle Schätze der Neuen Welt brachten keine Erlösung von der Schuldenlast, die Philipp vorgefunden hatte und ernsthaft zu verleugnen dachte. Seine Einnahmen waren im voraus verzehrt, und während des Aufstandes sah er sich genötigt, die dringendsten Mittel anzuwenden, um die geringsten Beträge flüssig zu machen. Es war das größte Glück für die Monarchie, daß die Hoffnungen der Aufständischen auf Hilfe von auswärts sich zerschlugen, denn ein gemeinsames Vorgehen des Halbmondes gegen das Kreuz hätte die Geschicke der Halbinsel umwälzen können. Die Moriscos von Valencia blieben still, der Sultan mischte sich nicht ein, die berberischen Fürsten gestatteten nur einzelnen Abenteurern, hinüberzusetzen, und 500—600 kreuzten in kleinen Gruppen über das Meer. Dennoch wurden die Kräfte Spaniens aufs Äußerste angespannt, um diesen vereinzelten, ohne Überlegung entfesselten Aufstand niederzuwerfen.

Der Ausbruch war auf Gründonnerstag, den 18. April 1568, festgesetzt, allein die Sache wurde ruchbar und der Plan aufgeschoben. Es geschah trotzdem nichts, um Granada in Verteidigungszustand zu setzen, und als die Empörung am 23. De-

---

[1] Die Cortes von 1570 baten Philipp um Aufhebung des Verbots von Hakenbüchsen als Jagdwaffen, weil der Krieg mit Granada die Seltenheit der Waffe sowohl wie derer, die sich ihrer zu bedienen wußten, im Lande dargetan habe. Sie verwiesen auch auf die Schwierigkeiten, die sich bei der Bewaffnung der Aufgebote ergeben hatten und regten an, daß den Städten und Flecken erlaubt werden sollte, auf eigene Kosten Rüstkammern unter den vom König festzusetzenden Bedingungen zu unterhalten. Der königliche Bescheid hierauf war zweideutig; das Verhalten der Krone ist bezeichnend für das Mißtrauen gegen die Treue der Untertanen. „Cortes de Córdova del año de setenta", fol. 6, 12 (Alcalá 1575).

zember losbrach, waren die Christen völlig unvorbereitet. Mondéjar
handelte entschlossen und geschickt. Mit einigen tausend Mann,
die er in aller Eile zusammengerafft hatte, zog er am 2. Januar
1569 aus der Stadt und nach einem schwierigen Winterfeldzug
in den Schneebergen war er Mitte Februar Herr der Lage. Deza
jedoch, hinter den sich die Beutejäger steckten, vergiftete den
Sinn Philipps und setzte durch, daß Mondéjars Abmachungen
mit den Aufständischen für ihre Unterwerfung beiseite geschoben
wurden. Philipp sandte seinen Halbbruder Don Juan von Österreich, damals einen unerfahrenen Jüngling, zur Übernahme des
Oberbefehls nach Granada und gab ihm einen Kriegsrat bei,
dessen Mitglieder ihre eigenen Pläne hatten, und es durfte nichts
ohne Genehmigung des Königs geschehen. Diese lächerliche Art
der Kriegführung führte natürlich zum Mißerfolg: der Aufstand
flackerte wieder auf, gefährlicher denn je, die Vega war den
Überfällen preisgegeben, die bis an die Tore der Stadt reichten,
und Don Juan und sein Kriegsrat waren tatsächlich darin belagert.

Die Einzelheiten des Feldzuges brauchen uns nicht zu beschäftigen. Es wurde mit wilder Gier und Grausamkeit gekämpft,
die militärischen Züge waren häufig reine Sklavenjagden, auf
denen die Männer ermordet wurden, während die Frauen und
Kinder zu Tausenden unter den Hammer kamen und an den
Meistbietenden übergingen. Die Moriscos wurden nicht allein
betroffen, denn die Cortes klagten 1570 über die Verheerungen
und Ausschreitungen der Truppen auf ihren Märschen. Die
Feindseligkeiten zogen sich bis in die ersten Monate des folgenden
Jahres hin, und als sie aufhörten, war Spanien fast gänzlich
erschöpft. Die Befriedung war ebenso rauh wie der Krieg selbst.
Es war bei Hofe vorgeschlagen worden, die ganze Bevölkerung
nach den Bergen Nordspaniens zu verschicken, und Deza, der
böse Genius Granadas, kam jetzt auf diese Anregung zurück.
Auf sein Drängen hin wurde schon im Juni 1569 mit dem Albaycin begonnen. Es wurde kein Unterschied zwischen treuen
und aufständischen Bewohnern eingehalten. Die Männer wurden
in die Kirchen eingesperrt und dann außerhalb der Stadt
in das Hospital Real gebracht, um von da in Trupps, wie Galeerensklaven mit gebundenen Händen, und unter militärischer
Bedeckung ihre Reise anzutreten. Die Frauen durften einige

Zeit zurückbleiben, um ihre Sachen zu verkaufen, dann mußten sie folgen. So wurden 7000 oder 8000 Menschen weggeschafft, und selbst die Chronisten empfanden Mitleid bei der Schilderung des Elends und der Verzweiflung dieser von der Heimat losgerissenen und in die ungewisse Zukunft gestoßenen Leute. Viele starben unterwegs an gebrochenem Herzen, Verzweiflung oder Hunger oder wurden von ihrer Bedeckung niedergemacht oder geraubt und als Sklaven verkauft. Wir erfahren, daß die Christen aus der Angst erlöst wurden, allein es sei traurig anzusehen gewesen, wieviel Gut dabei vernichtet wurde und wie Öde eintrat da, wo Leben und Regsamkeit geherrscht hatte.

Wie in der Stadt Granada wurde allgemein vorgegangen, ein Bezirk nach dem andern kam daran. Philipp erteilte am 25. Oktober 1570 Don Juan endgültige Weisungen für die Verschickung von allen, und bezeichnete die Gaue, in die sie gebracht werden sollten — bis nach Leon und Galicien. Die Familien sollten nicht getrennt werden, in Trupps von 1500 Männern mit ihren Frauen und Kindern sollten sie wandern, mit einer Bedeckung von 200 Mann zu Fuß und 20 zu Pferde, unter einem Transportführer, der die Namen der ihm Anbefohlenen verzeichnete, für Verpflegung sorgte und die Leute in ihre Bestimmungsorte verteilte. So geschah es. Don Juan schreibt am 5. November an Ruy Gómez aus Guadix, daß der letzte Schub an dem Tage von dort abgegangen sei; es sei das kläglichste Ding in der Welt, denn es sei so viel Regen, Wind und Schnee gewesen, daß die Mutter die Tochter, die Frau den Gatten und die Witwe ihr Kind auf dem Wege verlieren werde. Diese Entvölkerung des Landes, fügte er hinzn, sei unstreitig das Bedauerlichste, das man sich vorstellen könne. Es war noch bedauerlicher in gewissen Bezirken, wo die zuchtlose Soldateska des Geleits plünderte, mordete und die Frauen und Kinder auf den Sklavenmarkt brachte. Das war das Ergebnis der Versprechungen, die Ferdinand und Isabella achtzig Jahre vorher gegeben hatten. Soweit sich ermessen ließ, war Granada frei von Moriscos. Auf einem Auto von 1593 erschienen 81 Judaisten, aber nur ein des Islams Geziehener.

Mit der Verschickung waren die Leiden der Moriscos noch nicht zu Ende. Der venezianische Gesandte Leonardo Donato erzählt als Augenzeuge, nachdem sie unterwegs viele verloren, seien sie von einem Concejo de poblaciones, einer An-

siedlungsbehörde, gemäß einem eingehenden, in 23 Abschnitten
gefaßten Edikt vom 6. Oktober 1572, das ihre Daseinsberechtigung regelte, auf ihre neuen Wohnplätze verteilt worden, unter
Christen verstreut, unter beständiger Aufsicht, wie Leibeigene
an die Scholle gebunden. Sie durften bei barbarischen Strafen
keine anderen Waffen führen als ein stumpfes Messer, ihre Kinder
sollten soweit möglich in christlichen Familien erzogen werden
und Lesen, Schreiben und die christliche Religion lernen. Die
Pragmática von 1566 wurde für anwendbar erklärt, ihr Verbot
des Arabischen so weit verschärft, daß dessen mündlicher Gebrauch
im eigenen Hause bei der ersten Übertretung 30, bei der zweiten
60 Tage Kettenhaft und bei der dritten 100 Hiebe und vier
Jahre Galeeren nach sich zog. Gegen diese Vorschrift wandte
sich sogar der keineswegs duldsame Rat der Stadt Córdova und
bat um eine gelinde Handhabung, der Alcalde erklärte jedoch,
daß ihm keine Wahl bleibe.

Trotz dieser Beschränkungen und der plötzlichen Entfernung
aus den gewohnten Verhältnissen, landfremd und mittellos,
brachten die Verschickten es durch ihren rastlosen Fleiß bald
dahin, daß sie den Neid ihrer trägen Nachbarn erregten. Cervantes kennzeichnet sie in seinem „Gespräch der Hunde" als
ein langsames Fieber, das ebenso verderblich wirke wie ein heftiges, und damit spricht er aus, was der Spanier jener Zeit
empfand, für den nur der Heeres-, Staats- und Kirchendienst
ehrbar war und der als Konsument verächtlich auf den Produzenten herabsah, dem er den Ertrag seiner Arbeit mißgönnte.
Der Neid fand einen Ausdruck 1573 in einem Ersuchen der Cortes
an Philipp, daß jenen die Betätigung als Baumeister oder Unternehmer verboten und die Ämter und Richterstellen verschlossen
bleiben möchten. Kaum zehn Jahre nach der Verschickung
klagte ein amtlicher Bericht über die Zunahme der Moriscos,
die sich vermehrten, weil sie nicht in den Krieg zögen und nicht
in den geistlichen Stand träten; sie arbeiteten so rege, daß sie,
die keine Handbreit Boden besaßen, nun wohlhabend und zum
Teil reich seien, so zwar, daß, wenn das noch zwanzig Jahre so
voranginge, die Eingeborenen ihre Diener würden. Und so geht
es weiter. 1587 hebt der Bischof von Segorbe, Martin de Salvatierra, bei einer Aufzählung der üblen Taten der Moriscos hervor, daß die Verschickten von Granada in Kastilien bereits

Steuerpächter geworden seien und ihre Bürgschaft in bar leisteten,
daß einzelne in Pastrana, Guadalajara, Salamanca und anderen
Orten auf 100000 Dukaten geschätzt würden; wenn der König
nicht zusehe, würden sie die Altchristen bald an Reichtum und
Zahl übertreffen. Die Cortes von 1592 wiederholen die früheren
neidischen Beschwerden gegen die Verbannten, weisen auf ihre
Beherrschung des Handels und ihren Reichtum hin, der ihnen
gestatte, die geistlichen und weltlichen Gerichte zu beeinflussen,
sowie auf ihre offene Mißachtung der Religion. Darauf werden
die Vorschriften von 1572 wieder in Erinnerung gebracht. Es
nutzt nichts, die Moriscos gedeihen weiter, indem sie dem friedlichen Erwerb nachgehen und nicht in den Krieg ziehen. Dasselbe
Lied singt 1602 der Erzbischof Ribera, der neben ihrer Strebsamkeit ihre Genügsamkeit erwähnt, die ihnen gestattet, für
weniger als den Unterhaltsbedarf eines Altchristen zu arbeiten,
so daß sie überall gesucht seien; und nicht nur die gewöhnliche
Arbeit, auch Handel und Gewerbe zögen sie an sich. Der so
geäußerte Neid wirkte später wesentlich mit zur endgültigen
Austreibung.

Nicht alle Verbannten lebten friedlich. Um 1577 kamen
Klagen über sieben oder acht Räuberbanden von Moriscos, die
Schrecken in ihren Gauen verbreiteten. Hornachos bei Badajoz
war ein Sammelpunkt von Moriscos; für 30000 Dukaten hatten
sie von Philipp das Recht zum Waffentragen erkauft; sie unterhielten eine Falschmünzerwerkstätte mit dreizehn Arbeitern, und
durch geschickte Bestechung der Gerichte sicherten sie ihren
Verbrechern Straflosigkeit. 1586 ging die Inquisition von Llerena
gegen sie vor, allein dies wirkte nur vorübergehend. 1608 wurde
daher einer der wegen ihrer Strenge bekannten Alcaldes de Corte
gegen sie ausgesandt. Er fand in der Gegend 83 Leichen von
Ermordeten, ließ zehn Ratsmitglieder und den Scharfrichter
hängen, sandte 170 Leute auf die Galeeren, ließ eine Anzahl
stäupen und schuf auf diese Weise Ordnung bis zur Austreibung.

Anders als in Kastilien war die Lage der Moriscos in den
Ländern der aragonischen Krone, wo sie meist als Hintersassen
auf adligen Gütern lebten und das D o m i n i u m u t i l e ausübten, während der Herr das D o m i n i u m d i r e c t u m hatte.
Ihre Leistung bestand in Bargeld, Naturalien oder Frondiensten,

und es wird berichtet, daß man aus ihnen doppelt soviel wie
aus den Christen herauspressen konnte. Daher der Satz: „Je
mehr Mauren, um so besser", daher auch das Interesse des Adels,
sie gegen Eingriffe von außen zu schützen, was er auch um so
eher vermochte, je wirksamer er die alten Fueros verteidigte.
Schon 1495 erlangten die Cortes von Tortosa von Ferdinand die
Zusage, daß die Mauren aus Katalonien niemals ausgetrieben
werden sollten; die von Barcelona ließen sich dies 1503 bestätigen,
und die von Monzon 1510 verschafften den Mauren Bürgschaften
gegen Zwangsbekehrungen und für ungehinderten Verkehr mit
den Christen, was Karl V. 1518 feierlich beschwören mußte. So
konnten die Mauren wie ihre adligen Herren unbesorgt um
die Zukunft sein.

Die Inquisition ließ sich es ebensowenig wie anderswo nehmen,
gegen die Mauren vorzugehen, obschon diese, da nicht getauft,
ihrer Gerechtsame nicht unterstanden. Schon 1497 verbot sie
das Tragen maurischer Kleider, was zu dem erwähnten Zwischenfall von Serra führte (s. Bd. I, S. 115), der mehreren Bewohnern
dreijährige Gefangenschaft und Güterverlust verursachte.

Nach der Zwangsbekehrung der kastilischen Mauren wollte
das aragonische Gericht unbefugterweise die Taufe mittelbar oder
unmittelbar erzwingen. Ferdinand hielt es durch einen strengen
Verweis davon ab, nachdem 1508 die Großen sich bei ihm beschwert hatten, und befahl die Freilassung aller in diesem Zusammenhang schon Verhafteten und die gütliche Zurückführung
der aus Angst vor der Taufe Entflohenen. Ebenso handelte er
1510, nachdem einige Mauren zwangsweise bekehrt worden waren
und daraufhin Frauen und Kinder sie verlassen hatten; es sollte
diesen erlaubt werden, zurückzukehren, und es sollte kein Druck
wegen der Taufe auf sie ausgeübt werden. Ferdinand wußte
recht wohl, wann er die aragonischen Fueros beobachten sollte.

Diese Zwischenfälle zeigen, daß die Grenze des friedlichen
Zuredens manchmal überschritten wurde, daß jedoch eine Bewegung zur Erreichung freiwilliger Übertritte im Gange war und
Aussichten auf das heißersehnte Ziel der Glaubenseinheit bot.
Ein getaufter katalanischer Alfakí, Jakob Tellez, der schon
mehrere Gemeinden dem Christentum gewonnen hatte, erhielt
von Ferdinand die Erlaubnis, frei im Lande umherziehen zu
dürfen, um die Aljamas zu versammeln, die erscheinen und ihm

zuhören mußten. So erreichte er um die Jahrhundertwende eine
Reihe Massenbekehrungen. Diese konnten nicht gründlich sein,
es gab Rückfälle, und Karl V. hielt 1519 für gut, die Rückfälligen gegen die Inquisition in Schutz zu nehmen und ihnen
die Aussöhnung ohne Güterverlust zu ermöglichen.

Valencia hatte die größte und dichteste Maurenbevölkerung.
Dorthin richtete sich der Bekehrungseifer und die Inquisitionstätigkeit. Ein einflußreicher Alfakí, der übertrat und Priester
wurde, widmete sich unter dem Namen Maestro Mossen Andrés
der Bekehrung seiner Brüder. Er schrieb eine Widerlegung des
Korans, die gedruckt wurde.[1] Der Flecken Manices ist anscheinend ganz übergetreten, denn 1519 wurden dort unter einem
Gnadenedikt 230 Moriscos wegen Rückfalls ausgesöhnt und, wohl
ohne Güterverlust, lediglich mit Kirchenstrafen belegt, jedoch
nicht ohne die üblichen Unfähigkeiten. Es muß aber keine geringe, grausame Vorarbeit mit diesen Aussöhnungen zusammen-
hängen, denn von den i. J. 1519 Betroffenen werden nicht weniger
denn 32 Frauen als Witwen oder Töchter von Verbrannten bezeichnet.[2] So wurden diejenigen abgeschreckt, die man um der
Glaubenseinheit willen anziehen wollte. Indes erhielt das Bekehrungswerk einen unerwarteten Anstoß durch den Aufstand
der Germanía oder Bruderschaft, einer Erhebung [des Volkes
gegen den Adel, die in ihren friedlichen Anfängen die Billigung
Karls V. und seines Vertreters Kardinals Hadrian gefunden hatte,
aber bald in einen Bürgerkrieg ausartete.

Den Adel unterstützten seine maurischen Hintersassen, die

---

[1] Das Werk wurde in der Folge verboten. Trotzdem bat 1587 Bischof
Salvatierra von Segorbe den König um die Erlaubnis zu einem Neudruck für
die Benutzung durch die unter den Moriscos wirkenden Geistlichen (Boronat
I, 614).

[2] Archivo hist nac., Inq. de Valencia, Leg. 88. — Siehe im Anhang die
Tabelle mit den sämtlichen von 1455—1592 durch das Gericht Valencia behandelten Fällen. Im 15. Jahrhundert müssen die Opfer fast ausschließlich
Judaisten gewesen sein, dann kamen allmählich Moriscos darunter, allein die
Lücken in dem 5., 6. und 7. Jahrzehnt, in denen die Moriscos von der Inquisition befreit waren, zeigen, daß die Judaisten tatsächlich verschwunden
waren, ausgenommen die 1544/46 wegen Widerrufs des Geständnisses Verurteilten (s. oben S. 155). Es wird auch eine unvollständige Tabelle der
„Auslieferungen" mitgeteilt; die Zahlen lassen die wechselnde Regsamkeit
der Inquisition um die Zeit erkennen.

einen Hauptbestandteil der Streitkräfte ausmachten, mit denen
der Herzog von Segorbe im Juli 1521 die Siege von Oropesa
und Almenara erfocht, und unter dem Herzog von Mendoza ein
Drittel der Fußtruppen bei der verhängnisvollen Niederlage von
Gandía am 25. Juli bildeten. Um den Adel zu schädigen, ließen die
Führer der Germanía die Mauren zwangsweise taufen, so daß
diese als Christen freie Leute wurden. Eine Untersuchung von
1524 ergab, daß die „Agermanados" auf einem Zuge zwischen
Valencia und Oliva die Mauren eingeschüchtert und ihnen nur
die Wahl zwischen Taufe und Tod gelassen, ihren Befehlen auch
durch einen gelegentlichen Mord Nachdruck verliehen hatten.
So kam es, daß die hilflosen Mohammedaner ihr Heil am Taufbecken suchten. Von einer Belehrung oder einer Erkundigung,
wie weit die Täuflinge über die ihnen aufgezwungene Religion
unterrichtet seien, war keine Rede: sie wurden haufenweise mit
Weihwasser, oder wenn kein solches zur Hand war, mit Wasser
aus dem nächsten Bach besprenkelt. Das einzig Versöhnliche
an dem Vorgang ist, daß häufig Mauren einen Versteck bei
Christen fanden, woraus hervorgeht, daß der Rassengegensatz
allmählich verschwand und ganz aufgehört hätte, wenn die Dinge
ihren natürlichen Lauf behalten hätten.[1]

Es wurde versucht, die Moscheen in Kirchen umzuwandeln.
Hier und da fand eine Weihe statt, vielfach begnügte man sich,
ein Bild mit Christus oder Maria am Tor anzubringen. Gelegentlich wurde Gottesdienst gehalten, die Neophyten erschienen
dazu mehr oder weniger regelmäßig, ihre Anhänglichkeit an ihren
neuen Glauben hielt jedoch nur so lange an wie ihr Schrecken,
einige Wochen oder Monate, bald verrichteten sie wieder ihre gewohnten Gebete in der Moschee. Die Großen billigten meist
diese Handlungsweise, weil die erzwungene Taufe ungültig sei.
Eine Anzahl Mauren benutzte die Gelegenheit zur Auswanderung
nach Afrika, und man schätzt die Zahl der Häuser, die sie
leer ließen, auf 5000, was einer Abnahme von 25 000 Seelen
entspräche.

Die Inquisition nahm sich der Zwangsbekehrten in ihrer Weise
an, und der Inquisitor Churruca von Valencia zögerte nicht, ihre

---

[1] Ms. Informacio super Conversione Sarracenorum. Ich besitze die Urschrift hiervon.

Taufe für gültig zu erklären. Schwierigkeiten verursachte die
Feststellung, wer getauft sei, denn bei der Hast wurden darüber
keine Bücher geführt. Wo ein Priester Aufzeichnungen gemacht
hatte, forderte Churruca sie ein; 1523 sammelte er Aussagen
von Augenzeugen, es gelang ihm auch, Apostaten zu entdecken
und zu verfolgen, indes war keine Neigung, sie hart zu behandeln.
Kardinal Hadrian scheint eine Politik der Duldung aufgenommen
zu haben, und nach seiner Papstwahl konnten die Fürsprecher
der Moriscos sich auf die Wohltat eines Dispenses berufen.

Die Lage war heikel. In Kastilien, wo die Wahl nur zwischen
Taufe und Auswanderung gelautet hatte, galten sämtliche Moriscos als getauft und mußten die Folgen davon tragen. Dagegen hatten in Valencia die Agermanados nur einen Teil des
Gebietes in ihrer Gewalt gehabt, dort hatten sie bei weitem
nicht alle getauft und es hielt schwer, festzustellen, wer es wirklich war. Sobald wie möglich kehrten alle zu ihrem früheren
Glauben zurück und der König war durch einen feierlichen Eid
verpflichtet, keinen Zwang zuzulassen. Das einfachste war, das
Werk durch Bekehrung der gesamten Maurenbevölkerung zu
vollenden, wobei man die Zustimmung des Adels durch Gewähr-
leistung seiner Rechte und durch Verbot der Freizügigkeit
für die Mauren gewonnen hätte. Es erschienen auch Missionare,
die ihre Überredungskunst versuchten, und drei Jahre lang be-
tätigte sich Br. Antonio de Guevara mit Disputieren in den Aljamas, Predigen in den Morerías und Taufen in den Häusern.
Doch der Erfolg entsprach nicht den Bemühungen, und es blieb
noch festzustellen, ob die gewaltsam Getauften unter die Gerechtsame der Inquisition fielen.

Das vierte Konzil von Toledo hatte im 7. Jahrhundert die
Zwangstaufe für verkehrt, aber unauslöschlich erklärt (s. Bd. I,
S. 22). Immerhin wurde noch erörtert, was unter Zwangstaufe
zu verstehen sei. Bonifaz VIII. nahm zwar an, daß voller Zwang
die Betroffenen der kirchlichen Gewalt wieder entziehe, umschrieb
indes den Begriff dahin, daß Todesfurcht nicht als Zwang aufzufassen sei. Die scholastische Theologie unterschied zwischen
absolutem und bedingtem oder interpretativem Zwang; erzwun-
gener Wille sei doch Wille, und absoluter Zwang wurde nur
mehr darin erkannt, daß jemand mit gebundenen Händen und
Füßen getauft wurde und sich dabei gegen die Handlung ver-

wahrte; nur dann sollte sie ungültig sein. Das war die ständige Übung der Kirche, obwohl einzelne hervorragende Gelehrte die Gültigkeit des Sakraments unter Zwangsumständen verneinten, jedoch mehr akademisch, denn die Kirche setzte die Zustimmung voraus und zwang die sogenannten Bekehrten zur Beobachtung der ihnen auferzwungenen Religion.[1]

So wurde es unvermeidlich, daß die Konvertiten der Germanía die Verantwortung der Christen auf sich nehmen mußten. Karl V. war zu dieser Politik entschlossen und hatte schon Klemens den V. um Entbindung von seinem Eide gebeten, der ihn zwang, den Mauren das Christentum nicht aufzudrängen. Das Vorgehen des Inquisitors Churruca indes erregte Murren, und man hielt für gut, anstandshalber eine Untersuchung vorzunehmen, und zwar nach einem Anlauf, sie durch den Gouverneur von Valencia leiten zu lassen, in größerem Stile unter dem Vorsitz des Großinquisitors durch eine Kommission, die dem Adel Achtung gebieten konnte, für den der Verlust seiner Mauren durch die Taufe eine schwere Schädigung bedeutete. Das Ergebnis der Untersuchung stand jedoch von vornherein fest: Großinquisitor Manrique gebot den Inquisitoren, sich über die „Rückfälligkeit" der Mauren zu unterrichten, und besondere Kommissare wurden zur Aushilfe bei den Erhebungen nach Valencia gesandt. Auf einer im November 1524 begonnenen Wanderuntersuchung wurden 128 Zeugen gemäß einem von Manrique aufgesetzten Fragebogen verhört; es ergab sich zweifelsfrei, daß die Unterwerfung vor der Taufe unter dem Einfluß eines tödlichen Schreckens geschehen war. Die kühlen Protokolle ergänzte der Gerichtsfiskal Fernando Loazes, der künftige Erz-

---

[1] Die Leichtigkeit, mit der in diesen Dingen die Kirche ihre Theorien den vollendeten Tatsachen anpaßte, ergibt sich aus der „Summae Casuum Conscientiae" (Lib. II, cap. XXI) des Kardinals Toletus. Nachdem er erklärt, daß mit Bezug auf die Taufe von Erwachsenen drei Dinge notwendig seien: Absicht, Glaube und Reue über begangene Sünden, fährt er fort: „Haec autem non eodem modo sunt necessaria. Intentio namque ita est necessaria ut si desit actualis vel virtualis, non sit baptismus. Unde fit ut qui renuens invitus baptizatur, non sit vere baptizatus; si tamen interius consentit, quamvis metu et vi, tunc baptizatus est et recepit characterem, sed non gratiam; cogendusque est ut maneat in fide Christiana." Der Zwangsbekehrte wurde somit mit der Verantwortung aus der Taufe getroffen, während ihm die aus ihr fließenden geistlichen Vorzüge verweigert wurden.

bischof von Valencia, durch eine scholastische Abhandlung, in
der er keinen Versuch macht, die Taufe als freiwillig hinzu-
stellen, und zugibt, daß die Anwendung von Gewalt ein straf-
würdiges Verbrechen sei, jedoch an der Wirksamkeit der Taufe
festhält und erklärt, so erzeuge Gott aus Bösem Gutes. Die
Mauren seien aus der Verderbnis und der Knechtschaft des
Teufels gerettet worden, zum allgemeinen Vorteil, deshalb müßten
sie gezwungen werden, zum katholischen Glauben zu stehen, und
wer sie in der Apostatie erhalte, sei als Förderer und Verteidiger
der Ketzerei zu verfolgen; alle Doktoren stimmten überein, daß
bei Gefahr für die Ansteckung des Glaubens der Fürst die Reli-
gionseinheit erzwingen oder die Ungläubigen ausweisen könne.

Dieser Bericht wurde einer achtunggebietenden Versammlung
der königlichen Räte, der Militärorden und einer Gruppe Theologen unter Manriques Vorsitz unterbreitet. Es herrschte keine
Einstimmigkeit, denn es wurde 22 Tage beraten, und die Theologen mit dem hervorragendsten Kanonisten Spaniens, Jaime
Benet an der Spitze, leugneten die Wirksamkeit der Taufe; und
trotzdem ging der Beschluß dahin, da die Neophiten keinen
Widerstand geboten und keinen Einspruch erhoben hätten,
müßten sie, willig oder nicht, beim Glauben bleiben. Am
23. März 1525 wohnte der Kaiser einer Sitzung bei, in der Manrique ihm den Beschluß mitteilte, den er genehmigte und für
dessen Ausführung am 4. April eine Verfügung erging, die sich
auf die erzielte Einstimmigkeit der Versammlung berief und die
getauften Mauren für Christen erklärte; ihre Kinder waren zu
taufen und eine Kirche, in der Messe gelesen worden war, durfte
nicht mehr als Moschee dienen.

Diese folgenschwere Verkündigung, die für die Schicksale der
Moriscos entscheidend war, wurde alsbald mit großer Feierlichkeit in Kraft gesetzt; den Apostaten wurden dreißig Tage gesetzt, binnen denen sie sich noch melden konnten, ohne Leben
und Gut zu verlieren. Es war indes kaum beabsichtigt, diese
Drohung in die Wirklickkeit überzusetzen. Die Apostaten waren
vielleicht im Verhältnis von einem Zehntel zu den Ungetauften
und von diesen schwer zu unterscheiden. Die Kommissare reisten
indes umher, um Listen von den Rückfälligen für eine spätere
Verfolgung aufzustellen. Sie fanden deren so viele, daß Mäßigung
angezeigt schien und der Papst deshalb angerufen wurde. Darum

erließ Klemens VII. 1525 auf Ersuchen Karls ein Breve, das die Rückkehr in den Schoß der Kirche ohne schwere Strafen und Unfähigkeiten ermöglichte.

Es half wenig. Die 10 000 oder 15 000 von den Agermanados getauften Moriscos mochten sich der vom Papst empfohlenen „wohlwollenden Härte" nicht aussetzen und flüchteten in die Sierra de Bernia, wo die Adligen nicht nur sie nicht vertrieben, sondern ihnen hehilflich waren, in der Hoffnung, daß Karl noch von seinem Vorhaben abstehen würde. Doch dieses Verhalten erregte seinen Ärger und er wies die Großen an, sich auf ihre Länder zu begeben und ihre Hintersassen zu guten Christen zu machen. Nach längeren Vorbereitungen wurden die Flüchtlinge in der Sierra de Bernia angegriffen; sie hielten sich vom April bis zum August, wo sie sich gegen das Versprechen der Straflosigkeit ergaben. Sie wurden übrigens gut behandelt. Die Inquisitionskommissare waren schon daran, ihre Tätigkeit als fruchtlos aufzugeben, als Karl V. schrieb, nach dem Siege von Pavia könne er seine Dankbarkeit gegen Gott nicht besser bezeigen als durch den Entschluß, die Ungläubigen in seinem Lande zur Taufe zu zwingen. Deshalb wurden die Kommissare verstärkt, während Karl durch Klemens VII. von seinem Eide von 1518 entbunden wurde. Dies wurde jedoch noch geheimgehalten.

Das Breve Klemens' ist vom 12. Mai 1524. Da der Kaiser in Valencia, Katalonien und Aragon viele maurischen Untertanen habe, mit denen die Gläubigen nicht ohne Gefahr verkehren könnten, und jene für ihre Brüder aus Afrika kundschafteten, solle er die Inquisition anweisen, ihnen zu predigen, und wenn sie sich als verstockt erwiesen, ihnen eine Frist zu setzen, nach der sie bei Strafe ewiger Sklaverei ausgetrieben werden könnten. Die Zehnten, die sie nie gezahlt hätten, sollten in Zukunft ihren Herren zufließen als Ersatz für die Verluste infolge der Austreibung, unter der Bedingung, daß die Herren für die Kirchen und den Gottesdienst sorgen, während die Einkünfte der Moscheen zur Stiftung von Pfründen verwendet würden. Karl wurde dann in aller Form seines Eides von 1518 enthoben, er erhielt alle Vollmachten für die Ausführung des vorstehenden, und die Inquisitoren weitgehende Befugnisse, um jeden Widerstand zu brechen, trotz allen entgegenstehenden apostolischen Konstitutionen oder Landesgesetzen.

So hatte Karl freie Hand trotz Gesetz und Eiden. Er wartete
noch achtzehn Monate, wohl damit die Erregung in Valencia
aufhöre, dann verkündigte er im September 1525 dem Adel seinen
Entschluß, keine Mauren oder Ungläubigen in seinen Landen zu
dulden, es sei denn als Sklaven; er erkannte an, daß die Austreibung die Interessen des Adels schädigen würde und ersuchte
ihn daher, mit den Kommissaren für die Bekehrung und Unterweisung der Mauren zu wirken. Ein kurzer Aufruf an die Mauren
gab diesen den gottgegebenen Entschluß und den Wunsch nach
ihrem Heile kund, weshalb sie sich der Taufe zu unterwerfen
hätten; täten sie es, so würden sie die Freiheit der Christen genießen; wenn nicht, würde der König andere Mittel finden. Diese
Drohungen und Versprechungen wurden ihnen in einer nachdrücklichen Verkündigung wiederholt; sie wurden gewarnt, die
Bekehrungen nicht zu stören und die Bekehrten nicht zu be-
leidigen, bei Strafe von 5000 Dukaten und dem königlichen
Zorne. Nebenher gab er der Königin Germaine, Statthalterin
von Valencia, Weisungen für die Unterrichtung der Übergetretenen
im christlichen Glauben.

Die Kommissare, die volle Inquisitorenvollmachten besaßen,
gaben die Erlasse des Kaisers bekannt und setzten eine Gnadenfrist von acht Tagen, nach der die neue Ordnung in Kraft treten
sollte. Die erschreckten Aljamas sandten zwölf Alfakís an den
Hof; sie waren mit 50000 Dukaten versehen, um einflußreiche
Persönlichkeiten zu gewinnen. Zwar erreichten sie fürs erste
nichts, in der Folge jedoch kam eine Concordia zustande, die
wie immer ein Trugbild war.

Karl gab den Behörden seinen Erlaß mit der Andeutung zur
Kenntnis, daß das päpstliche Breve alle von ihm beschworenen
Fueros und Privilegien aufhebe, und daß die Ortsbehörden bei
Strafe von 4000 Gulden den Inquisitoren gänzlich zu Diensten
sein müßten. Darauf erging am 25. Nov. der allgemeine Austreibungserlaß gegen die Mauren, mit einer Frist bis 31. Dez. für Valencia und 31. Jan. 1526 für Katalonien und Aragon. Wie 1502
wurde keine Befreiung wegen Bekehrung zugesagt, allein die
Hindernisse, die den Abziehenden in den Weg gelegt wurden, zeigten das wahre Ziel. Die Valencianer hatten Pässe in Sieteaguas an
der Grenze von Cuenca zu lösen und sich von da nach Coruña
zur Einschiffung zu schleppen, bei Strafe von Güterverlust und

Verfall in die Sklaverei; die Adligen, die sie zu bergen versuchen
würden, wurden mit 5000 Dukaten für jeden einzelnen Fall bedroht. Zugleich wurde ein päpstliches Breve veröffentlicht, das
bei Strafe des Bannes allen Christen gebot, bei der Ausführung
der kaiserlichen Verordnungen behilflich zu sein, und allen Mauren,
ohne Widerrede der Verkündigung des Evangeliums zu lauschen.
Indes verfügte ein anderes Edikt, daß die Mauren bis zum 8. Dezember getauft oder zum Auszug bereit sein müßten, so daß der
Übertritt doch vor der Verbannung retten konnte. Nun machte
die Inquisítion bekannt, daß sie zu handeln bereit sei, und verkündigte furchtbare Strafen gegen alle, die ihr ihre Hilfe ver-
sagen würden wider diejenigen, die hartnäckig die süße Frucht
des Evangeliums ablehnten und den wohlwollenden Absichten des
Kaisers widerständen.[1]

Als die Alfakís den Fehlschlag ihrer Sendung meldeten, unterwarf sich die Masse der valencianischen Mauren der Taufe.
Antonio de Guevara, voran im Bekehrungswerk, rühmte sich, für
sich allein 20 000 Familien getauft zu haben. Die Moriscos erklärten jedoch in der Folge, diese Massenarbeit sei dadurch bewirkt worden, daß man sie zusammenpferchte und mit Wasser
besprengte, wobei manche sich niederduckten und andere riefen:
„Ich habe kein Wasser bekommen." Sie ließen sich das antun,
weil ihre Alfakís ihnen erklärt hatten, Täuschung sei erlaubt, sie
brauchten nicht an die ihnen aufgezwungene Religion zu glauben.[2]

---

[1] Boronat (I, 157) behauptet, der größte Teil der valencianischen Mauren
habe sich in Coruña eingeschifft, während viele aus anderen Teilen Spaniens
sich über Biscaya nach Frankreich wandten; allein er gibt keine Belege hierfür an, und zeitgenössische Schriftsteller sagen nichts von einer solchen Abwanderung, und die Statistik und der Gang der Ereignisse zeigen, daß mit
Ausnahme der nach der Berberei Entkommenen tatsächlich die gesamte
Moriscobevölkerung zurückgehalten wurde.

[2] Guevara, Epistolas familiares, S. 543. — Bleda (Defensio Fidei S. 125)
behauptet, Guevara übertreibe; es seien 1573 in Valencia nur 19 801 Morisco-
familien gewesen. — Es ist nicht leicht, die maurische Bevölkerung Valencias
genauer zu bestimmen. Eine eingehende Aufzählung für die drei aragonischen
Kronländer, von 1520 (nach Ansicht des P. Boronat jedoch bis 1550 ergänzt)
gibt die Zahl der Herde für die Altchristen auf 52 689 und für die Neuchristen
auf 31 815 an. 1582 schätzte der valencianische Inquisitor Ximénez de
Reynoso die Moriscobevölkerung auf 19 000—20 000 Familien, und um 1601
nahm Bischof Feliciano de Figueroa von Segorbe eine Zahl von etwa 460
moriskischen Niederlassungen mit 28 000 Herden und 120 000 Seelen an.

Viele versteckten sich, ein Teil flüchtete nach Benaguacil, das sich nach fünfwöchiger Belagerung ergab; die Sierra de Espadan wurde jedoch der Herd einer Empörung, die erst nach einem halben Jahre mit einer Metzelei endigte. Andere schlugen sich in die Sierra de Bernia und nach Guadalete und Confridas, und die meisten von diesen entkamen nach Afrika. Damit war Valencia befriedet und bekehrt, die Moriscos wehrlos, die Kanzeln ihrer Alfakís niedergerissen, die Koranbücher verbrannt. Befehle, sie in ihrem neuen Glauben zu unterrichten, ergingen in den Wind.

In Aragon hatte man vor den Edikten eine Ahnung, es herrschte Erregung. Die Mauren verließen Felder und Werkstätten, was eine Hungersnot befürchten ließ. Eine Denkschrift der Diputados an Karl berief sich auf seine und Ferdinands Eide und stellte ihm vor, daß alle Arbeit von den Mauren geleistet werde und davon die Einkünfte des Adels, der Kirche und der Witwen und Waisen abhingen, daß die Mauren tatsächlich die Sklaven der feudalen Herren seien und niemals Proselyten unter den Christen gemacht oder Ärgernis erregt hätten; daß sie weit genug von der Küste wohnten, um nicht durch ihre Verbindungen mit der Berberei gefährlich zu werden, überdies die Gesetze die Auswanderung mit Verfall in die Sklaverei bedrohten. Würde man sie ausweisen, so geriete das Land in Not, würde man sie bekehren, so könnten sie als freie Leute abziehen. Karls Antwort war ein Dekret, das am 22. Dezember 1525 in Saragossa verkündigt wurde und allen Mauren verbot, das Königreich zu verlassen und ihren Grundbesitz zu verkaufen, sowie ihre Moscheen und ihre öffentlichen Schlachtbänke schloß. Es kam zu einzelnen Empörungen, doch ohne ernste Folge. Der Zeitpunkt für die Austreibung wurde bis zum 15. März 1526 verschoben, weitere Aufstände, die inzwischen ausbrachen, wurden ohne Mühe unterdrückt, und die Mauren nahmen die Taufe an.

Die ganze Moriscobevölkerung war jetzt der Inquisition ausgeliefert, allein alles wies auf eine maßvolle Ausübung der Gewalt, bis jene im Glauben unterrichtet sei. Darum gebot der Supremo, sie demgemäß zu behandeln. Vielleicht erklärt sich dadurch, daß Valencia 1525 und 1527 keine Ketzerprozesse hatte, in den folgenden und dem dazwischenliegenden Jahre ließ jedoch die Tätigkeit nicht nach, ungeachtet der Befehle des Supremos und entgegen einer Concordia vom 6. Januar 1526, die allerdings erst 1528 verkündigt wurde. Sie war das Ergebnis jener Reise der Alfakís an den Hof; Großinquisitor Manrique war damit einverstanden, in Monzon wurde sie 1528 auf den Cortes bestätigt und sollte für alle aragonischen Kronlande gelten; als jedoch der Großamtmann von Valencia sie dort veröffentlichte, tadelte Manrique ihn deshalb. Die Art, wie sie ausgeführt wurde, beweist wieder die gewohnte Treulosigkeit gegen die Moriscos.

Die Concordia gab zu, daß man von den Neubekehrten die Aufgebung aller, mehr aus Herkommen denn mit Absicht befolgter Zeremonien nicht sofort erwarten könne und daß eine Verfolgung durch die Inquisition zu ihrer völligen Vernichtung führen müsse, weshalb ihnen, wie früher den Mauren von Granada, Befreiung von der Inquisition auf vierzig Jahre zugebilligt wurde. Ihre alten Kleider durften sie auftragen, neue mußten sie aber nach christlichem Schnitt anfertigen. Zehn Jahre durften sie sich der arabischen Sprache bedienen, in der Zwischenzeit aber mußten sie Kastilisch oder Valencianisch lernen. Neue Friedhöfe sollten für sie neben den in Kirchen umgewandelten Moscheen geweiht werden. Für die bestehenden Heiraten und Verlöbnisse sollten Verwandtschaftsdispense der päpstlichen Legaten gewährt werden, neue Verbindungen jedoch nur nach kanonischem Recht geschlossen werden. Das Ersuchen um das Recht zum Waffentragen wurde dahin beschieden, daß sie wie andere Christen behandelt würden, und ein anderes Ersuchen, daß sie nicht zum Einhalten der christlichen Feiertage gezwungen werden möchten, weil sie sonst die alten Tribute und Steuern nicht aufbringen könnten, sowie daß ihnen erlaubt werden möge, ihren Wohnsitz zu wechseln, erzielte die zweideutige Antwort, daß sie wie andere Christen, unbeschadet der Rechte Dritter, behandelt werden sollten. Es wurde ihnen gestattet, auf Königsland ihre Morerías als Genossenschaften fortbestehen zu lassen. Karl gewährleistete all das für sich und den Prinzen Philipp und gebot allen Beamten die Befolgung der Concordia unter Androhung seines Zornes und 3000 Dukaten Strafe.

Allein die Inquisition war sich selbst Gesetz und band sich an keinen Vertrag. Schon wenige Monate nach Verkündigung der Concordia ließ der Supremo allenthalben bekanntgeben, daß

sie sich nur auf geringfügige Bräuche beziehe, und daß maurische
Riten und Zeremonien als Rückfälle verfolgt würden; der Kaiser
sei damit einverstanden. Vorstellungen der aragonischen Großen
an Karl und Manrique beantwortete der letztere dahin, daß es
lediglich dem Wohl und Seelenheil der Moriscos gelte und alles
sich zum Guten wenden würde. Und die Hand Gottes, die sich
nach Manriques Bescheid auf die Moriscos legen sollte, war
schwer genug, denn 1531 schon hatte das Gericht Valencia
58 Ketzerprozesse mit etwa 37 Verbrennungen in Person, wohl
alle von Moriscos. Saragossa war etwas gnädiger, begnügte sich
mit Geldstrafen und hier und da Hieben und traf auch Anordnungen, um aus den Strafgeldern einen Priester für die Unterweisung der Bekehrten zu besolden. Indes ging die Inquisition
unbeirrt ihren Gang, und als die Cortes der drei Lande geltend
machten, daß nichts für die Unterrichtung der Moriscos geschehe
und keine Kirchen für sie gebaut würden, hatte Manrique nur
salbungsvolle Ausreden und Versprechungen.

In bezug auf die Gütereinziehungen setzte die Inquisition
sich über alle Gesetze hinweg. Nach valencianischem Recht
sollte Allodialland von Ketzern an die Krone, Feudalland an den
Lehnsherrn zurückfallen. Von Anfang an suchte die neue Inquisition
dies zu umgehen; 1488 wurde die Regelung durch Ferdinand bestätigt, der 1510 eine Entschädigung für die ungesetzlich weggenommenen Ländereien zusagte, und wieder 1533 machten die
Cortes von Monzon geltend, daß die Lehnsherren durch die
Gütereinziehungen an ihren Hintersassen betroffen würden, und
ersuchten um einen Vergleich wegen früherer Übertretungen des
Fueros. Die Antwort war zweideutig und ausweichend. Indes
sah sich Karl veranlaßt, 1534 in Saragossa eine Pragmática zu
erlassen, wonach bei Gütereinziehungen gegen Neubekehrte die
Grundstücke an die gesetzlichen katholischen Erben übergehen
sollten, unbeschadet der Interessen der Lehnsherren. Die Inquisition wußte sich zu helfen: anstatt der Gütereinziehungen ver-
hing Sarragossa Geldstrafen, die das Vermögen der Verurteilten
überstiegen und Verkäufe verursachten, bei denen die Opfer mitsamt ihren Verwandten in Armut gerieten. Und auf eine Beschwerde dawider erging die verächtliche Antwort: wer sich geschädigt fühle, möge sich an die Inquisition oder an den Supremo
wenden.

In Valencia war der Kampf noch härter. Der Supremo widerstand selbst dem Kaiser, der 1542 ein Gesetz zugunsten der
Grundherren erließ, und als auch das nicht half, scheint die
Hilfe Roms angerufen worden zu sein, denn ein Breve vom
2. August 1546 verfügte, daß auf wenigstens zehn Jahre und
darüber hinaus nach dem Belieben des h. Stuhles keine Gütereinziehungen und Geldstrafen gegen Moriscos verhängt werden
durften, womit die Inquisition tatsächlich eingestellt war. Alles
umsonst. Klagen der Cortes von 1547, 1552 und 1564, Philipp II.
möge den Großinquisitor veranlassen, das Fuero zu unterzeichnen,
bewirkten das gewünschte Versprechen des Königs und sonst
nichts, und 1564 gab der Supremo bestimmte Weisungen nach
Valencia, nur weiter Geldeinziehungen zu verfügen, unbekümmert
um das Privilegiengerede der Leute.   Endlich, 1571, kam ein
Vergleich zustande. Schon 1537 war ein Vorschlag, die Geldstrafen der Moriscos für 400 Dukaten jährlich abzulösen, abgelehnt worden.   Diesmal wurde er gutgeheißen.   Nach einer
königlichen Verfügung sollten diejenigen valencianischen Moriscos,
die zu einer jährlichen Ablösungssumme von 2500 Dukaten bei-
steuern würden, keine Gütereinziehung erleiden, und die Geldbußen durften 10 Dukaten nicht übersteigen. Damit war erreicht,
daß die Inquisition ein gesichertes Einkommen hatte, daß die
Moriscos vor dem tiefsten Elend bewahrt blieben, und daß der
Adel und die Kirche gegen die Veräußerung ihrer Ländereien
und die Verarmung ihrer Hintersassen geschützt waren. Für die
strengen Kirchenmänner war das Abkommen ein Greuel, eine
Aufmunterung der Ketzerei.   Erzbischof Ribera von Valencia
protestierte dagegen, Bischof Pérez von Segorbe focht es 1595
an, worauf Philipp II. erwiderte, daß es für die Zeit, die für die
Unterweisung der Moriscos in Aussicht genommen sei, in Kraft
bleiben sollte. Die Inquisition ergänzte unterdes ihre Einnahmen,
indem sie von dem ihr verbleibenden Rechte zur Verhängung
von Geldstrafen so reichlich wie möglich Gebrauch machte und
sich auch nicht immer mit 10 Dukaten begnügte (s. oben S. 47).

Nach dem Erlaß der Concordia nahm ihre Tätigkeit ab, gegen
Ende des Jahrhunderts war sie indes wieder in vollem Gange,
und die Jahre 1591 und 1592 brachten in Valencia 291 und 117
Fälle. Dann hören die Aufzeichnungen auf. Die Strenge dürfte
jedoch nicht nachgelassen haben, denn bei einem Auto von 1604

kamen 28 Abschwörungen d e l e v i , 49 d e v e h e m e n t i , 8 Aussöhnungen und 2 Verbrennungen vor; in allen bis auf einen Fall
handelte es sich um Moriscos. Bei einem anderen von 1607 erschienen 33 Moriscos, deren einer verbrannt wurde, und 6, deren
Fälle suspendiert wurden; in den Prozessen wurde 15 mal gefoltert. Die Ungleichmäßigkeit in der Zahl der Fälle rührt wohl
daher, daß das Gericht hier und da die Hand auf ein Morisco-
dorf legte, dessen Einwohner im Herzen alle Moslim waren.
1589 und 1590 ergab die kleine Siedlung Mislata bei Valencia
etwa 100 Fälle, und von dem Flecken Carlet wird berichtet,
daß dort in 240 Haushaltungen der Ramadhan gefeiert wurde.
Wenn die Akten auf eine gewisse Mäßigung der Inquisition
schließen lassen, die ja alle Moriscos hätte ergreifen können, so
ist das wohl daraus zu erklären, daß dank einem geheimen
System von Ablösungen und Bestechungen Straflosigkeit erkauft
werden konnte. Das zeigt folgender Fall.

Aus dem einflußreichen Hause der Abenamir von Benaguacil
wurden 1567 drei Brüder verfolgt. Wegen der Wichtigkeit des
Falles wurde für den Haftbefehl die Bestätigung des Supremos
eingeholt. Die Verfolgten flohen, einer von ihnen, Don Cosme,
meldete sich jedoch Anfang 1568. Es liegen nur die Akten von
seinem Prozeß vor, die Verhandlungen gegen die beiden andern
mögen einen ähnlichen Verlauf genommen haben. Don Cosme
bekannte, daß er annehme, er sei als Kind getauft worden, daß
er sich jedoch für einen Moslem gehalten und danach gelebt
habe, wenngleich er äußerlich den Vorschriften der Kirche gefolgt
sei. Er wolle aber in Zukunft als Christ leben. Der Prozeß zog
sich bis Mitte Juli hin, wo er in Anbetracht der Überfüllung der
Kerker angewiesen wurde, die Stadt als sein Gefängnis zu betrachten und 2000 Dukaten Bürgschaft zu stellen.

Trotzdem konnte er nach Madrid reisen und für sich und
seine Brüder gegen 7000 Dukaten die Gnade des Königs, des
Großinquisitors und des Supremos erkaufen. Sein Einfluß machte
sich auch beim Erlaß der Concordia von 1571 geltend. In demselben Jahre forderte das Gericht ihn aus Madrid wieder ein,
der Supremo nahm ihn indes in Schutz, und als er schließlich in
Valencia erschien, erkannte das Gericht den Gnadenbrief für ihn
und seine Brüder an und erklärte, nichts mehr mit ihnen zu
tun zu haben. Das verhinderte nicht, daß 1577 der Supremo

ohne abermalige Voruntersuchung das Gericht unter Einsendung
der Akten aufforderte, aufs neue gegen sie zu verhandeln und
ihm behufs Entscheidung zu berichten. Um diese Zeit scheint
Don Cosme verarmt gewesen zu sein. In der Verhandlung berief
er sich auf seinen Gnadenbrief, worauf ihm bedeutet wurde, wenn
dieser gültig sein sollte, müsse er seine früheren Irrtümer abschwören und ein volles Geständnis ablegen. Er bekannte schließlich, seine Mutter habe ihn in seinem zwölften Jahre gelehrt, die
Sela ausüben und den Ramadhan halten; Maria sei eine Jungfrau und heilig gewesen, aber nicht die Gottesmutter, Christus
sei ein Sohn und ein Prophet Gottes, der stets die Wahrheit
gesprochen habe, und dessen Aussprüchen nicht zu glauben Sünde
sei; aber auch Mohammed sei ein Prophet Gottes gewesen, dessen
Äußerungen man glauben müsse. Es war ihm ferner gelehrt
worden, nicht zu töten, des Nächsten Tochter nicht zu begehren
und nicht falsch zu schwören. All das scheint anzudeuten, daß
sich ein Mittelding zwischen den beiden Religionen ausgebildet
hatte, das mit der Zeit bei einer natürlichen Entwicklung zu
einem regelrechten Christentum übergeleitet hätte. Don Cosme
erklärte ferner, daß er seit seinem ersten Arrest als Christ gelebt habe, er sagte die Gebete auf Lateinisch und in der Landes-
sprache her und wünschte, als Christ geboren zu sein, was für
ihn an Leib und Seele besser gewesen wäre. Im Februar 1578
wurde er als Gefangener in der Stadt und im März auf seinen
Wohnsitz entlassen. Nach fünfzehn Monaten stimmte das Gericht in discordia über Cosme ab, und der Supremo ordnete
die Anwendung der Folter gegen ihn und seinen Bruder Don
Juan an. Es sollten jedoch vorher Verhöre mit ihnen angestellt
werden, damit sie ihr Gewissen durch ein Geständnis und die
Anzeige von Mitschuldigen erleichtern könnten und den Gnadenbrief von 1571 verdienten. So wurde dann das Verfahren wieder
aufgenommen, doch die Akten schließen vor dem Stadium ab,
in welchem die Folter angewendet werden sollte, und der Archivar,
der sie abschrieb, nimmt an, daß der Fall in der Schwebe blieb.
Entweder vermochten die beiden Brüder Geld genug aufzubringen,
um den Supremo zu befriedigen, oder sie wurden als zu arm erkannt, um ein weiteres Verfahren wert zu sein. Der dritte Bruder,
der gegen Ende gar nicht mehr erwähnt wird, ist wohl über der
Sache gestorben.

Solche Fälle beweisen, wie die Inquisition dazu angetan war,
unter den Mauren den Abscheu vor der mittels Zwang betrie-
benen Religion zu nähren, die in ihren Augen als ein Vorwand
für Grausamkeit und Erpressung erschien. Das sahen die Ge-
walthaber auch ein. Ihre Maßnahmen jedoch schwankten zu sehr
zwischen Härte und Mäßigung, und ihre Verwaltung war nicht
ordentlich und ehrlich genug, um eine dauernde Beruhigung
der Gemüter zu bewirken. Zwar ging man in Valencia nach
weniger törichten Richtlinien vor als in Granada, doch die auch
dort befolgte Politik führte zu einem elenden Mißerfolg.

Die valencianischen Moriscos hätten nur durch eine ordentliche kirchliche Gliederung zu rechten Christen gemacht werden
können. Der venezianische Gesandte Navigero stellte 1526 fest,
daß man für ihre religiöse Unterweisung kaum sorgte, daß Verdienst für die Priester die Hauptsache war, und daß die Leute
Mauren wie zuvor oder ohne jede Religion seien. Eine Grundlage für eine kirchliche Gliederung gab das Vermögen der Moscheen ab, die nach einer Weisung Klemens' VII. von 1524 in
Kirchen umgewandelt werden sollten; die Zehnten bildeten eine
neue Belastung der Bekehrten. Nach einer solchen Beute griffen
alle Beteiligten: den Grundherren, die ihre zum Christentum
übergetretenen Hintersassen verloren, wurden die Zehnten übermacht, um sie für diesen Verlust zu entschädigen; sie sollten
indes für den Gottesdienst sorgen, und aus den Einkünften der
Moscheen sollten die von den Grundherren bestallten Geistlichen
besoldet werden. Das gab zu unzähligen Rechtshändeln Anlaß,
deren einzelne bis vor die Rota in Rom gelangten. Es wird von
etwa 260 Moscheen berichtet, die in den valencianischen Bis-
tümern in Kirchen umgewandelt wurden, ihrer Einkünfte und
nicht der religiösen Belehrung der Moriscos halber.

Nachdem etwa zehn Jahre lang nichts geschehen war, erhielt
Kardinal Manrique die päpstliche Ermächtigung, für die Einrichtung eines wirksamen kirchlichen Dienstes zu sorgen und alle
Einwände von Prälaten und Großen summarisch zu erledigen.
Demgemäß sandte Manrique 1534 seine Bevollmächtigten aus,
die auch eine höhere Schule für Moriscokinder gründen sollten,
damit diese ihre Eltern im Christentum unterrichten könnten.
Die löbliche Absicht scheiterte an der Geldfrage. Die Einkünfte
der Moscheen mitsamt den Zehnten und Erstlingen wurden von

dem Adel und den Prälaten verschlungen, die zwar von der Arbeit der Moriscos lebten, aber nichts für die neue Kirchenordnung in deren Interesse tun mochten. Eine Bitte, die 1544 Erzbischof Thomas de Vilanova an Karl V. richtete, damit fromme Priester mit ausreichender Besoldung in die maurischen Dörfer eingesetzt würden, erhielt keine weitere Folge. Es gelang Manriques Sendlingen, 190 Pfarreien mit dem kärglichen Solde von je 30 Kronen zu errichten. Dafür waren keine geeigneten Priester zu finden, und allgemein wurde geklagt, daß die Geistlichen unwissend und verderbt seien und durch ihren Lebenswandel die Religion, die sie verträten, eher abstoßend als anziehend erscheinen ließen. Viele lebten nicht in ihren Pfarreien und vernachlässigten ihre Pflichten ganz oder ließen sich durch Vikare vertreten, denen sie nur einen Teil des geringen Einkommens anwiesen. Für die geplante Lehranstalt sollte das Erzbistum Valencia 2000 Dukaten jährlich aufbringen, indes wurden zwei Drittel davon für den Unterhalt der Pfarreien abgekehrt, und die Inhaber von Pfründen wanden sich an den auf sie umgelegten geringen Beiträgen vorbei. So scheiterte ein Versuch nach dem andern an der Gleichgültigkeit der Geistlichkeit. Auf Vorstellungen der Cortes von Monzon hin wurden 1564 neue Anordnungen getroffen, wonach die Bischöfe die Bekehrung leiten sollten. Erzbischof Ayala, der den Beratungen in Madrid darüber beigewohnt hatte, berief nach seiner Rückkehr ein Provinzialkonzil ein, doch die Prälaten taten nichts, es sei denn, daß sie schwere Geldbußen erhoben, wenn die Mauren zu den Kindtaufen nicht ihre besten Kleider anzogen, wenn die Alfakís die Kranken besuchten oder wenn die weltlichen Beamten unterließen, die Beobachtung maurischer Bräuche anzuzeigen. Es wurde der fromme Wunsch geäußert, daß die Moriscos dem Gottesdienst am Aschermittwoch, Gründonnerstag, Karfreitag und Allerheiligen beiwohnen möchten, um für den christlichen Kultus gewonnen zu werden, und für ihr Seelenheil wurde in der Weise gesorgt, daß sie auf ihrem Totenbett etwas für es stiften sollten, anderenfalls ihre Erben angehalten würden, wenigstens drei Messen für sie singen zu lassen.

Anders faßte Juan de Ribera die Sache auf, der 1568 den erzbischöflichen Stuhl von Valencia bestieg. 1575, nachdem er sich mit seinen Suffraganbischöfen beraten hatte, wurde beschlossen, die Gehälter der Moriscopfarreien auf 100 Kronen zu

erhöhen. Der König gab einen Beitrag, und 7000 Dukaten jährlich sollten auf die Bischöfe und die Inhaber von Moriscozehnten
umgelegt werden. Ribera zahlte seinen Anteil, 3600 Dukaten
= 9 % von seiner Mense von 40000 Dukaten, sein Kapitel indes
war nicht dazu zu bewegen, ein Gleiches zu tun und fachte zum
Widerstand gegen die vom Papst genehmigte Regelung an, und
erst nach dreijährigem Bemühen gelang es 1600 einem königlichen Kommissar, es zum Nachgeben zu bewegen, allein es hielt
die Abmachung nicht ein und der Rechtshandel dauerte fort.
Ebenso weigerte sich Segorbe, das sich nach Rom wandte. 1606
wurde dann der Streit gegen die beiden Kapitel entschieden. Die
Rückstände, etwa 150000 Kronen, erließ ihnen Philipp III.,
worauf sie die Zahlungen für die folgenden Jahre leisteten. Riberas in die Bank eingezahlter Anteil war mittlerweile mit den
Zinsen auf 157482 Pfund aufgelaufen; davon waren 32000 Pfund
für die Pfarreien, dann i. J. 1602 60000 Pfund für das Morisco-
kolleg und 1606 31000 als Ausstattung für eine Mädchenschule
ausgegeben worden, und nach Abzug gewisser Unkosten verblieben
1607 über 13000 Pfund, die einem Seminar zuflossen. So hatte
die Geldgier und die Gleichgültigkeit wieder einmal bei denen
obgesiegt, deren Pflicht und Interesse gebot, den wohlgemeinten
Plan zu fördern.

Daß etwas zu erreichen gewesen wäre, beweist das Vorgehen
des Bischofs von Segorbe, Feliciano de Figueroa, der als ehemaliger Sekretär Riberas mit der Frage der Moriscos vertraut
war. Nach zweijähriger Amtstätigkeit schrieb er 1601, daß er
in den zwanzig Moriscodörfern seiner Diözese auf seine Kosten
Pfarrer eingesetzt habe, ferner eine Anzahl Katecheten und zwölf
Prediger, und daß er das Werk selbst beaufsichtige. Schon sei
eine wesentliche Besserung bei den Erwachsenen wahrzunehmen,
die Kinder dagegen kämen gerne zum Christentum; auch seien
in den letzten vierzig Jahren viele maurische Bräuche ausge-
storben. 1604 schrieb er abermals gutes Mutes, klagte jedoch,
daß die weltlichen Behörden den Alfakís gegen seine Bestrebungen
beiständen.

Hiermit berührt Figueroa einen kritischen Punkt, der mit
zu der Katastrophe beitrug. Wenn die Moriscos nicht nur dem
Namen nach Christen waren, konnten ihre Grundherren sie nicht
mehr nach Willkür ausbeuten. Sie sollten ja schon wie Christen

behandelt werden, allein die dahingehenden Versprechungen waren gebrochen worden. Deshalb widersetzten sich die Adligen dem Missionswerk, und gegebenenfalls beschützten sie ihre Leute gegen die Inquisition. Diese machte natürlich auch vor den Höchsten nicht halt und verurteilte 1570 den Admiral von Aragon, Sancho de Cardona, zur Abschwörung d e l e v i , 2000 Dukaten Geldbuße und Klosterhaft nach Ermessen des Supremos; er starb in der Haft. Er war noch gelinde weggekommen, denn er hatte seine Hintersassen aufgefordert, sich an den König und an den Papst, ja sogar an den Großtürken zu wenden, damit dieser an den Christen in seinen Landen Vergeltung üben könne, wenn die Moriscos nicht unbelästigt blieben; auch hatte er sie zum bewaffneten Widerstande aufgemuntert und ihnen seinen Beistand dafür angeboten. Es werden noch einige andere Fälle dieser Art verzeichnet. Die Großen griffen auch ein, indem sie die Alguazile verfolgten, welche die Moriscos in die Kirche trieben und sie mit Geldstrafen belegten, wenn sie Sonntags arbeiteten. Da die Alguazile von den Geldstrafen, die sie erhoben, ein Drittel oder die Hälfte bezogen, waren sie in entlegeneren Gegenden den Drohungen der Moriscos und der Adligen zugleich ausgesetzt, und es hielt schwer, für das Amt geeignete Leute zu finden.

Unstet wie das ganze Missionswerk war, wurde häufig die Strenge der kanonischen Satzungen gemildert. Man erkennt darin eine dunkle Ahnung, daß es doch wohl ein zweckmäßigeres Werbeverfahren geben könnte als Verfolgung und Bedrückung. Wenn jedoch diese Methode angewandt wurde, geschah es in der unvernünftigsten Weise. Nachdem die Moriscos so sorgsam gelehrt worden waren, das Christentum zu verabscheuen und ihren Eroberern zu mißtrauen, konnten sie Milde nur als Furcht auslegen, und wenn sie geübt wurde, verfielen sie ungescheut in die Übung ihres alten Glaubens; kam dann wieder die Strenge zur Geltung, und so wuchs ihr Haß gegen die Religion ihrer Bedrücker nur um so mehr.

Die Milde pflegte sich durch den Erlaß von Gnadenedikten zu bekunden, die indes wegen der Regel, daß, wer nach einem in der Gnadenfrist abgelegten Geständnis rückfällig wurde, dem Tode verfiel, nur dann wirksam sein konnte, wenn letztere

Klausel aufgehoben wurde. Das geschah denn wiederholt auf
Grund päpstlicher Erlaubnis, und zum erstenmal 1530, wenn
auch Manrique erst 1535 davon Gebrauch machte. Nicht nur
ein einmaliger, sondern auch ein mehrfacher Rückfall sollte nur
durch geheime Lossprechung und Bußen und ohne Gütereinziehungen und Unfähigkeitserklärungen bestraft werden. Als
Grund für dieses Vorgehen wurde der Mangel an Priestern zur
Unterrichtung der Moriscos angeführt. Nach der Verkündigung
des Erlasses in Valencia scheinen die Verfolgungen nicht abgenommen zu haben, was hätte eintreten müssen, wenn die Bestimmungen ehrlich gehandhabt worden wären. Diese Politik
der bedingten Gnade wurde stoßweise bis zum Schluß des Jahrhunderts angewandt.

Eine Härte jedoch, die jedem Gnadenedikt anhaften blieb,
war die Pflicht der Anzeige gegen Eltern, Gatten und Kinder;
sie entsprach dem kanonischen Recht, während das weltliche
Gesetz davon absah, und den Moriscos widerstrebte die Angeberei
allgemein (s. oben S. 80). Bischof Figueroa machte Philipp den III.
auf die Wirkung dieser Vorschrift aufmerksam. Sie konnte nur
durch den Papst gehoben werden. Philipp II. hatte ihre Unzu-
träglichkeit eingesehen und hätte sie gerne aufheben lassen, als
ein letzter Versuch gemacht werden sollte, um die Moriscos zu
bekehren anstatt auszuweisen, allein dafür war Klemens VIII.
nicht zu haben. Er ging so weit, ein Edikt zu erlassen, das
die Gnade auf den Rückfall ausdehnte und ein Geständnis bei
dem bischöflichen Ordinarius für genügend erklärte, nicht aber
von der vollen Pflicht der Anzeige gegen Apostaten entband.
Aus verschiedenen Ursachen verzögerte sich die Verkündigung
des Ediktes in Valencia bis zum 22. August 1599; seine Geltung
wurde zuerst auf ein Jahr, dann auf achtzehn Monate bemessen.
Es waren große Vorbereitungen für diesen letzten Versuch gemacht worden, Pfarrer, Prediger und besondere Kommissare
waren mit eingehenden Weisungen Riberas ausgesandt worden,
der ein Gelingen nicht für ausgeschlossen hielt; das mehrerwähnte
Kolleg kam zustande und eine Brüderschaft wurde gegründet,
um maurische Mädchen in Klöstern oder christlichen Familien
unterzubringen.

Nach Verlauf der achtzehn Monate meldete das Gericht, daß
sich nur dreizehn Personen mit ganz unwesentlichen Geständ-

nissen und dem offenkundigen Wunsche eingefunden hätten, ihre
Mitschuldigen zu decken, überdies seien mehrere schon bei der
Inquisition angezeigt gewesen, so daß sie eher aus Furcht als
aus Überzeugung gehandelt hätten; sie hätten eher eine Verurteilung als Lossprechung verdient. Die Moriscos seien unver-
besserliche Mauren, und wenn die Inquisition nicht deren Bekehrung erreiche, so bewirke sie doch, daß sie weniger öffentlich
sündigten und das böse Beispiel weniger häufig würde. Dies
entschied tatsächlich das Schicksal der Mauren. Ribera unterstützte den Bericht durch zwei Denkschriften an Philipp III.,
worin er die Austreibung als die einzig mögliche Lösung angab.

Die Gnadenedikte hatten im Grunde wenig Einfluß auf die
Tätigkeit der Inquisition gehabt. Immerhin gibt es zwischen
1540 und 1563 Zeiten, in denen in Valencia kein Ketzereiprozeß
vorkam. Die Adligen und die Cortes hatten Karl V. ersucht,
für die Unterweisung eine dreißig- oder vierzigjährige Frist an-
zusetzen, während der die Moriscos von der Inquisition befreit
sein sollten. Nach Beratungen einer Junta von Prälaten und
Theologen wurde die Frist auf 26 Jahre festgesetzt; sie konnte
nach Bedarf verlängert oder verkürzt werden. Da nun die
Moriscos keinen religiösen Unterricht erhielten, lebten sie offen
als Mauren, indem sie sich sagten, die Frist sei lange genug, um
ausgenutzt zu werden. Das konnte nicht geduldet werden, und
so wurden denn die Zügel wieder straff angezogen mit dem Ergebnis, daß das Gericht, das 1541, 1542 und 1543 keine Ketzereiprozesse hatte, in den drei folgenden Jahren deren 79, 37 und
49 führte, darunter unzweifelhaft auch solche gegen Judaisten
(s. oben S. 155).

Dann kehrte man zu einer milderen Politik zurück. Paul III.
gewährte 1546 ein Gnadenbreve, das die Inquisition tatsächlich
außer Kraft setzte, indem Beichtiger mit voller Lossprechungs-
befugnis in utroque foro — sakramental und gerichtlich —
bestellt werden konnten, auch für die schon von der Inquisition
Verurteilten, deren Unfähigkeiten behoben werden konnten.
Da jedoch die Bezeichnung der Beichtiger einem Prälaten zugewiesen wurde, der auf dem Konzil von Trient weilte und keine
Vertretung hinterlassen hatte, erklärte der Erzbischof Vilanova,
das mache nichts aus, denn das Breve sei ohnehin unwirksam,
weil es die Abschwörung de vehementi fordere, die bei einem

Rückfall die Auslieferung an den weltlichen Arm bedinge, somit
kein Konvertit sich einer solchen Abschwörung aussetzen wolle.
Er regte daher die Erteilung weitgehender Vollmachten für die
Los- und Freisprechung ohne gerichtliches Verfahren an.

Was nun folgte, kennzeichnet den schleppenden Gang der
spanischen Verwaltung. Durch die Vollmacht für jenen Prälaten
war die Inquisition wie auch die geistliche Gerichtsbarkeit lahm-
gelegt. Der heilige Erzbischof Vilanova schrieb daher 1547 an
den Prinzen Philipp, daß die Moriscos jeden Tag kühner würden
und jener Prälat sofort veranlaßt werden sollte, einen Vertreter
zu bestellen. Das wurde zugesagt, aber immer wieder aufgeschoben. Noch 1552 machte Vilanova seine Vorstellungen,
allein der im Jahre vorher endlich bestellte Vertreter hatte keine
inquisitorische Gewalt erhalten, und so blieben die valencianischen
Moriscos noch zehn Jahre unverfolgt. Daraus erklärt sich, daß
die Prozesse in den Jahren 1547—1549 selten waren und von
da bis 1562 ganz aufhörten; in den ersteren Jahren wird es sich
wohl um die Abwicklung älterer Fälle gehandelt haben. 1561
erteilte Paul IV. Vollmachten für den Erzbischof von Valencia
und dessen Ordinarius zur geheimen Aussöhnung von Neuchristen,
wobei in gerichtlich nachgewiesenen Fällen die Geständnisse von
einem Notar aufgenommen und in den Akten der Inquisition,
zur Verwendung gegen die Büßenden und die von ihnen Angezeigten bei Rückfällen, liegen sollten, in den anderen Fällen rein
geistliche Strafen genügen würden. Dies führte dann wieder zu
der strengeren Methode über. Zuerst wurde gegen den rein
maurischen Ort Jea in Teruel vorgegangen, wo keine Altchristen
wohnen durften. Dann verschwanden 1561 alle Einschränkungen,
und die Inquisition behandelte 62 Fälle, darunter 9 aus Jea,
und hielt zwei Autos. Von da ab wurde sie nicht mehr gestört
und konnte das Christentum verabscheuungswürdig machen, so
zwar, daß 1564 Erzbischof Ayala sich erbot, die Unterweisung
der Moriscos auf seine Kosten bewirken zu lassen, doch nur
unter der Bedingung, daß die Inquisition außer in Fällen offener
und herausfordernder Sünde nichts mit ihnen zu tun haben sollte.

Auch ohne die Beschwernis der Inquisition war das Los der
Moriscos beklagenswert. Die Zusage, daß sie nach ihrem Übertritt die Rechte der Christen genießen würden, wurde nicht ge-

halten. Sie waren Christen mit den Pflichten und Verantwortlichkeiten als solchen, und Mauren in bezug auf bürgerliche Leistungen und Unfähigkeiten. 1525 machten die Vorsteher ihrer Aljamas geltend, daß sie der Ausübung ihrer Religion wegen von den Grundherren zu manchen Leistungen an Geld und Arbeit herangezogen würden, die sie als Christen nicht schulden würden; da sie aber an Sonn- und Festtagen nicht arbeiten dürften, verlangten sie, als Christen besteuert zu werden. Die Concordia von 1528 gab zu, daß sie als Christen zu behandeln seien und ordnete eine Untersuchung zu dem Ende an, daß keine Parteien dadurch zu Schaden kämen. In demselben Jahre indes erklärten die Cortes von Valencia, daß die Grundherren alle ihre Rechte über ihre Hintersassen behielten und diese keine Freizügigkeit genössen. Der Adel ließ sich die Zehnten und Erstlinge zusprechen, ohne dafür seine Moriscos von anderen Lasten zu erlösen.

Karl V. sah die Ungerechtigkeit wohl ein, suchte jedoch seine Verantwortung hinter der Inquisition zu verbergen. Zu diesem Zweck erlangte er von Klemens VII. 1531 ein Breve, worin unter dem Hinweis auf die doppelte Belastung der Bekehrten ausgeführt wurde, daß sie, außerstande, das alles zu tragen, daraus einen Vorwand nähmen, um ihren alten Bräuchen gemäß zu leben und die christlichen Festtage und Zeremonien nicht zu beobachten. Da Karl Abhilfe suche, der Papst jedoch nicht in die Verhältnisse einzusehen vermöge, werde die Angelegenheit dem Großinquisitor Manrique überwiesen mit Vollmacht, Klagen entgegenzunehmen und Recht walten zu lassen, und seine Entscheidungen durch Strafen durchzusetzen. Diese Aufgabe, die Moriscos zu beschützen, war neu für die Inquisition und Manrique ließ die Sache einige Jahre ruhen. Zwei Kommissare, die 1534 wegen der Kirchenfrage nach Valencia gesandt wurden, erhielten Weisungen, sich im geheimen über den Stand der Dinge zu unterrichten und das Ergebnis davon mitzuteilen. Augenscheinlich scheute die Inquisition vor der Aufgabe zurück, und wir hören von deren Einschreiten gegen die Adligen nur, wenn diese ihre Leute gegen die Inquisition in Schutz nahmen. Die Cortes ihrerseits waren nur darauf bedacht, die Lasten der Moriscos zu vermehren, und wenn diese verurteilt wurden, einen Teil von dem eingezogenen Gut zu erlangen.

So waren die Moriscos der Auspressung gnadelos preisgegeben. Außer der Abgabe von einem Drittel oder der Hälfte der Ernte an den Grundherrn, außer den Zehnten und Erstlingen, hatten sie unzählige Leistungen jeder Art sowie Zwangsanleihen zu ertragen. In einer der vielen Denkschriften über die Lage der Moriscos, von 1561, heißt es, sie müßten wie Christen leben und wie Mauren zahlen. Wenn der König sie jedoch von diesen ungerechten Bürden befreie, würde das ganze Königreich in Verwirrung geraten, und das Bekehrungswerk gestört werden, deshalb sollten die Kommissare zusehen, wie erreicht werden könnte, daß die Moriscos nicht mehr als die Christen zu leisten hätten. So blieb es bis zum Ende. 1608 erklärte der Jesuit Antonio Sobrino, ein Haupthindernis für die Bekehrung bildeten die Erpressungen der Grundherren; nach einer Aufzählung der Leistungen in bar und Naturalien erwähnt er: Frondienste bei geringen Löhnen und magerer Kost, oder überhaupt keine Löhnung. Tatsächlich waren sie taillables et corvéables à merci, und ihre Bedrückung wurde nur durch die stetige Furcht vor ihrer Empörung, und in den Küstenstrichen vor ihrem Entrinnen nach Afrika gedämpft. Sogar ihre kirchlichen Bedrücker empfanden etwas wie Mitleid mit ihrem Los, doch für dieses Empfinden gab es keinen Raum, denn es galt allgemein für zweckmäßig, sie in der Armut und Knechtschaft zu erhalten.

Noch vermehrt wurde der Druck der Grundherren durch eine Pragmatica Karls V. von 1541, die den Moriscos bei Tod und Güterverlust verbot, ihren Wohnsitz oder ihren Herrn zu wechseln und jeden, der ohne königliche Erlaubnis einen Morisco zum Hintersassen nahm, mit 500 Gulden, im Nichteintreibungsfalle mit Ausstäupung bedrohte. Moriscos aus Granada oder Kastilien, die auf valencianisches Gebiet übertraten, verwirkten den Tod, und seit 1545 galt dies auch für solche aus Aragon. Diese grausame Gesetzgebung wurde 1563 und 1586 wiederholt.

Diesem System verwandt war das Auswanderungsverbot. Es war eine selbstmörderische Politik, Elemente im Lande zu behalten, die man als Feinde ansah, allein wenn sie sich nach der Berberei wandten, wurden sie Apostaten und verloren die Grundherren ihre Leute. Darum erließ die Inquisition in Aragon Edikte gegen die Auswanderung, mit Strafen gegen die Christen, die den Auswanderern als Führer über das Gebirge dienen würden. Harte Strafen gegen Führer und Auswanderer wurden auf einem Auto von 1585 verhängt. Das ganze Verfahren war nicht nur grausam, sondern auch verkehrt, denn wenn man die Unzufriedenen hätte abziehen lassen, so hätte man die Zurückbleibenden besser behandeln können und die Moriscofrage, die die spanischen Staatsmänner hundert Jahre lang beschäftigte, hätte sich von selbst gelöst.

Eine andere Beschwerde betraf das Waffentragen. Nach ihrem Übertritt verlangten die Moriscos das Recht dazu in demselben Maße, wie es den übrigen Christen zustand, es wurde ihnen auch zugesagt, allein das Versprechen wurde nicht eingehalten, und 1541 wurde das Recht ihnen förmlich entzogen. Dies wurde dann nicht ausgeführt, und nachdem das Verbot verschiedentlich neu angeregt worden war, bewirkten 1563 die Großen infolge einer Absprache die Entwaffnung im Valencianischen durch Überraschung der Häuser, während in Aragon 1559 die Inquisition die Aufgabe übernahm, freilich um sie erst 1593 auf Geheiß Philipps II. durchzuführen, indem die zwei Inquisitoren umherzogen und die Waffen einsammelten. Da jedoch Messer erlaubt blieben, gab man diesen bald eine außergewöhnliche Länge; nachdem dann mehrere Inquisitionsbeamte durch Messerstiche getötet worden waren, schrieb ein Edikt Philipps III. von 1603 vor, daß die Länge nicht über eine Elle betragen dürfe und die Spitze stumpf sein müsse. Das Ergebnis war, daß bei der Austreibung die Verzweifelten, die sich zur Wehr setzen wollten, keine Waffen hatten und niedergemetzelt wurden.

Dann kam der törichte Kult der Limpieza, der Rassereinheit, auf die man anfänglich geneigt war, gegenüber den Moriscos weiter nicht zu sehen. Als 1565 Philipp II. Maßnahmen anordnete, um die Moriscos zu versöhnen, war auch die Heranziehung angesehener Leute unter ihnen als Vertraute vorgesehen; zwei der Brüder Abenamir von Benaguacil waren vorübergehend Vertraute gewesen. 1573 dehnte Gregor XIII. die von Paul IV. gegen die Judenabkömmlinge bis ins vierte Geschlecht ausgesprochene Unfähigkeit für den geistlichen Stand auch auf die Moriscos aus, die Cortes von Monzon hatten jedoch 1564 die Zöglinge des Moriscokollegs von Valencia für Pfründen und Seelsorgämter für geeignet erklärt, und aus der Anstalt ging wirklich eine Anzahl guter Priester und Doktoren hervor. Mit

der Zeit jedoch wurde kein Unterschied mehr zwischen den Ab-
kömmlingen von Juden und Mudéjares gemacht. Da nun den
Moriscos die Ämter und geistlichen Würden, das Ziel eines jeden
auch nur Halbgebildeten in Spanien, versperrt waren, benutzten
die Tüchtigsten unter ihnen ihre Gaben, um die Unzufriedenheit
und die Empörung zu schüren. Navarrete glaubt sogar, daß die
Austreibung hätte vermieden werden können, wenn die Moriscos,
dem Christentum gewonnen, Gelegenheit gehabt hätten, sich mit
der Nation und ihrem öffentlichen Leben eins zu fühlen, anstatt
durch ein unauslösliches Stigma in die Verzweiflung und in den
Haß gegen die Religion getrieben zu werden.

Eine ständige Ursache der Gereiztheit war die Taufe der
Moriscokinder, die durch strenge Vorschriften gesichert war, einmal um Seelen zu retten, dann um das Feld der Inquisition zu
erweitern. Eine Morisca durfte nicht Hebamme sein, in jedem
Moriscodorfe aber war eine sorgfältig ausgewählte und unter-
richtete christliche Hebamme eingesetzt, die auf die schwangeren
Frauen achten mußte und für jede Geburt, die sie verfehlte,
Strafe zahlen mußte. Sobald sie der Mutter das Kind an die
Brust gelegt hatte, mußte sie den Priester und den Alguazil benachrichtigen, dann durfte sie das Wochenbett nicht verlassen,
es sei denn für die dringlichsten Hausarbeiten. Die Taufe fand
am Tage selbst oder am folgenden Tage statt, und es wurde
genau Buch geführt. Es liegt zweifellos etwas Wahres in der
Behauptung, daß bei der Rückkehr von der Taufe der Vater die
Spuren des Chrisams abwusch in der Meinung, dadurch das Sakrament auszulöschen.

Weitere Quälereien verursachten die Heiraten. Die Kirche
hatte Ehen unter Verwandten bis zum vierten Grade untersagt,
dann den Kreis des Verbotes durch die Erfindung der geistlichen
Verwandtschaft erweitert, um durch die Einrichtung der käuf-
lichen päpstlichen Dispense zuzugeben, daß die Hindernisse nur
künstlich seien. Bei den Mauren waren Ehen unter Vettern zulässig und bei den Moriscos um so häufiger, als diese entweder
in Morerías oder besonderen Dorfschaften zusammengepfercht
waren. Dadurch entstand eine solche Verquickung von Vetter-
schaften, daß Ehen innerhalb der kanonischen Grenzen wohl
Ausnahmen bilden mußten. Wir kennen die Vorschriften der
Concordia von 1528 über die Anerkennuug bestehender Ehen

und die Einhaltung der kanonischen Vorschriften für neue Verbindungen. Es war dies eine Unmöglichkeit. Die Pfarrer suchten Dispensgeschäfte zu machen, die Moriscos gingen jedoch selten darauf ein, holten sich vielmehr hier und da die Heiratserlaubnis beim Grundherrn; mehr denn einer der Herren wurde deshalb öffentlich gestraft. Von einer kirchlichen Einsegnung konnte keine Rede bei solchen Verbindungen sein, die daher als Konkubinat, bestenfalls als geheime Ehen galten, und letztere waren gemäß dem Tridentinum ungültig. Wohl im Anschluß daran ersuchten 1564 die Cortes von Monzon, die Erteilung von Dispensen möge dem in der Sache zuständigen Cruzadakommissar erleichtert, die Kinder aus den fraglichen Verbindungen für ehelich erklärt werden. Diese vernünftige Anregung beantworteten auf dem Konzil von Valencia die Prälaten mit Drohungen wider alle, die innerhalb der verbotenen Grade heiraten oder die kanonischen Vorschriften umgehen würden.

Die Sache galt allgemein als äußerst wichtig, wurde aber in dem gewohnten Schlendrian hingezogen. Erst 1587 bemühte sich Philipp II. in Rom darum, und Januar 1588 gewährte Sixtus V. den valencianischen Bischöfen lediglich auf sechs Monate die Befugnis zur Bekräftigung jener Ehen, zur Ehelichkeitserklärung für die Kinder und Lossprechung der Eltern i n u t r a q u e f o r o, gebührenfrei, wenn auch mit heilsamer Buße. Es ist nicht wahrscheinlich, daß die Beamten sich viel Mühe gaben, da das Geschäft nichts einbrachte, oder daß die Moriscos, wenn sie überhaupt von dem Breve hörten, sich den dadurch bedingten Unannehmlichkeiten aussetzen. Das letzte was von der Sache verlautet, ist, daß Philipp nochmals 1595 um ein ähnliches Breve ersuchte, das zweifellos gewährt wurde, mit demselben nichtigen Ergebnis.

Auch eine Ursache der Plackerei wurde der Brauch der Mauren, kein Fleisch zu essen, das von Unbeschnittenen geschlachtet war. Gemäß Karls Dekret von Granada 1526 durften Moriscos nicht schlachten, wenn Altchristen am Platze wohnten; und war unter diesen kein Schlächter, so bezeichnete der Pfarrer einen Mann als solchen. Dies wurde wenig beachtet, bis Erzbischof Ribera den Moriscos verbot, Fleisch zu essen, das nicht von Christen geschlachtet sei. Dabei wurde auf das Feld der Inquisition übergegriffen, deren Gericht dem Supremo von einer

allgemeinen Abneigung der Moriscos gegen das von Altchristen
hergerichtete Fleisch schrieb; in Murcia waren deshalb einige
Verurteilungen von Inquisitions wegen ergangen.   Hierauf wohl
ist das Verbot des Fleischergewerbes für Moriscos zurückzuführen;
es ging so weit, daß ein Morisco nicht einmal ein Huhn für einen
Kranken töten durfte und wurde noch 1595 erneuert.

Kein Wunder, daß die so vielfältig bedrängten Moriscos keine
zufriedenen Untertanen waren. Sie waren, etwas über eine halbe
Million an Zahl, in einer Gesamtbevölkerung von 8—10 Millionen
vertreten, aber ohne Waffen und für den Angriff ungeübt: eine
quantité négligeable unter dem wuchtigen Regiment eines
Ferdinands oder auch Karls V. in dessen ersten Zeiten. Allein
die Monarchie war daran, ihre Kraft in fernen Unternehmungen
zu vergeuden, die Eroberung von Granada hatte sie schon erschöpft, dann kam der Aufstand in den Niederlanden, und die
Hilfsquellen versiegten. Von Jahr zu Jahr wuchs daher die
Furcht vor inneren Feinden, die zu den äußeren kommen
könnten.

An der Küste verursachten die Mauren durch ihre Überfälle
den Spaniern Kränkungen und Ärger, wenngleich keine direkte
Gefahr vorlag. Für diese Überfälle wurden die Moriscos verantwortlich gemacht, die unzweifelhaft Kundschaft nach Afrika
übermittelten, auch gelegentlich mit den Korsaren davonflohen;
das Grundübel war jedoch die geschwollene Politik, die sich an
ferne Unternehmungen und das burgundische Erbe band und
den Schutz der heimischen Küste vernachlässigte, so daß man
diese gemeinhin als das Indien der türkischen und maurischen
Seeräuber bezeichnete. Die Klagen wegen dieser Überfälle begannen mit der Christianisierung Granadas und hörten im
16. Jahrhundert nie auf. Boronat zählt von 1528—1584 nicht
weniger als 33 Landungen auf, wobei die kleineren Raubzüge
wohl nicht einbegriffen sind, deren einen Cervantes so anschaulich schildert. Oft entkamen auch Moriscos: 1559 nahm Dragut
ihrer 2500 mit, 1570 waren es alle aus Palmera, 1584 führte eine
algerische Flotte 2300 weg, im folgenden Jahre zog die ganze
Bevölkerung von Callosa ab, zum großen Schaden der Grundherren.

Widerstand oder Vergeltung war in Ermangelung von Vorsichtsmaßregeln zu Wasser oder zu Lande unmöglich. Von Zeit zu Zeit wurden Truppen gesandt, die Provinzen unterhandelten für ihren Schutz mit der Zentralregierung und boten ihre Mitwirkung an, allein es schien bequemer, die Schuld auf Machenschaften zwischen den Korsaren und den Moriscos zu schieben und daher keine der letzteren in den Küstenstrichen wohnen zu lassen. So ließ Ferdinand die Küste von Almería bis Gibraltar 1507 räumen, später verboten strenge Gesetze den Moriscos, zwischen ihren Sitzen im Innern und der Küste zu reisen. 1604 schlugen, natürlich ohne Erfolg, die Cortes von Valencia vor, die Moriscos dafür zu gewinnen, daß sie die gefangenen Christen freikaufen sollten, wofür sie von der Inquisition großenteils erlöst würden.

An sich verhältnismäßig unbedeutend, wurde die Frage der Korsareneinfälle mit für die Austreibung entscheidend, mit der tatsächlich die Bedrohung der Küste aufhörte. Gefährlicher jedoch erschien den Staatsmännern die Möglichkeit einer Empörung im Innern im Zusammenhang mit einem Angriff von der Berberei oder den Türken und später von Frankreich. Schon 1512 bemerkte Peter Martyr, daß ein waghalsiger Pirat, der nach dem Innern zöge, die Bevölkerung Granadas zur Empörung bringen könnte, während Ferdinand mit der Eroberung Navarras beschäftigt sei. 1519 befürchtete man in Valencia einen Überfall von Algerien mit Unterstützung der Moriscos. Eigentümlich berührt dabei, daß 1528, als die Teilnehmer an einer derartigen hochverräterischen Verschwörung verfolgt wurden, die Inquisition von Valencia zwei der vermutlichen Leiter wegen einer Glaubenssache einforderte und so die Untersuchung durchkreuzte. Kardinal Manrique schritt im Interesse der öffentlichen Sicherheit ein, aber auch daraufhin gab das Gericht die Gefangenen nur unter der Bedingung heraus, daß sie nicht am Leibe gestraft würden.

Philipp II. ließ sich 1559 über die Moriscofrage Bericht erstatten; man erwähnte ihm u. a. einen Anschlag der Türken. Wegen eines Briefwechsels mit diesen wurde 1565 eine Anzahl Personen verhaftet, und es hieß allgemein, 30 000 Moriscos seien für den Feind gewonnen und warteten nur auf den Fall Maltas, um bei einem feindlichen Angriff loszuschlagen. Zwar wurde die Sache später bestritten, allein der französische Botschafter, der sie gemeldet hatte, erklärte, bei der Behandlung durch die Inquisition wäre es nicht wunderlich, wenn die Moriscos sich erhöben, um den Türken Hilfe zu leisten. Ein Prozeß gegen Gerónimo Roldan beim Gericht Valencia 1567 ergab, daß der Beherrscher Algeriens die Moriscos durch Briefe zur Erhebung aufgefordert hatte. Freilich hatte sich bei der Empörung Granadas dargetan, daß auf maurischer Seite wenig Neigung für einen Überfall Spaniens vorhanden war, indes hatte die Mitwirkung von 500—600 Türken oder Mauren genügt, um die Monarchie in die äußerste Bedrängnis zu treiben. Was konnte da nicht eine wohlausgerüstete feindliche Flotte und Landungsmannschaft im Bunde mit den Moriscos bewirken? In diesem Sinne berichteten die venezianischen Gesandten, Sigismondo Cavalli während des Aufstandes und Lorenzo Priuli 1575. Mit der Zeit wuchs die Gefahr wegen der Abwanderung nach den Kolonien, der Kriege, der Verminderung der altchristlichen Bevölkerung infolge des Priesterzölibats, unterdes die Moriscos sich stetig vermehrten.

Damit nicht genug. Nach Herstellung des innern Friedens drohte ein neuer Feind von Frankreich her. Heinrich IV. hatte noch eine Abrechnung mit Spanien vorzunehmen. Er war im Bunde mit den Türken. Schon 1583, als er noch erst König von Navarra war, befürchtete man einen Einfall, den er in Spanien nach Verabredung mit den Türken und den Moriscos bewirken würde, und die Berichte, die der Supremo sich daraufhin von Saragossa erstatten ließ, zeugen für die seit 1565 andauernde Sorge ob der Unzufriedenheit der Moriscos, die mit den Berberstaaten, den Türken und sogar den französischen Hugenotten im Briefwechsel ständen. Mögen die Späher der Inquisition dabei auch manches gefälscht haben, es war genügend Wahres daran, daß unter den Moriscos Ränke und Verschwörungen getrieben wurden. Heinrich IV. machte sich ihre Stimmung zunutze und trat 1602 mit Hilfe seines Statthalters in Navarra und Bearn, Marschall de la Force, in Verbindung mit ihnen. Sie versprachen, ihm 80000 Mann zu stellen und drei Städte zu übergeben, und als Zeichen ihrer Bereitwilligkeit zahlten sie dem Marschall 120000 Dukaten. Indes hielt Heinrich die Zeit für seine Pläne zum Umsturz der spanischen Monarchie noch nicht für gekommen.

Eine neue Aufregung entstand 1608 auf das Gerücht von Unterhandlungen der valencianischen Moriscos mit dem maurischen Thronbewerber Mulai Cidan, dem sie 200000 Mann zugesagt hätten, wenn er mit 20000 in einem Seehafen erscheinen wolle, wofür gewisse Holländer die Schiffe stellen würden. Philipp III. ließ den Rat die Sache in aller Dringlichkeit behandeln. Er gab zu, daß Spanien ohne Verteidigungsmittel sei; Mulai Cidan war sein geschworener Feind; Achmet I. hatte die Hände nach Persien hin und gegenüber den Aufständischen im eigenen Lande frei; die italienischen Besitzungen waren erschöpft und für die Empörung reif, und im Lande selbst sehnten sich die Moriscos nach Befreiung. Der Rat sollte irgend ein Mittel angeben, ausgenommen die allgemeine Niedermetzelung der Moriscos.

Der Schreck zog vorüber, Mulai Cidan ging auf die Eröffnungen der Moriscos nicht ein, und Achmet sandte seine Schiffe gegen die italienische Küste; der Eindruck blieb jedoch, daß nur die Austreibung der Moriscos helfen könne, es kam auf Mittel und Gelegenheit an. Man kann nicht sagen, daß die Ausführung vorzeitig gewesen sei, denn nachdem die Austreibung im Herbst 1609, dann in Aragon im Frühjahr 1610 schon begonnen hatte, rechnete Heinrich IV. noch auf die Zurückbleibenden für die Durchführung seines Planes, der dahin ging, daß La Force mit 10000 Mann einfallen und die Moriscos ihm beistehen sollten; mit diesen wurde wieder unterhandelt. La Force beriet mit dem König und befand sich in dessen Wagen, als den Monarchen am 14. Mai 1610 der Mordstahl Ravaillacs traf. Spanien konnte wieder aufatmen. Es wurde wohl angenommen, die Austreibung sei nicht vollständig gewesen und Spanien sei eine leichte Beute. Am 2. Mai 1610 hatte der Botschafter de Salignac an Heinrich aus Konstantinopel berichtet, es blieben noch Moriscos genug, die Kriegführung sei billig und Spanien kreditlos. Wenngleich diese Berechnungen über den Haufen geworfen wurden, so zeigen sie doch, wie sehr nach dem Urteil der Zeitgenossen Spanien sich durch die schlechte Behandlung der Moriscos geschwächt hatte. Aus dieser Lage mußten die spanischen Staatsmänner einen Ausweg um jeden Preis finden.

Die Angelegenheit war schon längst erwogen worden. Bereits 1581, als Philipp II. in Lissabon zur Einrichtung seiner Verwaltung über Portugal weilte, hatte er eine Junta aus seinen vornehmsten Beratern zur endgültigen Lösung der Moriscofrage eingesetzt. Sie fand den gnädigen Vorschlag, alle Moriscos, die nicht im Glauben unterrichtet werden, oder nicht bleiben wollten, einzuschiffen, und zwar auf wertlosen Fahrzeugen, die mit Springluken versehen würden, da es nicht zu empfehlen sei, sie zur Vermehrung der Bevölkerung nach Afrika zu senden; es wurde beschlossen, bei der Rückkehr der Flotte von den Azoren den Plan durch Antonio de Leyva ausführen zu lassen; als die Flotte jedoch erschien, bedurfte man ihrer in den Niederlanden, und die Sache wurde fallen gelassen.

Da der königliche Beichtvater Diego de Chaves der Junta angehörte, brauchte man sich wegen eines solchen Massenmordes keine Gewissenssorgen zu machen. Hatte doch seit Jahrhunderten die Kirche gelehrt, daß Tod die angemessene Strafe für Ketzerei sei. Darüber war kein Zweifel, und alle geringeren Strafen: Sklaverei, die Galeeren, die Bergwerke, die Entmannung, erschienen als eine unverdiente Gnade, welche die Schuldigen mit Dank hinnehmen müßten. Das lehrten alle Theologen, das legte Fray Bleda in seiner abscheulichen Defensio fidei dar, die nach sorgfältiger Prüfung in Rom genehmigt und auf Kosten Philipps III. gedruckt wurde. Zur Ehre der Menschheit gab es jedoch einige seltene Männer, die der Ansicht waren, daß die Religion durch Liebe und Milde verbreitet werden sollte. Wenigstens ergibt sich das aus einer der Lissaboner Junta vorgelegten Denkschrift, worin auseinandergesetzt wurde, daß man es noch nicht mit den richtigen Mitteln versucht habe, daß die Abhilfe mißlungen sei, weil man Gewalt angewandt habe, obschon das Übel nicht unheilbar sei und der Fehler in der eingeschlagenen Methode liege. Christus habe die Apostel in die Welt gesandt, um die Völker zu lehren, deshalb müsse man Lehrer von tadellosem Wandel finden, die in Liebe und Güte predigen würden. Im weiteren wurden die begangenen Fehler eingehend dargelegt und am Schluß eine Reihe von Vorschlägen gemacht, die zeigen, daß der Verfasser mit dem Gegenstand vertraut war und viel Gewicht darauf legte, daß die zur Ausführung berufenen Organe sich selbst von der Möglichkeit ihrer Aufgabe durchdringen müßten. Die Junta stellte dem König einfach anheim, die Denkschrift den Prälaten von Valencia, Granada und Aragon behufs Prüfung und Bericht zu überweisen. Das scheint geschehen zu

sein, es liegen jedoch nur zwei Antworten vor. Erzbischof Ribera
war für sofortige Austreibung, oder besser für Ausjätung der
Moriscos mit Hilfe einer Anzahl besonderer Inquisitoren, die
schleunige Justiz üben würden, bis nur mehr so viele blieben, daß
man sie ohne Fährlichkeiten austreiben könne; er empfahl damit
ganz gelassen die Verbrennung nach Hunderttausenden. Etwas
weniger grausam war ein Vorschlag des Inquisitors von Valencia,
Ximénez de Reynoso, der für Verschiffung nach Neufundland
war, wo die Moriscos unter Obhut von Soldaten leben würden,
denen wie den Konquistadoren Land und Hörige zugeteilt werden
sollten;[1] dadurch würde die Vermehrung der afrikanischen
Bevölkerung abgewendet. Darüber hinaus äußerte sich, von
Philipp II. um seine Meinung gefragt, Martin de Salvatierra,
Bischof von Segorbe, mit einem langen und heftigen Angriff
gegen die Moriscos und dem Vorschlag der Verschickung nach
Neufundland, wo die Leute bald umkommen würden, zumal wenn
man dafür sorgen wollte, alle Männer, alt und jung, zu ka-
strieren.

Man muß Philipp und seinen Ratgebern zugute halten, daß sie
nach dem Fehlschlag der Junta von Lissabon nicht auf die wilden
Anregungen der geistlichen Gutachter eingingen. In der Folge
gab es noch manche Vorschläge, die, bureaukratisch behandelt,
zu nichts führten. Sie gingen bald dahin, die Moriscos insgesamt
zu Sklaven zu machen, bald, alle körperlich Tauglichen auf die
Galeeren zu senden. Es berührt erfrischend, daß in diesem Wirrsal von Vorurteil, Leidenschaft und Fanatismus der königliche
Sekretär Francisco de Idiaquez 1594 einige staatsmännische Gedanken fand, um einen der stets wiederkehrenden Vorschläge auf
Austreibung zu widerlegen, der damit begründet wurde, daß das
Land wegen Übervölkerung Not leide. Weit entfernt davon,
meinte Idiaquez; die Bevölkerung sei geringer als vor zwei oder
drei Jahrhunderten, und wenn die Anwesenheit der verruchten
Rasse ebenso ungefährlich wäre wie sie nutzbringend sei, so gäbe
es keine Ecke im Lande, die man ihr nicht ausliefern sollte, denn
sie allein sei durch ihren Fleiß und ihre Strebsamkeit geeignet,

---

[1] Die Denkschrift wurde in etwas erweiterter Form der Konferenz der
Bischöfe in Valencia am 22. Nov. 1608 vorgelegt; Ribera erklärte sie für ein
Wahngebilde, das auf Unwissenheit beruhe.

Wohlstand und Fülle zu erzeugen, wodurch die Preise der Lebensmittel und mithin der übrigen Waren sinken würden.

Die Angst vor den Moriscos spiegelt eine ausführliche Denkschrift wider, die der Marques de Velada, ehemaliger Lehrer Philipps III., ihm bei seiner Thronbesteigung 1598 unterbreitete, und in der er eine Art sizilischer Vesper gegen die Moriscos vorschlug. Aber auch die einfachste Lösung, freie Abwanderung für die Unversöhnlichen, fand Fürsprecher und war der Annahme nahe. D. Martin González de Cellorigo hatte sie 1598 bei Idiaquez angeregt mit dem Zusatz, die Zurückbleibenden sollten nach Abschwörung ihrer Ketzereien über Kastilien verstreut und denselben Beschränkungen wie die granadischen Verbannten unterworfen werden. Noch am 1. Januar 1607 lautete ein Gutachten der für die gesamte Moriscofrage eingesetzten Junta de tres auf freien Abzug nach der Berberei für solche, die nicht Christen bleiben wollten; den Einwand, daß dadurch die Macht der Mauren gestärkt würde, ließ sie nicht gelten; Ende Oktober kam sie auf ihren Vorschlag zurück und empfahl, die Moriscos in Kastilien zu zerstreuen und auf ländliche Arbeit zu beschränken. Philipp war mit alledem einverstanden.

Doch dies war zu vernünftig und menschlich für die Geistlichen, denen der Sinn auf Erlösung von den Apostaten durch Austreibung oder Ausrottung stand, und nach einer hundertjährigen Übung von Fanatismus und Unrecht schien dem Lande kein Ausweg aus den dadurch hervorgerufenen Schwierigkeiten möglich. Die schwankende Hofpolitik ergab noch das Gnadenedikt von 1599 mit seinen unerfüllbaren Bedingungen, und dessen Fehlschlag zeitigte 1601 Riberas Vorschlag auf Austreibung, wogegen eine Beratung der Bischöfe 1608 und 1609 über Bekehrungsmaßregeln nur bezweckte, die Moriscos über das was vorging in Unwissenheit zu halten, derweilen Philipp und seine Berater über die Einzelheiten der Ausführung nicht schlüssig werden konnten.

Als der Staatsrat 1608 unter dem Eindruck der Furcht vor Mulai Cidan beriet, wurde angenommen, daß die Frage lange genug geschwebt habe und nicht mehr dem nächsten Menschenalter überlassen bleiben müsse, unterdes die Moriscos dank ihrer geregelten Lebensweise und Arbeitsamkeit sich vermehren würden. Alle anderen Lösungen wurden kaum noch erwogen, die Aus-

treibung war in der Luft. Die auswärtigen Beziehungen ließen
die Umstände als günstig erscheinen. Der Anfang sollte mit Valencia, dem gefährlichsten Herde, gemacht werden, die anderen
Gaue sollten durch die Versicherung beschwichtigt werden, daß
es nicht weiter gehen würde. Der Adel sollte durch die Über-
lassung des beweglichen und unbeweglichen Gutes der Ausgetrie-
benen erkauft werden, und eine starke Flotte an der Küste, eine
gehörige Streitmacht zu Lande einen etwaigen Widerstand unmöglich machen. Die Inquisition, die stets zahlreiche Verhaftungen vornahm, konnte sie auf die einflußreichsten Moriscos
ausdehnen, um die übrigen ihrer Führer zu berauben. Gegen
diesen schließlich befolgten Plan erhob nur noch der königliche
Beichtvater Kardinal Gerónimo Xaverr einige Einwände, um
noch einen letzten Bekehrungsversuch zu empfehlen; wenn der
mißlinge, sollte zu dem für die Austreibung festgesetzten Zeitpunkt die Inquisition gegen die Apostaten gerichtlich vorgehen
wegen Verrats gegen Gott oder, wenn ihnen Empörung nachgewiesen würde, wegen Verrats gegen den König. Diese letzte
Anregung hängt mit einem bezeichnenden Skrupel zusammen:
die Austreibung konnte als ein Eingriff in die kirchliche Gerichtsbarkeit erscheinen, die ihre kanonischen Strafen dabei nicht
verhängen konnte. Zweifellos im Hinblick darauf, und zur Umgehung der Inquisition, die ein Interesse an dem bestehenden
Zustande hatte, wurde in dem Austreibungsedikt die Maßregel
als eine rein weltliche bezeichnet, verursacht durch den ver-
räterischen Briefwechsel der Moriscos mit den Landesfeinden
und die Notwendigkeit, nach ihren Ketzereien Gott wieder ver-
söhnlich zu stimmen.

Nach einer weiteren Zeitspanne der Unentschlossenheit fielen
die Würfel im April 1609. Der Staatsrat überreichte eine ein-
stimmige Consulta, wonach die Austreibung im Herbst beginnen,
inzwischen Truppen aus Italien herangezogen, eine Miliz gebildet
und ein Geschwader zum Küstenschutz vereinigt werden sollte.
Anfang Mai erhielten die Vizekönige von Sizilien, Mailand und
Neapel Befehl, die Galeeren bereit zu halten, denen Ende Juni
Order zuging, sich am 15. August bei Mallorca zu sammeln. Es
gab auch jetzt noch Schwankungen, allein der Plan wurde eingehalten.

Anfang August wurde Don Agustin de Mexia, ein höherer

Offizier, der sich bei der Belagerung von Ostende ausgezeichnet hatte, nach Valencia gesandt, vorgeblich zur Besichtigung der Festungswerke, tatsächlich mit allen Vollmachten für die Austreibung. Er überbrachte ein königliches Schreiben an Ribera, dessen Anteil an der Entscheidung hervorgehoben wurde. Der Prälat erhielt mehr als er verlangt hatte. Ziemlich eigennützig hatte er nämlich gemeint, wenn man die Moriscos aus den übrigen Gauen austriebe, würde es leicht sein, die von Aragon und Valencia im Zaume zu halten; nun scheute er vor dem Verlust und Elend, das seiner nächsten Umgebung drohte. Noch im Dezember 1608 hatte er dem Sekretär des Königs geschrieben: für Kastilien und Andalusien seien die Moriscos eine Schande, ihre Entfernung aus Valencia und Aragon dagegen, den blühendsten spanischen Königreichen, würde diese zugrunde richten; die Moriscos versorgten die größeren Städte mit Lebensmitteln; die Kirchen, Krankenhäuser, Brüderschaften, frommen Stiftungen, der hohe und niedere Adel und die Bürgerschaft seien auf ihre Arbeit und vielfach auf die ihre Gemeinschaften belastenden Renten angewiesen; er möchte lieber sterben als eine solche Vernichtung erleben. Als nach Mexias Ankunft am 20. August Ribera Kenntnis von dem königlichen Schreiben erhielt, schlug er dem Vizekönig Caracena und Mexia vor, alle drei möchten den König bitten, mit Andalusien zu beginnen. Es sollte um Mitternacht ein Kurier nach Madrid abgefertigt werden; dem Prälaten wurde freigestellt, ihn zur Übermittlung einer Eingabe zu benutzen. Allein er erwog, daß der Monarch Gehorsam und keine Meinung verlange und äußerte in dem Schreiben, da die Eingebung des Königs vom Himmel komme, wolle er bereitwillig mit all seiner Gewalt mitwirken. Doch es war ihm schwer, sich mit der Aussicht auf Armut auszusöhnen, und am 23. schrieb er an den Sekretär de Prada, man sollte doch mit Andalusien und Kastilien anfangen, und einige Tage darauf bemerkte er zu Bleda und einem andern Ordensmann: „Liebe Väter, wir werden in Zukunft wohl von Brot und Kräutern leben und unsere Schuhe selber flicken müssen."

Das Geheimnis war vorzüglich gewahrt worden, nur erregte Mexias Sendung Argwohn wegen seiner hohen Stellung. Die Moriscos begannen ihre Häuser zu befestigen, stellten die Arbeit ein und beschickten den Markt nicht mehr; die Adligen brachten ihre Familien zur Sicherheit in die Stadt, während Riberas Verhalten dadurch auffiel, daß er seine Wache verstärkte und Vorräte einlegte. Der Adel hielt drei stürmische Versammlungen ab, aus denen eine Abordnung an den König hervorging, um ihm die schweren Folgen für das Königreich vorzustellen, in welchem 11 Millionen Dukaten in Renten auf die Moriscogemeinschaften angelegt seien. In Madrid erfuhr die Abordnung, daß es zu spät, das Edikt schon in Valencia verkündigt sei.

Tatsächlich war alles nach Vorschrift abgelaufen. Am 17. September hatte die Flotte, 62 Galeeren und 14 Galleonen mit etwa 8000 Mann geübter Truppen ihre Ankerplätze bei Alicante, Denia und Alfaques de Tortosa erreicht und die Ausschiffung der Mannschaften begonnen. Die Sierra de Espadan wurde besetzt, während kastilische Reiterei die Grenze sicherte. Als alles bereit war, wurden den Jurados, den Diputados und dem Adel königliche Schreiben verlesen, und am 22. September erging die Verkündigung des Edikts.

Die verhältnismäßig liberalen Bedingungen sowie die Kürze der Frist offenbaren die Empfindung für die Schwäche der Lage. Unter Androhung eines unabwendbaren Todes wurde allen Moriscos geboten, binnen drei Tagen nach Verkündigung des Erlasses an ihrem Ort nach dem ihnen zu bezeichnenden Verschiffungshafen abzureisen. Was sie auf dem Rücken tragen konnten, durften sie mitnehmen; Schiffe sollten bereit liegen, sie nach der Berberei zu bringen; unterwegs sollten sie beköstigt werden. Während der drei Tage mußten alle zu Hause die Befehle der Kommissare erwarten; wer das Haus verließ, konnte von dem ersten besten ausgeraubt und vor den Richter gebracht, und wenn er dabei Widerstand leistete, totgeschlagen werden. Wegen des Übergangs der beweglichen und unbeweglichen Habe an die Grundherren durfte niemand sein Haus oder seine Ernte anzünden oder tragbare Gegenstände verstecken, dies bei Todesstrafe für alle Bewohner des Ortes. Um die Häuser, die Zuckermühlen, die Reisernte und die Besiedelungsanlagen zu erhalten, sollten sechs v. H. der Moriscos zurückbleiben dürfen. Dieselbe Vergünstigung erhielten diejenigen, die zwei Jahre unter Christen gelebt hatten, ohne den Versammlungen der Aljamas beizuwohnen, sowie solche, welche die Geistlichen zur Kommunion zugelassen hatten. Kinder unter 4 Jahren durften bleiben, wenn sie wollten und die Eltern oder Vormünder einwilligten. Kinder unter 6 Jahren von altchristlichem Vater sollten mitsamt ihrer Moriscamutter bleiben; wenn der Vater ein Morisco und die Mutter eine Altchristin war, mußte er gehen und die Kinder unter 6 Jahren mit der Mutter bleiben. Wer einem Flüchtling Obdach gab, verwirkte sechs Jahre Galeeren. Den Soldaten und Altchristen wurde strenge verboten, Moriscos zu beschimpfen oder zu belästigen. Um zu bekunden, daß alles ehrlich gemeint sei, wurde bestimmt, daß von jedem Schub zehn aus der Berberei zurückkehren dürften, um den übrigen zu berichten, wie es den Verschickten dort ergangen sei.

Eine bange Erwartung folgte auf die Verkündigung des Edikts. Das Volk frohlockte, weil es die Moriscos und die Adligen haßte, und es gab Anzeichen einer Empörung gegen letztere. Die Großen beklagten den Niedergang ihrer Güter, die religiösen Genossenschaften den Verlust ihrer ungeheuren Kapitalanlagen. Zuerst dachten die Moriscos an Widerstand, und nachdem sie dem Vizekönig hohe Summen geboten, wollten sie sich bewaffnen und schmiedeten Pflugscharen und Erntegabeln zu Speeren, die mit Schleudern ihre einzige Wehr bildeten. Eine Versammlung ihrer Alfakís und Führer kam jedoch zu dem Entschluß, daß Widerstand aussichtslos sei; wenn sie unterlägen, würden ihre Kinder als Christen erzogen. Es wurden Prophezeiungen von ungeahntem Segen angerufen. So beschlossen denn alle, auszuziehen, einschließlich der sechs v. H., die bleiben durften; wer zurückbleibe, gelte als abtrünnig. Das wirkte derart, daß selbst diejenigen, die hohe Beträge geboten hatten, um zu jenen sechs v. H. zu gehören, nun auch weg wollten, obschon man ihnen freistellte, ihre Bedingungen anzugeben. Der Herzog von Gandía, der keine geübten Arbeiter zur Aufbereitung seiner großen Zuckerernte finden konnte, hätte die Leute um jeden Preis genommen. Ihre einzige Bedingung aber war freie Religionsübung, und als der Herzog sich deswegen an den Vizekönig wandte, erklärte Ribera, weder Papst noch König könne dies zugestehen, da die Leute getauft seien.

Die Adligen fügten sich zumeist in das Unabänderliche und wirkten ehrlich an der Ausführung mit. Der Herzog von Gandía, der nächst dem Herzog von Segorbe die meisten Hintersassen hatte, berichtete dem König, daß am 23. Dezember der Marques de Santa Cruz für ihn 5000 Leute eingeschifft habe, die zuerst weg wollten, um den anderen berichten und sie beruhigen zu können. Eine Anzahl Granden, darunter Gandía selbst, gab ihren Leuten das Geleit und sah der Verschiffung zu, der Herzog von Maqueda reiste sogar bis nach Oran mit. Doch nicht alle waren so bereitwillig, manche suchten ihre Leute mit Gewalt zurückzuhalten, und der Bischof von Orihuela meldete, es sei notwendig, energische Kommissare zu senden, sonst würden viele Moriscos bleiben.

Die Moriscos wollten ihre persönlichen Sachen nicht ohne weiteres den Grundherren überlassen und suchten sie zu verkaufen. Gandía und andere ließen dies zu, andere bestanden auf ihrem Schein, und am 1. Oktober verbot der Vizekönig alle Verkäufe; da dies jedoch zu einer Empörung zu führen drohte, wurde klugerweise der Verfügung kein Nachdruck verliehen. Das Land wurde ein weiter Markt, auf dem Vieh, Ernten und Hausgeräte zu Spottpreisen losgeschlagen und schließlich umsonst weggegeben wurden. Der Grao oder Hafen von Valencia, wo die Verbannten günstige Winde abwarteten, war ein Basar, wo die feinsten maurischen Kleidungsstücke, kostbare Stickereien, reiche gold- und silberdurchwirkte Spitzen u. a. für einen Apfel und ein Stück Brot abgingen.

Kaum hatten die Moriscos sich von dem ersten Schreck erholt, Haus und Hof verlassen zu müssen, so ergriff sie, mit der Aussicht, in ein Land zu gelangen, wo sie ihrem Glauben offen leben und einen lähmenden Druck abschütteln könnten, eine brennende Sehnsucht, Spanien den Rücken zu kehren. Sie bewarben sich darum, mit den nächsten Schiffen segeln zu können, und die Kommissare konnten sie ohne Mühe sammeln und nach den Häfen geleiten. Truppen boten ihnen Bedeckung und Schutz vor der wilden Gier der Altchristen, die Banden bildeten und die Flüchtlinge ausraubten, hier und da auch töteten. Daher ergingen königliche Befehle für summarische Justiz, es wurden Galgen an den Landstraßen errichtet und manche Räuber gehenkt, allein die Verbrechen ließen sich nicht vermeiden. Trotzdem drängte es die Moriscos nach der See. In Alicante zogen sie mit Musik und Gesang ein und sagten Allah Dank für die Gnade, daß sie in das Land ihrer Väter heimkehren durften; woraus sich ergibt, wie einfach es gewesen wäre, die Unzufrie-

denen abziehen zu lassen. Viele trauten dem königlichen Worte
nicht, ermieteten Schiffe und zahlten für ihre Überfahrt; man
unterstützte dies und erließ zugunsten der Flüchtlinge eingehende
Sicherheitsvorschriften. Aus allen spanischen mußten die Schiffe
nach den valencianischen Häfen, gegebenenfalls unter Löschung
ihrer Ladung; in dem Maße wie sie einliefen wurden sie aufgeboten. Angesichts der Eile der Moriscos jedoch wurde das Versprechen freier Überfahrt nach den ersten Verschiffungen gebrochen und die königlichen Schiffe erhoben denselben Fahrpreis
wie die Kauffahrer: 75 Realen auf den Kopf für solche über
und 35 Realen für solche unter 16 Jahren. Es gab drei Schübe
im ganzen, die etwa drei Monate erforderten und nach den Listen
aus den Häfen über 150 000 Seelen umfaßten.[1]

Der Eifer, wegzukommen, war indes nicht überall gleich.
Manche mißtrauten, nicht zu Unrecht, den königlichen Versprechungen und versuchten es mit Widerstand. Sie sammelten
sich in Banden an zwei leicht zu verteidigenden Stellungen, die
einen, nach Schätzungen 15 000—25 000, auf einer Kuppe des
Val del Aguar, die anderen in der Muela de Cortes, wo ihrer
9000 gewesen sein sollen. Mexia achtete dessen fürs erste nicht,
bis das Verschiffungsgeschäft fast zu Ende war. Bis dahin
waren sie auch erschöpft, und im Val del Aguar war es den
völlig Wehrlosen gegenüber mehr ein Gemetzel denn eine Schlacht.
3000 Moriscos wurden getötet, während nur ein Spanier durch
seine eigene Waffe verunglückte. Ausgehungert, erfroren und
verdurstet, übergab sich der Rest am 28. November auf Gnade
und Ungnade, um nach den Häfen geführt zu werden, wobei unterwegs viele an Erschöpfung starben und die Soldaten Frauen und
Kinder raubten, um sie als Sklaven zu verkaufen; von den Über-
lebenden entkamen nur wenige nach Afrika. In der Muela de
Cortes ergaben sich die anderen gegen das Versprechen der Sicherheit für Leben und Habe; als jedoch die Soldaten, die auf Beute
gehofft hatten, sich enttäuscht sahen, fielen sie über die Ärmsten
her, von denen nur 3000 nach den Häfen gelangten, während
über 2000 noch ein Jahr oder zwei das Gebirge unsicher machten.

---

[1] Ein anscheinend vom Gericht Valencia aufgesetzte Aufstellung hält sich
an die mäßigere Zahl 100 656, nämlich 17 766 für Valencia, 32 000 für Alicante,
30 000 für Denia, 15 200 für Vinaros und 5690 für Moncofar.

Sie hatten einen gewissen Vicente Turixi zu ihrem Häuptling erwählt. Dieser wurde in eine Höhle getrieben und nach Valencia gebracht, wo er am 18. Dezember grausam hingerichtet wurde, aber als guter Christ eines erbaulichen Todes starb. Damit endigte der gewaltsame Widerstand für ganz Spanien.

Da die Sache sich in Valencia so unerwartet leicht abgewickelt hatte, wurden die Vorbereitungen für die übrigen Reichsteile beschleunigt. Bis dahin hatte es geheißen, die Maßregel gelte lediglich für Valencia, indes empfanden die übrigen Moriscos, daß sie auch an die Reihe kommen würden und ließen es an Vorstellungen bei Hofe nicht fehlen, wo man ihnen mit zweideutigen Redensarten auswich. Allmählich wurde die Maske abgelegt. Der Marques von San German wurde nach Sevilla gesandt, um die Austreibung in Murcia, Granada und Andalusien zu leiten. Murcia erhielt einen Aufschub, in den beiden anderen Provinzen erging der Erlaß am 12. Januar 1610, nachdem die Galeeren und Truppen dorthin von Valencia vereinigt worden waren. Eine Frist von dreißig Tagen, die dann auf zwanzig gekürzt wurde, war den Moriscos unter Androhung von Tod und Güterverlust ohne Prozeß und Urteil, gesetzt. Ihre Ländereien verfielen der Krone zum Heile Gottes und des Gemeinwesens, indes durften sie bewegliches Gut veräußern und den Erlös in Waren spanischer Herkunft davontragen, nur keine Wechsel, kein Geschmeide oder Geld außer dem Betrag für die Überfahrt. Ihre Kinder durften sie mitnehmen, wenn es nach christlichen Ländern ging; weshalb viele Moriscos Schiffe angeblich zur Fahrt nach Frankreich, in Wirklichkeit nach Afrika ermieteten. Ungeachtet der Berichte über Grausamkeiten, welche die Ankömmlinge in Algerien zu erdulden hatten, waren alle bereitwillig, ein Teil mit dem Ziel nach Marokko. Im April war Andalusien frei von Moriscos; nur wenige warteten noch an der granadischen Küste auf eine Schiffsgelegenheit. Die Zahl der Verschickten wird auf 80 000—100 000 geschätzt, nebst 20 000, die im voraus freiwillig abgezogen waren. Sie sollen viel Reichtum mitgenommen haben, was nicht unmöglich ist, da manche, besonders in Sevilla, reich und in hohen Stellungen waren. Bezeichnend ist, daß der Rat von Córdova sechs v. H. zurückbehalten wollte, und als das abgeschlagen wurde, wenigstens um Gnade für zwei alte, kinderlose

Sattler bat; anscheinend konnte man keinen Spanier für dieses Handwerk finden.

Immerhin wurden anfänglich einige Ausnahmen gemacht. Man hatte dem König dargelegt, daß zahlreiche Abkömmlinge von Mudéjares, die vor dem Zwang zur Taufe freiwillig übergetreten waren, in allen Äußerlichkeiten und dem Glauben nach wie Spanier lebten, ja vielfach als Beatas oder im Gelübde der Ehelosigkeit. Demgemäß erhielten am 7. Februar 1610 die Bischöfe Weisung, San German zu berichten, wen sie des Bleibens für würdig erachteten. Dies führte jedoch nur einen kurzen Aufschub herbei. Die einzelnen Fälle wurden dem königlichen Rat unterbreitet, und die Beteiligten, die in der unwirksam kurzen Frist von dreißig oder sechzig Tagen keinen Bescheid hatten, wie wilde Tiere verfolgt und gewaltsam weggeführt.

Die Austreibung aus Kastilien hatte der Staatsrat am 15. Sept. 1609 beschlossen, sie wurde indes aufgeschoben, bis das Ergebnis aus Valencia vorlag. Zur Vorbereitung wurde im Oktober ein Versuch mit der Einrichtung der Miliz im Verhältnis von 1 : 5 der Waffenfähigen befohlen; es kam nichts zustande. Unter Philipp II. waren zwei solcher Versuche gescheitert. Es war kein militärischer Geist vorhanden, auch nicht einmal für Besatzungsdienst. Eine alsdann angeordnete Moriscozählung verursachte in Verbindung mit den Ereignissen in Valencia große Aufregung. Eingaben an den Hof wurden nicht beantwortet und Befehle an die Beamten, die Beruhigung bezweckten, bewirkten das Gegenteil. Viele boten schon ihre Länder zum Kauf, allein da dies die Erträgnisse der Gütereinziehungen zu vermindern drohte, wurden gegen Ende Oktober die Verkäufe untersagt; unter allerlei Vorwänden dauerten sie fort.

Am 3. Nov. wurde der Graf de Salazar mit der Ausführung für Alt- und Neukastilien, Mancha und Estremadura beauftragt. Wegen der Landverkäufe nahm er an, daß die meisten freiwillig auswandern wollten und schlug vor, ihnen das zu gestatten. Dies wurde angenommen. Ein Erlaß vom 28. Dezember setzte eine 30tägige Frist und Bedingungen wie für Andalusien. So viele aber drängten sich zum Auszug nach Frankreich über Biscaya, daß weitere dreißig Tage bewilligt und Salazar nach Burgos gesandt wurde, um die Abwandernden zu zählen und ihnen Pässe auszustellen. Danach wurden 16 713 Personen aus 3972 Familien

bis zum 1. Mai gezählt, wo weitere Abzüge nach Frankreich
nicht mehr erlaubt wurden und der Strom sich nach Cartagena
wandte; dort schifften sich 10642 ein, angeblich nach christlichen Ländern, um ihre Kinder behalten zu dürfen.

Das Verbot, Geld und Kostbarkeiten mitzunehmen, wurde
natürlich umgangen, weshalb über dreißig in Burgos gehenkt
wurden. Portugiesische Makler waren zur Hand, um die Übermittlung der verbotenen Werte zu besorgen; sie wurden entdeckt
und bestraft. Sicherer war das Verfahren, bei der französischen
Botschaft Anweisungen auf verschiedene Städte Frankreichs zu
kaufen. Der Botschafter sandte seinen Hausmeister mit den
Papieren nach Frankreich, die spanischen Behörden paßten jedoch auf, nahmen den Mann in Buitrago fest und brachten ihn
nach Madrid zurück, worauf der Botschafter drohte, wenn seine
Briefe geöffnet würden, käme kein spanischer Kurier mehr durch
Frankreich, ohne daß dessen Papiere beschlagnahmt würden.
Nach einem erregten Briefwechsel gaben die Spanier nach und
der Bote trat seine Reise wieder an.

Aragon und Katalonien waren nun daran. Die Stimmung
war unruhig, und die gleißnerischen Versicherungen des Hofes
vermochten die Moriscos nicht zu besänftigen. Die Altchristen
begannen, über sie herzufallen, jene stellten die Arbeit ein und
verkauften ihre bewegliche Habe, während ihre geängstigten
Gläubiger ihre Guthaben bei ihnen gewaltsam eintrieben. Eine
Abordnung aus Aragon, die den aus der Austreibung entstehenden
Schäden und die Verkehrtheit der Politik darlegen sollte, die
auf eine Verminderung der Bevölkerung hinausging, suchte
Philipp II. erst abzuwehren, um sie dann, als sie eintraf, mit
beschwichtigenden Gemeinplätzen abzuspeisen.

Bis auf zwei Punkte waren die Edikte für Aragon und Katalonien dem für Valencia gleich. Gemäß dem für Katalonien
sollten Kinder unter 7 Jahren zurückbleiben, wenn die Eltern
sich nach unchristlichen Landen wandten, weshalb das Ziel über
Frankreich nach der Berberei gewählt wurde. Sodann wurde
auf Grund der Erfahrung von Valencia, wo die Austreibung
800000 Dukaten Kosten verursacht hatte, bestimmt, daß die
Verbannten nicht nur sämtliche Ausgaben für die Reisen, sondern auch für die sie bewachenden Beamten sowie einen halben
Real auf den Kopf als Ausfuhrzoll für die mitgenommenen

Gegenstände zu tragen hätten; in Alfaques de Tortosa machte
das alles 24 Realen aus. Die Reichen sollten für die Armen
mitzahlen. Die Transportführer waren grausam in ihren Erpressungen: sie ließen die Leute auf den weiten Reisen im heißen
Sommer für das Wasser in den Bächen und den Schatten der
Bäume zahlen und schlugen aus ihnen weit über die Gebühr an
Reisegeldern heraus.

Die Edikte wurden am 29. Mai 1610 in Saragossa und Barcelona verkündigt. Es wurde kein Widerstand versucht, aber es
erhob sich ein Schrei der Verzweiflung, der selbst die Verfolger
rührte. Die Leute beteuerten ihr Christentum, für das sie sich
in Stücke hauen lassen würden, allein es war zu spät: in Gruppen
von 1000—4000 wurden sie abgeführt, ohne Bedeckung, den
Räubern preisgegeben. Daß sie in ihrer Verzweiflung gegen jeden
Widerstand abgestumpft waren, war ein Glück für Spanien: die
aus Italien in Alfaques de Tortosa gelandeten Truppen waren
auseinander gelaufen, nachdem sie vergeblich nach ihrem Solde
verlangt hatten. Es mögen aus Aragon 75 000, aus Katalonien
50 000 Menschen vertrieben worden sein.

Frankreich wurde überflutet. Im voraus hatte Heinrich IV.
angeordnet, Einwanderer, die den katholischen Glauben bekannten,
in dem Gebiete zwischen Garonne und Dordogne anzusiedeln, für
die übrigen aber für Überfahrtgelegenheiten nach der Berberei
zu sorgen. So waren die Flüchtlinge aus Kastilien untergekom-
men; nach Heinrichs Ermordung aber geriet alles in Unordnung,
und für die 20 000—25 000 Ankömmlinge, die aus Aragon über
Navarra oder über das Gebirge eintrafen, war nichts bereit.
Schließlich ließ La Force sie in Gruppen von je 1000 ein, so daß
sie der Bevölkerung der durchzogenen ärmeren Landstriche nicht
zur Last fielen. Ein Teil wandte sich nach Marseille und anderen
Einschiffungsplätzen.

Eine Schar von 14 000, der bei der Ankunft in dem spanischen Grenzort Canfranc an der Paßstraße über die Pyrenäen
bedeutet wurde, daß sie nicht nach Frankreich eingelassen würde,
hatte 40 000 Dukaten für die Auswanderungserlaubnis bezahlt,
nebst den Ausfuhrabgaben und den Kosten für die Beamten.
Zur Umkehr gezwungen, ließ sie auf dem Wege so viele Tote, und
so viele erkrankten, daß man befürchtete, die Leute würden die
Pest auf die Schiffe bringen. Kurz, die Geschichte dieses Aus-

zuges aus Aragon zeugt ganz besonders gegen die herzlose Habsucht und Unmenschlichkeit.

So war die Gefahr abgewendet, die so schwer auf den Erwägungen der spanischen Staatsmänner lastete, allein der Fanatismus und der Rassenhaß waren noch nicht befriedigt, und es
wurde beschlossen, auch die letzten Reste maurischer Bevölkerung
auszurotten. Ein Edikt vom 10. Juli 1610 verhängte die Verbannung über sämtliche Moriscos von Granada, Valencia und
Aragon, die in den kastilischen Gauen angesiedelt waren, ein
weiteres folgte am 2. August für die in den aragonischen Reichen
Lebenden. Zwar wurden diejenigen ausgenommen, die als gute
Christen gelebt hatten, doch war schwer zu bestimmen, wem
dies galt, und die Ansprüche darauf waren zahlreich und schwer
zu prüfen. Um die Sache zu vereinfachen, wurden kurzweg alle
bis dahin nicht betroffenen Moriscos verbannt, mit Einschluß
sogar der Moriscos antiguos, der Nachkommen der alten
Mudéjares. Dies wurde im März 1611 den Corregidores bekanntgegeben, zur Ehre Gottes und des Reichs, und gleichzeitig wurde
allen, die früher ausgenommen worden und denen, die zurückgekehrt waren, eine Frist von zwei Monaten zum Verlassen des
Landes gesetzt, bei Strafe des Todes und des Vermögensverlustes;
ausgenommen waren nur Geistliche, Nonnen und die Frauen von
Altchristen nebst ihren Kindern.

Diese letzte Ausrottung verursachte viel Mühe. Es hielt schwer,
zwischen Moriscos und Altchristen zu unterscheiden, und die Aus-
gewiesenen fanden häufig Verstecke bei mitleidigen oder eigen-
nützigen Seelen. Kommissare, die nach den verschiedenen Provinzen gesandt wurden, machten geltend, daß keine Ausnahme
auf Grund noch so alter Ansässigkeit gestattet werden dürfe, und
die Inquisitionsgerichte durften nicht einschreiten, sondern die
sich für Altchristen hielten, sollten sich an den König wenden.
Dessen Vertreter wurden der Sache bei der großen Zahl der Fälle
bald überdrüssig. Die Zahl der in dieser Weise noch Ausgewie-
senen wurde auf 6000 geschätzt, ohne die kleinen Kinder, die
Altchristen übergeben wurden. Diese letzte Reinigung wurde dadurch erschwert, daß zahlreiche Verbannte zurückkehren wollten,
obschon ein Edikt vom 12. September 1612 ihnen mit den Galeeren drohte. Die Sache schien kein Ende zu nehmen, bis
schließlich der Graf de Salazar herangeholt wurde. Er hatte

lange und angestrengt zu tun. In Almagro fand er über 800 zurückgekehrte Leute, die er teils auf die Galeeren, teils in die Quecksilberbergwerke von Almaden oder auch auf Kosten säumiger Beamter nach dem Auslande verschickte. Am meisten Arbeit verursachten ihm diejenigen, die behaupteten, nicht mit betroffen zu sein, und um ein Ende zu machen, verfügte er am 26. Oktober 1613 im Namen des Königs, daß alle Moriscos binnen vierzehn Tagen das Reich zu verlassen hätten; wer sie aufnahm oder verbarg, verwirkte Güterverlust — dies war besonders gegen den Adel gerichtet — und auf die Entdeckung eines versteckten Moriscos wurde ein Preis von 10 Dukaten gesetzt. In diesem widersinnigen Getriebe müssen manche Moriscos, die ebenso katholisch waren wie ihre Verfolger, in die Länder der Ungläubigen verjagt worden sein.

Am Ende schlug auch die Unglücksstunde für die von Murcia. Nach zweimaligem Aufschub sandten der Herzog von Lerma und der königliche Beichtvater Aliaga Kundschafter aus, die berichteten, die Moriscos seien nur dem Namen nach Christen. Daraufhin errang Lerma von Philipp III. den Befehl zur Ausführung für Salazar, der Madrid am 26. Nov. 1613 mit dem Befehl verließ, keine Zeit zu verlieren, im Januar 1614 auch 15 000 verschickt hatte, während eine Anzahl alter und gebrechlicher Leute bleiben durfte. Viele Mädchen heirateten Altchristen, um bleiben zu dürfen, zahlreiche Männer und Frauen vornehmer Herkunft traten in die Klöster ein, denen sie viel Reichtum brachten, und die Bischöfe waren nicht karg mit der Erlaubnis zum Eintritt. Anfang Februar erschien Salazar nach vollbrachter Arbeit in Madrid, wenngleich noch einzelne, die nach Valencia geflohen, von dort verjagt worden und zurückgekehrt waren. 1615 sandte Salazar einen Vertreter nach Murcia, um den Rest des Werkes zu vollenden, und berichtete von der Anwesenheit von Moriscos in Tarragona und den Balearen sowie auf den Kanarischen Inseln und Sardinien.

Einige Jahre vergingen noch über der Suche nach versteckten oder infolge schlimmer Erfahrungen aus Afrika zurückgekehrten Moriscos, die als Sklaven jedem, der sie haben wollte, zu dienen bereit waren und darum angenommen wurden. Gegen sie richteten sich wiederholt königliche Verfügungen, die nichts fruchteten, so daß der Königliche Rat schließlich die Sache aufgab und 1618

Bleda bedauerte, daß er die völlige Reinigung nicht erleben würde. Sie war in der Tat unmöglich, und bis auf den heutigen Tag gibt es in Valencia, der Mancha und Granada Siedlungen, die nach Tracht, Bräuchen und Neigungen auf Moriscos mit kaum einer Spur von Christentum hinweisen. Diesem Element schreibt P. Boronat die Zunahme der modernen Skepsis mit der Beimischung von Fanatismus und Aberglaube zu, die gewisse Teile Spaniens belasten.

Wie dem auch sei, vom Standpunkt der Inquisition war die Austreibung ein Erfolg. In ihren Annalen, soweit ich sie prüfen konnte, kommen tatsächlich keine cosas de Moros oder doch nur so viele mehr vor, daß sie die fortgesetzte Wachsamkeit bekunden. Vorerst galt es noch den Moriscosklaven. 1616 beschäftigte man sich mit solchen, die getauft waren und nach der Berberei zu entkommen suchten. Dann galt es Verbannten, die auf maurischen Korsarenschiffen betroffen oder als Sklaven nach Spanien gebracht wurden, oder solchen, die auf den königlichen Galeeren als Apostaten Anlaß zur Verfolgung boten, von denen 1629 der Supremo gnädig absah, falls die Leute kein Ärgernis gäben. Die verstreuten Fälle von Mohammedanismus nach der Austreibung beziehen sich meist auf christliche Renegaten, die auf See gefangen wurden, oder maurische Sklaven, die während der fortwährenden Kriege im Mittelmeer Spaniern in die Hände fielen und nach Gesetzen von 1626, 1638 und 1712 getauft werden mußten. Gelegentlich hören wir noch von einem Morisco, wie Gerónimo Buenaventura, wahrscheinlich einem der 1609 oder 1610 zurückbehaltenen Kinder, der 1635 in Saragossa als verstockt verbrannt wurde.

Trotz der Inquisition gab es noch Abkömmlinge der alten Moriscos, denen es gelang, eine Gliederung für die Pflege ihres alten Glaubens zu erhalten. Eine solche wurde 1727 in Granada entdeckt und lieferte nicht weniger als 73 Ausgesöhnte für die Autos des folgenden Jahres; nach dem Umstande zu urteilen, daß der Hauptangeber für sich und seine Erben eine Pension von 100 Dukaten erhielt, müssen es wohlhabende Leute, die Gütereinziehungen ergiebig gewesen sein. Wahrscheinlich zu dieser Gruppe gehörte die nach Jaen geflüchtete Ana del Castillo, die 1731 in Córdova als „mohammedanische Ketzerin" zu Aussöhnung, Gütereinziehung und unnachläßlichem Gefängnis verurteilt wurde.

Die letzte Anspielung auf die Hartnäckigkeit der Moriscos ist ein Bericht an Karl III. über eine von Neuchristen in Cartagena unterhaltene Moschee. Wenn es, was sich nicht mehr feststellen läßt, darüber noch zu Verfolgungen kam, so waren es die letzten, welche die Moriscos zu erdulden hatten. In den Akten von 1780 bis 1820 kommt kein einziger Moriscofall mehr vor, es handelt sich nur um mohammedanische Renegaten.

Zeitgenössische Schätzungen von der Zahl der Vertriebenen bewegen sich zwischen 300 000 und 3 000 000, doch die Angaben sind zu unvollständig, um eine genaue Bestimmung zu ermöglichen. In neuerer Zeit gelangte Llorente auf 1 000 000, soviel nimmt aber Janer nur für die Gesamtzahl der Moriscos an; davon seien 100 000 umgekommen oder in Sklaverei geraten, so daß 900 000 Verbannte blieben. Vicente de la Fuente kürzt diese Zahl auf 120 000, Danvila y Collado gelangt nach sorgfältiger Prüfung der amtlichen Statistik auf etwas unter 500 000, und Boronat als letzter nimmt diese Zahl ebenfalls an. Sie ist wohl zu gering. Den besten Ersatz für eine amtliche zeitgenössische Angabe bietet wohl ein Bericht des Lucchesischen Gesandten Sebastiano Gigli vom 12. August 1612: danach waren es 600 000. Seine Mitteilung beruht offenbar auf Erkundigungen an maßgebender Stelle, denn er berichtet, die Minister hätten ihm mitgeteilt, daß die Zahl größer sei als sie vermutet hätten. Bei der großen Masse der Mudéjares und ihrer bekannten Fruchtbarkeit lassen diese Zahlen erkennen, daß gar manche Christen geworden und in der Volksmasse untergegangen waren. Man kann daraus schließen, daß mit der Zeit und einer richtigen Behandlung keine Moriscofrage die Köpfe der spanischen Staatsmänner geplagt hätte.

Das Schicksal der Verbannten ist ähnlich dem der Juden von 1492, ja noch schlimmer, da die Austreibung hastiger vor sich ging und auch als Christ keiner zurückkehren durfte. Unter hoffnungslosen Umständen wurden sie in neue und fremdartige Lebensbedingungen hinausgestoßen, und die Grausamkeit, der sie in ihrer neuen Heimat begegneten, verschärfte ihr Los. Die Überfahrt nach Afrika in den königlichen Schiffen war verhältnismäßig sicher, dagegen machten sich die Schiffer der ermieteten Fahrzeuge kein Gewissen daraus, sie allen Vorsichtsmaßregeln zum Trotz zu berauben und zu ermorden. Von vielen erfuhr man niemals, ob sie angekommen seien. In Barcelona wurden am 12. Dezember 1609 der Kapitän und die Bemannung einer mit 70 Moriscos ausgesegelten Barke hingerichtet, die auf der Fahrt mit einer neapolitanischen Felucca zusammengetroffen war, worauf die Bemannungen der beiden Schiffe sich verständigten, um die Fahrgäste zu töten und die Beute im Werte von 3000 Dukaten zu teilen. Ein Matrose, der sich gekränkt fühlte, zeigte die Sache an, da ihm Straflosigkeit zugesichert wurde, und der Vizekönig konnte daraufhin Mitteilungen nach Neapel senden, die zur Ergreifung und Hinrichtung der dortigen Schuldigen führten.

In Frankreich tat La Force wohl sein möglichstes, um das Los der Ausgestoßenen zu mildern, dessen Härte nachdrückliche Vorstellungen Salignacs und sogar Achmets I. hervorriefen. Richelieu berichtet in seinen Memoiren, daß von den Aufsichtsbeamten während der Überfahrten manche sich Diebstähle und sogar Mordtaten zuschulden kommen ließen, aber so strenge bestraft wurden, daß diese Verbrechen aufhörten. Frankreich war jedoch nur ein Durchgangsland. Ein Teil wandte sich von dort nach Italien, wo die Aufnahme nicht freundlich war. 1610 und 1611 verbot der hl. Stuhl denen, die in Civita Vecchia landeten, dort zu bleiben, 1612 jedoch durften etwa 70, die Recanati erreicht hatten und baten, als Christen bleiben zu können, sich in einiger Entfernung von der Küste niederlassen, doch nur in kleinen Gruppen unter scharfer Aufsicht.

Die Mehrzahl wandte sich jedoch nach der Berberei, sei es unmittelbar von Spanien aus, sei es über Frankreich, und die Aufnahme, die sie bei ihren alten Glaubensgenossen fanden, war furchtbar. Sie landeten in Oran und sollten von dort nach den Maurenstaaten reisen. Da der Ruf ihnen vorausging, daß sie bei Gelde seien und nachdem der erste Schub mit einer bezahlten Bedeckung heil durchgekommen war, wurden sie ohne Gnade ausgeplündert und totgeschlagen, ihre Frauen weggeraubt. Noch ehe das Jahr 1609 zu Ende war, berichtete der Generalgouverneur von Oran, Aguilar, aus Furcht vor den Arabern wagten viele nicht abzureisen und blieben in Not und Elend zurück; ihrer zwanzig hätten bei ihm vorgesprochen und sich als gute Christen bekannt; bis dahin hätten sie nicht gewußt, was sie glaubten, nachdem sie jedoch die Abscheulichkeit der Mauren erkannt, wünschten sie als Christen zu bleiben und zu sterben. In seiner Verlegenheit setzte

28*

Aguilar sie gefangen und bat um Weisungen. Wie diese lauteten, wissen wir nicht, es muß aber wahr sein, was der Komtur von N. S. de las Mercedes von Oran berichtet, daß zwei Drittel der Verbannten den Krankheiten oder den Grausamkeiten der Araber zum Opfer fielen. Die allgemeine Annahme ging sogar dahin, daß drei Viertel umkamen.

Diese Greuel wurden noch vermehrt dadurch, daß bei dem nachdrücklichen Entschluß, jede Spur des Islams auszurotten und der grausamen Beschleunigung des Verfahrens viele, die wirklich Christen waren, den Ungläubigen ausgeliefert wurden. Eine Unterscheidung war schwer, und jeder Zweifel wurde zuungunsten der Beteiligten gedeutet. Bezeichnend ist eine Bittschrift des Gaspar Galip, Priesters und Vikars des allgemeinen Krankenhauses in Valencia, vom 26. September 1609, zugunsten seiner beiden Schwäger. Galip war der Sohn eines Moriscos und einer Altchristin; seine Schwestern waren, wie ihre Männer und Kinder, Christen, und die Kinder wußten nicht einmal etwas von ihrer maurischen Blutmischung. Doch Ribera war unerbittlich, und die beiden Familien, acht Personen, mußten fort, ohne Zweifel, um bei den Ungläubigen umzukommen. Escolano berichtet, daß in Tunis ein Teil der Kastilier weiter zur Messe ging und als Christen lebte, und druckt den Brief eines Valencianers ab, der aus Algier seinen Entschluß bekundet, im Glauben zu beharren. Wenn diejenigen, die da glaubten, Gott gefällig zu sein, einer Gewissensregung fähig gewesen wären, so hätten die sie empfinden müssen, die den ersten Anstoß zur Austreibung gegeben hatten, als sie erfuhren, daß in Tetuan verbannte Moriscos so glaubensstark waren, daß sie gesteinigt oder sonstwie getötet wurden, weil sie sich weigerten, die Moscheen zu betreten. Das waren wirkliche Martyrer, und die Kirche hätte besser daran getan, sie heilig zu sprechen, anstatt ihren Verfolger Ribera zu beatifizieren.[1]

Unter den Gründen, die zugunsten der Austreibung angeführt wurden, war mit maßgebend gewesen, daß die Einziehung von

---

[1] Escolano führt das schleichende Fieber, das im Januar 1611 Riberas' Leben ein Ziel setzte, auf die Erbitterung zurück, die das von der Austreibung im Königreich bewirkte Elend hervorrief; ihn machte man dafür verantwortlich; auch verabscheute man ihn wegen der Plackereien, die sein Eifer in der Ausrottung der letzten Überbleibsel verursachte.

Moriscogütern dem Staatsschatz dauernd aufhelfen und ihm ermöglichen würde, seine ungeheure und stetig zunehmende Schuldenlast abzutragen. Zweifellos waren die Erträge des Raubzuges sehr groß. Schon im Oktober 1610 berichtete der Finanzrat, daß er die in Ocana und Madrid der Krone zugefallenen Güter zum größten Teil veräußert habe, und 200000 Dukaten eingegangen seien. Wie hoch aber die Einnahmen gewesen sein mögen, sie waren bald verschleudert. Im März und Mai 1610 berichtete der englische Botschafter Sir Francis Cottingham, es seien Kommissare nach den Provinzen gesandt worden, um die Häuser und Güter der Verbannten zu verkaufen, der König denke jedoch nicht daran, die Staatslasten zu erleichtern, weil er die Erträge im voraus mit einer skandalösen Freigebigkeit an seine Günstlinge verteile. Lerma erhielt 250000 Dukaten, sein Sohn Uceda 100000, seine Tochter, die Gräfin von Lemos 50000 und ihr Gatte 100000 Dukaten. Kein Wunder, daß Philipp III. die Cortes um Hilfe anging, indem er unter den Ursachen seiner Not die Vertreibung der Moriscos aufführte, bei der er die Interessen seines Schatzes denen Gottes und des Staates hintangesetzt habe.

So säuberte, 900 Jahre nach dem Sturz der gotischen Monarchie, Spanien sein Gebiet von den Einbrechern mittels eines Streiches, den Richelieu als den verwegensten und barbarischsten in den menschlichen Annalen bezeichnete. Das Sehnen nach Glaubenseinheit war erfüllt, die Angst vor einem Überfall von außen behoben. Daß der dafür gezahlte Preis hoch war, zeigt die vorzeitige Hinfälligkeit, welche die Monarchie im Laufe des Jahrhunderts betraf. Der Ursachen des Verfalls waren mancherlei, allein nicht an letzter Stelle erscheint darunter die rauhe Unduldsamkeit, die zur Austreibung des wirtschaftlich wertvollsten Volksteiles führte.

***

Dritter Abschnitt.
Die Protestanten.

Das Schicksal der kleinen spanischen Protestantengruppe hat begreiflicherweise moderne Forscher angeregt. Viel ist über sie geschrieben worden, ihre Werke sind gesammelt und neugedruckt,

die Bedeutung der Reformbewegung ist stark übertrieben worden.
Nun bestand niemals im geringsten Gefahr dafür, daß der Protestantismus auf die tiefe und unüberlegte religiöse Überzeugung
des Spaniers des 16. Jahrhunderts einen solch nachhaltigen Eindruck machen würde, daß das Gemeinwesen dadurch erschüttert
werden könnte; und die Aufregung, die in Valladolid und Sevilla
1558 und 1559 entstand, kam von einer vorübergehenden Erscheinung, die keine Spur in der Volksanschauung zurückließ.
Zu der Zeit, wo sie sich einstellte, übte sie jedoch einen blei-
benden Einfluß auf das Geschick der Inquisition und die Entwicklung der Nation aus. Damals, als die Juden im Lande so
gut wie abgetan waren, das Eindringen von solchen aus Portugal
noch nicht begonnen hatte, und das Vorgehen des h. Offiziums
gegen die Moriscos von Valencia unterbrochen war, konnte dessen
Laufbahn schon als abgeschlossen gelten. Der beim Auftreten
des Luthertums geschickt ins Werk gesetzte Schrecken verlieh
ihm neues Leben und Bedeutung und schuf ihm den Anspruch auf
die Dankbarkeit des Staates, so daß er imstande war, das Land
noch während des 17. Jahrhunderts zu beherrschen, und ein ver-
wegenes Vorgehen gegen Carranza tat kund, daß niemand so er-
haben war, um seinem Bereich entrückt zu sein. Zudem gewann
er eine festere finanzielle Grundlage, und der Großinquisitor
Valdés wurde vor Ungnade und Verbannung gewahrt. Noch
wichtiger als all dies ist, daß die Furcht vor Ketzerei, die als
Ursache für die Absperrung Spaniens von dem übrigen Europa,
für die Aussperrung fremder Ideen diente, die Entwicklung der
Kultur und Wissenschaft hintanhielt und das Mittelalter in die
neuere Zeit hinein verlängerte. Das war die wahre Bedeutung
der kleinen protestantischen Bewegung und ihrer Unterdrückung,
und die Forscher sollen sich deshalb mehr dieser Erscheinung
als dem schaurigen Drama des Auto de fe zuwenden.

Vor der Reformation herrschte in dem katholischen Europa
eine weite Gedanken- und Redefreiheit. Weder Erasmus noch
die volkstümlichen Schriftsteller und Prediger scheuten sich, den
Volksaberglauben, sowie die Laster, Geldgier und Verderbtheit
der Geistlichen und die Käuflichkeit und Zwangsherrschaft des
päpstlichen Stuhles lächerlich und verhaßt zu machen. Thomas
Murner, der bekannte Gegner Luthers, ging darin ebensoweit,
wenn auch mit weniger Geschick, wie Erasmus selbst, der in

seinem Enchiridion Militis Christiani den äußerlichen
Formelkram als ein neues Judentum geißelte, das an Stelle der
wahren Frömmigkeit getreten sei und zur Vernachlässigung der
Lehren Christi geführt habe, und dies Werk fand die Bestätigung
Hadrians VI. zu der Zeit, wo er der Löwener Universität vorstand.

Als es jedoch notwendig wurde, die Dogmen der scholastischen
Theologie zu treffen, aus denen diese allgemein anerkannten Übel
entsprangen; als der Norden Europas sich fast einhellig um
Luther scharte und die Kurie erkannte, daß sie es nicht mehr
mit einem scholastischen Zwist unter Mönchen, sondern einer
rasch fortschreitenden Umwälzung zu tun hatte, ergab sich das
Bedürfnis einer scharfen Umschreibung der Rechtgläubigkeit,
während die Zügellosigkeit, die solange gutmütig geduldet worden
war, als sie der Macht und dem Reichtum weiter nicht geschadet
hatte, nunmehr zu einer Ketzerei wurde, die eifrig aufzuspüren
und strenge zu bestrafen war. Männer, die sich für gute Katholiken hielten und nicht daran dachten, dem h. Stuhl untreu zu
werden, fanden sich plötzlich der Ketzerei beschuldigt und den
gegen sie verfügten Strafen ausgesetzt. Vor den Verkündigungen
des Trienter Konzils gab es einen gewissen Spielraum, ein Gebiet,
auf dem die Spekulationen der Gelehrten noch nicht zu Glaubens-
artikeln gestempelt worden waren. Erasmus hatte die göttliche
Einsetzung des Bußsakraments bestreiten dürfen; als die Kirche
in dem verzweifelten Kampf jedoch ihre Außenwerke zu verteidigen begann, wurde diese Behauptung ketzerisch, noch bevor
das Konzil sie verdammt hatte. Wir werden sehen, wie die
meisten Opfer der Inquisition in zwei Gruppen zerfallen. Vor
1550 handelte es sich meist um unbewußte Ketzer, solche, die
vor der Verurteilung Luthers als unstreitig orthodox gegolten
hätten; nachher, mit einigen Ausnahmen wie Carranza, galt es
denen, die bewußt die Lehren der Reformation ergriffen hatten,
und daneben den vielen, die bei der zunehmenden Bedeutung
der Äußerlichkeiten sich durch reine Nachlässigkeit stark verdächtig gemacht hatten. Zweifellos in die erste dieser Gattungen
können wir das früheste Opfer des sogenannten Luthertums verweisen, über das sich Angaben vorfinden: Gonsalvo, den Maler
von Monte Alegre in Murcia, der 1523 in Mallorca als Lutheraner
verbrannt wurde. Es ist nicht denkbar, daß schon damals lutherische Irrtümer nach Mallorca gedrungen wären und daß der

Inquisitor eine genaue Vorstellung davon gehabt hätte. Der Verurteilte starb als Negativo, hielt sich also für einen guten
Katholiken und wollte nichts anderes sein.[1]

Erst seit 1521 war die Kurie darauf bedacht, die Verbreitung
der neuen Lehre durch Luthers Schriften in Spanien zu verhindern. Der Nuntius Aleander berichtete unterm 18. Februar
aus Worms, daß auf Betreiben der Marranen spanische Übersetzungen der Werke Luthers in den Niederlanden gedruckt
würden und Karl V. Befehl gegeben habe, diese Schriften zu vernichten. Sofort, am 21. März, ermahnte Leo X. die Statthalter
Karls in Spanien, die Einführung solcher Werke in Spanien zu
verhindern, und Kardinal Hadrian befahl am 7. April den Inquisitoren, alle gefährlichen Bücher aufzugreifen, und am 7. Mai den
Corregidoren, sie den Inquisitoren auszuliefern. Ihrerseits ersuchten die Granden und der Staatsrat im April Karl aufs
dringendste um strenge Maßregeln gegen die Ausbreitung des
Luthertums, das in Spanien eingedrungen sei.

Es handelte sich mehr um eine Vorbeugung denn um ein
wirkliches Bedürfnis, denn soweit die Akten durchsucht worden
sind, gibt es außer dem schon erwähnten Fall für die nächsten
Jahre keine Verfolgungen wegen Luthertums. Nach Karls Rückkehr nach Spanien 1522 schien der Einfluß Erasmus' weiterhin
den Gebrauch und selbst den Mißbrauch der Redefreiheit zu
sichern; des Kaisers Bewunderung für ihn ging auf seine Höflinge über, der Großinquisitor Manrique und der Erzbischof von
Toledo, Alfonso Fonseca, teilten sie. Nachdem mehrere Päpste
ihn gegen die Rache der von ihm verspotteten Mönchsorden be-
schützt hatten, und die gegen ihn von den scholastischen Fakul-
täten ergangenen Verurteilungen wirkungslos geblieben, schien es
ungefährlich, die Ansichten des berühmten Mannes aufzugreifen.
1527 übersetzte Alonso Fernández aus Madrid, Erzdiakon von
Alcor, sein Enchiridion, widmete es Manrique, der die Veröffentlichung zuließ, und das Werk wurde allgemein gelesen. Die Mönche
indes, die das Predigeramt allein ausübten, donnerten dagegen.
Manrique schritt ein, zahlreiche berühmte Mönche wurden vor

---

[1] Die nächste Verbrennung eines Lutheraners auf Mallorca ereignete sich
erst 1645, und dabei galt es dem Bilde des flüchtigen Jan Anhelant, eines
Holländers.

den Supremo geladen und zurechtgewiesen mit dem Bemerken, wenn sie Irrtümer in dem Buche fänden, sollten sie sie bei der Inquisition anzeigen. Dem gaben sie alsbald Folge, und mit Hilfe des englischen Botschafters Edward Lee, nachmals Erzbischofs von York, stellten sie eine Liste von 21 Artikeln auf, deren Inhalt von Arianertum bis zu Mangel an Ehrerbietung für die Jungfrau Maria und der Ableugnung gewisser priesterlicher Eigenschaften reichte. Eine Versammlung von zwanzig Theologen und neun Mönchen beriet über die zwei ersten Artikel einen ganzen Monat, und da die Verhandlung kein Ende absehen ließ, hob Manrique sie auf und verbot kategorisch, gegen Erasmus zu schreiben. Er fiel jedoch 1529 in Ungnade, mußte nach seinem Erzsprengel Sevilla, Karl verließ Spanien in demselben Jahre, und mit ihm die einflußreichsten Gönner der Erasmisten; die Inquisitoren, vielfach Mönche, befleißigten sich, in der freien Rede, die unter den Gebildeten üblich war, schlummernde Ketzereien zu entdecken.[1]

Ein bezeichnender Fall dieser Art war der des Diego de Uceda, dessen schon in anderm Zusammenhang gedacht worden ist (s. oben S. 202). Er war aus vornehmem, blutreinem, altchristlichem Hause. Wiewohl Höfling, war er gelehrt und fromm, er hatte sogar den Eintritt in den Hieronymitenorden erwogen. Aus dem Vorgehen der Inquisition hatte er gefolgert, daß die Werke des Erasmus, den er sehr bewunderte, genehmigt seien; weil er sich stetig auf dessen Meinungen berief und für sie warb, hatte er sich einen Verweis zugezogen. Auf einer Reise im Februar 1528 war er mit einem Manne, Rodrigo Duran, der nach Westindien wollte, in ein Gespräch geraten und hatte Erasmus' Ansichten über die Beichte und die Heiligenbilder, sowie über den Wunderglauben angeführt und dabei ein Wunder der Mutter Gottes von Guadalupe angezweifelt. In der Unterhaltung wurde Erasmus mit Luther zusammen erwähnt. In Toledo zeigte Duran, dem sein Diener als Helfer diente, Diego bei der Inquisition an und reiste nach Westindien ab. Diego wurde am Ziel seiner Reise

---

[1] In meinen „Chapters from the Religious History of Spain" sind über diese Vorkommnisse weitere Einzelheiten zu finden, die zumeist dem ausgezeichneten Bericht von Menendez y Pelayo in dessen „Heteredoxos Españoles", Bd. II, entnommen sind.

in Córdova aufgegriffen und nach Toledo gebracht, wo er vergebens seine Rechtgläubigkeit beteuerte und Unterwerfung unter
die Kirche anbot, obwohl die häufige Berufung auf Erasmus seiner
Sache wohl nicht nutzte. Er bewies durch Zeugen, daß er gewöhnlich viermal im Jahre beichtete, jeglichen Ablaß nahm, einen
untadeligen Wandel führte und streng religiösen Anschauungen
huldigte. Es half nichts, er wurde gefoltert, bekannte, widerrief und wurde im Januar 1529 zu einer schmachvollen Buße verurteilt, die seine angesehene Familie mit traf.

Die Gefahr für die Erasmisten wird durch einen andern Fall
noch greller beleuchtet. Im ganzen Lande stand an Gelehrsam-
keit und Bildung niemand dem Dr. Juan de Vergara nach. Er
war Sekretär des Kardinals Ximénez als Erzbischofs von Toledo
und in der Folge Alfonso Fonsecas, der 1524 Erzbischof wurde.
Ximénez hatte ihn zum Professor der Philosophie in Alcalá ernannt, wo er die Sprüche Salomos für die komplutensische Bibel
und mehrere Abhandlungen des Aristoteles für eine geplante Gesamtausgabe von dessen Werken übersetzte. Er war ein nam-
hafter lateinischer Dichter, und Menéndez y Pelayo bezeichnet
ihn als den Vater der historischen Kritik. Er stand in Gunst
bei Manrique und hatte in dem Streit um das Enchiridion warm
für Erasmus Partei genommen. Wir werden noch auf die Abenteuer der Illuministin Francisca Hernández zurückkommen; unter
denen, die sie darin verwickelte, befand sich Bernardino de Tovar,
ebenfalls ein Erasmist, Vergaras Stiefbruder; dieser wurde durch
seinen Bruder aus ihren Klauen gerettet. Dafür rächte sie sich,
indem sie bei ihrem Prozeß 1530 Vergara beschuldigte, sämtlichen lutherischen Lehren außer in bezug auf die Beichte zu
huldigen, sowie lutherische Schriften zu besitzen. Letzteres traf
zu, indes hatte Vergara 1530, einer Aufforderung Manriques Folge
leistend, nach einiger Zeit die Schriften abgeliefert. Ein Mitangeklagter der Hernández, Br. Francisco Ortiz, hatte vor Gericht
Vergara beschuldigt, die Wirkung des Ablasses zu leugnen, und
die Universität Paris wegen ihrer Verurteilung des Erasmus getadelt zu haben, da die Kirche in dessen Schriften keine Irrtümer
gefunden habe. Das Gericht brachte noch einige andere Zeugnisse gegen Vergara zusammen und bemühte sich um weitere,
selbst aus den Niederlanden. Im Mai 1533 fand sich in dem
komischen Priester Diego Hernández, den Maria Cazalla als ihren

Beichtvater entlassen, weil er eine Nonne verführt hatte und dies nicht als Sünde gelten lassen wollte, ein bereitwilliger Zeuge, der eine Liste von 70 lutherischen Ketzern angab, darunter Vergara, der für die Lehre mystisch schwärme. Schließlich schwanden alle Bedenken gegen die Verhaftung eines solchen Mannes, als im April 1533 ruchbar wurde, daß er mit dem verhafteten Tovar dank Bestechung der Beamten in Verbindung stehe. Am 17. Mai brachte der Fiskal seine Clamosa vor, worin Vergara als ein Gönner und Verteidiger der Ketzer, ein Schmäher der Inquisition und ein Verderber ihrer Beamten hingestellt wurde, und die Festnahme und Abführung erfolgte am 24. Juni.

Es war eine allgemeine Überraschung. Tief bewegt, versuchte Erzbischof Fonseca Freilassung gegen 50 000 Dukaten Bürgschaft oder doch eine milde Haft zu erwirken, allein dies führte nur dazu, daß das Fenster in Vergaras Zelle fest geschlossen wurde, zum ernstlichen Schaden für seine Gesundheit. Der Prozeß ging seinen Gang. Vergara lehnte einen Fürsprech ab und brachte am 29. Januar 1534 seine Verteidigung selbst vor, indem er die ihm vorgeworfenen Sätze zum Teil bestritt, zum Teil in einem katholischen Sinne erklärte. Eine neue Anklage wurde dann gegen ihn aus seiner Freundschaft für Erasmus und seinem Briefwechsel mit ihm geschmiedet. Er sollte Fonseca bewogen haben, Erasmus eine Pension zu gewähren, der Erzbischof war jedoch inzwischen gestorben; Vergara bestritt die Behauptung mit dem Bemerken, auch wenn sie wahr wäre, träfe ihn deshalb keine Schuld. Jedermann wisse, daß Erasmus kein Einkommen und keine Pfründe habe und jemals habe annehmen wollen, und lediglich von der Freigebigkeit seiner Freunde lebe. Fonseca habe ihm ein Einkommen nur für den Fall geboten, wo er nach Alcalá kommen wollte, und dasselbe habe auch schon Ximénez getan. Wahr sei, daß Fonseca Erasmus 200 Dukaten für die Widmung des h. Augustin gesandt habe, gerade genug für das übliche Trinkgeld an die Drucker des umfangreichen Werkes. Fonseca selbst habe empfunden, daß dies zu karg sei und nach dem Tode des Erzbischofs Warham von Canterbury (1532), der Erasmus freigebig unterstützte, erklärt, er müsse etwas für den Druck des Werkes tun, was Vergara dem Erasmus mitteilte, was aber nicht geschah. Was den Briefwechsel mit Erasmus angehe, so freuten sich Päpste und Könige, sogar der Kaiser, Briefe von ihm zu erhalten, auch kämen in dem gedruckten Briefwechsel des Erasmus seine Antworten an Vergara vor, der ihn aufgefordert habe, etwas zur Widerlegung Luthers zu schreiben.

Tags nachdem diese Verteidigung eingereicht war, wurde das gewichtigste Zeugnis gegen ihn vorgebracht. Ein andrer hervorragender Erasmist, Alonso de Virués, sagte in seinem eigenen Prozeß aus, vor vier Jahren habe Erasmus in einem Gespräch über die Wirksamkeit des Sakraments ex opere operato den Gedanken als phantastisch verhöhnt; auch erkenne er gewisse katholische Lehren nicht an. Nun hatte das Konzil von Trient noch nicht gesprochen, es geschah erst 1547; der Glaube an die selbsttätige Wirkung des Sakraments war noch nicht geboten, wenngleich ebenso alt wie die im 12. Jahrhundert entstandene Lehre von den Sakramenten; und er erschien unentbehrlich, um gegen die Donatisten die Gültigkeit der Konsekration durch unreine Hände zu verfechten. Damit war Vergaras Sache gefährdet; sein Prozeß zog sich wider alle Bemühungen seiner Freunde hin. Endlich, am 21. Dezember 1535, wurde er verurteilt, als Büßer in einem Auto zu erscheinen und de vehementi abzuschwören, um dann ein Jahr, ohne Strafnachlaß, in Klosterhaft zu verbringen; außerdem hatte er 1500 Dukaten Geldstrafe zu zahlen. Nach drei Monaten jedoch sandte Manrique ihn gnädig in das Kapitelhaus, und am 27. Februar 1537 war er ganz frei,[1] ohne Unfähigkeit, denn er behielt sein Kanonikat und konnte 1547 dem Erzbischof Siliceo in der Frage der Limpieza entgegentreten (s. Bd. I S. 547).

Auch Virués war ein Opfer des Rückschlages gegen den Erasmismus. Er war Abt der Benediktiner von San Zoilo, ein gelehrter Orientalist und der bevorzugte Prediger Karls V., der ihn mit nach Deutschland nahm. Neid wegen seiner Gunst bei Hofe führte zu einer Anzeige gegen ihn, einzelne Stellen seiner Predigten wurden wider ihn gekehrt, und 1533 wurde er gefangen gesetzt und blieb vier Jahre in Haft, obschon Karl sich für seine Freilassung verwandte. Vergeblich machte er geltend, daß vierzehn Jahre vorher Erasmus als orthodox gegolten habe, und

---

[1] Don Manuel Serrano y Sans hat in der „Revista de Archivos" vom Dezember 1901 und Januar und Februar 1902 eine ausführliche Darstellung des Falles nach den Akten gegeben.

daß er selbst die Argumente gegen Melanchthon für die Verhandlung auf dem Reichstage zu Regensburg aufgestellt habe. 1537 wurde er des Luthertums für verdächtig erklärt, zur Abschwörung und zwei Jahren Klosterhaft verurteilt, auch durfte er danach zwei Jahre lang nicht predigen. Karl nahm sich seiner so sehr an, daß er entgegen der sonstigen Gepflogenheit von Paul III. ein Breve erwirkte, welches das Urteil beiseite schob und Virués für alle Ämter, auch für ein Bistum für geeignet erklärte, und wirklich wurde er 1542 Bischof der Kanarischen Inseln; er starb 1545.[1]

Der Zeit nach fiel mit diesem Fall der des Pedro de Lerma, eines Mitgliedes einer vornehmen Familie aus Burgos, zusammen. Er war Domherr und Abt in Alcalá und als Prediger wie als Persönlichkeit hoch angesehen. Fünfzig Jahre hatte er in Paris verbracht, wo ihn die Sorbonne zum Dekan ihrer Fakultät gemacht hatte. In seinen Predigten kam der Eindruck der Ansichten des Erasmus auf ihn hervor, und er wurde bei der Inquisition angezeigt und verhaftet, dann nach einem langen Prozeß 1537 genötigt, in allen Städten, wo er gepredigt hatte, elf Sätze als eine Eingabe des Teufels zu widerrufen. Schwer gedemütigt wandte er sich wieder nach Paris, wo er als Dekan ehrenvoll empfangen wurde und 1541 starb. Die Leute von Burgos, heißt es, die ihm die höchste Achtung entgegengebracht, waren von alldem so betroffen, daß diejenigen, die ihre Söhne zum Studium nach dem Auslande gesandt hatten, sie alsbald zurückriefen.

In der alles durchdringenden Verdächtigung und der übertriebenen Empfindlichkeit gegen mögliche Irrtümer war jedermann in Gefahr, wegen einer unverfänglichen Bemerkung verfolgt zu werden. 1536 erschien vor dem Gericht Valencia auf Vorladung Miguel Mezquita, ein Edelmann aus Formiche (Teruel). Nach der üblichen Aufforderung, sein Gewissen zu erforschen, bekannte er, daß er vor mehreren Jahren einmal für das Enchiridion eingetreten sei. Das war es nicht, worum es sich handelte. Er sollte Luthers Lehre vom Evangelium und der Schlüsselgewalt als richtig hingestellt haben, wofür ihn ein

---

[1] Virués muß Besitz von seinem Amt ergriffen haben, denn es wird berichtet, er sei in Telde, einem Dorfe bei Las Palmas, der Hauptstadt der Kanaren, gestorben.

Priester angezeigt hatte. Tatsächlich war er in Italien und in den Niederlanden gewesen und hatte als gereister Mann diesem Priester lediglich dargelegt, wie man im Auslande die Reformation auffasse. Er bat um Freilassung, da er acht Kinder habe, deren vier in Salamanca studierten, und er sein Haus verlassen habe, als fast kein Geld vorhanden war. Zum Glück für ihn war das Gericht nachsichtig und ließ ihn heimkehren, sein Fall blieb jedoch in den Akten, und er war der erstbesten böswilligen Anzeige preisgegeben.

Es ließen sich noch andere Fälle von Katholiken aufzählen, die nicht daran dachten, im Glauben zu wanken, und doch in Verdacht gerieten, den neuen Ketzereien anzuhängen und deshalb mehr oder weniger schwer leiden mußten. Der Fall des Erzbischofs Carranza ist schon behandelt worden. Br. Juan de Regla, Beichtvater Karls V. in San Yuste, einer der Zeugen gegen Carranza, wurde in Saragossa gefangen gesetzt und hatte achtzehn Sätze abzuschwören. Br. Francisco de Villalba, der die Leichenrede für Karl V. hielt, wurde des Luthertums bezichtigt und nur durch den Schutz Philipps II. gerettet. Miguel de Medina, einer der Theologen des Tridentinums, der so orthodox war, daß er ohne den Ablaß das Christentum für einen Fehlschlag gehalten hätte, entging einer Verfolgung wegen einiger Behauptungen nicht, die nach Luthertum riechen sollten, und starb nach vier Jahren im Gefängnis vor Durchführung seines Prozesses.[1] Soweit über die Katholiken.

Dem Protestantismus gegenüber empfand man Pflichten in bezug auf dessen Literatur einerseits und dessen Bekenner anderseits. Mit ersterer werden wir uns in dem nächsten Abschnitt beschäftigen. Hier sei nur so viel erwähnt, daß noch vor der Errichtung der Preßzensur der Besitz und das Lesen von Luthers Schriften kraft der Bulle Leos X. von 1520, Exsurge Domine, bei Strafe des Bannes verboten war, und daß Hadrian VI. dieses Verbot durch die neue Bulle In Coena Domini auf die Schriften von Luthers Anhängern ausdehnte. Wir wissen schon

---

[1] Wir begegnen 1570 dem Miguel de Medina als Konsultor zu Toledo in dem Verfahren gegen Dr. Sigismondo Arquer wegen Luthertums. Schäfer, Beiträge zur Geschichte des spanischen Protestantismus, II, 228 (Gütersloh 1902).

von der Aufregung, die 1521 entstand, und es scheint in Spanien
entweder eine Nachfrage für diese Literatur bestanden zu haben,
oder sie wurde von deutschen Ketzern angeregt, denn 1524
hören wir von einem holländischen Schiff, das, nach Valencia
bestimmt, von den Franzosen abgefangen, dann wiedererobert
und in San Sebastian aufgebracht wurde, wo in seinem Lade-
raum zwei Kisten mit lutherischen Büchern entdeckt wurden;
diese wurden öffentlich verbrannt.   Etwa acht Monate später
brachten drei venezianische Galeassen große Mengen solcher
Bücher nach einem granadischen Hafen, wo der Corregidor sie
verbrannte und Schiffer mit Mannschaft gefangen setzte.   Noch
gab es anscheinend außer den päpstlichen Zensuren keine bestimmten Strafen für den Besitz verbotener Schriften; in einigen
Fällen verfügte der Supremo einfache Lossprechung.

Was die Ketzer selbst betrifft, so war deren Eindringen bei
der engen Verbindung Spaniens mit den Niederlanden und
Deutschland unvermeidlich.   Der erste Fall, auf den ich gestoßen bin, ist der eines Deutschen, genannt Blay Esteve, der
1524 in Valencia verurteilt wird.   Es folgt dort 1528 der Maler
Cornelis aus Gent wegen der Behauptung, Luther sei kein Ketzer,
und wegen Leugnens des Nutzens von Messe und Beichte sowie
des Fegefeuers.   Er fühlte sich nicht als Märtyrer, schützte
Trunkenheit vor und versicherte, er habe die in Flandern auf-
gegriffenen Irrtümer in Spanien aufgegeben; er erhielt Aussöhnung und immerwährendes Gefängnis.   In den Akten seines
Prozesses wird auf den des Jakob Torres, anscheinend auch eines
Lutheraners, angespielt.   Ebenfalls in Valencia spielte sich 1529
der Fall eines gewissen Melchor aus Württemberg ab, der aus
Neapel zugereist war.   Er predigte in den Straßen, er habe vergebens nach einem wahren Anhänger Christi gesucht, und pro-
phezeite, in drei Jahren würde die Welt im Blute ertrinken.
Vielleicht war er ein Anabaptist.   In seinem Verhör gab er zu,
Luther aufgesucht zu haben, um zu erfahren, ob dessen Sekte
die Wahrheit besitze.   Das Gericht unterbreitete den Fall dem
Supremo, der Bescheid gab, wenn er lutherische Irrtümer bekenne, solle ihm Recht widerfahren, andernfalls sei die Sache
geringfügig und würden 100 Hiebe wohl genügen.   Die Akten sind
unvollständig und wir dürfen wohl dahin raten, daß er das Luthertum verleugnet hat und mit den Hieben davongekommen ist.

Solche Fälle mögen bei den einzelnen Gerichten weiter vorgekommen sein, es dauerte jedoch einige Zeit, bis die Inquisition
systematisch vorging. 1526 ermächtigte Klemens VII. die Ob-
servanten-Franziskaner, reuige Lutheraner, die sich einer heilsamen Buße unterwürfen, in den Schoß der Kirche zurückzuführen und von den von Leo X. und andern verhängten
Strafen zu erlösen. Dies war wohl auf eine vorübergehende
Wirkung in Deutschland berechnet, in Spanien jedoch verstieß
es zu sehr gegen die ausschließliche Gerichtsbarkeit der Inquisition, um wirksam zu werden. Der erste Schritt des Supremos
zum Schutz Spaniens gegen die Verbreitung der neuen Ketzereien
war wohl ein Schreiben von 1527 an mehrere geistliche Behörden
von Lugo wegen der in den galicischen Häfen landenden Ketzer
und der Durchsuchung nach lutherischen Büchern, die zu verbrennen seien. Bei dem regen Verkehr mit den nördlichen Ländern erforderte Coruña eine besondere Wachsamkeit; kurz vorher war ein Gericht für Galicien, anscheinend für den besonderen
Zweck, errichtet worden, doch ist es wohl nicht in Tätigkeit getreten. Es kamen immerfort Ketzer an, so daß der Supremo
am 27. April 1531 den Gerichten die Verkündigung besonderer
Glaubensedikte mit der Aufforderung zur Anzeige von solchen
gebot, die im Verdacht lutherischer Meinungen ständen. Es
mögen aber noch Zweifel über die Gewalt der Inquisition in der
Sache und die Art des Vorgehens gegen solche Ketzer bestanden
haben, denn es wurde von Klemens VII. das Breve vom 15. Juli
erwirkt, das Manrique und seine Vertreter ausdrücklich zum
Einschreiten gegen die Folger Luthers und deren Förderer und
Beschützer ermächtigte, und eine entsprechende Bestimmung erscheint in der Folge in die Bestallungen der Großinquisitoren.
Manriques persönliche Befugnis wurde für diese Ketzerei auf die
Erzbischöfe und Bischöfe ausgedehnt, doch ohne Verhaftung und
Gefangensetzung; Verstockte waren gemäß den Canones zu „relaxieren". Reuige konnten ausgesöhnt und nach Gebühr bestraft und sogar von Irregularität, Unfähigkeiten und Schand-
flecken befreit werden.[1] Man war offenbar noch geneigt, die
neuen Ketzer besonders milde zu behandeln.

---

[1] Bulario de la Orden de Santiago, Lib. I de copias, fol. 98. [Das Akten-
stück ist im III. Bande des Originalwerkes, S. 563, abgedruckt. P. M.]

Eine Zeitlang galt das Vorgehen der Inquisition gegen das Luthertum nur Ausländern, von denen als der bedeutendste Hugo de Celso, ein Burgunder, Doktor beider Rechte und Verfasser eines vielbenutzten juristischen Handbuchs war. Nach einer wohl ohne Verurteilung verlaufenen Verfolgung im Jahre 1532 wurde er abermals verdächtigt und 1551 verbrannt. Die Königin von Ungarn, Karls Schwester, wurde zwar auch für verdächtig gehalten, doch das erste Beispiel eines unzweifelhaft spanischen Ketzers ist wohl das des Francisco de San Roman aus Burgos. In jungen Jahren war er in Geschäften nach den Niederlanden und nach Bremen gekommen, wo er übertrat. In Regensburg versuchte er, Karl V. selbst zu bekehren, und da er nicht locker ließ, wurde er in Ketten nach Spanien gesandt. Er wollte nicht abschwören und fand den gesuchten Tod als der erste der spanischen Märtyrer des Protestantismus. Carranzas geistlichen Beistand wies er auf dem Scheiterhaufen zurück und das wütende Volk durchbohrte ihn mit Schwertern, was bei Autos übrigens keine seltene Erscheinung war. Der Vorfall ereignete sich wahrscheinlich 1540.[1]

Ein anderer Fall wird zwar dem Luthertum zugeschrieben, es handelt sich jedoch um einen Ketzer, der sich seine Anschauungen anscheinend unabhängig gebildet hatte: Rodrigo de Valero aus Lebrija bei Sevilla. Was man über ihn weiß, beruht auf den Aussagen eines unzuverlässigen Zeugen. In jungen Jahren hatte er sich von der Welt losgesagt, um dem Studium der hl. Schrift zu leben; er hielt sich für einen neuen Apostel Christi. Die genaue Art seiner Ketzerei ist nicht bekannt. Das Gericht Sevilla zog sein beträchtliches Vermögen ein und entließ ihn als geistesgestört, er setzte jedoch sein Apostolat fort, wurde aber-

---

[1] Mémoires de Francisco de Enzinas (II, 172—216). — Schäfer, III. 9, 738. — Francisco de Enzinas, oder Dryander, gehört nicht in unsern Bereich, da er Spanien verließ, bevor er zum Protestantismus übertrat; da er niemals zurückkehrte, hatte die spanische Inquisition nichts mit ihm zu tun. Seine seltsamen lateinischen Denkwürdigkeiten hat mit einer zeitgenössischen französischen Übersetzung die Société de l'Histoire de Belgique (Brüssel 1862/63) herausgegeben. Eine deutsche Übersetzung von Hedwig Böhmer ist 1863 in Bonn erschienen. Eduard Böhmer hat mit gewohnter Gründlichkeit in seiner „Bibliotheca Wiffeniana" I, 133 ff. alles zusammengetragen, was sich über Enzinas vorfand.

mals verfolgt und zu immerwährendem Gefängnis und Sanbenito
verurteilt; bei der sonntäglichen Messe im Gefängnis widersprach
er dem Priester, und um das zu vermeiden, wurde er in ein
Kloster gebracht, wo er starb.

Von Valero beeinflußt war Juan Gil, bekannt als Dr. Egidio,
der Gründer der kleinen Protestantengemeinde von Sevilla. Er
war der Theologalkanoniker des Kapitels und wegen seines
Wissens und seiner Beredsamkeit hochgeachtet. Karl V. hatte
ihn für den Bischofsitz Tortosa bestimmt, der von 1548—1553
erledigt blieb. Der nach seinem Tode gegen ihn geführte Prozeß von 1559 ergab, daß er schon 1542 den Nonnen von Santa
Clara die Nutzlosigkeit der äußerlichen Werke und der Fürsprache der Heiligen dargelegt und den Bilderkultus als Götzendienst bezeichnet hatte. 1550 schwebte sein Prozeß, dessen
Führung Karl von Brüssel aus Valdés persönlich anbefahl und
vor dessen Abschluß der Kaiser befragt sein wollte; es sollte
schnell gehen, damit der Stuhl von Tortosa nicht verwaist bleibe.

Egidio war der Mittelpunkt einer kleinen Gruppe Lutheraner,
denen die Inquisition eifrig nachspürte. Der Supremo bat 1550
den in Sevilla weilenden Valdés, die Sache zu beschleunigen und
erwähnte einen Bericht an Karl über Verhaftung von Gesin-
nungsgenossen Egidios in Paris und in den Niederlanden. Der
Prozeß endigte am 21. August 1552 mit einer auffällig mäßigen
Verurteilung zum Widerruf von zehn von ihm zugestandenen
Sätzen als ketzerisch; acht weitere widerrief er als falsch und irrtümlich, sieben andere deutete er in katholischem Sinne; alle
waren mehr oder weniger lutherisch. Er erhielt ein Jahr Haft
in Triana und sollte niemals Spanien verlassen; ein Jahr nach
seiner Entlassung durfte er keine Messe lesen, zehn Jahre nicht
predigen, Beichte hören und an Disputationen teilnehmen.[1] Der
Tod (1556) bewahrte ihn vor einem härteren Schicksal.

Die Milde der Inquisition beweist, daß vorderhand keine Gefahr vorlag, die ein strengeres Vorgehen begründet hätte. Zwar
hören wir viel von den Bestrebungen deutscher und anderer
Sendlinge, erkennen aber nur wenig Tatsächliches daran. Die

---

[1] Schäfer, II, 342/3. Der Bericht über Dr. Egidio bei Llorente (Hist. crít.
cap. XVIII, art. I, n. 8—20) ist González de Montes entlehnt; Schäfer weist
nach, daß er gänzlich unrichtig ist.

einzige Angabe, auf die ich gestoßen bin — und auch die ist
recht zweifelhaft — betrifft den 1537 vor dem Gericht Valencia
verfolgten Franzosen Gabriel aus Narbonne, der während eines
vierjährigen Aufenthaltes in Deutschland und der Schweiz die
Ketzerei gelernt hatte. Als Vagant erzählte er in Spanien ohne
Umschweife von den Glaubensformen, denen er begegnet sei.
Bei seiner Verhaftung bekannte er sich rückhaltlos zu den maß-
gebenden Ansichten Luthers; nach einjähriger Haft gestand er
unter Androhung der Folter, daß er von den schweizerischen
Brüdern als Missionar nach Spanien gesandt worden sei, ebenso
ein gewisser Beltran, während zwei andere nach Venedig und
Savoyen abgefertigt worden seien; er habe zwei Jahre lang die
Halbinsel zu Fuß durchwandert und seine Ketzereien vorgetragen, wo man ihm zuhören mochte, mit Vorliebe vor Geistlichen. Hätte das Gericht ihm ernsthaft geglaubt, so wäre er
scharf gefoltert worden, um seine Konvertiten herauszubekommen;
er wurde einfach ausgesöhnt und zu unnachläßlichem Gefängnis
verurteilt, während sein Neffe, der sich selbst als von ihm an-
gesteckt angezeigt hatte, mit Aussöhnung, geistlichen Strafen
und dem Verbot davonkam, Spanien zu verlassen.

Der hl. Stuhl mag das Bedürfnis empfunden haben, die spanische Inquisition aufzurütteln, denn 1551 sandte Julius III.
dem Großinquisitor Valdés ein Breve mit Vollmachten zur Bestrafung der Lutheraner ohne Ansehen der Stellung, was ganz
überflüssig war, denn er besaß diese Vollmachten ausgenommen
gegen Bischöfe, und über diese schwieg das Breve. Wenn eine
Aufmunterung der Inquisition damit bezweckt war, so wurde
sie nicht erreicht, denn die Prozesse beschränkten sich immer
noch auf wenige Fälle, und auch diese meist von Ausländern.
Das Jahr 1558 mag als einen Wendepunkt in der Geschichte
des spanischen Protestantismus gelten; bis dahin haben die genauen Nachforschungen Dr. Ernst Schäfers in den Akten der
sämtlichen Gerichte nur 105 Fälle ergeben, und zwar 39 von
Einheimischen und 66 von Ausländern.[1] Bei der Verwirrung der

---

[1] Die Zahlen sind folgende: Barcelona kein Einheimischer, 8 Ausländer;
Logroño 18 E., 30 A., Valencia 0 E., 2 A.; Saragossa 5 E., 6 A.; Cuenca 5 E.,
3 A.; Granada 0 E., 3 A.; Llerena 1 E., 0 A.; Toledo 8 E., 14 A.; Sevilla
2 E., 0 A. Es werden vor 1558 keine aus Córdova, Murcia, Santiago und
Mallorca gemeldet.

Archive kann diese Statistik nicht für erschöpfend gelten, und
anderseits pflegten die Gerichte „Luthertum" in jeder auch
noch so leichten Abweichung vom Dogma oder den Bräuchen,
oder in unbedachten Reden wie in den erwähnten Fällen zu erkennen. Die Zahlen beweisen, wie wenig bis dahin die spanische
Denkart von der tiefen, jenseits der Pyrenäen herrschenden religiösen Erregung ergriffen worden ist. Nur einzelne, meist ge-
reiste Leute, können als wirklich der neuen Lehre gewonnen
gelten. Noch gibt es keine Gliederung, keine Konventikel zur
gemeinsamen Religionsübung, zur gegenseitigen Bestärkung und
zur Vereinbarung für die Werbung, indes zeigt sich ein Ansatz
dazu in Sevilla, wo die Lehren des Rodrigo de Valero und des
Dr. Egidio in immer weiteren Kreisen nachwirkten. Nach
Dr. Egidios Tode war sein Nachfolger als Theologalkapitular,
Dr. Constantino Ponce de la Fuente, die leitende Erscheinung.
Er war hochangesehen und war Karl V. als Beichtvater und
Kaplan nach den Niederlanden gefolgt. Ebenfalls von Bedeutung war Maestro García Arias, bekannt als Dr. Blanco, Prior
der Hieronymiten von San Isidro, die allesamt übertraten, wie
auch eine Anzahl Nonnen desselben Ordens im Kloster Santa
Paula. Es kam noch ein einflußreicher Pfründner der Kirche
San Vicente, Francisco de Zafra, hinzu. Die Gruppe bestand
vorwiegend aus Welt- und Ordensgeistlichen, aber es gehörten auch
Laien dazu, und zwar aus allen Ständen, zwei Lumpensammler
neben dem hochvornehmen Don Juan Ponce de Leon aus dem
herzoglichen Hause Arcos. Es waren ihrer über 120.

Aus irgend einem Grunde erregten sie 1557 Verdacht, und das
Gericht leitete geheime Ermittlungen ein, von denen die Beteiligten wohl Kunde bekamen, denn elf von den Hieronymiten
retteten sich durch die Flucht; von diesen wurden zwei, Cipriano
de Valera und Cassiodoro de Reina, später berühmt.[1] Diese

---

[1] Cipriano de Valera war der Verfasser von „Los dos Tratados del Papa
y de la Misa", wovon 1558 und 1559 zwei Ausgaben erschienen; 1851 druckte
sie zu ehrender Erinnerung Usoz y Rios als Band VI seiner „Reformistas
antiguos españoles" ab. Von dem Werke sind zwei englische Übersetzungen
erschienen, die eine von John Holbourne 1600, die andere von G. Savage 1704.
Zwei weitere Abhandlungen Valeras, „Tratado para confirmar en la Fe
Cristiana" und „Aviso sobre Jubileos" sind im Bd. III der „Reformistas"
abgedruckt. Sein größtes Werk war eine Übersetzung der großen „Institutio"
Calvins; sie bildet Bd. XIV der „Reformistas".

Flucht nährte den Verdacht. Gewisse Schriften des Dr. Constantino, die zehn Jahre lang unangefochten geblieben, wurden geprüft und 1557 der Aufmerksamkeit sämtlicher Gerichte angezeigt, und Anfang Januar 1558 folgte der Befehl, gewisse Bücher zu verbrennen, drei von ihm aber einzuziehen.[1] Schließlich hatte das Gericht bestimmte Zeugnisse gegen einzelne Mitglieder vor sich. Juan Pérez hatte als Flüchtling in Genf Werbeschriften vorbereitet.[2] Die gefährliche Aufgabe, sie nach Spanien zu schaffen, übernahm Julian Hernández, der nach mehrjährigem Aufenthalt in Paris, Schottland und Deutschland Diakon der wallonischen Kirche in Frankfurt geworden war. Die Erzählung, wonach er zwei große Kisten mit Pérez' Neuem Testament, Psalmen und Katechismus nach Sevilla gebracht haben soll, ist wohl über-

---

Cassiodoro de Reina wurde das Haupt protestantischer Gemeinden spanischer und französischer Sprache in London, Antwerpen und Frankfurt. Sein Hauptwerk war die Übersetzung der Bibel ins Kastilische; die Ausgabe wurde unter dem Namen Ciprianos de Valera verbreitet, der eine durchgesehene Auflage herausgab. In neuerer Zeit von der Bibelgesellschaft gedruckt, hat sie in den spanisch redenden Ländern eine weit größere Verbreitung gefunden. als der Verfasser vor 300 Jahren vermuten konnte (Böhmer, op. cit., II, 165).

[1] Archiv Simancas, Inq. Lib. 940, fol. 3; Lib. 79, fol. 146. Die drei verurteilten Schriften waren: „Exposicio del Psalmo Beatus vir", Sevilla 1546, 1551; „Catechismo cristiano", Antwerpen 1546, Sevilla 1547 und „Confesion de un pecador delante de Jesucristo", ohne Namen des Verfassers, Juli 1547; all diese Schriften kommen auf Valdés' Index von 1559 vor, nebst zwei anderen desselben Verfassers, „Suma de doctrina cristiana" und „Dialogo de doctrina cristiana". — Reusch, Die Indices des 16. Jahrhunderts, S. 232.

[2] Juan Pérez stand in hoher Achtung bei Calvin; als die kleine Gruppe von Flüchtlingen anwuchs, schloß er sie zu einer Gemeinde zusammen, deren Pfarrer er wurde. 1562 reiste er nach Frankreich und übernahm die Leitung einer Kirche in Blois; später wurde er Kaplan von Renate von Frankreich, verwitweten Herzogin von Ferrara, deren hugenottische Neigungen wohlbekannt sind. Er starb 1567 in Paris und hinterließ seine geringen Ersparnisse für den Druck von Büchern zur Förderung des Glaubens. 1556 gab er ein kastilisches Neues Testament heraus, 1557 eine Übersetzung der Psalmen in Prosa; es folgte noch eine Anzahl anderer Schriften. — Böhmer, op. cit., II, 57. — Einzelne seiner Schriften hat Usos y Rios in seine „Reformistas" aufgenommen, nämlich: „Epistola consolatoria", in Bd. II; „Carta á Felipe II", in Bd. III; „Breve Tratado de la Doctrina antigua de Dios", in Bd. VII; „Suplicacion al Rey Don Philipe", in Bd. XII; „Breve Sumario de Indulgentiis", in Bd. XVIII. Es gibt von ihm auch einen Katechismus: „Sumario breve de la doctrina Christiana", gedruckt 1556 von Crespin in Genf, allerdings mit dem Druckernamen Pietro Daniel in Venedig, mit Genehmigung

trieben, immerhin brachte er im Juli 1557 einen genügenden
Vorrat, der außerhalb der Mauern versteckt und nächtlicherweile
eingeschmuggelt wurde; D. Juan Ponce de Leon steckte davon
in seine Satteltasche. Julian beging den Mißgriff, einen Brief
und ein Exemplar des Imajen del Antichristo, die für einen
Priester bestimmt waren, einem Namensvetter desselben zu übergeben, und als dieser das Titelbild bemerkte, auf dem der Papst
vor Satan kniet, und las, daß fromme Werke wertlos seien, eilte
er zur Inquisition, die den so gewonnenen Anhaltspunkt benutzte.
Don Juan und Julian flohen, wurden aber eingebracht, weitere
Verhaftungen folgten, und bald waren die Kerker voll. Mit der
üblichen Geduld spürte das Gericht allen Fäden nach, die Aussagen der Gefangenen führten immer neue Verhaftungen von Mitgliedern des Konventikels herbei. Dr. Constantino und Dr. Blanco
kamen erst im August 1558 daran, und das erste Auto zog sich
bis zum 24. September 1559 hin.

Fast gleichzeitig war eine ähnliche Protestantengruppe in
Valladolid, am Sitz des Hofes, entdeckt worden. Ein italie-
nischer Edelmann, Don Carlos de Seso, der als ein Sohn des
Bischofs von Piacenza galt, war um 1550, anscheinend durch
die Werke des Juan de Valdés beeinflußt, übergetreten. Er kam
nach Spanien, brachte ketzerische Bücher mit und warb eifrig
für die neue Lehre, erst in Logroño, wo er mehrere Personen
gewann, dann in Toro, wo er um 1554 durch den Einfluß seiner
Frau, Isabella de Castilla, die aus königlichem Geblüt war, Corregidor wurde und den Baccalaureus Antonio de Herrezuelo und
dessen Frau Leonor de Cisneros, Doña Anna Enríquez, Tochter
der Marquesa Elvira von Alcañizes, Juan de Ulloa Pereira, Komtur von San Juan, und eine Anzahl anderer mehr oder weniger

---

der spanischen Inquisition (Böhmer, II, 86). Die Strenge, mit der das Werk
unterdrückt wurde, zeigt sich in dem Prozeß von 1561 zu Toledo gegen
Mossen Juan Fesque, einen französischen Priester; sein Vergehen war lediglich der Besitz eines Exemplars, das er zufällig, ohne Kenntnis des Inhalts,
gekauft hatte; er hatte sich dann bei einem Buchhändler nach dem Werke
erkundigt. Er wurde äußerst hart gefoltert, doch ohne weiteres Ergebnis,
und da sonst nichts gegen ihn vorlag, entlassen. Im Lauf der Untersuchung
wurde auf zwei andere, Antonio Martell und Jacobo Sobalti, angespielt, die
das Gericht wegen des Besitzes des Buches verbrannt hatte. — Hs. der Univ.-
Bibl. Halle, Yc, 20, Bd. III.

vornehmer Personen gewann. In Pedrosa, zwischen Toro und Valladolid, führte er den Pfarrer Pedro de Cazalla über, der seinerseits sich dem Bekehrungswerk widmete. Unter seinen Folgern befand sich sein Küster Juan Sánchez, dessen Eifer Cazalla beängstigte. 1557 trat Sánchez zu Valladolid in den Dienst der Doña Catalina de Hortega, die er bekehrte, ebenso wie Doña Beatriz de Vivero, eine Schwester Cazallas. Durch sie wurden sieben Nonnen von N. S. de Belen dem neuen Glauben gewonnen, der wichtigste Erfolg jedoch war die Überredung des Dr. Agustin de Cazalla durch dessen Schwester Beatriz de Vivero.

Kein Geistlicher konnte sich eines gleich großen Rufes bei allen Volksklassen rühmen; er war der bevorzugte Prediger Karls V., der ihn 1543 nach Deutschland mitgenommen hatte, wo in den Streitigkeiten mit den Ketzern vielleicht unbewußt sein Glaube erschüttert wurde. Ihm kam unter den Bekehrten an Bedeutung der Dominikaner Domingo de Rojas am nächsten; er genoß einen hohen Ruf als Gelehrter und Kanzelredner, hatte mit Pedro de Cazalla studiert und 1552 den Erzbischof Carranza nach Trient begleitet. Dort war er mit Ketzern zusammengetroffen, und seither waren einige seiner Äußerungen seinen Ordensbrüdern verdächtig erschienen; als indes Beatriz de Vivero ihn zusetzte, blieb er fest und dachte, sie anzuzeigen. Im Herbst 1557 jedoch gewannen Agustin de Cazalla und Carlos de Seso ihn für die neue Lehre, worauf er seinen Bruder D. Pedro Sarmiento und seinen Neffen D. Luis de Rojas, den Erben der Markgrafschaft Pozo, bekehrte. Wie in Sevilla kamen zu der Gruppe Leute aus anderen Volksklassen, doch war sie nicht zahlreich: die abenteuerlichen Schätzungen auf 500 oder gar 6000 sind haltlos, in Wirklichkeit waren es etwa 55 oder 60 Personen, die ohne Zusammenhang in dem weiten Landstrich von Logroño bis Zamora lebten, wennschon ab und zu Doña Leonor de Vivero, die verwitwete Mutter der Cazalla, ihr Haus für eine Zusammenkunft öffnete. Von ihren zehn Kindern waren vier Söhne, Agustin und Pedro Cazalla, Francisco und Juan de Vivero, und zwei Töchter, Beatriz und Constanza, in die Sache verwickelt, die übrigen scheinen nicht beteiligt gewesen zu sein. Als das Verfahren eingeleitet war, wurde sie einfach in ihr Haus verwiesen; sie starb bald und erhielt ein christliches Begräbnis, ihre Gebeine wurden jedoch ausgegraben und verbrannt.

Trotzdem erhielt einer ihrer Söhne, Gonzalo Pérez de Cazalla, 1560 Dispens von den Cosas arbitrarias, den Aufwand verboten.

Eine derartige Werbung konnte nicht unentdeckt bleiben, es ist nur auffällig, daß sie zwei oder drei Jahre ohne Verrat betrieben werden konnte, der dann von mehreren Seiten zugleich kam. In Zamora hatte Cristobal de Padilla, Hausmeister der Marquesa von Alcañizes, unbedacht gesprochen, und um Ostern 1558 nach Verkündigung des Glaubensediktes ergingen zwei Anzeigen, die dahin führten, daß er durch den Bischof verhaftet und in das allgemeine Gefängnis gesperrt wurde. Von dort gab er seinen Mitschuldigen Kunde, worauf Herrezuelo sofort Pedro Cazalla benachrichtigte, daß auf Padillas Verschwiegenheit kein Verlaß sei. Noch gefährlicher war der unüberlegte Eifer Franciscos de Vivero und seiner Schwester Beatriz, indem sie zwei Freundinnen zu bekehren suchten, die in der Beichte gezwungen wurden, dies anzuzeigen und demgemäß handelten, so daß das Gericht bald die Namen aller Beteiligten kannte und seine Anordnungen treffen konnte. Trotz aller Geheimtuerei hörte Dr. Cazalla von der Anzeige, und die kleine Gruppe geriet in die äußerste Verwirrung. Verzweifelte Fluchtpläne wurden erwogen, doch die Zeit war zu knapp. Einige suchten Gnade zu erlangen, indem sie sich stellten und ihre Mitschuldigen angaben, andere erwarteten in aller Stille ihre Verhaftung. Nur drei versuchten zu fliehen. Br. Domingo de Rojas eilte in einer Verkleidung nach Logroño zu Carlos de Seso, und beide wollten nach Navarra; in Pamplona stellte der Vizekönig ihnen Pässe aus, allein die Häscher waren hinter ihnen, sie wurden erkannt und unter Bedeckung von zwölf Vertrauten und einiger berittener Beamten zurückgebracht, wobei unterwegs die Menge überall Miene machte, sie zu verbrennen. Domingo befürchtete, seine Sippe würde ihn unterwegs totschlagen und man hielt für gut, die beiden in Valladolid zur Nachtzeit einzubringen, damit das Volk sie nicht steinige. Der einzige, der aus Spanien entkam, war Juan Sánchez, der in Castro de Urdiales ein Schiff unter Segel nach den Niederlanden fand, ein Jahr später aber ergriffen wurde und das Schicksal seiner Genossen teilen mußte.[1]

---

[1] Ich verdanke diese Einzelheiten Schäfer (I, 251/88, 296/307; III, 796/803), dessen sorgfältige Darstellung der Prozesse Marias de Guevara, Pedros de

Der Großinquisitor Valdés, dessen Ungnade bevorstand, suchte die Lage in seinem eigenen Interesse auszunutzen. Wir vermögen, was uns angeht, leicht zu ermessen, daß die Furcht vor einem Hundert mehr oder weniger glaubensstarker Protestanten in Sevilla und Valladolid töricht war, daß diese Handvoll Leute keine Gefahr für einen so fest verschanzten und gerüsteten Glauben wie den spanischen bilden konnte; indes konnte damals niemand wissen, wie weit die Ansteckung gediehen war. Man hatte begründete Ursache zur Angst in der gleichzeitigen Entdeckung von Ketzereien an weit entfernten Orten und unter hochgestellten geistlichen und weltlichen Persönlichkeiten. Valdés war darauf bedacht, die Gefahr zu übertreiben, um sich selbst unentbehrlich erscheinen zu lassen, und die abenteuerlichsten Gerüchte wurden geflissentlich verbreitet. Der Abt Illescas, als Augenzeuge, behandelte die Sache als die gewaltigste Verschwörung, die, noch einige Monate im dunkeln fortgesetzt, ganz Spanien in Brand gesteckt und unerhörtes Mißgeschick über das Land gebracht hätte. Häßliche Geschichten wurden in Umlauf gesetzt, denn er spielt auf Dinge an, die sich nicht wiedergeben ließen, auf nächtliche Konventikel in Cazallas Haus, satanische Versammlungen, in denen Luthers Lehre gepredigt worden sei. Diese Legenden wurden sorgfältig gepflegt. Der venezianische Gesandte Leonardo Donato berichtete 1573, wenn nicht rechtzeitig Abhilfe und Strafe eingetreten wäre, hätte das Übel sich ausgebreitet und ganz Spanien ergriffen; der Vorfall sei vielleicht nicht die geringste der Ursachen gewesen, die Philipp II. zum Friedensschluß mit Frankreich und zur Heimkehr bewogen habe.[1] Ebenso führt gegen Ende des Jahrhunderts der Inquisitor Páramo aus, niemand zweifle daran, daß ohne die Wachsamkeit des h. Offiziums ein großer Brand entstanden wäre und daß bei den nächtlichen Konventikeln in Cazallas Haus die Ketzer sich mit abscheulicher Schlechtigkeit besudelten.

Cazalla und Franciscos de Vivero neues Licht auf die kurze Episode des Protestantismus in Valladolid geworfen hat.

[1] Relazione Venete, Serie I, T. VI, S. 411/12. Er fügt hinzu, die Ketzerei könnte sich wegen der Bedrückung durch die Kirche und die von ihr den Leuten abgepreßten Zehnten und Erstlingen verbreiten, allein der Adel sei wachsam für die Verteidigung des Glaubens, wegen des großen Anteils, den er an den Pfründen habe.

Es war natürlich, daß die Regierung sich angesichts der unbekannten Ausdehnung der schicksalschweren Entdeckung gewaltig ängstigte. Karl V. nahte seinem Ende in San Yuste, Philipp II. stand noch im Felde gegen Frankreich, und seine Schwester Johanna, die Regentin, war eine mäßig begabte Frau. Johanna und ihre Ratgeber mochten angesichts der Entwicklung der Dinge in Deutschland und Frankreich den Ausbruch eines Bürgerkrieges als Folge religiöser Streitigkeiten befürchten. Hatte schon der Vorgang von Sevilla Aufsehen erregt, so handelte es sich jetzt um Dinge, die sich in der Nähe des Hofes abgespielt hatten, und Valdés durfte nun nicht fallen (s. Bd. I, S. 368 ff.). Am 23. März 1558 berichtete Johanna ihrem Vater nach San Yuste: als sie die Überführung der Leiche Johannas der Wahnsinnigen nach Granada angeordnet, habe sie Valdés aufgetragen, ihr das Geleit zu geben und seinen Sprengel in Sevilla zu besichtigen; er habe versucht, sich für den Augenblick zu entschuldigen und versprochen, binnen kurzem zu gehorchen. Als er einige Tage darauf wieder aufgefordert worden sei, zu reisen, habe er Einwände gemacht: es verschlage wenig, wenn die Leiche erst im September befördert werde; jedermann wolle ihn beseitigen; ein Zerwürfnis mit seinem Kapitel erfordere seine Anwesenheit in Rom; zudem beschäftige ihn die Entdeckung von Ketzereien in Sevilla und Murcia und die Erlangung eines Subsids von den Moriscos von Granada. Offenbar behandelte er die Ketzerei von Sevilla als geringfügig, andernfalls wäre sie eine Ursache gewesen, ihn dorthin zu senden; als Johanna sein Schreiben dem Staatsrat mitteilte, bestand dieser darauf, daß sein Platz in seiner Diözese sei.

Man kann leicht begreifen, daß er eifrig die Gelegenheit des Ausbruchs von Valladolid ergriff und die daraus drohende Gefahr als größer hinstellte denn die aus dem viel bedeutenderen von Sevilla. In einem Schreiben vom 12. Mai an Philipp zeigte der Supremo kurz die Entdeckung an; es seien der Ketzer so viele und die Zeit sei zu kurz, um alle Einzelheiten anzugeben; allein er ließ die Notwendigkeit der Anwesenheit Valdés' durchblicken und äußerte die Hoffnung, daß mit der Gnade des Königs Maßregeln zur Rettung der Seelen der Übeltäter und zur Abschreckung für andere ergriffen werden könnten.[1] Dies wirkte. Philipp, der am

---

[1] Arch. Simancas, Inq., S. 40, Lib. IV, fol. 228. — In diesem Schreiben wird auch darum ersucht, einen der Sevillaner Protestanten, Diego oder Mateo

5. Juni die Entfernung Valdés' angeordnet hatte, gab am 14. Gegenbefehl. Karl V. war bereits dafür gewonnen. Am 27. April hatte ihm Juan Vázquez die Verhaftung des Dr. Cazalla und die drohenden Aussichten berichtet und dabei betont, daß Abhilfe bevorstehe und der Großinquisitor und der Supremo eifrig am Werke seien. Karl war ganz aufgeregt. Er hatte seine Lebenskraft im Kampf gegen die Ketzerei aufgebraucht; diese hatte seine Politik durchkreuzt, seine Bestrebungen vereitelt; sie war ein Dorn in seinem Fleisch gewesen, bei jeder Bewegung spürte er die Entzündung und die Hemmung. Sie hatte ihn niedergeworfen und zur Abdankung gezwungen, und nun trat ihr Gespenst störend in die Ruhe hinein, nach der seine betrübte Seele und sein erschöpfter Leib sich gesehnt hatten. Er erstarrte bei dem Gedanken an eine Erneuerung des Kampfes, diesmal in dem einzigen Lande, das vom Einfluß der Ketzerei verschont geblieben war, und sein religiöser Eifer entflammte sich an der Überzeugung, daß die öffentliche Ordnung und gar die Monarchie selbst nur durch die Glaubenseinheit erhalten werden könne.

In dieser Verfassung schrieb er am 3. Mai an Johanna, sie möge anordnen, daß Valdés den Hof nicht verlassen dürfe, und ihm und dem Supremo jede Unterstützung gewähren, damit sie ein so großes Übel durch die strenge Bestrafung der Schuldigen ausrotten könnten; wenn seine Körperkräfte es gestatteten, käme er selbst, um seinen Anteil an dem Werke zu nehmen. Johanna beschied Valdés zu sich und zeigte ihm das Schreiben, worauf er, seiner Stellung wieder sicher, ans Werk ging. Von der Verhaftung der Ketzer wurde Karl in Kenntnis gesetzt. Je mehr er über die Lage nachdachte, um so erregter wurde er. Am 25. Mai schrieb er des längeren an Johanna, indem er die Gefahr als groß bezeichnete und die Dringlichkeit scharfer Maßregeln betonte. „Ich weiß nicht," schrieb er, „ob es in solchen Fällen genügt, das gewöhnliche Recht zu befolgen, wonach der Schuldige für einen ersten Fehltritt Verzeihung erlangen kann, wenn er um Gnade bittet und seine Bekehrung beteuert, denn wenn er wieder frei ist, kann er abermals fehlen . . . Die Gewährung der Gnade

---

de la Cruz, der im Bilde verbrannt und später in den Niederlanden ergriffen worden war, bald nach Spanien zu senden. Er hatte mit 30 Dukaten für den Bücherschmuggel des Julian Hernández beigetragen. Sein Schicksal ist nicht zu ermitteln. Vgl. Schäfer, I, 335; II, 358, 407.

war nicht vorgesehen für Fälle dieser Art, bei denen, abgesehen von ihrer Ungeheuerlichkeit, nach dem was ihr mir schreibt, wahrscheinlich ist, daß übers Jahr diese Leute, wenn sie nicht gezügelt werden, öffentlich zu predigen wagen werden und so ihre gefährlichen Pläne vollführen, denn es ist klar, daß sie das nicht ohne Gliederung und bewaffnete Führer vermögen. Es ist daher zu prüfen, ob es angeht, sie wegen Empörung und Störung der Republik zu verfolgen, so daß sie die Strafen für Rebellion ohne Gnade verwirken würden."

Im weitern führt er seine eigenen grausamen Edikte aus den Niederlanden an, nach denen die Verstockten lebendig verbrannt und die Reuigen enthauptet wurden, eine Politik, die er Philipp II. empfahl und die dieser in England übte, als ob er dessen geborener König gewesen wäre, und die zu zahlreichen unbarmherzigen Hinrichtungen, selbst von Bischöfen, führte. „Es darf hierbei," so schloß er, „keine Kompetenzkonflikte geben, denn, glaubt mir, meine Tochter, wenn dieses Übel nicht von Anbeginn ausgerottet wird, dann kann ich nicht dafür einstehen, daß es späterhin einen König geben wird, um es durchzusetzen. Somit ersuche ich euch, so ernstlich ich es nur vermag, alles mögliche zu tun, denn die Art des Falles erheischt dies, und damit das Notwendige in meinem Namen geschieht, befehle ich Luis Quijada, sich zu euch zu begeben und mit den Personen zu reden, die ihr ihm bezeichnen werdet."

Damit nicht genug, sandte Karl an demselben Tage eine Abschrift des Schreibens an Philipp mit dem Ersuchen, die unnachgiebige Bestrafung der Schuldigen anzuordnen, denn der Dienst Gottes und die Erhaltung des Reiches stehe auf dem Spiele. Philipps Randbemerkung auf dem Schreiben lautet, er danke ihm für das was geschehen sei, bitte ihn, die Sache weiter zu betreiben und versichere ihn, daß ein Gleiches von Niederland aus geschehen werde. Karls grausamer Wunsch sollte in Erfüllung gehen, freilich auf kirchlichem Wege und nicht durch eine Verzerrung des bürgerlichen Rechtes.

Es folgte ein lebhafter Briefwechsel zwischen Valladolid und San Yuste, wo Karl sich in Ungeduld verzehrte und zu raschem Vorgehen antrieb, während Valdés versicherte, daß die Inquisition alles mögliche leiste, was sie in ihrer Lage und Geldnot vermöge. Philipp wurde fortlaufend unterrichtet und schrieb an

Johanna aus dem Lager von Doulens am 6. September, um seine
Zufriedenheit mit den getroffenen Anordnungen auszusprechen;
man möge keine Zeit verlieren durch Briefwechsel mit ihm, da
er mit dem Kriege beschäftigt sei, sondern Befehle vom Kaiser
einholen, an den er geschrieben habe, der möge die Leitung der
Angelegenheit übernehmen.

Valdés beherrschte nunmehr die Lage in dieser Sache wie in
derjenigen Carranzas, und um sie möglichst auszunutzen, schrieb
er am 9. September Paul IV. eine kurze Schilderung der lutherischen Bewegung in Valladolid und Sevilla; er betonte die
drohenden Gefahren, die Bemühungen der Inquisition und die
Armut, die sie dabei lähme. Indem er die Beweisführung Karls V.
aufgriff, führte er aus, dieses Luthertum sei eine Art Empörung
oder Aufruhr, da es sich bei Personen von Bedeutung durch Geburt, kirchliche Stellung und Reichtum gezeigt habe, weshalb
größere Übel drohten, als wenn es sich nur um ehemalige Juden
oder Moslim handle, die als geringe Leute nicht gefährlich werden
könnten. Das Luthertum stelle die Befreiung von den kirchlichen Lasten in Aussicht, die das Volk kaum drückten, das jedoch die Erlösung willkommen heißen würde, während die Gerichte vor der „Auslieferung" von Personen von Stande zurück-
schrecken könnten, die dann Bußen und Gefängnis nicht geduldig
hinnehmen und durch ihre Stellung und den Einfluß ihrer Verwandten größere Übel hervorrufen könnten zum Schaden für die
Religion wie für den Landfrieden. Es wäre daher ein päpstliches
Breve sehr erwünscht, wonach die Gerichte ohne Bedenken oder
Furcht vor Irregularität die Schuldigen, von denen Gefahr für
das Gemeinwesen zu befürchten sei, dem weltlichen Arm ausliefern
dürften, auch ohne Rücksicht auf die Stellung in Kirche oder
Staat, wobei den Inquisitoren volle Gewalt zur Anwendung der
durch die Umstände erforderten Strenge zu lassen wäre, selbst
wenn sie dabei die Schranken des Gesetzes überschreiten sollten.[1]
Dieser Bericht führte, wie in anderm Zusammenhang schon erwähnt
(Bd. II, S. 61), zu einer finanziellen Fundierung der Inquisition,
die außer der von Karl V. für sie gewünschten grausamen Gewalt
die Vollmachten erhielt, die Valdés ermöglichten, Carranza zu

---

[1] [Abgedruckt in der Ursprache (spanisch) im Originalwerk, Bd. III
S. 566, und in deutscher Übersetzung bei Schäfer, III, 103. — P. M.]

vernichten. Es ist schon (Bd. I, S. 381, Bd. II, S. 277) auf die
Breven vom 4. und 7. Januar 1559 hingewiesen worden, wodurch
Paul IV. der Inquisition eine beschränkte Gewalt über die Bischöfe gewährte und die Relaxierung auch von solchen Büßern
gestattete, die um Gnade baten, wenn anzunehmen, daß ihre
Bekehrung nicht aufrecht sei. In jedem dieser drei Punkte setzte
sich die Inquisition ihrer Gewohnheit gemäß über die ihr gezogenen Schranken hinweg, um von ihren Vollmachten weidlich
Gebrauch zu machen.[1]

Einmal in der Lage, sich über das Gesetz hinwegsetzen zu
können, schickte die Inquisition sich an, dem Volke die Gefahr
einer Abweichung vom Glauben recht anschaulich zu machen.
Nichts wurde unterlassen, um das erste der Autos, die den Valladolider Opfern galten, Trinitatis 1559, eindrucksvoll zu gestalten.
Es war vierzehn Tage vorher angesagt worden, und während
dieser Zeit gingen Tag und Nacht hundert Bewaffnete Streifwache
um das Inquisitionsgebäude, auch wurden die Gerüste auf der
Plaza Mayor bewacht, weil Gerüchte umliefen, daß das Gefängnis
in die Luft gesprengt und die Schaubühne in Brand gesteckt

---

[1] Obschon durch den Regierungsantritt Elisabeths und ihren Anspruch
auf Hoheit über die anglikanische Kirche eher denn durch die spanischen
Protestanten hervorgerufen, verdient die Bulle Cum ex apostolatus vom
15. Februar 1559 Erwähnung, um den Geist der Zeit zu kennzeichnen. Nach
reiflicher Beratung mit dem h. Kollegium erlassen, bestätigt und erneuert sie
alle Gesetze, Erlasse und Satzungen gegen die Ketzerei, zu welcher Zeit sie
auch immer ergangen seien, und befiehlt deren Ausführung. Als Statthalter
Gottes auf Erden und mit der obersten Gewalt bekleidet, verfügt Paul IV.
auf ewige Zeiten, daß alle, die der Ketzerei oder des Schismas oder ihrer
Begünstigung schuldig seien — Kleriker von den untersten Stufen bis hinauf
zu den Kardinälen und Laien bis zu Königen und Kaisern — diesen Gesetzen
wider die Ketzerei unterworfen sein und ihrer Würden und ihres Besitzes beraubt werden sollen, deren sich jeder bemächtigen kann, der dem h. Stuhl
treu ist; als Rückfällige gelten sollen, als ob sie vorher abgeschworen hätten;
und daß sie dem weltlichen Arm behufs gesetzlicher Bestrafung übergeben
werden sollen, es sei denn, daß sie wahre und wirksame Reue kundgeben, in
welchem Falle sie durch das Wohlwollen und die Gnade des h. Stuhles, wenn
er es für angezeigt hält, in ein Kloster gesperrt werden können, um immerwährend Buße bei dem Brot der Trauer und dem Wasser der Betrübnis zu
leisten. Bular. Roman, I, 840. — Septimi Decretal, Lib. V, Tit. III, cap. 9.
— Die spanische Inquisition behielt diese Bulle in ihrem Archiv, sie scheint
niemals Gelegenheit gehabt zu haben, davon Gebrauch zu machen. Als die
feierlichste Äußerung des h. Stuhles ist sie vermutlich noch in Kraft.

werden sollte. Auf der Prozessionsstrecke wurden Pfähle eingesetzt, damit die Teilnehmer zu dreien einherschreiten sollten.
Jedes Haus an der Strecke und auf dem Platz hatte seine Bühne.
Die Leute strömten dreißig und vierzig Meilen weit her und
lagerten im Freien. Nur die Vertrauten durften reiten und
Waffen führen, allen anderen war dies bei Todesstrafe und Güterverlust verboten.

Den Anfang bildete die Puppe der im Kerker verstorbenen
Leonor de Vivero; sie war mit Witwenkleidern behängt und mit
einer Mitra mit flammenden Zungen und einer Inschrift bedeckt;
ihr folgte der Sarg mit dem dem Feuer zu übergebenden Leichnam. 14, darunter auch ein portugiesischer Jude, waren in Person
zu verbrennen; 16, davon ein Engländer, hatten wegen Protestantismus abzuschwören. Der höchste Platz auf der Bühne
wurde dem Dr. Agustin Cazalla zugewiesen, ihm zunächst kam
sein Bruder Francisco de Vivero. Alsbald begann Melchor Cano
seine — einstündige — Predigt, worauf der Großinquisitor Valdés
vor die Prinzessin Johanna und den Infanten Don Carlos trat
und ihnen den Eid abnahm, daß sie die Inquisition beschirmen
und fördern wollten, was das Volk mit dem brausenden Rufe
aufnahm: „Bis zum Tode". Cazalla, sein Bruder und Alonso
Pérez wurden als Geistliche degradiert, dann wurden die Urteile
verlesen, die Auszusöhnenden schwuren ab, die dem Tode Geweihten wurden dem weltlichen Arm ausgeliefert. Auf Eseln beritten, wurden sie nach der Puerta del Campo geleitet, wo der
Scheiterhaufen errichtet war.[1] Mit einer einzigen Ausnahme
waren sie keine wirklichen Märtyrer, denn sie hatten widerrufen,
Reue bekannt, um Gnade gebeten und alles ausgesagt, was sie
von ihren Freunden und Genossen wußten. Nach dem Gesetz
hätten bis auf zwei oder drei, die als Verbreiter des Luthertums
gelten konnten, alle ausgesöhnt werden müssen, allein das Breve
vom 4. Januar hatte sie der Inquisition preisgegeben, und man
wollte ein Exempel haben.

Cazalla hatte in der Untersuchung zuerst bestritten, daß er

---

[1] Bibl. nac., Mss. D 153, fol. 95. — Den Eindruck, den dieses Auto
machte, bezeugen einige handschriftliche Schilderungen. Schäfer druckt die
Übersetzung von dreien ab (I, 442; II, 1, 15) und bezieht sich auf fünf andere.
Es gibt noch eine weitere, anscheinend 1570 verfaßt und keineswegs genau,
in Bibl. nac., S. 151.

als Lehrer aufgetreten sei; er habe von den Dingen nur zu den
schon Bekehrten gesprochen. Fast alle Angeklagten befleißigten
sich, ihre Mitschuldigen anzuzeigen; Cazalla bewies zuerst Zurück-
haltung in diesem Punkte, als er jedoch zur Folter in c a p u t
a l i e n u m verurteilt wurde, gab er nach und berichtete über
alle, einschließlich Carranzas, der ihn im Punkte des Fegefeuers
irregeführt habe. Er widerrief, erklärte sich für bekehrt und
sehnte sich nach Aussöhnung. Tags vor dem Auto erschienen
in seiner Zelle zwei Mönche, die ihn zwei Stunden lang vergeblich bearbeiteten, um weitere Zeugnisse gegen Dritte aus ihm
herauszubekommen; er versicherte sie, daß er nichts mehr zu
sagen habe. Dann teilten sie ihm mit, daß er sterben solle; er
wußte nichts von dem päpstlichen Breve und hatte auf Aussöhnung gehofft, war daher wie vom Donnerschlag gerührt und fiel
nach der einen Lesart in Ohnmacht, nach einer andern wollte er
nicht an sein Schicksal glauben. Auf die Bemerkung, daß Rettung vielleicht noch möglich sei, wenn er ein volles Geständnis
ablege, erwiderte er, daß er die ganze Wahrheit schon gesagt
habe. Darauf beichtete er und wurde losgesprochen und betete
biz zum Morgen. Er bat Gott um Gnade und dankte ihm für
die Prüfung, pries das hl. Offizium und seine Diener, daß es nicht
von Menschen, sondern von Gott eingesetzt sei; sein Urteil nahm
er willig hin, als gerecht und verdient; er verzichte auf das Leben,
das er mißbraucht habe. Das alles wiederholte er, als die gewöhnlichen Beichtiger erschienen, und als das Sanbenito gebracht
wurde, küßte er es und erklärte, er ziehe es mit größerer Freude
an als jemals ein anderes Gewand; wenn sich die Gelegenheit
auf dem Auto böte, würde er das Luthertum verfluchen und alle
auffordern, ein Gleiches zu tun. In dieser Absicht trat er in die
Prozession, und er gab ihr mit solchem Eifer Folge, daß man
ihn beschwichtigen mußte.[1] Als er nach Verlesung des Urteils
abgeführt wurde und auf der untersten Stufe der Bühne mit

---

[1] Arch. Simancas, Inq., Lib. 1034, fol. 221. — Bibl. nac., Mss. R, 29,
fol. 299. — Siehe bei Schäfer, III, 78 eine deutsche Übersetzung hiervon und
I, 325/27 dessen Verteidigung der Echtheit dieses Berichtes wider diejenigen,
die Cazalla als Märtyrer ansehen. Es gibt eine andere Ausgabe dieses Berichtes, mit Abweichungen in vielen Einzelheiten; sie wird dem Br. Pedro
de Mendoza zugeschrieben; sie ist abgedruckt in den „Miscelanea de Zapata"
(Mem. hist. español, XI, 201).

seiner zu immerwährendem Gefängnis verurteilten Schwester zusammentraf, umarmten sie sich und weinten bitter, und als er weggeschleppt wurde, fiel sie in Ohnmacht.

Auf dem Wege zum Scheiterhaufen ermahnte er in einem fort die Menge und wandte sich besonders dem glaubensstarken Herrezuelo zu, der als Verstockter lebendig verbrannt werden sollte. Vielleicht ist die Richtigkeit all dieser Angaben verdächtig, denn die Inquisition tat das Außergewöhnliche, über sein Verhalten sowie das der Relaxierten amtliche Berichte verfassen zu lassen. Wir haben jedoch das unabhängige Zeugnis des Abtes Illescas dafür, daß Cazalla nach der Degradierung, die Schandmitra auf dem Kopf und den Strick um den Hals, so viel Tränen vergoß und so laut seine Reue bekannte, daß alle Anwesenden von seiner Rettung überzeugt waren und seine Äußerungen Mitleid hervorriefen. Die meisten seiner Genossen im Tode ergaben sich in ihr Schicksal, und alle widerriefen öffentlich, wenn auch von einigen angenommen wird, daß sie es nur taten, um nicht lebendig verbrannt zu werden, eher denn aus ehrlicher Absicht.

An Herrezuelo, dem einzigen Martyrer der Gruppe, prallten alle Bekehrungsversuche ab. Er war auf dem Weg zum Scheiterhaufen geknebelt und konnte dem auf ihn zuredenden Cazalla nicht antworten, allein sein stoisches Benehmen bewies seine Standhaftigkeit. Als er an den Pfahl gekettet war, flog ihm ein Stein an die Stirne, und sein Gesicht wurde mit Blut überströmt. Dann stieß ihn ein Hellebardier in den Unterleib, allein er regte sich nicht, und als der Holzstoß entzündet war, ertrug er die Todesqualen ohne Zucken, und zum allgemeinen Erstaunen starb er in diabolischer Gesinnung. Illescas, der ganz nahe dabeistand, berichtet, er sei regungslos wie ein Feuerstein gewesen, habe keine Klage und kein Bedauern geäußert, indes sei er mit einem seltsam traurigen Ausdruck im Gesicht gestorben, und es sei furchtbar gewesen, auf ihn zu schauen wie auf einen, der in wenigen Augenblicken in die Hölle zu seinem Genossen und Meister Luther fahren würde.

Der rührendste Fall war wohl der seiner jungen Frau Leonor de Cisneros. Mit 23 Jahren, das Leben noch vor sich, hatte sie dem Druck des Inquisitionsverfahrens bald nachgegeben und war mit der Verurteilung zu immerwährendem Gefängnis davongekommen. In den traurigen Jahren der cosa de la peni-

tencia drückte die Last ihr Gewissen immer schwerer, das Beispiel ihres Gatten schwebte ihr immer mehr vor Augen. Am Ende
konnte sie es nicht mehr ertragen und, ihres Schicksals bewußt,
bekannte sie ihre Ketzerei und stand 1567 wieder vor Gericht,
als Rückfällige dem Tode geweiht; nur hätte ein Widerruf sie
noch vor dem Feuertode bewahren können, und es wurde nichts
versäumt, um ihre Seele zu retten. Doch es war vergebens, sie
erklärte, der h. Geist habe sie erleuchtet und sie wolle wie ihr
Gatte für Christus sterben. Am 28. September 1568 starb sie,
als Unbußfertige lebendig verbrannt, in Reue über die zehn Jahre
vorher bewiesene Schwäche.

Die übrigen Valladolider Reformierten kamen am 8. Oktober
daran. Philipp II. war zugegen und leistete den üblichen Eid.
Die Veranstaltung war noch feierlicher als die erste, und ein
niederländischer Beamter schätzt die Zahl der Zuschauer auf
200 000; obwohl aus seiner Heimat an solche Schauspiele gewöhnt, kann er eine Äußerung des Mitleides mit den Opfern
nicht unterdrücken. Außer einem Morisco, der verbrannt wurde,
einem ausgesöhnten Judaisten und zwei sonstigen Büßern waren
es 26 Protestanten. Auch diesmal war wenig Martyrereifer zu
bemerken. 13 hatten ihren Frieden mit der Kirche geschlossen,
um mit Aussöhnung und Bußen davonzukommen. Selbst Juana
Sánchez, der es gelungen war, eine Schere mitzunehmen, mit
der sie sich die Gurgel durchschnitt, widerrief vor dem Tode;
da ihr Bekenntnis indes nicht genügend erschien, wurde sie im
Bilde verbrannt. Von den 12 in Person Verbrannten blieben 5
beharrlich, indes nur zwei bestanden die Feuerprobe. So Carlos
de Seso; bei der Verlesung des Urteils mußte er von zwei Vertrauten gehalten werden, so sehr war er von der Folter mitgenommen. Bei Juan Sánchez hatte die Flamme den Strick verzehrt, an dem er angebunden war; er sprang vom Scheiterhaufen
und lief bei brennendem Leib umher; man glaubte, er suche
nach einem Beichtiger und ein solcher fand sich bald, allein er
hörte nicht auf ihn; nach einem Bericht wurde er in die Flammen zurückgestoßen, nach einem andern sprang er selbst wieder
hinein, als er Sesos Gelassenheit wahrnahm. Br. Domingo de
Rojas hielt sich tapfer und bekannte nach seiner Degradierung
seine Ketzerei dem König ins Gesicht, so daß er weggeschleppt
und geknebelt wurde; auf dem Holzstoß jedoch wankte er und

erklärte, im römischen Glauben sterben zu wollen, worauf er erdrosselt wurde. Auch Pedro de Cazalla und Pedro de Sotelo, die als Unbußfertige geknebelt waren, wurden auf dem Scheiterhaufen bekehrt. Diejenigen, die durch ein rasches Bekenntnis und die Anzeige ihrer Mitschuldigen Gnade erwirkt hatten, wurden im allgemeinen nicht strenge bestraft und erhielten in den meisten Fällen Strafnachlässe. Es müssen besondere Unfähigkeiten gegen die Nachkommen des Carlos de Seso, bis auf die weibliche Linie, verhängt worden sein, denn 1630 gewährte auf Ersuchen Philipps IV. der Papst, in diesem Falle anscheinend allein zuständig, für Caterina de Castilla, Enkelin von Sesos Gattin Isabella, einen Dispens für die Bekleidung jeglicher Ehrenstellen.

Damit war der aufkommende Protestantismus in Valladolid ausgerottet. Mittlerweile hatte das Gericht Sevilla gearbeitet. Der Gefangenen waren so viele, daß gegen die Regel zwei in eine Zelle gesperrt wurden, und weitere Verhaftungen wurden aufgeschoben, bis ein Auto Raum verschafft hätte; dann wurden zwei Häuser als Gefängnis gemietet. Der Bischof Munebrega von Tarazona, ein früherer Inquisitor, wurde zur Aushilfe herangezogen, wollte jedoch alle verbrennen und stritt sich mit den beiden Inquisitoren herum; die Beschlüsse ergingen vielfach ohne Einstimmigkeit, der Supremo mußte angerufen werden, wodurch das Werk verschleppt wurde. Erst am 24. September 1559 konnte ein Auto stattfinden. Wie ganz Altkastilien in Valladolid, so strömte ganz Andalusien in Sevilla zusammen. Drei Tage vorher war die Stadt so voll Menschen, daß die zuletzt Angekommenen auf freiem Felde lagern mußten. Die Bühnen und Gerüste waren außerordentlich umfangreich; es wurde besonders für die Schaulust der Herzogin von Bejar gesorgt, die es wohl auf ihren Verwandten Ponce de Leon abgesehen hatte. Eine Frage des Vortritts störte, wie so häufig, den harmonischen Verlauf der Feierlichkeit.

Für die letzten Augenblicke der Relaxierten waren 38 Mönche und Jesuiten als Beichtiger aufgeboten. Das vornehmste Opfer war Don Juan Ponce de Leon, der in zweijähriger Haft standhaft blieb in der Meinung, ein Mann von seinem Rang würde nicht verbrannt. Er war ein eifriger Protestant, der auf seinen Gütern eine Art Kirche mit geheimem Gottesdienst errichtet hatte. Angesichts des Scheiterhaufens hatte er einmal mit er-

hobenen Händen den Wunsch kundgegeben, ·daß er und die
Seinigen zu Asche verbrannt würden, um den Glauben zu bekennen; hätte er ein Einkommen von 20 000 Dukaten, so würde
er es für die Verbreitung des Evangeliums in ganz Spanien verwenden. Als er jedoch sein Schicksal erfuhr, bekannte er sich
als bekehrt, und auf der Schaubühne redete er seinen Genossen
zu, ihre Irrtümer aufzugeben; er starb durchaus reuig. Der
Lizentiat Juan González, ein berühmter Kanzelredner, der, von
maurischer Abkunft, mit 12 Jahren in Córdova wegen maurischer
Irrtümer gestraft worden war, hatte sich während seines Prozesses geweigert, Mitschuldige anzugeben und während der letzten
Nacht die Ermahnungen der Mönche mit den Psalmen Davids
beantwortet. Auf der Bühne hatte er mit seinen beiden
Schwestern ketzerische Gespräche geführt, bis er geknebelt wurde;
alle drei wurden verbrannt. Das interessanteste Opfer war
Maria de Bohorques, die 26jährige natürliche Tochter des Pero
García de Xerez, eines vornehmen Bürgers Sevillas. Sie war
eine Schülerin Cassiodoros de Reina, hochgebildet, in der Schrift
und ihrer Deutung bewandert. Vergebens bemühten sich die Ordens-
leute nacheinander um ihre Seele; sie antwortete ihnen mit Stellen
aus der Schrift und war die einzige der Verurteilten, die ihren
Glauben verteidigte. So verging die Nacht. Auf der Schaubühne suchte Ponce de Leon sie zu bekehren, sie hieß ihn jedoch
schweigen, da es an der Zeit sei, an den Erlöser zu denken. Sie
behandelte die sie umgebenden Mönche als lästige Eindringlinge,
gegen 3 Uhr aber gab sie ihnen nach, um bald darauf wieder
ihre Irrtümer zu behaupten, und wurde demgemäß verbrannt.
Ein andres hervorragendes Opfer war Hernando de San Juan,
Vorsteher der Doctrina Cristiana für Kinder in Sevilla. Er
war ein verstockter Ketzer, der allem Zureden widerstand, nach
der Verurteilung auf Befragen seine Beharrlichkeit betonte, darauf geknebelt wurde und dies mit Dank gegen Gott hinnahm,
für ihn leiden zu dürfen. Am Ende überredeten ihn doch die
Mönche, dem Feuertod durch Bekehrung zu entgehen, allein es
heißt, seine Rettung sei ungewiß, da sie so spät gekommen sei.

Auf diesem Auto wurden 18 Lutheraner in Person hinge-
richtet und der flüchtige Francisco de Zafra verbrannt; 2 der
Hingerichteten waren Ausländer, einer Niederländer, der andre
Franzose. Es wurde anscheinend reichlich Gebrauch von der

Ermächtigung zur Hinrichtung von Reumütigen gemacht, ob jedoch einer bis zum Ende ausharrte und lebendig verbrannt wurde, geht nicht mit Sicherheit aus den Berichten hervor. Den einzigen Fingerzeig bildet die allgemeine Behauptung Illescas', daß in diesem und den folgenden Autos in Sevilla 40—50 Lutheraner hingerichtet wurden, von denen 4 oder 5 sich lebendig verbrennen ließen. 8 wurden ausgesöhnt, 3 schwuren wegen heftigen und 10 wegen leichten Verdachtes ab. Zwei Häuser wurden eingerissen und die Stätte mit Salz bestreut, weil die Häuser für Versammlungen gedient hätten. Da neben den Protestanten 34 wegen anderer Verbrechen vorgenommen wurden, gab es im ganzen 74 Opfer; Unterhaltung genug für die Menge.

Das Gericht war weiter rege, indes konnten erst am 22. Dezember 1560 die Gefängnisse wieder ausgeleert werden. Über dieses Auto liegt ein trockener amtlicher Bericht vor, demgemäß 14 Ketzer in Person und 3 im Bilde — letztere die Verstorbenen Dr. Egidio und Dr. Constantino, sowie der flüchtige Juan Pérez de Pineda — verbrannt wurden; 15 wurden ausgesöhnt und zu Gefängnis, 5 zur Abschwörung de vehementi und 3 de levi verurteilt, einer freigesprochen, im ganzen 41. Kurz darauf wurden 16 Spanier und 26 Ausländer als unschuldig entlassen — ein Beweis für die Leichtfertigkeit der Verhaftungen. Ob einer der Hingerichteten standhaft blieb und lebendig verbrannt wurde, wird nicht erwähnt; es heißt nur, daß es keine ärgerlichen Reden gab, weil diejenigen, die deren hätten halten können, zur Vorsicht vorher geknebelt wurden.

Von diesen verdienen einzelne besonders erwähnt zu werden. An der Spitze der Opfer stand Julian Hernández, der Frankfurter Diakon. Er hatte drei Jahre im Kerker gelegen und, wenn González de Montes Glauben verdient, die Folter mehrfach erduldet, ohne seine Genossen zu verraten und, wenn man ihn in seine Zelle zurückbrachte, seine Mitgefangenen begeistert, indem er auf dem Flur sang:

> Vencidos van los frayles
> Vencidos van.
> Corridos van los lobos
> Corridos van.[1]

---

[1] Besiegt sind die Mönche, — Sie sind besiegt. — Die Wölfe, sie fliehen, — Sie fliehen davon.

Montes erzählt, er habe bis zum Ende ausgeharrt; nachdem das Reisig angezündet war, habe ein Mönch versucht, den Knebel wegzunehmen, um ihn zu bekehren, aus Ärger über seine Verstocktheit aber ausgerufen: „Tötet ihn, tötet ihn!", worauf die Wachen ihm ihre Gewehre in den Leib gestoßen hätten. Es ist zu hoffen, daß ihm die letzten Qualen erspart blieben, doch es fehlt nicht an Andeutungen, daß er gegen Ende seiner Haft wankend wurde und seine Genossen anzeigte.

Der Freispruch galt der Juana de Bohorques, Gattin des D. Francisco de Vargas und Schwester der hingerichteten Maria de Bohorques. Sie starb im Gefängnis, der Freispruch galt daher ihrem Andenken. Nach Montes war der Tod die Folge der erlittenen Folterqualen und ihr Fall wurde dank Llorente zur Grundlage einer der schwersten Anschuldigungen gegen die Inquisition. In Ermangelung von Akten kann die Richtigkeit der Tatsache nicht festgestellt werden; trifft sie aber zu, so beweist sie eine größere Bereitwilligkeit, ein gerechtes Urteil zu fällen und so einen Fehlgriff einzugestehen, als wir der Inquisition zuzuschreiben gewohnt sind.

Sevilla, als der Haupthandelsplatz Spaniens, zog natürlich viele Kauf- und Seeleute an. Die dortigen Autos zeigen, wie die Inquisition es verstand, den Verkehr abzuhalten. Unter den Verbrannten waren ein Franzose und zwei Engländer; von ersterem wissen wir weiter nichts, auch nichts von dem einen Engländer, wohl aber von dem zweiten, namens Bertoun, wahrscheinlich Burton. Er war als Schiffsführer nach Sevilla gekommen und hatte aus seinem protestantischen Glauben, in welchem er geboren war, kein Hehl gemacht; die ihm anvertraute Ladung wurde gesperrt. Um sie wieder zu erlangen, sandten die Schiffseigner einen jungen Mann, John Frampton, nach der Inquisition, die ihn mehrere Monate hinhielt und ihm dann eröffnete, seine Papiere reichten nicht aus. Darauf reiste Frampton nach London und brachte die gewünschten Papiere nach Sevilla, die Sache zog sich abermals hin, und schließlich wurde er in das geheime Verließ gesetzt, weil man bei ihm eine englische Übersetzung Catos gefunden hatte. Sein Prozeß wurde verschleppt, obschon er seinen Glauben ohne Umschweife bekannte; er wurde bis zur Ohnmacht gefoltert und als er nicht mehr aushalten konnte, erklärte er sich zur Annahme des Katholizismus bereit. Burton blieb standhaft und wurde verbrannt. Frampton wurde nach vierzehn Monaten Haft zu Aussöhnung, Güterverlust und einem Jahr Sanbenito verurteilt, mit dem Befehl, Spanien nie mehr zu verlassen. Alle Güter, die unter Burtons Obhut waren, wurden eingezogen. Frampton gab seinen Verlust auf 760 Pf. St. und den Gesamtwert der Konfiskationen bei diesem Auto auf 50 000 Pf. St. an; das ist offenbar übertrieben, zeigt aber, daß das Geschäft bei der Sache nicht litt.[1]

Auf dem nächsten Auto, am 26. April 1562, wurden 49 Fälle von Luthertum behandelt: 9 wurden in Person verbrannt, keiner als verstockt, daher wohl alle nach Erdrosselung. Es gab 1 Bildnis eines Toten und 15 von Flüchtlingen, davon 9 von Mönchen von San Isidro, mit Cipriano de Valera und Cassiodoro de Reina. Daß die Zahl der einheimischen Protestanten erschöpft war, ergibt sich daraus, daß von den 33 persönlich Vorgeführten 21 Ausländer, meist Franzosen, waren. Es folgte ein Auto am 28. Oktober mit 39 Fällen von Luthertum, davon 9 Verbrennungen, und 3 Bildnisse Flüchtiger; keines der Opfer wird als unbußfertig bezeichnet. 9 wurden ausgesöhnt, 17 hatten d e v e h e m e n t i und d e l e v i abzuschwören. Auffällig ist die große Zahl der Priester auf diesem Auto: neben dem Prior von San Isidro, Garcí Arias Blanco, 4 Geistliche in Person und einer im Bilde verbrannt und 7 Abschwörende d e v e h e m e n t i. Sie hatten einen guten Anteil an den Geldstrafen, die 5050 Dukaten und 50 000 Maravedí ausmachten, außer vier Einziehungen des halben Vermögens. Übrigens scheint die ganze Bemannung des Schiffes Angel der Inquisition verfallen zu sein, denn von ihr wurden 4 verbrannt, 6 ausgesöhnt und 4 zur Abschwörung d e v e h e m e n t i verurteilt. Es wurde immer gefährlicher, mit Spanien Handel zu treiben.

Nun ist die kleine Schar spanischer Protestanten schon so gut wie ausgerottet, bei den folgenden Autos wiegen die Fälle von Ausländern vor. Am 19. April 1564 werden 6 Leute in Person, alle Niederländer, und einer im Bilde verbrannt; 2 Ausländer

---

[1] Strype, Annals of the Reformation in England I, 228/35 (London 1709), nach einer handschriftlichen Darstellung Framptons von seinen Leiden. Eine englische Übersetzung von Erasmus' Präzepten Catos war 1545 herausgekommen, und wahrscheinlich war es dieses Buch, das bei Frampton gefunden wurde; trifft das zu, so genügte Erasmus' Name, um jenen bloßzustellen.

haben de vehementi abzuschwören. Am 13. Mai 1565 werden
6 Flüchtige wegen Protestantismus im Bilde verbrannt; nur
2 sind Spanier, und von diesen ist der eine der letzte Angeschuldigte der Mönche von San Isidro; 7 werden ausgesöhnt,
allesamt Ausländer; von 5 de vehementi Abschwörenden sind
3 Niederländer. Eine grausame Warnung vor Bergung und Schutz
solcher ausländischer Ketzer liegt darin, daß an zwei Nieder-
ländern aus Puerto Real dieses Vergehen mit 200 (bei dem einen
gar 400) Hieben, Geldbuße und Verbannung heimgesucht wird.

Damit sind wir tatsächlich am Ende des spanischen Protestantismus angelangt, aber der Eindruck von Valladolid und
Sevilla wirkte nach, und Philipp II. ermahnte am 23. November
1563 die spanischen Bischöfe zur Wachsamkeit gegen die Werbe-
bemühungen der Protestanten und zur Unterstützung der Inquisition in der Anzeige von Ketzereien jeder Art. Die Bischöfe
sollten auch dafür sorgen, daß die Prediger die katholische Lehre
darlegten, ohne die Ketzereien zu berühren, selbst um sie zu
widerlegen. Die Beichtiger waren anzuweisen, die Anzeige von
Ketzern den Beichtenden zur Pflicht zu machen. Niemand sollte
eine Schule eröffnen ohne vorherige Prüfung bei den geistlichen
und weltlichen Behörden.

Dennoch wurden nur wenig neue Ketzer entdeckt, der spa-
nische Protestantismus war nur eine flüchtige Erscheinung gewesen, von Bedeutung lediglich wegen der Stärkung, die seine
Unterdrückung der Inquisition brachte und der Abschließung
Spaniens gegen die geistige und gewerbliche Bewegung der folgenden Jahrhunderte. Es gab von Zeit zu Zeit einige verstreute
Fälle, allein die Verfolgung der Juden und Moriscos hatte die
Nation so sehr in die fanatische Begeisterung eingewiegt, das
Gefüge der Monarchie und der Kirche war zu absolut, als daß
noch Gefahr für ein Wurzelfassen des Protestantismus hätte bestehen können. Trotzdem hielt man die äußersten Maßregeln
für nötig, um das Eindringen fremder Ideen zu verhindern. Kurz
nach seiner Rückkehr aus den Niederlanden erläßt Philipp II.
die Pragmática vom 22. November 1559, die alle spanischen Stu-
dierenden aus dem Auslande binnen vier Monaten heimbefiehlt,
und für die Zukunft allen Untertanen verbietet, sich zu Studien
ins Ausland zu wenden, bei Strafe von Güterverlust und ewiger
Verbannung für Laien und Verlust der Temporalien und des

Bürgerrechtes für Kleriker. Die alleinigen Ausnahmen, die gestattet werden, gelten dem Albornozkolleg in Bologna, den Kol-
legs in Rom und Neapel für die in Italien weilenden Spanier und
dem von Coimbra für dortige Professoren. Es kann nicht genug
auf den unheilvollen Einfluß dieser Maßregel auf die Zurückschrau-
bung der Entwicklung Spaniens hingewiesen werden, und doch war
es nur der Anfang für eine Reihe von andern, die durch die Verein-
samung des Landes seine Spannkraft nach jeder Richtung lähmten.

Das Gespenst der Proselytenmacherei durch die Protestanten
im Auslande wurde nachdrücklich heraufbeschworen, um zur
Wachsamkeit anzufeuern und Zwangsmaßnahmen zu rechtfertigen.
Zweifellos hegten die Flüchtlinge in den Rheinlanden und der
Schweiz den Wunsch, das Evangelium in ihre Heimat zu tragen;
ihre Bemühungen, die geflissentlich übertrieben wurden, stießen
jedoch auf unüberwindliche Schwierigkeiten. Carranza verweilte
in seiner Verteidigung dabei, wie er von den Niederlanden aus
diese Bestrebungen durchkreuzt habe, allein obschon ihm von
ganzen Faßladungen gefälschter Briefe Philipps II. und einer gefälschten päpstlichen Bulle berichtet wurde, die von der Frankfurter Messe nach Spanien gesandt würden, sowie von Läden in
Medina del Campo und Malaga als den Empfängern ketzerischer
Bücher, zeigen die tatsächlichen Ergebnisse seiner Tätigkeit, wie
wenig von alledem richtig war. Wo ein Sendling sich vorwagte,
hatte er nicht lange Gelegenheit zu wirken. Einer von ihnen,
Hugues Bernat aus Grenoble, landete am 10. August 1559 in
Lequeito in Biscaya. Auf dem Wege nach Guadalupe lockte ein
Mönch alles aus ihm heraus, und bald hatte ihn das Gericht
Toledo verhaftet, dem er für seine Person ein Geständnis machte;
wegen seiner Mitschuldigen wurde er gefoltert und am 25. September zur Auslieferung verurteilt; er wird nicht als verstockt
angegeben, und aus irgend einem Grunde wurde das Urteil nicht
vollstreckt. Ein französischer Putzwarenhändler hatte Bücher
für eine kleine Hugenottengemeinde in Toledo eingeschmuggelt;
es gab damals in Spanien zahlreiche Niederländer und Franzosen,
und für sie werden wohl die Bücher gewesen sein, die man ein-
schmuggelte oder einzuschmuggeln versuchte.[1]

---

[1] Arch. hist. nac., Inq. de Toledo, Leg. 113. n. 64, fol. 20. — Das Häuf-
lein Hugenotten von Toledo wird ausführlich behandelt durch E. Schäfer in

Stets aber tauchten Gerüchte von größeren Werbeversuchen auf, deren Bedeutung übertrieben wurde und die der Inquisition Anlaß gaben, gegen den Handel einzuschreiten. In Montpellier bemühte sich 1566 der spanische Gesandte Francisco de Alava festzustellen, auf welchem Wege ketzerische Bücher nach Katalonien gesandt wurden, und aus den Niederlanden meldete Margareta von Parma die Mär von der Absendung von 30000 Exemplaren von Calvins Büchern über Sevilla. Der Supremo traf Maßregeln dagegen; Anfang 1572 wollte er erfahren haben, daß die Prinzessin von Bearn, Jeanne d'Albret, eine geheime Versammlung von Lutheranern gehalten, die verkappte Sendlinge nach Spanien abzufertigen beschlossen habe. Daraufhin wurde die strengste Wachsamkeit angeordnet. 1578 benachrichtigte der Supremo seine Gerichte, in Spanien sei mit dem Druckort Venedig das Neue Testament auf Spanisch gedruckt worden und es werde massenhaft im Lande verbreitet; man solle eifrig suchen, und alle, die es besäßen, nach Madrid zur Aburteilung senden. Einen Monat darauf kamen wieder beängstigende Nachrichten aus den Niederlanden, die Berichte aus dieser Zeit deuten jedoch nicht darauf hin, daß die Spürarbeit durch einen Fang belohnt worden wäre.

Der Werbeeifer hatte jedenfalls zu Anfang des 17. Jahrhunderts aufgehört. Das letzte, was wir davon hören, ist, daß der Fürst von Anhalt 1603 eine Anzahl Exemplare der Bibel des Cipriano de Valera nach Sevilla gesandt hatte, und daß auf die Kunde davon die Herzogin Katharina von Bar 600 Exemplare drucken ließ und den Hugenotten Jérome de Taride nach Pau zu dem Herzog de la Force sandte, um zu erfahren, wie man die Bücher nach Saragossa gelangen lassen könnte; der Herzog gab die Namen einiger Vertrauenspersonen an, der im folgenden Jahre eingetretene Tod der Herzogin vereitelte jedoch den Plan. Während des Dreißigjährigen Krieges hatten die deutschen Protestanten im eigenen Lande die Hände voll, und nach dem Westfälischen Frieden war das Proselytenmachen nicht mehr im Schwang.

---

der Zeitschrift für Kirchengeschichte, Oktober 1900. Er schätzt auf etwa 50 die Zahl derer, die in den Prozeßakten erwähnt werden; das ist wohl erschöpfend, denn wie gewöhnlich zeigten die Verhafteten alle an, die sie kannten oder in Verdacht hatten. Das Gericht räumte mit ihnen auf dem Auto vom 19. Juni 1565 auf, wo 45 Verurteilte erschienen und 11 „ausgeliefert" wurden; es wird nicht angegeben, wie viele davon Protestanten waren.

Es war eine eigentümliche Erscheinung, daß während des Erbfolgekrieges, 1706, als der Erzherzog Karl mit seinen englischen Verbündeten eine Weile die Oberhand hatte und von den aragonischen Ländern anerkannt war, ja selbst Madrid auf kurze Zeit besetzte, die Gelegenheit wahrgenommen wurde, um einen anglikanischen Katechismus und andere glaubensschädliche Bücher zu verbreiten. Die Strenge der Maßregeln, welche die Inquisition hiergegen traf, läßt erkennen, wie groß ihre Befürchtungen waren. In den Häfen und an den Grenzplätzen wurde die schärfste Aufsicht angeordnet, und die Inquisitoren erhielten besondere Verhaltungsbefehle. Allein noch in demselben Jahre verloren durch die Erhebung des spanischen Volkes die Verbündeten an Boden und wir hören nichts mehr von diesem Versuch der Bekehrung im Schatten des Schwertes. Im ganzen genommen haben die Bemühungen, Spanien für den Protestantismus zu gewinnen, mehr Aufmerksamkeit erregt als sie verdienten.

Es gab nur noch vereinzelte Fälle von Spaniern, die den neuen Glauben ganz oder teilweise annahmen. Einige dieser Fälle seien hier erwähnt. 1562 hatte ein Kuhhirt aus der Gegend von Talavera Kunde von dem Luthertum bekommen durch seine Genossen, die sie auf den Autos von Sevilla aufgegriffen hatten, war dann selbst in diese Stadt gekommen und hatte mehr davon erfahren. Von da an wurde er die Gedanken, die er sich machte, nicht mehr los und sprach davon, obschon ihn die Seinigen warnten. Vor Gericht bekannte er, die päpstliche und priesterliche Gewalt geleugnet zu haben, ebenso die Lehre vom Nachlaß der Sünden. Er wurde zunächst gut behandelt, dann wurde ihm zur Ader gelassen, er wollte sich auch bekehren, erklärte aber, seine Gedanken bemeisterten ihn. Im Kerker gelang es dann einem mitgefangenen Priester, ihn zu bekehren. Bis dahin war sehr menschlich und rücksichtsvoll mit ihm verfahren worden, in der Consulta de fe aber stimmten zwei Gutachter für Auslieferung, die Inquisitoren dagegen für Aussöhnung, Güterverlust und unnachläßliches Gefängnis, und dieses Urteil wurde im Mai 1563 verkündigt; man wies ihm die Stadt Toledo als Gefängnis an, und er konnte dort verhungern. Der Fall ist auch deshalb von Interesse, weil er die Verkündigung der Urteile als „Schule des Verbrechens" erkennen läßt.

Anders geartet war der vornehme und gebildete Don Gaspar Centellas aus Valencia. In seinem Verhör war er der Anklage geschickt ausgewichen, als jedoch sein Verteidiger versuchte, ihn eine Erklärung unterschreiben zu lassen, worin er sich zum katholischen Glauben bekennen sollte, weigerte er sich dessen und war durch nichts zum Widerruf zu bewegen, so daß er schließlich verbrannt wurde (17. Sept. 1564). Ebenso standhaft blieb sein Freund Dr. Sigismondo Arquer, ein spanischer Untertan aus Cagliari. Neun Jahre dauerte in Toledo sein Prozeß, und als er 1571 ausgeliefert wurde, behauptete der Vollstreckungsbeamte, es werde niemand mehr lebendig verbrannt, und befahl, ihn zu erdrosseln. Damit war das Volk nicht zufrieden, und Arquer wurde mit Hellebarden und anderen Waffen derart zugerichtet, daß er halbtot in die Flammen ging (4. Juni 1567).

Einheimische Protestanten waren schon sehr selten geworden, Frauen kamen überhaupt darunter nicht mehr vor. Die Annalen verzeichnen zwar noch Cosas de Luteranos, doch handelt es sich nur um leichte Abweichungen vom Glauben, die es den Qualifikatoren gefiel, als solche zu bezeichnen, so daß in der Statistik das Vorkommen von Protestantismus stark übertrieben erscheint. Übrigens wurden solche Fälle milde behandelt. Ein Priester, der erklärt hatte, die letzte Ölung sei nicht mehr so wirksam wie früher, es sei eine Todsünde, die Sakramente im Stande der Todsünde zu spenden, und die geistlichen Orden seien nicht mehr so stark wie früher, wurde 1567 in Valencia des Kalvinismus beschuldigt, kam aber mit einem Widerruf und der Verpflichtung, neun Messen zu lesen, davon.[1] Abschwörung de levi, Anhören der Messe als Büßer und 12 Dukaten Strafe war auch das Maß, das in Toledo 1581 der Supremo bei einem Bauern anwenden ließ, der die Wirksamkeit der Totenmessen geleugnet, die Anschuldigung aber bestritten hatte.

Hier und da kamen auch schwerere Fälle vor. Juan López de Baltuena aus Calatayud, der 1564 in Saragossa erschien, hatte in seiner schriftlichen Verteidigung mehrere Irrtümer begangen, die als Luthertum angesehen wurden; die Strafe war Abschwörung de vehementi, Galeeren auf Lebenszeit und das Verbot, über

---

[1] Es ist eine durchaus orthodoxe Meinung, daß das Sakramentespenden im Stande der Todsünde eine Todsünde bildet. Alph. de Ligorio, Theol. Moral., Lib. VI, n. 32, 33.

theologische Dinge zu lesen, zu schreiben oder zu sprechen. 1585 wurde in Saragossa der Student Pedro Mantilla als verstockt verbrannt, weil sein Leugnen der Dreifaltigkeit arianisch und die Verwerfung der päpstlichen Gewalt lutherisch sei.

Das letzte Opfer der Bewegung von 1558 war der Katalane Pedro Galés, einer der gelehrtesten Spanier seiner Zeit, der mit Isaac Cassaubon, Cujas und Arias Montano in Briefwechsel stand. Schon 1558 hatte er einzelne katholische Dogmen verworfen, war aber nicht verdächtigt worden und stand in engen Beziehungen zu dem Erzbischof Antonio Agustin, dem er als Interlocutor in seinen berühmten Dialogi de Emendatione Gratiani diente, dem ersten Sturm wider die falschen Dekretalen. Um 1563 wandte er sich nach Italien, wo er Fortschritte in der Ketzerei machte, in die Hände der römischen Inquisition geriet und in der Folter ein Auge verlor. Er rettete sich durch Abschwörung, kehrte 1580 nach Spanien zurück, wo Juan de Idiaquez ihn als Lehrer für seinen Sohn gewinnen wollte, ging 1582 über Italien nach Genf, heiratete dort und bekleidete bis 1586 den Lehrstuhl der Philosophie. Einen Teil der kalvinischen Lehre verwarf er, verließ Genf, lehrte in Nimes, Orange und Castres und hatte häufig Disputationen mit hugenottischen Predigern. Mit seiner Frau und zwei kleinen Töchtern zog er 1593 gen Bordeaux, wurde aber als Hugenotte in Marmande von den Liguisten aufgegriffen, mitsamt vielen wertvollen Handschriften und zehn Ballen Büchern, die er mit sich führte. Er wurde dem Hauptmann Pedro Saravía ausgeliefert, den Philipp II. zur Verfügung des Marquis de Villars, Gouverneurs von Guyenne, gestellt hatte. Er machte kein Hehl aus seinem Glauben und Saravía erkannte, daß die Inquisition aus ihm wichtige Mitteilungen über seine Glaubensgenossen pressen könnte; der Vogt von Marmande weigerte sich jedoch, ihn über die Grenze bringen zu lassen, während Villars zwar bereit war, den Ketzer henken oder ersäufen zu lassen, vor der Verantwortung wegen der Auslieferung aber zurückschreckte. Die Gattin Galés' flehte die Beamten an, ihn freizugeben, und Saravía befürchtete, daß dies geschehen könnte, während er noch Philipp ersuchte, einzugreifen. Endlich wurde Galés wirklich dem Gericht Saragossa ausgeliefert. Er blieb bei seinem Glauben, erkrankte jedoch rechtzeitig und starb, worauf seine Gebeine am 17. April 1597 verbrannt wurden.

Die Gesamtzahl der von Ernst Schäfer bis zum Jahre 1600 festgestellten sogenannten Fälle von Luthertum beträgt 1995, wovon 1640 Ausländer und 355 Spanier betreffen. Er nimmt an, daß er die Akten von etwa zwei Fünfteln der Autos bei den dreizehn Gerichten des eigentlichen Spaniens gefunden hat. Daraus ergibt sich wohl das richtige Verhältnis zwischen den beiden Gruppen, es wäre jedoch sehr verkehrt, alle diese Spanier als wirkliche Protestanten anzusehen, da die Mehrzahl dies nur in der Einbildung der Qualifikatoren gewesen sein kann.

Verstreute Fälle, die im 17. Jahrhundert vorkamen, wurden so milde behandelt, daß man die Notwendigkeit nicht mehr merkt, abschreckend zu wirken. Ein aus seinem Orden entlassener Benediktiner, der zum Kalvinismus übergetreten war, bekannte nacheinander in Frankreich, vor der römischen Inquisition und in Toledo Reue und wurde ausgesöhnt; wieder rückfällig, wurde er 1622 in Valladolid ob seiner Reue nur zur öffentlichen Aussöhnung, zehn Jahren Galeeren und immerwährendem Gefängnis verurteilt. Unterdes er für ein Auto aufgespart wurde, aufs neue rückfällig geworden, hätte er sein Leben verwirkt gehabt. Dennoch milderte der Supremo das Urteil in Abschwörung im geheimen mit darauffolgender Erlösung vom Sanbenito, Enthebung vom Diakonat und lebenslängliches Gefängnis. Weniger gnädig verfuhr man 1630 in Valladolid mit Maria González, der Witwe des Pedro Merino aus Canaca, einer der äußerst seltenen spanischen Protestantinnen. Sie blieb hartnäckig bei ihrem Glauben und wurde zur Auslieferung verurteilt, ob es jedoch dahin gekommen wäre, ist nicht zu ergründen, denn sie wurde schließlich bekehrt, und daraufhin wurde das Urteil auf Aussöhnung gemildert. Es mag noch einzelne Fälle von spanischen Protestanten gegeben haben, ich bin jedoch auf keine mehr gestoßen. Einen sandte Toledo 1678 gnädig in ein Irrenhaus. 1718 wurde einer in Córdova, 1722 einer in Sevilla als Protestant mit unnachläßlichem Gefängnis ausgesöhnt.

Der Augustiner Manuel Santos de San Juan, besser bekannt als Berrocosa, wäre im 16. Jahrhundert unbedingt verbrannt worden. 1756 wurde er als Regalist, als Verfechter der königlichen Obergewalt, verhaftet, für die er in einem handschriftlich verbreiteten Essay in einer für die Hierarchie beleidigenden Weise eingetreten war. Er wurde auf zehn Jahre in das strenge Kloster

Risco gesandt; dort verfaßte er Traktate, worin er nachwies, daß
Rom Babylon sei, daß die Kirche nicht der Gemeinschaft der
Apostel gleiche, daß es über dem Priestertum keinen höheren
Stand geben dürfe, daß Todesstrafe für Ketzerei selbst Ketzerei
sei und noch manches andere, was jeder Qualifikator nur als
lutherisch auffassen konnte. Dennoch wurde Berrocosa, der für
die Verbreitung seiner Abhandlungen Abschreiber fand, nicht
verbrannt. Nach Verbüßung seiner Strafe 1767 erhielt er strenge
Zellenhaft, entkam aber im folgenden Jahre, wurde erst 1770
aufgegriffen und zu lebenslänglicher Einsperrung, incomunicado, in einem anderen Kloster verurteilt.

Dieser Fall erklärt, warum während des Niederganges der
Inquisition so wenig von spanischen Protestanten verlautet, obschon der Geist der Verfolgung nicht aufhörte. Die Empörung
gegen den Ultramontanismus hieß nicht mehr Luthertum, sondern Regalismus oder Jansenismus, und wenn sie über die Dis-
ziplinfragen hinaus das Dogma angriff, nahm sie die Form der
geläufigen Philosophie der Zeit an und erschien je nachdem als
Naturalismus oder Philosophismus, Deismus oder Atheismus. Die
Inquisition tat ihr Werk noch mehr oder weniger streng, aber
ihr Feld hatte sich verschoben.

Indes gaben ihr noch die Ausländer zu tun. Spanien galt als
reich und zog sie an; die Einheimischen verachteten die gewerbliche Tätigkeit, der Franzosen, Vlamen und Italiener nachgingen,
und der Landfriede zog diejenigen an, die in ihrer Heimat während der Kriege nicht gedeihen konnten. Es gab daher in jeder
spanischen Stadt zahlreiche Ausländer, die ihrem Erwerb lebten,
ohne sich viel um religiöse Dinge zu kümmen. Die Gerichtsakten
von Toledo erwähnen um 1570 französische und niederländische
Drucker, die in mehreren Städten verhaftet waren. 1600 schätzte
der Vizekönig von Valencia die Zahl der Franzosen auf 14 000
bis 15 000; auch in Aragon lebten viele, fügte er hinzu. Es waren
zum guten Teil Kalvinisten, die ihren Glauben sorgfältig verbargen; doch der Mehrzahl nach waren es Katholiken, mehr oder
weniger eifrig, doch niemals eifrig genug nach dem spanischen
Maßstab. An den Verkehr mit Ketzern gewöhnt, hatten sie vor
der Ketzerei keinen solchen Abscheu wie die Einheimischen, und
Übungen, die diese für unentbehrlich hielten, waren sie zu ver-

nachlässigen geneigt. Da war denn der Ausländer überhaupt verdächtig, der Katholik einer Verhaftung ebenso ausgesetzt wie der
Kalvinist. Das erfuhr ein französischer Händler mit Rosenkränzen
und Heiligenbildern 1637 in Burgos. Einem Spanier hatte er
erzählt, was ein Ketzer ihm in Frankreich gesagt hatte, als er
sich nach der Halbinsel wandte: Geh nur hin und nimm ihnen
recht viel Geld ab. Daraus entspann sich ein Gespräch, worin
der Franzose die Ketzer als gute Christen in Schutz nahm, sich
aber zu der Äußerung hinreißen ließ, die Beichte sei nicht in der
Schrift vorgesehen. Bei der Inquisition angezeigt, wurde er nach
Valladolid gebracht und seine ganze Habe beschlagnahmt.

Am häufigsten waren die Fälle dieser Arten in aragonischen
Landen zu der Zeit, wo im Südwesten Frankreichs das Huge-
nottentum obenauf war. Von 1546/74 wurden in Saragossa nur 7
wegen Luthertums verbrannt, alle Franzosen. Barcelona war reg-
samer. Es hatte auf einem Auto von 1561 wegen Luthertums 11 Franzosen, 1 Piemonter und 1 Malteser, auf einem von 1563 34 Franzosen, 2 Italiener und 2 Katalanen; von den Franzosen wurden
8 in Person und 3 im Bilde verbrannt; im März 1564 erschienen
28 Franzosen, von denen 8 in Person und 2 im Bilde verbrannt
wurden, nebst 2 Katalanen und 1 Schweizer. Die Franzosen
wurden vielfach in Perpignan aufgegriffen. Als der Botschafter
Saint-Sulpice sich bei Philipp II. über das grausame Vorgehen der
Inquisition gegen seine Landsleute beschwerte, die ihren Geschäften in Frieden nachgingen und kein Ärgernis gäben, erklärte
der Monarch kühl, das h. Offizium handle ohne Ansehen der Person, er wolle aber mit dem Großinquisitor reden.

Die Beschwerde des Botschafters erwies sich als gerechtfertigt,
und das Gericht Barcelona erhielt infolge der Visitation von 1568
einen Tadel für folgende Tatsachen: 1565 wird ohne Beweise ein
Franzose ergriffen, ohne weiteres gefoltert und zu Aussöhnung
mit Güterverlust verurteilt; ein anderer wird gefoltert, gesteht
nicht, bekennt aber in der Folge einige lutherische Irrtümer; er
bittet um Gnade und Bekehrung, trotzdem wird er verbrannt.
Und wie es denen ging, die mit dem Leben davonkamen, erhellt
aus einem Bericht des Botschafters de Fourquevaux an Karl IX.
von 1566, wonach in Barcelona 70 arme Franzosen zu Galeeren
verurteilt und auf das in Cádiz überwinternde Geschwader gebracht worden seien. 1567, einige Monate später, versichert der

Herzog von Alba auf seine Ehre den Botschafter, der ihn um
gute Behandlung der Leute ersucht hatte, es seien allesamt wer-
bende Hugenotten; Franzosen würden wegen Protestantismus nur
dann verhaftet, wenn sie durch Reden oder Handlungen Ärgernis
erregt. Das war ebenso gelogen wie das Versprechen, die Galeerensklaven freizulassen, das so lange unerfüllt blieb, bis Fourquevaux den Rat gab, in Narbonne den spanischen Flottenführer
Andrea Doria als Geisel zu ergreifen. Endlich, im Dezember,
konnte der Botschafter berichten, daß Doria vom König Befehl
erhalten habe, die Leute freizulassen; doch ist fraglich, ob der
Befehl Folge bekam. Eine Reihe von Beschwerdepunkten Karls IX.
betrifft u. a. die Festnahme von fünf oder sechs Franzosen in
Havana und deren Überführung nach Sevilla zur Aburteilung.
Philipp II. antwortete ungefähr mit denselben Worten, wie 1564.

Eine erfreuliche Seite bot der Fall des Briten Robert Fitz-
william, den Sevilla zu zehn Jahren Galeeren und immerwährendem
Gefängnis verurteilt hatte. Im Februar 1578 wurde er an Bord
geführt. Im November 1582 brachte seine Gattin Ellen ein
Schreiben der Königin Elisabeth an Philipp II. nach Madrid.
Die Königin legte dar, die arme Frau habe ihre Vermitt-
lung angefleht, und die Freilassung des Mannes würde sie,
Elisabeth, als eine Gunst auffassen, die sie gerne vergelten würde.
Gegenüber jeder anderen Gerichtsbarkeit wäre die Gewährung
eines solchen königlichen Ersuchens selbstverständlich gewesen,
Philipp wollte jedoch die Zustimmung des h. Offiziums einholen.
Wie die Sache ausging, ist aus den vorhandenen Akten nicht zu
ersehen, allein es ist kaum zweifelhaft, daß der Ausgang günstig
war, da die Treue der Gattin ihren Eindruck auch auf die här-
testen Beamten nicht verfehlte. Summarischer war der Verlauf,
als 1572 ein nach Frankreich gesandter Kommissar der Inquisition als Geisel für einen in Barcelona verhafteten Franzosen
festgehalten wurde, woraus sich ein Austausch von Gefangenen
ergab.

Die Gewalt der Inquisition wurde zur Abwehr von Ausländern
aufs äußerste angespannt. 1572 ordnete der Supremo für die
Gerichtsbezirke der aragonischen Lande an, keinen Franzosen als
Lehrer zu dulden. Der Verkehr mit Ausländern war gefährlich.
Ein Visitator berichtete 1568 aus San Sebastian, man sollte die-
jenigen bestrafen, die freundschaftliche Beziehungen zu Franzosen

und Engländern unterhielten, da sie diesen häufig Winke gäben,
um einer Verhaftung zuvorzukommen, und der Supremo stimmte
dem bei. Aber auch für den Spanier war der Aufenthalt im
Auslande gefährlich. Er wurde zur Verantwortung für die dort
begangenen Handlungen gezogen. 1627 erschien bei einem Auto
in Barcelona ein Kaufmann aus Manresa, der in Frankreich
hugenottische Predigten gehört und Freitags Fleisch gegessen
hatte; er erhielt 3000 Dukaten Geldstrafe und drei Jahre Einsperrung in einem Kloster.

Unter solchen Umständen, dazu bei der zunehmenden Armut
und der Münzverschlechterung ging vom 17. Jahrhundert an die
Zahl der landesansässigen Ausländer zurück, wie sich aus der
verringerten Zahl der Fälle von Protestantismus nach den Akten
ergibt. Von 1575 bis 1610 hatte Toledo deren 47 — den letzten
1601 —, von 1648 bis 1794 dagegen nur 11; Valladolid zählte
deren für die Zeit von 1622 bis 1662 nur 18, Madrid von 1703
bis 1751 einen einzigen. Auf den 64 Autos für die sämtlichen
Gerichte 1721—1727 kommen nur 3 Fälle. Valencia hatte von
1705 bis 1726 einen einzigen, den eines Kalvinisten, der sich
selbst anzeigte. Wie unvollkommen diese Statistik sein mag, sie
zeigt von 1600 an eine wesentliche Abnahme der Fremdbürtigen:
der Inquisition war die Absperrung des Landes vom Weltverkehr
gelungen.

Was die nach Spanien reisenden Angehörigen ketzerischer
Nationen angeht, so war zwar der Geschäftsverkehr mit ihnen
unumgänglich, galt jedoch als ein Übel und wurde durch abschreckende Vorschriften möglichst eingeschränkt. Wer einen
spanischen Hafen betrat, setzte Leben und Habe aufs Spiel.
Selbst Ausgestoßene fielen der Inquisition zur Beute. Als einmal
ein französisches Schiff 17 englische Matrosen eines Fischerbootes
auf einer der Kanaren aussetzte, wurde ihnen der Prozeß gemacht
und entgingen sie der Verbrennung durch Übertritt; 4 entflohen,
wurden deshalb als rückfällig angesehen und im Bilde verbrannt.
Da viele Kauffahrer die Kanaren berührten, waren die Opfer des
dortigen Gerichtes eine Zeitlang meist Ausländer; das geheime
Verließ nahm während eines halben Jahres, 1563, auf: 13 Leute
von einem deutschen, 32 von zwei niederländischen, und ein
Dutzend Matrosen von verschiedenen englischen Schiffen, Führer,

Bemannung, Kaufleute und Reisende durcheinander. War die Ladung nicht eingezogen, so wurde sie in Abwesenheit der Wächter tatsächlich geplündert. Daß es mehr auf sie denn auf die Reinhaltung Spaniens von Ketzern ankam, beweist das Schicksal eines Franzosen aus Malaga, der 1574 mit lebenslänglichen Galeeren ausgesöhnt wurde, weil er einige protestantische Seeleute vor der Landung in Almería gewarnt hatte. War eine reichliche Gütereinziehung in Sicht, so nahm die Inquisition wenig Rücksicht auf Gerechtigkeit oder die Interessen Dritter. Ein langer Briefwechsel zwischen Rom und Madrid betraf die Sperre zweier Ladungen Alaun, welche die päpstliche Schatzkammer nach England sandte; das Gericht von Sevilla hatte die Schiffe angehalten, weil Ketzer an Bord seien.[1]

Diese barbarische Politik wirkte auf die Preise fremder Waren, namentlich seitdem durch den Abfall der Niederlande der Warenverkehr mit diesen aufgehört oder doch abgenommen hatte. In dieser Notlage wurde 1597 eine Ausnahme zugunsten der Hansa eingeräumt. Gemäß einer Weisung des Supremos sollten die Insassen hanseatischer Schiffe nicht nach ihrem Glauben befragt, noch die Ladung gesperrt oder weggenommen werden, außer wenn die Seefahrer sich während des Aufenthaltes im Hafen gegen den katholischen Glauben vergangen hatten, und auch dann durfte nur die Habe der Schuldigen selbst mit Beschlag belegt werden; die Durchsuchung nach verbotenen Büchern war wie auf Schiffen aus katholischen Ländern vorzunehmen. Ein Anfang für die Zulassung holländischer Schiffe lag darin, daß ihnen 1603 gegen Pässe der Statthalter Albert und Isabella unbehelligter Verkehr für Personen und Ladung in den spanischen Häfen gewährt wurde; doch dies war kündbar und wurde schon 1604 aufgehoben.

Ein diesen Gegenstand umfassender Friedensvertrag mit England wurde von Jakob I. am 29. August 1604 und von Philipp III. am 16. Juni 1605 vollzogen. Darüber war im November 1604 ein englisches Getreideschiff mit 20 Mann in Palermo von der Inquisition durchsucht worden; die Leute gaben zu, Protestanten

---

[1] Hinojosa, Despachos de la Diplomacia pontificia I, 353, 377 (Madrid 1893). Die Alaunlager von Tolfa bei Civita Vecchia waren die Quelle bedeutender Einnahmen für den h. Stuhl.

zu sein und es bleiben zu wollen. Sie wurden verhaftet und
riefen den Statthalter Herzog von Feria an, der weiter nichts für
sie vermochte, als in einem Privatbrief schreiben, das Verfahren
verstoße gegen die Interessen des Königs; die Inquisition möge
die Leute verbergen und gut behandeln. Darauf versammelten
die Inquisitoren zehn Konsultoren, und es wurde beschlossen,
die Briten nur gegen Bürgschaft dafür freizulassen, daß sie nach
Spanien segeln und sich dem Großinquisitor stellen würden. Das
war das Unmögliche verlangt, denn 1605 wird von einigen Engländern berichtet, die mit Buße und Sanbenito in gewisse Klöster
gesandt worden waren, um zwei Jahre im Glauben unterrichtet
zu werden, dann geflohen waren, verfolgt und auf einem französischen Schiffe ohne ihre Sanbenitos betroffen wurden. Da das
Gericht sie nicht unterhalten mochte, wurden sie einzeln auf
entlegene Klöster verteilt, wo sie zehn Jahre lang ohne Lohn
arbeiten mußten.

Wo eine solch unvernünftige Grausamkeit üblich war, erfor-
derte die internationale Comitas wie auch das wirtschaftliche
Interesse, daß der Unverantwortlichkeit der Inquisition ein
Dämpfer aufgesetzt wurde. Demgemäß bestimmte Art. 21 des
Vertrages von 1604 mit England, daß britische Untertanen auf
Reise oder bei der Niederlassung in den Niederlanden oder in
Spanien wegen Gewissenssachen nicht belästigt oder gestört werden sollten, solange sie keinen Anlaß zu Ärgernis gäben, und der
König sollte entsprechende Weisungen ergehen lassen. Darauf verfügte Philipp III. im Juni 1605, daß englische Untertanen nicht
wegen Handlungen zur Rechenschaft gezogen werden dürften, die
vor ihrer Ankunft in Spanien lägen; in Spanien selbst durften
sie nicht in die Kirche gezwungen werden, betraten sie aber freiwillig eine, so hatten sie dem Sakrament ihre Ehrfurcht zu bezeigen, und wenn es über die Straße getragen wurde, mußten
sie davor knien oder in eine Nebenstraße oder in ein Haus aus-
weichen. Übertrat einer diese Vorschriften, so durfte nur seine
eigene Habe, nicht die Schiffsladung oder das seiner Obhut anvertraute Gut mit Beschlag belegt werden. Für die Beobachtung
dieser Vorschriften verpfändete der König sein Wort. Der Supremo,
der schon ein halbes Jahr vorher Weisungen im Sinne der für
die hanseatischen Schiffe geltenden erlassen hatte, übermittelte
den Gerichten die Artikel des Vertrages, scheint sich aber gegen

die königliche Erklärung gewehrt zu haben, deren Inhalt er erst im Oktober in ein Rundschreiben aufnahm.

Für den spanischen Fanatismus war all dies zu vernünftig. Erzbischof Ribera, zur Abwechslung von der Hetze gegen die Moriscos, beklagte 1608 in einem Schreiben an den König den Frieden mit England als eine Beleidigung Gottes, die schwere Folgen über Spanien bringen würde; er sei betrübt, weil die Engländer in Valencia öffentlich ihrer Religion nachgingen, und er führte allerhand Stellen aus der Schrift an, um zu beweisen, daß der Friede mit den Ungläubigen verpönt sei. Mit der Denkschrift befaßte sich der Staatsrat, und auf Geheiß des Königs ging sie an den Großinquisitor, damit dieser die Gerichte anweise, wachsam zu sein und die Anstifter von Ärgernis zu bestrafen.[1]

Beim Abschluß des zwölfjährigen Friedens von 1609 mit den vereinigten Provinzen verlangten die Niederländer natürlich dieselben Vorteile wie die Briten und erhielten sie durch Art. 7 des Vertrages. Die Inquisition fügte sich nicht sofort. 1612, dann nochmals 1616 legte sie den Gerichten dar, dies beziehe sich nur auf vorübergehend Anwesende, wogegen Ansässige in Glaubenssachen genau wie Spanier zu behandeln seien; sie berief sich auf eine Vorschrift von 1581, um eine besondere Aufsicht vorzuschreiben, so daß das geheime wie das öffentliche Gehaben der Leute erkundet werde; dem Supremo war darüber ausführlich zu berichten. 1620 brachte er eine andre Vorschrift von 1581 in Erinnerung, wonach Ausländer in den Hafenplätzen keine Schlafstätten halten durften. Es ist nicht zu ersehen, ob diese willkürliche Auslegung internationaler Vereinbarungen Schwierigkeiten herbeiführte, jedenfalls bekundete sie die Absicht,

---

[1] Die römische Inquisition untersagte die Gespräche mit Ketzern, außer kraft einer besondern Erlaubnis; das Verbot traf sogar Bekehrungsversuche. Als 1604 der Connétable von Kastilien sich anschickte, als Botschafter nach England zu reisen, erhielt er auf Anfrage vom h. Stuhl den Bescheid, er bedürfe keiner Erlaubnis zur Führung von Gesprächen mit ihnen, es könne aber kein Zugeständnis mit Bezug auf den Verkehr bei Taufen und Heiraten gemacht werden. 1617 erbat der Madrider Nuntius Weisungen für sein Verhalten gegenüber dem englischen Botschafter; es wurde ihm bedeutet, er solle mit ihm so wenig wie möglich verkehren. Decret. Sac. Cong. Sti Officii, S. 156, 227, 231 (Bibl. del R. Archivio di Stato in Roma, Fondo Camerale, Congr. del S. Officio, Vol. 3).

den ausländischen Ketzern die Daseinsmöglichkeit stark zu beschränken.

Nach Ablauf des „Treves" mit Holland, 1621, dann nach
Ausbruch des Krieges mit England, 1624, wahrte die Inquisition
eifrig die Gelegenheit zur Reinhaltung des Landes. Der Großinquisitor Pacheco eröffnete dem König, für den Abschluß von
1605 habe Philipp III. einer päpstlichen Erlaubnis bedurft; jetzt
aber, wo der Friede gebrochen sei, habe der Großinquisitor
pflichtgerecht darauf zu achten, daß die Gemüter nicht durch
den Verkehr mit so verstockten Ketzern wie Engländern und
Schotten verdorben würden, deren Bleiben daher nicht im Lande
sei. Pacheco fügte hinzu, er habe die Bekanntgabe eines Ediktes
angeordnet, wonach alle nichtkatholischen Engländer und Schotten
binnen zwanzig Tagen das Reich zu verlassen hätten; danach
würden sie dem h. Offizium verfallen. Da es sich jedoch um
eine wichtige Sache handle, habe er den König vorher benachrichtigen wollen, der gegebenenfalls seine Befehle erlassen könne.
Es ist anzunehmen, daß Philipp sich diesen dreisten Übergriff in
die königliche Gewalt nicht gefallen ließ, denn erst am 22. April
1626 erging eine Verkündigung, die den Spaniern den Handel
mit England verbot und die Beschlagnahme der gegen dieses
Verbot eingeführten englischen Waren verfügte, worauf einige
Wochen später der Supremo mit einem Rundschreiben folgte,
das die Verfolgung englischer Ketzer anordnete, die gegen den
Glauben gesündigt hätten.

Nachdem 1630 der Friede hergestellt war, wurde auch die
Vertragsklausel von 1604 wiederholt und der König gab seine
Weisungen wie damals, während der Supremo an dem ungerecht-
fertigten Unterschiede zwischen Durchreisenden und Ansässigen
festhielt, was zu mancherlei Belästigungen und Erpressungen
führte. Das Mittel, dessen man sich bediente, war die Haus-
suchung bei Engländern nach verbotenen Büchern, indes wurde
die Gesetzlichkeit dieses Verfahrens wohl angefochten, denn 1652
ließ der Supremo die Frage durch Qualifikatoren prüfen, die zu
dem Beschluß kamen, daß dieses Vorgehen nicht mit den Ver-
trägen zu vereinbaren sei. Damit wird wohl die Sache ihr Ende
gefunden haben. Wie die fremden Kaufleute ausspioniert wurden,
ergibt sich aus dem Bericht eines Kommissars des h. Offiziums
in Bilbao von 1648; danach verkehrten die Engländer und

Holländer in 16 Herbergen, und keine ketzerische Handlung
könne ihm entgehen, denn die Wirte seien zuverlässige Aufpasser
und sehr glaubenseifrig.

Ein Handelsvertrag von 1641 gab den Dänen dieselben Rechte
wie den Briten, 1648 erhielten sie durch den Westfälischen Frieden
auch die Holländer, und durch eine besondere Bestimmung wurden
die Hansestädte auf denselben Fuß wie Holland gestellt.[1]

Mittlerweile hatten sich durch Zahlung von 25 000 Dukaten
in Silber 1645 die englischen Kaufleute in Andalusien gewisse
geschäftliche Privilegien gesichert, deren eins beweist, wie widerwillig den Ausländern ihre Rechte zuerkannt wurden: ein ausländischer Ketzer wurde vor Gericht weder als Zeuge noch als
Partei zum Eide zugelassen. Die Engländer setzten durch, daß
ihr Eid dem der Spanier gleichgelten solle, allein es bedurfte
mehrfacher Befehle des Königs, um dieser Abmachung Beachtung
zu verschaffen. Holland und die Hansa erlangten das Privileg
1648, und der Vertrag von Utrecht 1713 bestätigte es.

Wie über ein Ortsstatut setzte die Inquisition sich auch über
einen internationalen Vertrag hinweg. Es fand sich leicht ein
Vorwand, um den verhaßten Ausländer in ihre Gewalt zu bringen,
und bei der chronischen Geldnot wurde die Gelegenheit zu Gütereinziehungen nicht außer acht gelassen. 1621 wurde eine Anzahl Engländer in Malaga verhaftet und ihr Gut gesperrt, dasselbe ereignete sich 1622 in Sevilla. Von einem der Fälle liegen
Einzelheiten vor. Es betrifft den Georg Penn, Bruder des nachmaligen Admirals Penn, und Oheim des berühmten Begründers
Pennsylvaniens. Er war durchaus kein bigotter Protestant, denn
er hatte in Antwerpen eine katholische Frau geheiratet. Er
nahm sie nach Sevilla mit, wo er gute Geschäfte bis 1643 machte,

---

[1] Tratados de Paz, Phelipe IV, P. IV, S. 538; P. V, S. 18, 322/4. —
1646 wurde beim Einlaufen in Mallorca ein holländisches Schiff von dem Inquisitor beschlagnahmt; er setzte Führer und Mannschaft gefangen, allein die
königlichen Beamten bemächtigten sich des Gutes ungeachtet der Einsprüche
der Inquisition, woraus ein bitterer, mehrjähriger Streit entstand; der Inquisitor weigerte sich wiederholt, königlichen Befehlen gehorsam die von ihm
reichlich verhängten Bannsprüche aufzuheben, bis ihm 1649 der Supremo dies
gebot. Am Ende mußte sich das Gericht für seinen Anteil der Beute mit
200 Dukaten begnügen, die für den Unterhalt der Gefangenen bestimmt waren.
Archiv Simancas, Inq. Lib. 38, fol. 26, 71.

wo er verhaftet wurde. Die Schilderung seiner Leiden ist offenbar übertrieben, allein wir dürfen ihm glauben, daß er gefoltert wurde und alles bekannte, was man von ihm wissen wollte: nämlich, daß er ein Ketzer sei und die Absicht gehabt habe, seine Frau und Kinder nach England mitzunehmen und vom Glauben abzubringen. Er wurde verurteilt, im öffentlichen Auto abzuschwören und Spanien binnen drei Monaten zu verlassen, während seine Frau ihm weggenommen und, wie er sagt, einem Spanier angetraut wurde. Das konfiszierte Gut hatte nach unparteiischer Abschätzung einen Wert von 6000 Pf. St., wozu noch ebensoviel an Wert für das Gut von Dritten kam. Bei seiner Rückkehr nach England, arm und gebrochen, suchte er sein Recht, und Karl II. ernannte ihn 1664 zum Gesandten in Spanien, damit er seine Forderung verfechten könne, allein er war 63 Jahre alt geworden und fühlte sich nicht kräftig genug für die Reise. Während der Unterhandlungen in Utrecht suchte William Penn seine Sache geltend zu machen, doch anscheinend ohne Erfolg.

Die stolze Gleichgültigkeit der Inquisition für internationale Verträge zeigte sich in einem Falle kurz nach dem Westfälischen Frieden. Paul Jerome Estagema aus Hoorn wurde in Alicante verhaftet und in Valencia abgeurteilt. Einflußreiche Personen verwandten sich für ihn in Holland, und der Gesandte Anton Brun erhob eindringliche Vorstellungen beim König, der am 15. September 1651 den Supremo aufforderte, die Sache schleunig zu entscheiden, auch den Rat darauf wies, daß vertraggemäß der Holländer seiner Gerichtsbarkeit nicht unterworfen sei. Das Ersuchen des Königs fruchtete nicht, Brun wiederholte seine Beschwerden, der König seine Weisungen, wobei er auf die Notwendigkeit wies, die Holländer zu befriedigen, der Supremo geruhte dann, die Sache an das Gericht weiter zu geben und es zu deren Erledigung aufzufordern, was sehr leicht gewesen wäre, da die Untersuchung schon seit dem 7. September beendet war.

Es war um die Zeit, wo Frankreich und Spanien ein Bündnis mit England anstrebten. Den Bemühungen des Botschafters Alonso de Cardenas, 1653 und 1655, begegnete Cromwell mit der Forderung nach einer weiteren Toleranz. In dem Vertragsentwurf war vorgesehen, daß nicht nur die früheren Bestimmungen in

Kraft bleiben, sondern auch, daß Briten in Spanien frei sein sollten, in ihren Häusern und auf ihren Schiffen den Gottesdienst nach ihrer Art zu halten und die Bibel und andere Bücher zu benutzen, ohne daß sie dafür verhaftet und das Gut beschlagnahmt werden könnte. Philipp IV. holte das Gutachten des Supremos zu diesem Entwurf ein, wobei er den Rat seiner unwandelbaren Entschlossenheit versicherte: eher würde er alle seine Länder verlieren und seinen letzten Blutstropfen verspritzen, als daß er etwas Gott Mißfälliges oder der Reinheit der Religion Schädliches zugäbe. Darauf erwiderte der Rat, die Worte des Königs verdienten in eherner Schrift festgehalten zu werden; es fiel ihm nicht schwer zu beweisen, daß kraft göttlichen, kanonischen und städtischen Rechtes der Herrscher nicht befugt sei, eine solche Duldung zu gewähren; es wurde ein Gebot Gregors XV. von 1622 angeführt, wonach alle Herrscher bei schweren Strafen sämtliche Ketzer aus ihren Landen zu vertreiben hätten; dann machte der Rat geltend, daß die Ketzer katholische Dienstboten halten und diese verderben könnten, und daß, wer etwas von Ketzerei wisse und es nicht anzeige, eine Todsünde und den Bann auf sich lade. Diese Gründe hätten ebensowohl gegen die früheren Verträge gerichtet werden können, allein sie wirkten, der Vertrag wurde abgelehnt, und Cromwell wandte sich Frankreich zu.[1] Admiral Penn muß eine besondere Genugtuung empfunden haben, als er Rache für seinen Bruder übte und 1655 den Spaniern Jamaika entriß.

Ein geheimer Vertrag zwischen dem unsteten Karl II. und Philipp verpflichtete 1656 ersteren zur Gewährung der Gewissensfreiheit in England, schwieg jedoch über die Duldung in Spanien. Nach der Restauration, 1660, wurde der Vertrag von 1630 wieder in Kraft gesetzt. Als 1663 abermals ein spanisch-englisches Bündnis erwogen wurde, erneuerte England die Forderung Crom-

---

[1] Die Billigkeit erfordert die Feststellung, daß man in Spanien liberaler war als in Rom. Zahlreich sind die Erlasse der Kongregation des h. Offiziums, die darauf bestehen, daß keinem Ketzer der Aufenthalt in einer italienischen Stadt, sei es zum Handeltreiben, sei es zum Wohnen, gestattet. Allein der Geschäftssinn der Italiener war zu stark ausgeprägt, um die Ausführung dieses Verbots allenthalben zu gestatten, namentlich in Venedig, und sogar für einige der päpstlichen Seehäfen wie Civita Vecchia und Ancona wurden besondere Privilegien gewährt.

wells, abermals wurde der Supremo befragt, und das Ergebnis
blieb dasselbe. Nach Philipps Tod, 1665, behielt der Vertrag
vom 17. Dezember die Bestimmungen von 1630 bei, und die
Privilegien für Andalusien von 1645 wurden auf alle Engländer
ausgedehnt. Dann wurde durch den Vertrag vom 23. Mai 1667
deutlicher festgelegt, daß der Vorwand des Glaubens nicht angerufen werden dürfe, um Engländer zu schädigen oder Streitigkeiten hervorzurufen, solange kein unzweifelhaft öffentliches
Ärgernis erregt oder Vergehen begangen sei. In dieser Gestalt
blieb das Verhältnis zwischen den beiden Ländern bestehen, der
Utrechter Friede und die Verträge von 1763 und 1783 bestätigen
einfach die Abmachung von 1667.

Mit Frankreich war das Verhältnis natürlich anders: wenn
der Hugenotte im eigenen Lande kaum geduldet war, wie konnte
er da auf Schutz im Auslande, zumal in Spanien rechnen, wo er
nur als Katholik verweilen durfte? In dem Pyrenäenvertrag
vom 7. November 1659 wurde für die beiderseitigen Untertanen
lediglich freie Zu- und Abreise und freier Aufenthalt unter der
Bedingung der Beobachtung von Gesetz und Brauch ausbedungen. Was allerdings nicht verhinderte, daß in besonders
schweren Fällen die Diplomatie einschritt. 1672 war ein französisches Schiff mit einer Weizenladung von der Berberei Mallorca angelaufen. An Bord befand sich ein vornehmer Hugenott,
Herr de la Fent, Gouverneur des Bastion de France, mit einer
größeren Summe Geldes. Der Inquisitor machte Anstalten, das
Schiff gewaltsam festzuhalten, um sich des Ketzers und seines
Gutes zu bemächtigen, und es wäre ihm gelungen, wenn nicht
Herr de la Fent den Führer des Schiffes vermocht hätte, abzu-
segeln. Der Botschafter erhob Beschwerde, und das Gericht erhielt Befehl, sich gegenüber Franzosen ebenso zu verhalten wie
gegenüber Engländern und Holländern.

Nach diesem Mißerfolg entschuldigte sich der Supremo so gut
es ging, aber mit erkenntlicher Doppelsinnigkeit, denn die französischen Ketzer hatten keinen solchen vertraglichen Schutz wie
die englischen. Das ergab sich bei der Aufhebung des Ediktes
von Nantes, 1685, als anzunehmen war, daß flüchtige Hugenotten
sich in Spanien niederlassen würden. 1687 machten der französische Botschafter und der päpstliche Nuntius den Großinquisitor
darauf aufmerksam und regten an, daß der Aufenthalt solchen

Leuten nicht gestattet werden sollte. Karl II. erließ demgemäß
Weisungen an die Beamten, der Supremo übermittelte sie seinen
Gerichten, welche die Pfarrgeistlichkeit in ganz Spanien zu einer
Nachforschung heranziehen, dann selbst über deren Ergebnis
abstimmen und dieses dem Supremo einsenden sollten. Nach
der Statistik aus dieser Zeit zu urteilen war die Befürchtung
völlig unbegründet, und ebenso hatten Vorschriften, die 1698
auf ähnliche Alarmnachrichten ergingen, kein tatsächliches Ergebnis.

Diese Politik wurde beibehalten. Noch 1784 wurden Listen
eingefordert, allein die Antwort aus Valencia ergab, daß die Ausschließung der Protestanten vollständig war und daß diejenigen,
die sich nach Spanien wagten, recht bedrängt waren; in dem
ganzen Gau waren keine entdeckt worden, in der Stadt selbst
nur zwei, ein Franzose und einer von unbekannter Staatsange-
hörigkeit; überdies war ihre Religion selbst zweifelhaft, weil sie
sich befleißigten, den Vorschriften der Kirche zu folgen und das
Viaticum über die Straße zu begleiten.

Mit dem Ausbruch der französischen Revolution wurde das
Bestreben, die Ketzer auszuschließen, auf alle Ausländer ausgedehnt; Spanien sollte ganz vereinsamt werden. Ein Dekret
Karls IV. von 1791 verlangte die Eintragung aller Ausländer;
diejenigen, die naturalisiert werden wollten, mußten Katholiken
sein und den Treueid leisten; vorübergehend Ansässige mußten
Erlaubnisscheine haben, in denen u. a. ihre Religion angegeben
wurde, durften aber keinen Beruf oder Gewerbe oder Kleinhandel
ausüben, auch nicht in dienender Stellung sein; alle, die hier-
unter fielen, hatten das Land binnen zwei Monaten zu verlassen.
Nach dem Friedensschluß von 1795, der dem unglücklichen Kriege
mit der Republik ein Ende machte, zeigte sich angesichts der
Gefahr des Bruches mit England ein fieberhaftes Bestreben,
Frankreich zu beschwichtigen, weshalb am 1. Mai 1796 eine königliche Verfügung erging, wodurch der Inquisition und ihren Gerichten verboten wurde, die Franzosen wegen der Religion zu
belästigen, und als Franzosen sollten alle anerkannt werden,
welche die dreifarbige Kokarde trügen. Beim Ausbruch des
Krieges mit England ging man dann einen Schritt weiter, indem
Karl durch seine Vertreter die Mächte versichern ließ, daß die
Ausländer in Spanien volle Gewissensfreiheit genössen, und im

August 1797 der Inquisition verbot, die Ausländer wegen ihres
Glaubens zu behelligen. Die Ehrlichkeit der Absicht war allerdings zweifelhaft, denn noch in demselben Jahre wurde das Verfahren gegen einen deutschen Kaufmann in Valencia eingeleitet,
aber wieder eingestellt, weil er eine Spanierin geheiratet hatte.

Indes war diese freisinnige Anwallung nur vorübergehend.
1801 war das Dekret von 1791 noch in Kraft, und man verließ
sich für dessen Ausführung auf die Inquisition, wie aus einem
Fragebogen in den Antworten des Gerichtes Valencia darauf
hervorgeht. Der Gerichtssprengel umfaßte einen ausgedehnten
Küstenstrich mit den wichtigen Hafenplätzen Valencia und Alicante; es wurde kein einziger Protestant mehr verzeichnet: Spanien wurde von allen gemieden, die der Inquisition verfallen
konnten, es war völlig vereinsamt. Dabei war es gefährlicher,
die Ketzerei zu verbergen als sie zu bekennen, wie ein französischer Protestant erfuhr, der, in Bilbao ansässig, als guter
Katholik galt, dann wirklich übertrat und nun, 1791, verfolgt
wurde, weil er Katholizismus geheuchelt hatte.

Diese Empfindlichkeit überlebte den großen Krieg. 1816 entstand ein umfangreicher Briefwechsel wegen der Frau eines Kaufmannes von Bilbao; er hatte sie in England geheiratet. Nach
Verlauf eines Jahres wurde ihr anheimgestellt, Spanien zu verlassen oder überzutreten, und sie wählte letzteres.

Die Furcht vor den Ketzern zeigt sich in einer der letzten
Handlungen der Inquisition, einer umfassenden Weisung von 1819
für die Durchsuchung der Schiffe. Sie galt hauptsächlich dem
Aufspüren von Büchern, es ergibt sich daraus jedoch, daß die
infolge des Vertrages von 1605 erlassenen Verfügungen noch in
vollem Umfang in Kraft waren. Nur sollten Ausländer nicht
wegen Dingen verfolgt werden, die vor ihrer Ankunft im Lande
lagen.

Eine Ausnahme mußte während der ganzen Dauer der Inquisition zugunsten der ketzerischen Söldner in spanischen
Diensten gemacht werden. Georg Frundsbergs lutherische Lands-
knechte plünderten 1527 Rom für Karl V. Im 17. Jahrhundert,
als die Bevölkerung und der militärische Eifer in Spanien zurück-
gegangen waren, und 1640 der Abfall Portugals und Kataloniens
Kriegsknechte aus allen Ländern herbeiführte, konnte in dieser

Notlage die Inquisition nicht gegen sie vorgehen. Sie verfehlte nicht, auf die daraus drohenden Gefahren hinzuweisen und erwähnte 1647, daß 400 Deutsche auf dem Weg von San Sebastian nach Katalonien ihre Irrtümer verbreiteten, ketzerische Bücher verteilten und die Heiligenbilder schmähten. Dagegen war nichts zu machen, auch nicht, als der Friede im Lande hergestellt war und fremde Regimenter weiter verwendet werden mußten. 1668 begründete der Supremo eine Forderung nach Erhaltung seiner Privilegien gerade mit der Notwendigkeit, gegen die Ketzer unter den Truppen gerüstet zu sein.

Dennoch fehlte es nicht an Versuchen, die Wölfe von den Schafen auszusondern. 1756 erging ein Dekret Ferdinands VI., das Todesstrafe gegen solche androhte, die sich als Katholiken ausgäben um in das Heer einzutreten; Karl III. änderte dies 1765 dahin um, daß die Schuldigen des Landes zu verweisen seien, bei Strafe von zehn Jahren Bagno; wer indes falsch geschworen habe, er sei Katholik, müsse vor der Ausweisung zweimal Spießruten laufen.

Einen gewissen Vorteil bot sich in der Anwesenheit ketzerischer Söldner insofern, als sie dem Glauben gewonnen werden konnten, wenn die Armeegeistlichen Eifer dafür zeigten. Einer von ihnen führte 1764 dreißig Leute aus dem Regiment St. Gallen über. Er hatte Vollmachten als Inquisitor, und das Eingreifen der Inquisition war deshalb nötig, weil sie allein befugt war, Ketzer der Kirche zuzuführen und dabei das Maß ihrer Sünde wie die Aufrichtigkeit ihrer Bekehrung und Reue zu bemessen. Theoretisch waren es Ketzer, die sich selbst anzeigten, und als zu Anfang des 17. Jahrhunderts solche Übertritte häufig waren, wurde diese Form für das Prozeßverfahren eingehalten, mit dem Fiskal auf der einen und dem Übertretenden mit seinem Verteidiger auf der andern Seite, mit Abschwörung und dem Versprechen, sich gegebenenfalls den Strafen für Rückkehr zur Ketzerei zu unterwerfen. 1605 mußte der Supremo die Gerichte anhalten, die freiwillig übertretenden Ausländer nicht gefangen zu setzen, sondern willkommen zu heißen, die Abschwörung im Gerichtssaal und ohne Sanbenito vorzunehmen, auch nur Kirchenstrafen zu verhängen und dann den Konvertiten in der Beichte loszusprechen. Ketzerei, auch die angeborne, war eben eine Todsünde, die eine Sühne erforderte.

In der Folge wurden die Förmlichkeiten erleichtert, aber sie blieben hart genug. Weisungen an die Kommissare, anscheinend aus dem 18. Jahrhundert, schreiben eine genaue Untersuchung über das Vorleben des Konvertiten und dessen Beweggründe für den Übertritt vor, damit man sich von der Wirksamkeit seiner Seelenrettung überzeugen könne. Alle Umstände seiner Taufe seien genau festzustellen, damit sich ergebe, ob er wirklich getauft sei; gegebenenfalls sei hierüber die Ansicht des Gerichtes einzuholen. Er habe alle Irrtümer seines früheren Glaubens zu umschreiben und ein Glaubensbekenntnis mit dem Versprechen abzugeben, daß er nach Kräften Ketzer für den Katholizismus gewinnen und sie der Inquisition anzeigen wolle. Er war zu fragen, ob er außer den behördlich zum Aufenthalt ermächtigten Ketzern andere kenne, und ob und wo solche die Bedingungen für ihren Aufenthalt verletzt hätten; ferner hatte er anzugeben, ob er sich schon einmal zum Katholizismus bekannt habe, und wenn ja, ob er über die Folgen genügend unterrichtet gewesen; in diesem Falle habe er abzuschwören und werde förmlich ausgesöhnt und von dem verwirkten Bann befreit; habe er den Katholizismus früher nicht gekannt, so sei er ad cautelam loszusprechen. Sei er weniger als 25 Jahre alt, so erhalte er einen Vormund, der bei allen Einzelheiten des Verfahrens zugegen sein und seine Zustimmung geben müsse. Welch ein Gegensatz zu der massenhaften Überführung von Juden und Moriscos zur Kirche durch Besprengungen mit Weihwasser!

Ein seltsamer Konvertit war Johann Heinrich Horstmann aus Borgenstreich. Während eines langen Lebens fand er seinen Lebensunterhalt darin, daß er sich die Nebenbuhlerschaft von Katholiken und Protestanten zunutze machte. 1693 geboren, war er bei den Jesuiten in Prag erzogen worden; mit 25 Jahren wechselte er den Glauben in Dresden, studierte in Wittenberg, worauf er mehrere Jahre durch Deutschland wanderte und sich Geld geben ließ, indem er sich als Konvertit ausgab. Er kam nach England, nach Rom, nach der kalvinischen Schweiz, je nachdem bald als Katholik, bald als Protestant, dazwischen nach Amsterdam, wo er sich beschneiden ließ, wofür ihn die römische Inquisition zu zehn Jahren Galeeren verurteilte. Danach nahm er sein Wanderleben wieder auf, überall, von Lissabon nach Paris und nach Neapel, zog er, indem er sich immer aufs neue taufen ließ, im ganzen wohl 21mal, und die Mildtätigkeit der Gläubigen in Anspruch nahm, bald unter diesem, bald unter jenem Namen. In Spanien erregten mehrfache Taufen Verdacht, und nachdem ihm ein Jahr lang nachgestellt worden war, wurde er 1751 in Valencia aufgegriffen. In seinem Prozeß erzählte er alles, gab zuerst zu, daß er sich aus Erwerbssucht habe taufen lassen, dann aber, daß er einen Teufel in sich gespürt habe, den er durch die Wiederholung des Ritus habe austreiben wollen. Die Consulta de fe stimmte dafür, daß er als Apostat und rückfälliger Ketzer und Diminuto sein Leben verwirkt habe, daß jedoch die Rettung seiner Seele versucht werden und daher eine zweite Abstimmung stattfinden solle. Unterdes erkrankte er auf den Tod; befragt, ob er als Kalvinist sterbe, gab er, um dies zu bejahen, einen Händedruck, so fest, daß er nur durch mehrere Personen gelöst werden konnte. Darüber verschied er am 28. Februar 1752 und wurde in ungeweihter Erde, in ungelöschtem Kalk begraben; achtzehn Monate später wurden sein Bild und seine Gebeine in einem Auto verbrannt.[1]

Somit zeigt sich, von Legende und Übertreibung losgelöst, der Protestantismus in Spanien nur insofern von Bedeutung, als er die Bande anziehen half, welche die Nation in ihrer Entwicklung einschnürten. In dieser Hinsicht ist nunmehr auch die Preßzensur zu betrachten.

---

[1] Horstmann hatte einen Vorläufer in einem Juden, der um 425 sich ebenfalls wiederholt von den untereinander wetteifernden Sekten hatte taufen lassen, bis ein Wunder seiner Laufbahn ein Ende setzte und ihn in die Hände Pauls, des Bischofs der Novatianer, gab.

Anhang.

Statistik der Vergehen und Strafen.

(S. 216.)

Es ist naturgemäß unmöglich, eine Statistik der Inquisitionstätigkeit für die dreihundertjährige Dauer der Anstalt und ihre zahlreichen Gerichte aufzustellen, allein einige Bruchstücke mögen uns die relative Häufigkeit der Vergehen veranschaulichen, mit denen sie sich zu befassen hatte, sowie die Art der von ihr verhängten Strafen. Was letztere angeht, so ist im Auge zu behalten, daß die Urteile in der Regel mehrere Strafen verhängten.

Vergehen. Folgende Zusammenstellung von Fällen, die das Gericht Toledo behandelt hat, ist eine gedrängte Übersicht nach dem „Catálogo de las causas contra la fe seguidas ante el Tribunal del Santo Oficio de Toledo" (Madrid 1903), den P. Fresca S. J. und Don Miguel Gómez del Campillo aus den Akten ausgezogen haben. Da der erste Fall von 1483 und der letzte von 1819 ist, scheint die Übersicht die gesamte Tätigkeit der Inquisition zu umfassen, indes ist sie offenbar unvollständig angesichts der in den ersten Jahren ausgesöhnten Massen von Judaisten und der verbrannten Bildnisse von Toten und Flüchtlingen (s. Bd. I, S. 102/04 und 113). In geringerem Maße zeigt sich dies auch bei einem Vergleich mit den untenstehenden Tabellen für einzelne Zeitspannen nach anderen Quellen. Letztere bieten auch Interesse insofern, als sie die Wändel in der Art der Vergehen zu verschiedenen Zeiten erkennen lassen. Die Aufstellung nach Campillo ist folgende:

Doppelehe	188	Nichtachtung der Unfähigkeiten	91
Gotteslästerung	755	Beamtenbeleidigung	186
„Unehelicher Beischlaf ist nicht Sünde"	259	Falsches Auftreten als Priester	33
		Judaisten	977
Falsches Auftreten als Beamte und Fälschung von Lizenzen	48	Verbotene Bücher	34
		Moriscos	219
Begünstigung von Ketzern	60	Unehrerbietigkeit und ärgerliche Reden	551
Zauberei	296		
Ketzerei: Illuminismus	39	Falsches Zeugnis	34
— Anglikanismus	14	Propositionen: irrige	60
— Kalvinismus	18	— Ärgernis erregende	63
— Freimaurerei	3	— ketzerische	46
— Luthertum	79	Priesterehen	16
— Allgemeine	72	Sakrileg	74
Betrüger und Betrogene	25	Versuchung im Beichtstuhl	105
Behinderung der Inquisition	62	Verschiedenes	43

Ein Handschriftenband in der Universitätsbibliothek Halle (Yc 20, Tom. 1) enthält die Berichte des Gerichtes Toledo an den Supremo über seine Tätigkeit von dem Auto de fe vom 4. September 1575 bis zu dem vom 7. Februar 1610. Es fehlt indes das Auto von 1595, und der Bericht über das letzte ist unvollständig und reicht nur bis zum 10. Fall. Im ganzen umfaßt diese Aufstellung für 35 Jahre 1172 Fälle, die sich im einzelnen wie folgt darstellen.

Doppelehe	53	Propositionen: über Fürbitten	1
Gotteslästerung	46	— über Opfer für die Toten	3
„Unehelicher Beischlaf ist nicht		— über die Eucharistie	3
Sünde"	264	— über die Sakramente	1
Falsches Auftreten als Beamte	13	— über Kanonisierung und Heilige	3
Zauberei	18	lige	3
Ketzerei: Illuminismus	12	— über die Autorität der h. Schrift	1
— Protestantische Sekten	47	— über das Wunder von den
— Griechisch-Katholisch	3	Broten und Fischen	1
Vergehen gegen die Inquisition	22	— über die Wundmale des h. Franziskus
Falsches Auftreten als Priester	25	ziskus	1
Judaisten	174	— über Kirchenbann	1
Moriscos	190	— über Ehe und Ehebruch	9
Unehrerbietigkeit	5	— über Eide	1
Falsches Zeugnis	8	— über die Weihen	1
desgl. in Limpiezasachen	57	— über die Mauren	1
Versuchung im Beichtstuhl	52	— über Selbstverdammung	1
Propositionen: Ehe dem Priesterstand vorzuziehen		— über Untreue	1
stand vorzuziehen	30	— über Unfähigkeit zur Sünde	1
— Scholastische Erörterung in		— über die Unvermeidlichkeit der
Alcalá	7	Sünde	1
— Spott über religiöse Bräuche	3	— über die päpstliche Gewalt	2
— Geschichten über St. Peter	4	— über Frauen	1
— Entschuldigung von Gotteslästerungen		— über Mord	1
lästerungen	1	— über die Inquisition	3
— über Gott	9	— über die königliche Gewalt	3
— über Christus	5	— über Inzest	1
— über die h. Jungfrau	4	— über die Niederlage der Armada
— über die h. Magdalena	4	mada	1
— über den Glauben an Maria		— über Verschiedenes	8
und die Heiligen	1	Vergehen von Beamten	22
— über die Gnade Gottes	1	Üble Nachrede	1
— über die Erlösung	12	Hermaphrodit	1
— über die Auferstehung	6	Streit über eine irische Pfründe	1
— über das künftige Leben	4	Betrug	1
— über Ablässe	9	Pferdeschmuggel	1
— über Bilder	6	Mönche als Apostaten	2
— über die Notwendigkeit der		Betätigung für „Vendôme" (Heinrich IV)
Messe	6	rich IV)	1
— über die Beichte	5	Unregelmäßigkeiten	1

In Legajo I des Archivo histórico Nacional, Inquisicion de Toledo, befindet sich ein Band, in dessen Einleitung erwähnt wird, daß am 8. Februar 1648 Gonzalo Bravo Graxera bei der Besichtigung des Gerichtes den Inquisitoren einen Runderlaß vom 22. Mai 1570 in Erinnerung brachte, der vorschreibt, ein Register über alle auf den Autos erscheinenden Büßer und deren Strafen zu führen. Daraufhin wurde das Register angelegt. Eine seinen anscheinend vollständigen Angaben entnommene Übersicht ergibt folgendes für die Zeit von 1648—1794:

Doppelehe	62	Versuchung im Beichtstuhl	68
Gotteslästerung	37	„Mala doctrina" im Beichtstuhl	9
„Unehelicher Beischlaf ist nicht		Wiedertaufe (griechisch)	1
Sünde"	3	Irrtümer	1
Falsches Auftreten als Beamte	4	„Hipocrita"	1
Begünstigung von Ketzern	16	Fray Berrocosa	2
Zauberei	100	Zigeuner	1
Illuminismus (Molinismus usw.)	17	Griechisch	1
Protestantismus	11	Atheismus	1
Ketzerei	3	Lächerliche Predigt	1
Ketzereiverdacht	2	Bedrohung eines Zeugen	1
Betrüger und Betrogene	16	Verhehlung von eingezogenem Gut	1
Behinderung der Inquisition	13	Vergehen eines Notars	1
Beamtenbeleidigung	3	Erpressung	1
Mißachtung der Inquisition	5	Ausbrechen aus dem Kerker	2
Üble Reden gegen sie	1	Flucht aus der Verbannung und	
Falsches Auftreten als Priester	12	dem Presidio	4
Judentum	659	Nichterfüllung des Urteils	1
Islam	5	„Cofradia execrable"	1
Abfall vom Glauben	2	Ungeeignete Regeln für eine Kon-	
Unehrerbietigkeit und Sakrileg	3	gregation	1
Propositionen	74	Drucklegung ohne Erlaubnis	1
Priesterehen	10		

In der Königlichen Bibliothek in Berlin At 9548 befindet sich ein Band mit Berichten über 64 von den sämtlichen Gerichten von 1721—27 veranstalteten Autos. Für diese Zeit einer regen, hauptsächlich gegen das Judentum gerichteten Tätigkeit ergibt sich folgendes:

Doppelehe	35	Falsches Auftreten als Beamte	1
Gotteslästerung	4	Judentum	824
Begünstigung von Ketzern	2	Abfall vom Glauben	6
Zauberei usw.	57	Islam	1
Protestantismus	3	Priesterehen	1
Ketzerei	4	Falsches Zeugnis	17
Betrüger	2	Wiedertaufe	2
Falsches Auftreten als Priester	1	Flucht aus dem Kerker	3

Strafen. In den Berichten aus Toledo von 1575—1610 umfassen die Urteile:

„Auslieferung" in Person	15	Unfähig für die Weihen	10
im Bilde	18	Letzter im Chor und Refektorium	26
Gütereinziehung	185	Geißel im Kloster	11
Geldstrafen (zus. 2 586 625 Mar.)	141	Geistliche Strafen	17
Aussöhnung	207	Messehören als Büßer in der Kirche	66
im Bilde	1	— im Gerichtssaal	150
Sanbenito	186	Abschwörung de vehementi	21
Gefängnis	175	— de levi	49
Kloster oder Spitalhaft	87	Rüge oder Warnung	56
Galeeren	91	Verbot des Bücherschreibens	1
Stäupung	133	Zeitweilige Entbebung von den	
Vergüenza	26	priesterlichen Befugnissen	1
Verbannung	167	Öffentlicher Widerruf	1
Verbot, Spanien zu verlassen	6	Einstellung des Verfahrens	30
Knebelung	20	Suspendierung	98
Verbot des Beichtehörens	42	Freispruch	51

Die Berichte aus Toledo für 1648—1794 ergeben:

„Auslieferung" in Person	8	Verbannung	566
— im Bilde	63	Verbot des Beichtehörens	68
Gütereinziehung	417	Unfähigkeit für die Weihen	3
Geldstrafen (zus. 30 000 Dukaten)	50	Entbebung von den Weihen	4
— Hälfte des Vermögens	14	— vom Beichtigeramt	1
Aussöhnung	445	— vom Predigeramt	11
Gefängnis und Sanbenito, kurze		Aberkennung der priesterlichen	
Dauer	183	Tätigkeit	5
— immerwährend	161	Degradierung des Priesters	1
— unnachläßlich	82	Abschwörung de vehementi	51
Einsperrung in Klöstern usw.	91	— de levi	314
Galeeren, Presidios und Arsenale	98	Warnung	467
Stäupung	92	Suspendierung	104
Vergüenza	10	Freispruch	6

Die Urteile von den 64 Autos der Jahre 1721—27 umfassen:

„Auslieferung" in Person	77	Gefängnis mit Sanbenito, unnach-	
— im Bilde	74	läßlich	275
Gütereinziehung	776	Galeeren und Presidio	99
Einziehung des halben Vermögens		Stäupung	297
als Geldstrafe	12	Vergüenza	13
Aussöhnung	630	Verbannung	189
Gefängnis mit Sanbenito, kurz	252	Abschwörung de vehementi	31
— immerwährend	113	— de levi	125

Ketzereifälle, die das Gericht Valencia von 1455 bis 1592 behandelt hat.

(Archivo histórico nacional, Inquisicion de Valencia, Legajo 98, s. S. 368).

Jahr	Fälle	Jahr	Fälle	Jahr	Fälle	Jahr	Fälle	Jahr	Fälle
1455	3	1501	36	1520	36	1540	53	1573	34
1461	7	1502	9	1521	31	1544	79	1574	16
1482	11	1503	11	1522	40	1545	37	1575	20
1485	19	1505	31	1523	37	1546	49	1576	16
1486	14	1506	20	1524	40	1547	12	1577	13
1487	15	1507	7	1526	47	1548	15	1578	15
1488	18	1508	14	1528	42	1549	4	1579	24
1489	20	1509	26	1529	44	1558	2	1580	37
1490	28	1510	10	1530	20	1560	15	1581	22
1491	51	1511	12	1531	58	1563	62	1583	8
1492	6	1512	32	1532	1	1564	38	1584	29
1493	4	1513	41	1533	61	1565	66	1586	64
1494	10	1514	63	1534	25	1566	41	1587	35
1495	10	1515	34	1535	2	1567	54	1588	21
1496	15	1516	41	1536	39	1568	68	1589	94
1497	24	1517	25	1537	69	1570	16	1590	49
1499	15	1518	21	1538	112	1571	55	1591	270
1500	35	1519	22	1539	79	1572	32	1592	117

Zusammen 3125 Fälle.

Im Legajo 300 desselben Archivs befindet sich eine Liste der „Relaxierungen" von Valencia von 1486 bis 1593. Wie gewöhnlich ist sie alphabetisch nach den Vornamen geordnet; leider ist sie unvollständig, indem sie mit dem Buchstaben N endigt. Aus einigen anderen Aufstellungen ergibt sich, daß die

Buchstaben A bis N im wesentlichen $^4/_5$ des ganzen umfassen, und daß daher, wenn man 25% zu den vorhandenen Zahlen schlägt, man ungefähr die richtige Summe erhält. In chronologischer Reihenfolge ergibt sich folgendes:

| Jahr | In Person ausgeliefert | Im Bilde | | Jahr | In Person ausgeliefert | Im Bilde | | Jahr | In Person ausgeliefert | Im Bilde | |
		Abwesende	Tote			Abwesende	Tote			Abwesende	Tote
1486	10			1514	52		8	1563	6		
1487	10			1517	4		6	1564	3	1	1
1489	8			1520	27			1566	3		
1490	18			1521	8	3		1567	4		
1492	12			1522	6			1568	2		
1493	18			1523	8			1571	1		
1496		1		1524	13			1572	5		
1497	4	79		1526	15			1573	3		
1498	1	28		1528	23			1574	7		
1499		63		1529	24			1575	2	1	
1500	3			1530	1			1576	1	1	1
1501	15			1531	37			1577	5		
1502	13			1533	8			1578	3		1
1503	4			1536	12			1579	1		
1505	13		51	1537	1			1581	1	1	
1506	4		22	1538	11			1583	4	1	
1508			48	1539	4			1584	2		
1509	12		3	1540	4			1586	3		2
1510	9	4	10	1544	3			1590	1	2	1
1511			32	1545	3			1592	6	4	
1512	1		8	1553	1			1593	5		
1513	12		1	1554	15						

Die Gesamtzahlen sind 515 in Person, 383 im Bilde verbrannt, und von letzteren 189 als Flüchtlinge und 194 als Tote. Rechnet man 25% zur Ausfüllung der Lücke hinzu, so ergeben sich 644 Verbrennungen in Person und 479 im Bilde für einen Zeitraum von 108 Jahren in der regsten Zeit des Gerichtes Valencia.